Y Fro Dywyll

I'm brawd

Argraffiad cyntaf: 2014
© Hawlfraint Jerry Hunter a'r Lolfa Cyf., 2014

Rhif Llyfr Rhyngwladol: 978 1 78461 009 8

Dymuna'r cyhoeddwyr gydnabod cymorth ariannol
Cyngor Llyfrau Cymru

Cyhoeddwyd ac argraffwyd yng Nghymru
ar bapur o goedwigoedd cynaladwy gan
Y Lolfa Cyf., Talybont, Ceredigion SY24 5HE
e-bost ylolfa@ylolfa.com
gwefan www.ylolfa.com
ffôn 01970 832 304
ffacs 01970 832 782

Y Fro Dywyll

Jerry Hunter

Fe roes i ti gannwyll ynot i ddangos y ffordd.
Yn gyntaf, gwrando ar dy gydwybod oddi fewn.
Pa beth y mae hi yn ei geisio ddwedyd wrthyt?
Pwy bynnag wyt, mae cloch yn canu o'r tu fewn i ti.
Oni wrandewi ar y llais sydd ynot dy hunan, pa fodd y gwrandewi di
ar gynghorion oddi allan?

Morgan Llwyd,
Gwaedd yng Nghymru yn Wyneb Pob Cydwybod

There was nothing either above or below him, and I knew it.
He had kicked himself loose of the earth.

Joseph Conrad, *Heart of Darkness*

Rhagair

Ni wyddys odid ddim am fywyd Rhisiart Dafydd. Mae gwahanol ffynonellau o'r cyfnod yn cyfeirio at Richard Davies, Richard Dewi, Richard Davy a Rhisiart Dafydd, ond nid yw'n gwbl sicr mai'r un dyn ydyw. Rhaid pwysleisio, felly, mai ffuglen yw'r stori a geir yma, er bod agweddau arni wedi'u seilio ar ffeithiau hanesyddol. Eto i gyd, hoffwn feddwl bod peth o ysbryd y dyn yn fyw yn y ffuglen hon.

Mae cryn ansicrwydd ynghylch hanes Caersalem Newydd hefyd. Rwyf yn ddyledus iawn i waith Frederick H. Florence,[1] ond mae wedi dyddio'n arw erbyn hyn ac mae'n hen bryd i genhedlaeth newydd o haneswyr Americanaidd fynd i'r afael â'r pwnc astrus hwn. Er nad yw'r manylion wedi eu cyhoeddi eto, mae archaeolegwyr amatur wedi adnabod dau safle posibl, y naill yn New Hampshire a'r llall yn Maine.[2]

---

[1] Frederick H. Florence, 'New England's Roanoke: a brief history of New Jerusalem', *The New Hampshire Journal of Colonial History*, cyf. I, rhifyn 3 (Mawrth 1927).

[2] Rwyf yn ddiolchgar iawn i Amgueddfa a Llyfrgell Wibird, Portsmouth, New Hampshire, ac yn enwedig i'r curadur, Jessica Harris, a'r is-archifydd, David Cecil, am eu cymorth gyda'r gwaith ymchwil hwn.

I

Cyrraedd y Lan

I fythau i chwi, y gwrandawyr diwyd, i chwilio yr Scrythyrau, fyddant barod i ddadleu ym mhlaid eu gweinidogion yn erbyn eu gwerthwynebwyr, fel milwr yn taro ym mharti eu Capteniaid. Hyf, ac hyderus y gallant fod yng nghweryl y gwirionedd, pan fyddo ganddynt gleddyf yr yspryd, yr hwn yw Gair Duw yn arf parod yn erbyn dynion anwybodus, ac an-rashol pan ymosodant i wrthddywedyd, gan gablu y gwirionedd drwy resymmau dynol, a chwantau cnawdol.

Carwr y Cymry

Hate has no world.
The people of hate must try
to possess the world of love,
for it is the only world;
it is Heaven and Earth.

Wendell Berry

Deffro, deffro, deffro, a rhodia fel plentyn y dydd.

Morgan Llwyd

Mae'r dŵr yn oer, mae'r tonnau'n fawr, ac mae'r noson yn dywyll.

Ond mae'n gallu nofio.

Dŵr oer. Mae'n sugno gwres o'i gorff, yn bygwth sugno'i fywyd ei hun ohono.

Tonnau mawr. Maen nhw'n ei daro'n galed, yn dreisgar o galed. Gŵyr fod creigiau miniog gerllaw, y llafnau caregog yn barod i falu ei gorff yn yfflon. Neidia'i galon i'w wddf bob tro y mae ton yn ei daflu, yn disgwyl y ffrwydriad, yn disgwyl grym yr ergyd a fydd yn rhwygo'i fywyd ohono.

Tywyllwch. Mae'n noson ddileuad, y cymylau'n cuddio'r sêr. Ac yntau yng ngafael y tonnau, a'r dŵr yn tasgu dros ei lygaid, mae'r ffin rhwng düwch yr awyr a düwch y dŵr yn aneglur ac yn newid o hyd. Ond mae tywyllwch y dŵr yn wahanol pan gaiff ei wthio i lawr oddi tano ac felly mae'n ceisio cadw'i ben uwchben y môr. Gallai fynd o dan y tonnau yn fwriadol, nofio o dan y dŵr pan ddaw'r ymchwydd. Byddai'n fodd i leihau eu gallu i'w daflu fel tegan ar drugaredd yr elfennau. Ond nid yw'n gwneud hynny. Nid yw am blymio i'r dŵr du hwnnw eto o'i wirfodd.

Roedd wedi plymio'n ddwfn pan neidiodd o ochr gweddillion y llong. Ni tharodd y creigiau, ond neidiodd i ganol perygl o fath arall, ei gorff yn mynd i lawr ac i lawr. Y dŵr yn ddu, a chyfuniad o bendro ac arswyd yn ei ddrysu, yn ei gwneud hi'n anodd canfod pa ffordd oedd i fyny a pha ffordd oedd i lawr. Y cwbl yn ddu ac yn oer, fel pe bai'n diflannu ym mhwll angof. Hon yw ceg Uffern, meddyliodd. Nid twll tanllyd, poeth ydyw, ond pwll oer, tywyll, yn dy sugno i lawr ac i lawr, i ffwrdd o'r Ddaear a theyrnas bywyd.

Ond daeth i fyny fel corcyn byw yn y diwedd.

Ac mae'n gallu nofio.

Mae'n taro, mae'n cicio, mae'n ergydio â'i holl gorff. Gŵyr fod y tonnau'n rhuthro i'r lan, ac felly mae'n symud i'r cyfeiriad hwnnw. Mae'n ceisio nofio'n gyflym rhwng y tonnau, yn gobeithio cyrraedd y creigiau a gafael ynddyn nhw cyn i'r tonnau ei daflu a'i falu'n gig mân. Troi offeryn marwolaeth yn lloches. Eu cyrraedd ohono'i hun, nid cael ei wthio arnyn nhw gan rymoedd y mae hi y tu hwnt i'w allu i'w rheoli. Dyna sut mae goroesi. Dyna sut mae byw. Ac felly mae'n taro'r dŵr â'i ddwylo. Mae'n cicio â'i goesau. Mae'n ergydio â'i holl gorff. Yn nofio.

Mae Rhisiart Dafydd yn penderfynu byw ac mae'n symud i gyfeiriad ei ddyfodol ei hun.

– ΔΩ –

Symudwn ninnau i'r gorffennol. Nid awn ni'n rhy bell, dim ond rhyw ddau fis. Dechreuwn ar ddiwedd haf 1656. Dechreuwn yn Llundain.

Strydoedd prysur, swnllyd, a drewllyd.

Mae myrdd o wahanol synau yn cyrraedd ei glustiau. Masnachwyr yn gweiddi ar ddarpar brynwyr, ac ambell brynwr yn gweiddi am wasanaeth. Gyrwyr yn galw i glirio'r ffordd o flaen eu cerbydau, gweryru eu ceffylau'n codi i foddi'r lleisiau dynol bob hyn a hyn. Cydnabod yn cyfarch cydnabod, ffrindiau'n galw ar ei gilydd ar draws stryd neu sgwâr. Ambell ddadl, lleisiau blin yn ymgodymu â'i gilydd ynghylch masnach neu grefydd neu wleidyddiaeth neu gais i ildio a chlirio'r ffordd. Pregethwr yn suo-ganu salm neu adnod, yn ceisio casglu praidd o'r dyrfa a wthia ymlaen heibio iddo. Plant yn chwerthin. Cŵn yn cyfarth.

Cymysgfa o arogleuon hefyd, ond mae'r rhai afiach yn gryfach o lawer ac yn gorlywodraethu ar y lleill. Roedd y fygfa chwerw a ddeuai o'r tanerdai wedi pylu ers iddo groesi'r afon, ond mae digon o arogleuon ffiaidd yno o hyd. Drewdod baw anifeiliaid a baw dynol yw'r elfennau amlycaf yn yr holl gymysgfa. Daw mwg i'w ffroenau weithiau, yn hyrddio o dŷ neu dafarn neu efail – rhywbeth i ddiolch amdano, gan ei fod yn cuddio'r arogleuon eraill dros dro.

A'r prysurdeb. Roedd ar ei waethaf ar y bont. Daethai Rhisiart i fyny o'r de drwy Southwark ac ymlaen dros y bont, y fwyaf caeth, llafurus, ac araf i'w theithio o holl strydoedd y ddinas. Meddyliai amdani fel dinas fechan gyfan wedi'i thynnu i fyny gan ryw gawr gwallgof a'i gwasgu mewn stribed ar hyd sylfeini'r bont: tai annedd a siopau a gweithdai wedi'u cywasgu mewn adeiladau uchel, weithiau'n cynnwys cynifer â saith llawr, yn plygu'n fentrus dros yr afon ar un ochr ac yn plygu dros y stryd gul ar y bont ar yr ochr arall, yn cysgodi'r heidiau o bobl sy'n ei llenwi. Teithwyr yn ceisio croesi ar draed neu ar geffyl neu mewn cerbyd, masnachwyr yn masnachu, tlodion yn chwilio cardod – microcosm o boblogaeth Llundain wedi'i chyfyngu i'r rhodfa gaeth hon. Bu'n rhaid iddo ddod i lawr oddi ar ei geffyl ac arwain yr anifail drwy'r dorf. Cymerodd yn agos at awr iddo wthio ei hun drwy'r swmp hwnnw o ddynoliaeth i ben arall y bont.

Er ei fod ar frys, roedd wedi oedi o flaen y giatws ar y pen deheuol cyn camu trwy'r porth a dechrau croesi. Oedi ac edrych i fyny, yn astudio'r pennau'n pydru ar bicellau. *Memento mori.* Cofia fod angau'n agos. Roedd wedi dinistrio cerfluniau o'r fath mewn eglwysi yn Lloegr yn ystod y rhyfeloedd, siapiau esgyrnog ar feddrodau wedi'u naddu yn yr hen oesoedd er mwyn dwyn i gof y farwolaeth sy'n llechu o dan y cnawd byw. Atgof o'r diwedd a ddaw i bawb o bob sect a chrefydd, ond a ymddangosai'n rhy debyg i eilunod pabaidd i'r milwyr a gredai eu bod yn cyflawni gwaith duwiol, yn puro eglwysi ac yn glanhau'r wlad.

Wrth gwrs, cyhoeddi neges wleidyddol am deyrngarwch oedd y bwriad y tu ôl i'r arwyddion sobreiddiol hyn, nid ategu pregeth o'r fath. Cofiwch mai dyma yw diwedd bradwyr. Dyna ydoedd. Ond gwelai Rhisiart bob pen ar bicell fel *memento mori* perffaith, yn well na'r un cerflun marmor a welsai erioed. Y benglog yn graddol ymddangos o dan y cnawd pydredig, cegau'n crechwenu'n hyll, gwefusau rhai wedi'u rhwygo'n rhubannau gan yr adar, rhai heb wefusau'n gyfan gwbl. Pob un heb lygaid, y danteithion cyntaf a aethai i bigau'r gwylanod a'r brain a oedd yn crawcian ac yn hopian-hedfan o ben i ben, yn cwffio dros hynny o gig a oedd ar ôl.

Gwelasai eu tebyg ddigon o weithiau o'r blaen. Roedd ei ddwylo wedi bod yn offeryn creu nifer ohonyn nhw. Ar feysydd Edgehill, Newbury, a Naseby. Ac roedd wedi gweld y pennau ar bicellau'r giatws hwn o'r blaen. Buasai'n arfer ganddo a'i ffrindiau eu hastudio a cheisio adnabod unigolion. Mae'n rhaid mai'r Arglwydd Burnet yw hwnnw draw fan'cw, a brân yn tyllu ei drwyn. Dyna James Parker, ar fy llw: mae'n hawdd adnabod ei wyneb – dim ond echdoe y torrwyd ei ben ac mae digon ohono ar ôl i'w weld. Ni cheisiodd chwarae gêm o'r fath y tro hwn, dim ond gwerthfawrogi pob un am yr hyn ydoedd: *memento mori*. Dyna a feddyliodd wrth wthio trwy'r dorf yn ystod y daith lafurus dros y bont. Mae angau'n agos. Byddai wyneb hwn neu hon yn dal ei lygad am ennyd wrth i ryw deithiwr arall wthio heibio iddo neu ryw fasnachwr geisio dal ei sylw. Hidia, frawd, meddyliodd, mae angau'n agos. Nid yw prynu a gwerthu pethau bydol yn bwysig, chwaer – mae dy farwolaeth ar dy warthaf. Mae'r benglog yn gwasgu'n agos at yr wyneb o dan gnawd pob un ohonoch. Dyna a fyddwch yfory. Dyna a fyddwch drannoeth neu drennydd neu dradwy, yn hwyr neu'n hwyrach. Casgliad o gelanedd. Bagad o benglogau.

Ond mae wedi croesi'r bont bellach, ac er bod y strydoedd yn ddigon prysur, mae'n gallu symud yn gyflymach. Nid yw'n esgyn i'r cyfrwy eto. Bu'n gwthio'i geffyl yn galed ar y daith i fyny o Southampton, ac mae arno eisiau rhoi cyfle i'r anifail ddod ato'i hun. Mae'n cerdded mor gyflym â phosibl, yn arwain ei geffyl, heb arafu i sylwi ar ddim na neb. Yr holl ryfeddodau, yr holl gyfoeth, yr holl drueni dynol yn gwau trwy'i gilydd ar strydoedd Llundain. Nid yw'n colli ei ffordd; gŵyr yn union pa strydoedd i'w dilyn i ben ei daith, er bod ambell gornel neu sgwâr wedi newid ers iddo fod yma ddiwethaf. Mae ambell adeilad wedi ei dynnu i lawr ac ambell un newydd wedi'i godi, ond nid yw patrwm y strydoedd wedi newid. Nid yw'r teimlad wedi newid chwaith.

Ers y tro diwethaf. Naw mlynedd yn ôl. 1647. Blwyddyn y Pla Bach. Dyna roedd rhai'n ei alw. Bu farw ychydig yn llai na 4,000 o bobl yn Llundain y flwyddyn honno. Roedd mwy wedi marw mewn lleoedd eraill ar adegau eraill, llawer iawn mwy ar rai adegau, ac felly'r Pla Bach oedd o i rai. Ond ni allai feddwl amdano yn y modd hwnnw. Roedd wedi cymryd gormod oddi wrtho. Cymerasai ormod allan ohono fo hefyd. Roedd wedi osgoi ymweld â'r ddinas ers hynny. Naw mlynedd. Wedi defnyddio'r holl ddylanwad a oedd ganddo i wyrdroi unrhyw orchymyn a fyddai'n mynd ag o i Lundain, wedi atgoffa rhai uwch ei ben o ddyledion a oedd arnyn nhw iddo fo, eu hatgoffa o gymwynas y dylid ei had-dalu, eu hatgoffa o'r hyn a wyddai a'r hyn a wnaethai a'r hyn yr oedd wedi dewis peidio â'i wneud er eu mwyn nhw. Popeth, unrhyw beth, er mwyn sicrhau na fyddai'n gorfod ymweld â'r ddinas eto. Ond dyma fo, wedi dychwelyd o'i wirfodd ar ôl derbyn llythyr y Cyrnol Powel.

Mae'n arwain ei geffyl ar hyd rhodfa Cheapside, heibio byrddau'r masnachwyr cig. Mae'r bore'n araf ildio i'r prynhawn ac mae'n dechrau troi'n boeth. Heidia pryfed ym mhob man, yn codi o'r naill fwrdd ac yn disgyn ar y llall, ac mae'r oglau'n llenwi ei ffroenau. Yr arogl hwnnw sy'n dweud bod gwaed yn sychu a chig yn pydru'n araf yng ngwres yr haul. Gall glywed y pryfed weithiau, a hynny er gwaethaf yr holl sŵn. Lleisiau'r gwerthwyr a'r prynwyr, clwcian yr ieir byw, twrw certiau'n clecian dros gerrig neu'n slochian drwy fwd a baw, ac yna suo barus y pryfed, yn codi'n gresendo o hymian bob hyn a hyn. Mae'r stryd yn ymagor ychydig ac mae Rhisiart yn cerdded yn gyflymach, ei geffyl yn ei ddilyn yn ufudd. Ymlaen heibio i safle'r Grog.

Bu yma'r diwrnod hwnnw. Gwelodd eiliadau olaf y Grog Fawr, eiliadau olaf Croes Cheapside. Roedd digon o draedfilwyr a meirchfilwyr yno i gadw'r dorf i ffwrdd o'r gweithwyr, ond roedd y Cyrnol Powel ei hun wedi gorchymyn iddyn nhw fynd hefyd. Rhag ofn. Dywedodd un o'r traedfilwyr wrtho ei fod wedi bod yno'r gaeaf blaenorol yn gwarchod y Groes rhag y dinasyddion tanbaid a fynnai ei thynnu i lawr, a hynny ar orchymyn y Senedd. Ond roedd y Senedd wedi newid ei meddwl erbyn y gwanwyn, a'r milwr hwnnw wedi'i osod yno'n rhan o'r fintai a oedd yn sicrhau bod y Groes yn cael ei dinistrio. Dros ddeg llathen o gofeb, tŵr bychan o garreg a phlwm yn ei lordio'i hun uwchben bwrlwm y stryd, y cyfan wedi'i addurno'n gain ac yn lliwgar. Delwau o seintiau ac angylion. Croes fawr gain yn coroni'r cyfan. Canolbwynt i fywyd Cheapside ers canrifoedd. Bu dwsin o weithwyr wrthi am oriau, yn torri gyda chŷn a morthwyl, yn rhwygo â throsol. Dechreuodd rhai yr ymosodiad ar ben ysgolion, yn difetha'r cerfluniau ar y rhan uchaf honno. Wyneb angel, ei lygaid yn syllu i fyny, yn arwain gwylwyr i gyfrinachau'r Nef. Wyneb sant, ei lygaid yn syllu i lawr ar y dorf, yn cymell dinasyddion i weddïo gydag ef. Pob un yn colli trwyn, gên, ceg, a chlustiau. Curo'r morthwyl yn amddifadu seintiau o'u creiriau, toriad cŷn yn tocio esgyll angylion. Darnau o gerrig a phlaster a phlwm yn disgyn i'r stryd o dan yr ysgolion. Y dorf yn ateb, rhai'n cymeradwyo gyda bloedd o lawenydd, eraill yn melltithio'r gweithwyr a'r milwyr a'u gwarchodai. Clymwyd rhaff i'r groes ei hun a'i thynnu i lawr o ben y gofeb, twrw'r dorf yn chwyddo gyda'i chwymp. Bloeddio. Gweiddi. Clapio. Rhegi. Canu salm.

Melltithio. Cymeradwyaeth a phrotest yn gymysg. Dechreuodd un o'r traedfilwyr guro drwm, cododd un arall utgorn, y nodau metalaidd clir yn torri trwy'r cyfan. Aeth y gweithwyr ati i dorri rhagor, colofn Croes Cheapside yn disgyn mewn darnau, fesul carreg, fesul panel, fesul angel, fesul sant.

Mis Mai 1643. Roedd yn ddeunaw oed ac wedi bod yn filwr ers rhyw flwyddyn. 1643. Bu yn Reading gyda byddin Iarll Essex y flwyddyn honno, y dwymyn yn difa'u rhengoedd, yn lladd mwy ohonyn nhw na gynau'r brenhinwyr. *Camp fever.* Rhesi o'r meirwon wedi'u gosod yn ymyl eu gwersyllfa, yn troi'r cyfan yn olygfa arswydus, fel pe baent yn ymarfer ar gyfer Dydd y Farn. Rhesi ohonyn nhw, yn barod i'w rhuthro i gladdedigaeth frysiog. Fel y pla yn Llundain bedair blynedd wedyn.

Ceisia wthio'r pla hwnnw o'i feddwl, y Pla Bach a gymerodd ddarn mawr o'i fywyd. Ceisia gofio cymaint â phosibl am 1643. Mae'n gorfodi ei feddwl i droi o gwmpas y flwyddyn honno, yn mynnu cofio'r cyfnod. Roedd yn ddeunaw oed ac wedi bod yn Reading, yn tystio i ddifrod y dwymyn ym myddin Iarll Essex. Ac yn Llundain gyda'r lleill, ar alw y Cyrnol Powel, yn gwireddu ewyllys y Senedd. Fel y diwrnod hwnnw ar ddechrau mis Mai, yn cadw'r dorf draw ac yn gadael i'r gweithwyr dynnu Croes Cheapside i lawr. Ac eto ryw wythnos yn ddiweddarach, ar safle'r hen groes. Dim byd yno bellach ond tomen o rwbel, y darnau mwyaf lliwgar wedi'u cymryd. Tamaid o wyneb sant wedi ei gipio gan un a lynai wrth yr hen grefydd, i'w guddio mewn eglwys neu gartref. Trwyn angel wedi ei gymryd gan un a goleddai'r ffordd newydd o addoli, yn femento o'r fuddugoliaeth dros weddillion pabaidd yr hen oesau paganllyd. Cymerwyd y plwm yn syth ar ddiwrnod y dymchwel, wedi'i gipio gan y milwyr cyn iddyn nhw ymadael a'i gludo i un o arfdai'r ddinas i'w doddi a'i droi'n fwledi. Byddin y Seintiau ar waith, yn troi croesau'n arfau rhyfel. Ac felly dim ond tomen o rwbel oedd yno pan ddychwelodd i'r safle. Sbwriel a cherrig amddifad o ystyr. Difrod rhyfel. Adladd gwarchae. Fel waliau Wessex a muriau Drogheda. Ryw wythnos yn ddiweddarach roedd y Cyrnol Powel wedi gofyn iddyn nhw fynd yn ôl i'r safle unwaith eto, i gadw'r dorf draw o'r tân y tro hwn. Llosgi Llyfr y Chwaraeon oedden nhw, rhoi *The Book of Sports* yn y fflamau, datgan mai diwrnod yr Arglwydd yn unig oedd y Sabath, cyhoeddi nad oedd yr hen ddifyrrwch i fod i aflonyddu ar weddïau'r Sul bellach. Sŵn y dorf yn chwyddo gyda'r fflamau. Cymeradwyaeth. Protestio. Gweiddi llawenydd, galw melltith. Rhai'n canu salmau. Eraill yn bloeddio adnod: cofia y dydd Sabath, i'w sancteiddio ef. A fflamau'r tân yn mynd yn uwch, papur yn llosgi, a'r mwg yn cael ei boeri i'r gwynt. Mis Mai 1643, dros dair blynedd ar ddeg yn ôl.

Cerdda Rhisiart Dafydd heibio i'r safle. Nid oes dim yno i ddangos yr hanes, nid oes tamaid o'r groes ar ôl. Mae fel pob man arall yn y rhan hon o'r rhodfa, ond gŵyr Rhisiart yn union ble y mae. Mae trol fechan yno ar hyn o bryd, yn llwythog â basgedi gweigion, y cynnyrch wedi ei werthu'n barod, ei pherchennog yn sefyll o flaen y ceffyl, wedi oedi i siarad â rhyw gydnabod. Â Rhisiart yn ei flaen, yn arwain ei geffyl yntau, yn ddi-hid o'r holl dwrw o'i gwmpas. Gweiddi, galw, chwerthin, cyfarth. Ymlaen drwy'r swmp swnllyd, drewllyd, prysur hwnnw o ddynoliaeth.

Mae wedi gadael Cheapside ac mae'n cerdded i fyny stryd gul. Nid yw hanner mor brysur, ac mae'n gallu symud yn syth heb rwystr. Er nad yw'n gallu gweld y bragdy, mae'n gallu ei ogleuo, y surni cyfarwydd yn cosi ei drwyn ac yn rhoi tro ar ei fol. Ac wedyn daw i'r porth. Yno, ar yr ochr dde, yng nghanol yr adeilad mwyaf ar y stryd, yr unig adeilad gyda phorth agored yn hytrach na drws pren bychan. Mae'n arwain ei geffyl trwy'r porth a'r twnel byr i'r cwrt. Mae cerrig crynion twt o dan draed, yn wahanol i'r stryd anwastad fwdlyd-fawllyd y tu allan, ac mae carnau ei geffyl yn clecian arnyn nhw. Mae'r sŵn yn tynnu gwas stabl ifanc allan o ddrws bach yn y wal bellaf, ac mae'r hogyn yn rhedeg draw ato, yn hanner cau ei lygaid rhag golau'r haul ac yn estyn llaw i gymryd yr awenau.

Gwêl filwr yn sefyll yn ei ymyl. Roedd wedi bod yno'r holl amser, mae'n rhaid, ond dim ond ar ôl i'w geffyl gael ei arwain oddi wrtho y mae Rhisiart yn sylwi arno. Dyn ifanc, wyneb llyfn, mewn gwisg dragŵn neu farchfilwr. Côt fawr o ledr bwff wedi'i liwio'n felyn, wedi'i thynnu'n dynn am ei ganol gan ddau wregys, un o ledr trwchus gyda chleddyf yn hongian arno, ac ychydig yn uwch, sash coch llydan o ryw ddefnydd meddal, yn dal dau bistol hir. Dim arfwisg, dim helmet, dim ond het wlân seml, yr un lliw â'i sash. Yn union fel Rhisiart ei hun, ond ei fod ef wedi rhoi ei bistolau mewn sach y tu ôl i'w gyfrwy, a'i fod yn gwisgo het fawr ddu â chantel llydan. Y ddau filwr yn adnabod ei gilydd, yn sylweddoli eu bod yn perthyn i'r un frawdoliaeth er nad ydynt wedi cyfarfod erioed o'r blaen. Y naill yn gwybod bod y llall yn gwasanaethu'r Cyrnol Powel. Yn gwasanaethu'r Senedd a'i Llywodraeth, ond yn ateb yn gyntaf oll ac yn olaf i'r Cyrnol Powel.

Mae Rhisiart yn rhoi ei law dde y tu mewn i'w gôt ac mae'n estyn y llythyr a'i ddangos i'r gwarchodwr ifanc. Mae'i law chwith yn pwyso ar garn ei gleddyf, yn ei fyseddu ychydig. Astudia Rhisiart y llanc o filwr wrth i hwnnw astudio'r llythyr yn ei ddwylo. Beth ydi oed hwn? Deunaw? Ugain? Ydi o wedi torri cnawd â'r cleddyf yna? Go brin. Ydi o wedi saethu at ddyn â'i bistolau? Go brin. Oni bai ei fod o wedi bod yn yr Iseldiroedd. Ydi o wedi gweld celanedd ar faes y frwydr, wedi astudio *memento mori* o'i wneuthuriad ei hun, syllu ar lygaid meirw cyn i'r brain ddod a'u tyllu allan? Go brin, oni bai'i fod wedi gwasanaethu ar y cyfandir. Gwyn ei fyd o. Hwn. Un o filwyr heddwch.

Mae'r llanc yn rhoi'r llythyr yn ôl iddo ac wedyn mae'n troi ar ei sawdl i'w arwain at un o'r drysau bach sy'n britho waliau mewnol cwrt yr adeilad mawr. Dywed rywbeth wrth agor y drws, rhyw gwrteisi neu'i gilydd, ond nid yw Rhisiart yn gwrando.

Mae'n tynnu'i het am ryw reswm wrth gamu dros y rhiniog a dechrau esgyn y grisiau, ei draed trwm yn curo'r pren tywyll, atsain y sŵn yn uchel yn ei glustiau.

Mae'n dawelach y tu mewn, ond eto ddim mor dawel â'r hyn y bu'n ei ddisgwyl. Mae ambell lais i'w glywed, rhai'n isel, yn teithio o ben arall yr adeilad drwy bared a wal, ambell un ychydig yn uwch. Rhywun yn chwerthin yn rhywle hyd yn oed, yn rhyfeddol o afreolus, a llais arall yn ymuno yn y rhialtwch, y cyfan yn cyrraedd clustiau Rhisiart er bod paneli pren tywyll y waliau'n sugno rhywfaint o'r sŵn. Syndod, a'r synau annisgwyl yn rhoi min ar ei synhwyrau, yn ei ddadebru a'i ddeffro o'r blinder a fuasai'n ei lethu ar ôl y daith hir.

Nid yw wedi bod yn y rhan hon o'r adeilad o'r blaen – dim ond yn yr ystafelloedd yn ymyl y stabl yn y cefn, rhwng y cwrt a chefn y bragdy mawr sy'n wynebu'r stryd nesaf – ac roedd wedi meddwl y byddai'n wahanol rywsut. Roedd wedi disgwyl i bopeth fod yn hollol dawel y tu mewn. Dychmygai fod tawelwch yn rholio i lawr y coridorau fel tarth ar hyd wyneb afon, fod distawrwydd yn ymgasglu yn yr ystafelloedd fel dŵr yn cronni mewn pwll ffynnon, y cyfan yn mygu sŵn ac yn pylu'r clyw, yn cadw cyfrinachau yn gyfrinachau. Achos dyna oedd yn cael ei drin a'i drafod yn yr ystafelloedd hynny. Cyfrinachau. A meistr y cyfrinachau oedd y Cyrnol Powel.

– ΔΩ –

Nofia mor gyflym â phosibl rhwng y tonnau, yn ceisio cyrraedd lloches o ryw fath. Daw ton ar ôl ton, yn giaidd o reolaidd, pob un yn ei luchio ymlaen mor ddiymadferth â phe bai'n ddoli glwt. Bob tro y mae'n teimlo grym y dŵr yn codi'r tu ôl iddo mae'n dal ei anadl, ei galon yn ei wddf, yn hanner disgwyl mai dyma fydd ei eiliadau olaf ar y ddaear hon. Yn gorffen ei rawd ar y ddaear yn y môr, yn llithro'n gorff briwedig o lafnau'r cerrig yn ôl i'r dŵr, sypyn o gnawd marw yn degan i'r tonnau chwarae ag o, nes ei fod yn suddo a mynd yn fwyd i bysgod a thrychfilod y dyfroedd.

Ond nid yw'n taro'r creigiau ac nid yw'n ildio i'r dŵr oer. Mae düwch y nos, oerni'r dŵr, a chreulondeb y tonnau yn ei erbyn, ond mae cryfder yn ei goesau a'i freichiau o hyd. Nofia ymlaen, yn ceisio cyrraedd y lan nad yw'n gallu ei gweld. Ergydia â'i holl gorff, yn taro â'i ddwylo ac yn cicio â'i draed. Symud. Daw ton anferthol, un sy'n teimlo'n fwy na'r lleill, ac mae'n ei godi'n uchel a'i luchio allan o'r dŵr yn gyfan gwbl, yn ei daflu ymlaen i ddüwch y diwedd. Mae'n taro'r cerrig yn galed, yr ergyd yn curo'r gwynt o'i ysgyfaint ac yn rhoi clec hegr i'w ên. Ond mae'n fyw. Nid creigiau miniog sydd oddi tano ond cerrig mân.

Gro.

Traeth.

Y lan.

Tir America.

Mae'n symud yn araf. Weithiau mae'n rhaid iddo ymlusgo ar ei fol, ond ar adegau eraill mae'n cropian ar ei bedwar dros y gro. Y symud sy'n bwysig, i fyny'r traeth oddi wrth y môr. Mae pob cymal a phob cyhyr yn ei gorff yn brifo ond nid yw'n stopio. Gall glywed y tonnau'n taro'r lan y tu ôl iddo – y rhuo, yr ochenaid, ac yna ffrwydriad y dŵr yn taro'r gro. Cerrig mân yn sgrialu i lawr y traeth yn sgil ergyd y don, ac wedyn, mewn ychydig o eiliadau mae'r cyfan yn dechrau eto. Rhuo, ochenaid, ffrwydriad, a sgrialu. Ton ar ôl ton yn curo'r cerrig, yn chwilio amdano gyda'u crafangau dyfrllyd. Ni ŵyr a yw ar drai ynteu heb gyrraedd y penllanw eto, ac mae arno ofn. Ofn oedi, ofn gorffwys, ofn disgyn mewn llesmair. Rhag ofn bod y tonnau'n symud yn nes, yn ei ddilyn i fyny'r traeth, ei daro a'i lusgo'n ôl i'r môr. Cwyd ei ben unwaith a cheisio canfod lloches o ryw fath yn nüwch y nos, ond mae'r traeth ar ogwydd. Llethr fach serth ydyw, yn rhedeg i fyny o'r môr i beth bynnag sydd y tu hwnt i'r lan, ac ni all weld dim ond y llethr ei hun, y llain honno o dir digroeso. Ac felly mae'n cropian â'i ben i lawr, fel ceffyl gwedd yn tynnu'n galed yn ei harnais, gro'n llithro ac yn sgrialu, yn rhwystro'i ymdrechion i gropian ymlaen a dianc rhag crafangau'r tonnau. Cryna'i gorff gydol yr amser, oherwydd yr ymdrech ac oherwydd yr oerfel. Mae'n wlyb ac yn oer a phob tro y mae'n codi llaw fymryn i symud mae'r ymdrech yn teimlo'n ormod iddo, pob llathen o'r allt yn fynydd i'w ddringo.

Ofn. Y môr a'r tir twyllodrus yn cydweithio yn ei erbyn, y tonnau'n dod i'w larpio a'r tir yn ceisio'i luchio'n ôl i'w gôl. Symuda'r gro o dano'n barhaus, a phob hyn a hyn mae'n troi'n dirlithriad bach, rhaeadr o gerrig mân yn tywallt i lawr yr allt i gyfeiriad y tonnau ac yn ei lusgo gyda'r llif. Dim ond rhyw lathen o dir y mae'n ei cholli bob tro, ond mae pob llathen yn frwydr i'w hymladd. Ond mae'n codi i ddringo eto bob tro, yn cropian ar ei bedwar, pen i lawr, ac weithiau'n ymlusgo, yn tynnu gyda'i ddwylo ac yn cicio gyda'i draed fel pe bai'n dal i nofio yn y môr. Cur ym mhob cymal o'i gorff, pob cyhyr yn brifo. Ond mae'n parhau i symud, yn cropian ac yn ymlusgo i fyny ac i fyny.

$$- \Delta\Omega -$$

Mae'r ystafell yn fawr ac yn gymharol olau. Mae dwy ffenestr yn y wal bellaf, rhesi o gwareli bychain mewn gwe o linellau plwm, a hynny o heulwen sy'n cyrraedd y stryd gul y tu allan yn llifo trwyddyn nhw. Mae canhwyllbren yng nghanol y bwrdd yn helpu hefyd, wyth o ganhwyllau'n llosgi ac yn taflu eu goleuni ar y mapiau a'r tomenni o bapurau sy'n cuddio'r rhan fwyaf o'r bwrdd mawr. Mae chwech o gadeiriau o'i gwmpas, ond dim ond dwy sy'n cael eu defnyddio ar hyn o bryd. Eistedd Rhisiart yn gefnsyth, ei law chwith ar garn ei gleddyf a'i law dde'n dal ei het ar ei lin. Pwysa'r Cyrnol Powel ymlaen, ei ddwylo wedi'u plethu o dan ei ên a'i ddau benelin ar y bwrdd. Mae ei wisg yn syml – du, diaddurn, yn awgrymu pregethwr neu gyfreithiwr. Nid oes ganddo gleddyf na'r un arf arall. Buasai'n gwisgo'n wahanol yn yr hen ddyddiau, pan oedd yn arwain milwyr ar y maes, ond ers cymryd gofal o'r swyddfeydd hyn yn Llundain mae wedi newid ei ffordd. Dyn nad yw'n tynnu sylw ato'i hun pan â i'r stryd, un sy'n symud yn dawel yn y cysgodion. Ond mae ei wyneb yr un fath. Wyneb llydan, mwstash a mymryn o locsyn – llinyn tenau byr yng nghanol ei ên – yn wyn fel gwallt ei ben. Ei lygaid yn pefrio yng ngolau'r canhwyllau, yn astudio Rhisiart ar draws y bwrdd, a'r awyr wedi'i thrydanu gyda'r teimlad hwnnw sy'n hydreiddio achlysuron o'r fath. Dau ddyn sy'n adnabod ei gilydd yn dda ond eto heb gyfarfod wyneb-yn-wyneb ers amser maith.

'Mae'r blynydde wedi dy newid di, Rhisiart. Ble mae'r bachgen ifanc 'na 'di mynd, gweud? Ei wyneb yn esmwyth a'i wallt yn fyr o gwmpas ei glustie?'

Gwena Rhisiart fymryn ond ni ddywed air. Mae wedi gadael i'w wallt fynd ei ffordd ei hun ers iddo ddychwelyd o Iwerddon saith mlynedd yn ôl, y pengrwn taclus wedi troi'n anifail gwyllt, mwng hir o wallt brown trwchus yn syrthio'n ddi-drefn at ei ysgwyddau. Nid oedd wedi tyfu locsyn fel y cyfryw, ond nid oedd yn eillio'n rheolaidd chwaith, ac heddiw mae gwerth wythnos o dyfiant i'w weld ar ei wyneb hir, y blewiach wedi'i fritho ag ychydig o wyn, yn cydweithio â'r crychau o gwmpas ei lygaid ac yn gwneud iddo edrych yn hŷn na'i oed. Yn un ar ddeg ar hugain, ac wedi bod yn filwr am bedair ar ddeg o'r blynyddoedd hynny. Blynyddoedd o'r fath sy'n newid dyn.

'Wi'n dy nabod di, Rhisiart.'

Eistedd Rhisiart yn gefnsyth ac yn dawel. Nid yw'n symud blewyn, ei law chwith ar garn ei gleddyf a'i law dde'n dal ei het ar ei lin.

'Wyt ti'n cofio'r tro cynta i ni siarad, Rhisiart?'

Tawelwch.

'Wi'n ei gofio'n iawn. Dair blynedd ar ddeg yn ôl, ond wi'n ei gofio fel pe bai wedi digwydd wythnos ddiwetha. Ond dy fod di wedi newid gymint. Wi'n eistedd yma, ti'n gwel', yn rhyw deimlo 'mod i'n cael yr un sgwrs â'r un dyn, a dim byd wedi newid ers tair blynedd ar ddeg, ond…' Cwyd ei ddwylo, y bysedd wedi'u hymestyn, yn dangos ei gledrau i Rhisiart, fel pe bai'n dweud, edrych di, mae fy nwylo'n wag. 'Ond…' Symuda ei ddwylo, yn eu dal yn uchel o hyd, yn fframio wyneb Rhisiart. 'Ond eto nid yr un dyn sy'n eistedd yma gyda fi. Wyt ti'n cofio'r sgwrs yna, Rhisiart?'

'Yndw, syr.'

'Pan ddest ti ata i o Reading gynta?'

'Wrth gwrs. Dyna pryd ymunais i â'ch catrawd.'

'Do, do, ond wyt ti'n cofio testun ein sgwrs?'

'Yndw, syr. Sawl peth. Ychydig am fy hanes i. Roeddech chi am gadarnhau'r hyn yr oeddech wedi'i glywed. Ond cyn hynny… pregeth Isaac Huws. A Iarll Essex hefyd.'

'Dyna ni, Rhisiart. Mae Robert Devereux, Iarll Essex, yn ei fedd ers yn agos at ddeng mlynedd.' Roedd yn ysgwyd ei ddwylo erbyn hyn, yn taro tannau anweladwy er mwyn creu cerddoriaeth nad oedd neb ond y fo yn gallu'i chlywed, yn cyfeilio i'w stori ei hun. 'A'r bedd hwnnw yn Abaty Westminster. O'n i yno yn yr angladd. Ddeng mlynedd yn ôl. Wedi marw yn dilyn anffawd a gafodd yn hela carw. Rhyfedd, ondife, o gofio'r faner honno roedd rhai o'r brenhinwyr yn ei chanlyn yn ystod y rhyfel cynta. Wyt ti'n cofio? Baner fawr werdd gyda chyrn carw a'r geirie *cuckolds we come*? I wneud hwyl am ben Iarll Essex?'

Rhydd ei ddwylo'n ôl ar y bwrdd. Mae'n gwenu. 'Dyna ni, 'machgen i. Wi erio'd wedi llwyddo i lusgo gair drwg am Robert Devereux mas o dy geg di. Dwyt ti ddim wedi newid yn hynny o beth.' Mae'n gwenu, a symud ychydig yn ei gadair cyn siarad eto. 'Angladd yn Abaty Westminster, mawrion Parliament yn talu teyrnged iddo fe. Ond beth ddigwyddodd rhyw fis yn ddiweddarach? E? Rhai o'n milwyr ni'n hunen yn difetha'r cerflun ar ei feddrod. Grandîs Byddin y Seintiau yn dyrchafu'r dyn marw, a'r milwyr cyffredin – y seintiau cyffredin – yn ei ddifrïo.'

Er na chafodd Rhisiart gyfle i weld beddrod yr Iarll na chyn nac ar ôl i'r 'seintiau cyffredin' ei ddifrodi, roedd yn hawdd iddo ei ddychmygu, ac yntau wedi tystio i dranc digon o ddelwau. Cŷn a morthwyl ar waith. Talpiau o gerrig a phlaster yn disgyn. Llwch yn codi. Rhywun yn dal trwyn yr ymadawedig i fyny, a'r dorf yn ateb gyda bloedd o gymeradwyaeth.

'Dyweda i un peth, syr. Mae'n rhaid nad oedd y milwyr yna wedi sefyll gyda'r Iarll yn Edgehill. Mi ddyweda i beth arall, hefyd. Does yr un ohonon ni'n sant.'

'Purion, Rhisiart, purion. Ond paid â 'nghamgymryd i. Wi ddim yn cellwer. 'Mhwynt i yw hwn: ni waeth beth y'n ni'n meddwl am y rhan yna o'n gorffennol ni, mae wedi mynd. Mae Essex yn ei fedd ers blynydde. Ac mae'r rhyfelo'dd drosodd. Ond beth am bregeth Isaac Huws? Wyt ti'n ei chofio hi?'

'Yndw, syr. Datguddiad. Y pedwar march.'

'Testun digon cyffredin, ondife? Roedd pob pregethwr teithiol a chaplan yn pregethu arno fe ar y pryd.'

'Ond Isaac Huws oedd y pregethwr efo ni yn Reading, syr.'

'Do, do. *Fe* roddodd dy enw imi, Rhisiart. Wi'n cofio hynny 'fyd.' Pwysa ar y bwrdd gan wthio'r gadair yn ôl ychydig, y pren yn gwichian. Mae'n sefyll. 'Ac wele farch gwyn, a'r hwn oedd yn eistedd arno, a bwa ganddo, a rhoddwyd iddo goron.' Mae'n oedi am ennyd a sythu'i gefn. 'Ac efe a aeth allan yn gorchfygu, ac i orchfygu. Ac fe aeth allan farch arall, un coch, a'r hwn oedd yn eistedd arno, y rhoddwyd iddo gymryd heddwch oddi ar y ddaear, fel y lladdent ei gilydd: a rhoddwyd iddo ef gleddyf mawr.' Mae'n oedi eto, ei lygaid ar Rhisiart. 'Ac wele farch du, a'r hwn oedd yn eistedd arno, a chlorian ganddo yn ei law.'

Oeda'r Cyrnol eto, ac mae Rhisiart yn siarad y tro hwn, ei lygaid ar y bwrdd, yn osgoi wyneb y dyn arall.

'Ac wele farch gwelw-las, ac enw yr hwn oedd yn eistedd arno oedd Marwolaeth, ac yr oedd Uffern yn canlyn gydag ef.' Cwyd ei lygaid i gwrdd â rhai'r Cyrnol Powel. 'Dyna oedd prif fyrdwn pregeth Isaac Huws yn Reading. Gan fod byddin Iarll Essex yng ngafael y dwymyn ar y pryd. *Camp fever*. Marwolaeth ar garlam gwyllt drwy'n rhengoedd ni.'

'Dyna ti, Rhisiart. Purion. Y pla yw'r march gwelw-las. Rhyfel yw'r march coch. Y'n ni 'di clywed digon o bregethe ar y testun hwnnw gan y caplanied, dyn a ŵyr. Wedyn 'ny, newyn yw'r march du, yr hwn sy'n canlyn rhyfel bob amser. A'r pedwerydd un, y march gwyn—?'

'Buddugoliaeth.' Mae Rhisiart yn dal llygaid John Powel o hyd, er bod dagrau'n cronni yn ei lygaid ef ei hun. Blinder, dywed wrtho'i hun. Mae'i lygaid yn cosi; maen nhw'n brifo. Blinder. Ond nid yw'n symud llaw i'w sychu.

'Dyna ni. Buddugolieth. Hwnna o'dd yn anodd ei egluro cyn i'r rhyfela ddod i ben. Hynny yw, i 'nhyb i. Do'dd e ddim yn gwneud synnwyr. Clywais Morgan Llwyd yn pregethu ar y testun yna ym Mryste yn y dyddie cynnar. Hyfryd o bregeth. Ond wedodd e bethe am y march gwyn nad o'dd neb arall yn eu deall, ti'n gweld. Cymhleth ofnadw. Weles i e rai blynydde ar ôl hynny ac wir i ti, gofynnes i iddo fe fynd dros yr hen bregeth 'na, ei hegluro i mi, ond gwrthododd. Yn ymddiheuro'n gwrtais, ond yn gwrthod. Wedodd e nad o'dd e erio'd wedi pregethu ar destun y pedwar march eto ers y tro yna ym Mryste. Dyn doeth. Yn gwybod ei derfyne ei hun.' Eistedd eto, y gadair yn gwichian o dan ei bwysau. 'Wi ddim yn gallu cofio beth wedodd Morgan Llwyd am y march gwyn. Wi'n cofio geirie'n dda fel arfer, ond fedra i ddim yn fy myw gofio'r bregeth yna. Roedd yn rhy gymhleth. Ond wi'n cofio beth wedest ti wrtha i am bregeth Isaac Huws pan ddest ti ata i o Reading dair blynedd ar ddeg yn ôl.'

Symuda Rhisiart o'r diwedd, gan ad-drefnu'i bwysau ar y gadair ychydig a chodi'i law chwith. Mae'n gwasgu'r dagrau o'i lygaid yn gyflym, gan ysgwyd ei ben fymryn, ac yna mae'n rhoi'i law ar y bwrdd o'i flaen.

'Dudodd Isaac Huws fod buddugoliaeth yn arwain rhyfel, newyn a phla gan mai hi yw… gan mai hi oedd buddugoliaeth yr amseroedd. Y tro mawr a rhyfedd hwn ar y byd sydd wedi gweddnewid popeth. Buddugoliaeth yr amseroedd, y ffaith bod y cyfnod rhyfeddol hwn wedi dŵad o'r diwedd. Dyna ollyngodd y meirch eraill yn rhydd i garlamu dros y wlad.'

'Y tro rhyfedd hwn ar y byd. Nid y fuddugolieth a ddaw ar ddydd y frwydr, ond buddugolieth uwch, un a gymhellodd y meirch eraill i garlamu'n ddilyffethair a dymchwel yr hen drefn.'

'Ie, syr. Dyna ni. Dyna ddudodd o. Dach chi'n cofio'n dda.'

'Ydw, Rhisiart. Weithie. Rhai geirie.'

Try'r Cyrnol ei ben i gyfeiriad y ffenestri, yn craffu ar rywbeth. Meddylia Rhisiart ei fod yn edrych trwy'r gwydr, fel pe bai'n astudio golygfa a wêl o bell. Nid y llwch sy'n nofio yn y golau egwan, nid brics a phren yr adeilad gyferbyn sy'n pwyso'n rhy agos at y ffenestri ar draws y stryd gul y tu allan, ond golygfa bell. Harddwch. Mynyddoedd. Y môr. Dolydd gwyrddion. Nid yw Rhisiart yn siarad. Mae'n disgwyl, yn parchu'r tawelwch y mae'r dyn hŷn yn ei hawlio iddo'i hun. Nid oes dim yn symud yn yr ystafell ond y llwch yn yr awyr a'r cysgodion y mae'r canhwyllau'n eu taflu ar y bwrdd. Ac wedyn mae'r Cyrnol Powel yn troi'i ben ato eto.

'Wi am weud rhywbeth 'tho ti, Rhisiart. Rhywbeth wi ddim yn ei weud wrth neb. Rhywbeth wi ddim yn ei gyfadde i mi fy hun yn aml, hyd yn o'd. Ond mae'n bosib na fyddwn ni'n cyfarfod eto ar y ddaear hon, ac wi am weud hyn 'tho ti.' Saif eto, yn gwthio'r gadair yn bellach yn ôl y tro hwn, ei choesau hi'n crafu pren y llawr. Cama oddi wrth y bwrdd. Nid yw'n edrych ar Rhisiart; mae wedi troi ei lygaid i gyfeiriad y ffenestri eto.

'Wi ddim yn credu llawer o'r pethe roeddwn i'n eu credu adeg y rhyfela. Fedra i ddim…' Mae'n chwerthin yn isel, yn ddibleser ac yn drist. 'Yr holl eirie hyfryd 'na. Wi ddim yn credu'r rhan fwya ohono fe nawr. Wi ddim. Wi wedi'i golli fe.' Mae'n cymryd cam tuag at y ffenestri, ond mae hefyd yn symud ei ben ychydig, yn gyflym, er mwyn edrych yn slei ar Rhisiart o gil ei lygad. 'Ac wi'n meddwl dy fod di'n debyg i mi yn hynny o beth.'

Try ei ben oddi wrtho'n gyfan gwbl eto. Mae'n cerdded yn araf, yn cymryd cam, dau, tri. Saif yn ymyl un o'r ffenestri, ei ddwylo wedi'u plethu y tu ôl i'w gefn. Er nad yw'n gallu gweld ei lygaid, mae Rhisiart yn sicr eu bod wedi'u hoelio ar yr olygfa bell honno eto. Gall weld bod John Powel yn symud bawd ei law dde, ei ddwylo wedi'u plethu'n dynn mewn ymdrech i'w cadw'n llonydd, ond mae'r bawd unigol hwnnw wedi dianc ac mae'n mynnu rhyddid, a hwnnw'n unig yn awgrymu'r egni sy'n symud y tu mewn i'w gorff.

'Mae'n beth rhyfygus i'w weud, ond wi'n credu 'mod i'n nabod dy galon di, Rhisiart. Ac wi'n credu dy fod wedi colli mwy na fi. Dyna pam wi wedi gadael i ti gadw draw gyhyd. Mae wedi bod yn gryn benbleth, ti'n gweld: beth i'w wneud gyda dyn fel ti y dyddie hyn. Ond mae syniad 'da fi nawr.'

Symuda Rhisiart yn ei gadair er mwyn edrych yn well ar gefn y dyn. Nid yw'n gallu ymatal. Byddai'n well ganddo aros yn union fel yr oedd, yn llonydd, yn gefnsyth, yn ddidaro, ac yn ymddangosiadol ufudd. Ond nid yw'n gallu helpu'i hun. Rhaid iddo ddod i ddeall y cyfan, pob agwedd ar yr ennyd rhyfedd hwn, er nad oes dim i'w wylio ar wahân i fawd aflonydd y Cyrnol, ei symudiadau bychain yn bradychu corff sydd fel arall yn gwbl lonydd.

'Ond cyn i mi ofyn i ti, Rhisiart, wi am weud hyn 'tho ti. Rhywbeth wi ddim wedi'i weud wrth neb arall. Wi ddim yn credu yn yr holl bethe 'na nawr. Wi ddim. Ond wi'n dal i gredu un peth.'

Mae'n troi'n gyflym ar ei sawdl, ei lygaid yn canfod llygaid Rhisiart ac yn eu hoelio'n syth, y golau sy'n llifo i mewn trwy'r ffenestr y tu ôl iddo yn tanio gwallt gwyn ei ben rywsut, yn gwneud iddo ddisgleirio.

'Buddugolieth yr amseroedd, Rhisiart. Wi'n dal i gredu yn honno. Dyw hi ddim beth mae'r holl bregethwyr yn gweud yw hi. Ddoth hi ddim gyda'r rhyfel na chwaith gyda marwolaeth y brenin. Wi ddim yn credu'i bod hi'n dyfod yma, i Loegr a Chymru, hyd yn o'd. Yn hynny o beth, mae'r holl athrawon yn cyfeiliorni. Ond wi'n credu ynddi hi, Rhisiart. Wi'n credu yn y fuddugoliaeth honno. Wi'n credu bod rhaid i ni wneud yr hyn a allwn ni er mwyn helpu iddi hi ddyfod.'

Mae'n cerdded yn ôl at y bwrdd, ei ddwylo o'r golwg y tu ôl i'w gefn o hyd. 'Ac mae'n rhaid i ti gredu ynddi hi hefyd, Rhisiart. Dwyt ti ddim, ond mae'n rhaid i ti. Wi'n dy nabod di, ti'n gweld. Nabod dy galon di. Os nad wyt ti'n credu yn y fuddugoliaeth fowr, yna mae'n rhaid cyfadde i bopeth rwyt ti wedi'i wneud fod yn ofer.' Cwyd ei ddwylo a'u dal, wedi'u plethu, o flaen ei fynwes, yn ddarlun o weddi. 'Rhaid i ti gredu ynddi hi, neu mae popeth rwyt ti wedi'i wneud yn gwbwl ddiystyr.' Mae'n ysgwyd ei ddwylo o flaen ei ên, yn dal rhywbeth ystyrlon y tu mewn iddyn nhw. 'Wi'n dy nabod di, ti'n gweld. Rhaid i ti gael hyd i ffordd o wneud i bopeth gyfri, neu mi fyddi di wedi colli'r cyfan.' Egyr ei ddwylo'n gyflym, yn taflu'r peth anweladwy hwnnw i ffwrdd oddi wrtho. Dengys ei gledrau i Rhisiart, yn tynnu sylw at y dwylo gweigion. 'Fel arall, 'machgen i, does dim byd i gael 'da ti.' Eistedd yn ei gadair eto, yn pwyso ar y bwrdd, ei ben ar ogwydd, er mwyn osgoi'r canhwyllbren a dal llygaid Rhisiart. 'Fel arall, fy machgen i, does dim byd 'da ti. Dim byd.'

Mae'n disgwyl am ymateb, ond erys Rhisiart yn ddistaw.

'Ond dyw'r fuddugoliaeth fowr ddim yn dyfod ar ffurf march gwyn. Y'n ni'n gwybod hynny, ni'n dou. Dyw hi ddim yn cludo bwa nac yn gwisgo coron. Mae'n dyfod mewn ffordd hollol wahanol. Fesul tipyn. Hwp bach wrth hwp bach. Ac wi mo'yn i ti'n helpu i, Rhisiart. 'Yn helpu i roi hwp bach yn y lle iawn.'

– ΔΩ –

Symuda'n araf i fyny'r allt, yn cropian dros y gro. Mae'r cerrig mân yn sgrialu o dan ei ddwylo a'i goesau, ond nid yw'n llithro'r tro hwn. Cropia ymlaen drwy dywyllwch y nos, rhuo'r tonnau i'w glywed y tu ôl iddo, er nad yw'r sŵn mor uchel yn ei glustiau bellach. Ei gorff yng ngafael y cryndod, pob cymal, pob cyhyr yn brifo. Ond nid yw'n ildio i'w lesgedd. Symuda ymlaen, yn cropian i fyny ac i fyny.

Ac wedyn mae'n teimlo rhywbeth meddal o dan ei ddwylo. Gwair neu frwyn o ryw fath. Sylwa gyda hyn ei fod wedi cyrraedd ael y bryn bach: diwedd allt y traeth. Mae'n syrthio ar ei fol ac mae'n gafael yn y tyfiant gwlyb â'i ddwylo, yn llusgo'i gorff i fyny i'r tir gwastad. Sylwa ei fod yn gorwedd ar garped o wair meddal. Ac yno mae'n aros. Yn gorwedd.

Mae'n deffro o'i lesmair, yn dadebru, yn oer ac yn wlyb, yn crynu. Yn gleisiau i gyd, pob rhan ohono'n brifo. Cryndod yn ei ysgwyd. Mae wedi troi ar ei gefn rywsut, er nad yw'n cofio gwneud hynny, a phan mae'n agor ei lygaid mae'n ei gael ei hun yn syllu ar yr awyr. Gwêl fod twll wedi'i rwygo yn y llen o gwmwl a fuasai'n tywyllu'r nos mor drylwyr, ac mae nifer o sêr i'w gweld. Dim ond rhyw bump neu chwech ohonyn nhw, ond mae'r pinnau bach disglair hynny'n ei gysuro. Nid yw'n bwrw glaw rŵan chwaith, ac mae cysur i'w gael yn hynny hefyd.

Ond mae mor oer, ei ddillad gwlyb yn glynu arno'n annifyr, a'r cryndod yn ei ysgwyd. Gŵyr fod yn rhaid iddo symud; gŵyr y dylai chwilio am gysgod a chynhesrwydd. Ceisia godi, ond mae'n rhy wan. Nid yw'n gallu codi ddigon i eistedd hyd yn oed. Syrthia'n ôl ar ei gefn yn y gwair gwlyb, yn syllu ar yr awyr. Chwincia'r casgliad bychan hwnnw o sêr arno. Mae'r rhwyg yn y cymylau wedi ymledu ac mae'r sêr yn cynyddu, yn ymfyddino yn yr awyr ac yn herio düwch y nos.

– ΔΩ –

Pwysa'r Cyrnol Powel ymlaen, ei benelinoedd ar y bwrdd, ei ddwylo wedi'u plethu'n un dwrn mawr a'i ên yn pwyso ar hwnnw. Cwyd un bys i anwesu ei stribed fach denau o locsyn gwyn. Mae goleuadau bychain y canhwyllau'n dawnsio yn ei lygaid.

'A dyna fel ma hi, Rhisiart. Maen nhw'n bethe wi ddim yn eu gweud, ond wi'n teimlo bod hawl 'da ti i wybod y cyfan.'

Mae'n anos gweld erbyn hyn. Mae'n dywyll y tu allan, ac felly daw'r unig olau o'r canhwyllau yng nghanol y bwrdd. Cododd y Cyrnol unwaith i newid y canhwyllau – eu newid ei hun, heb alw gwas a fyddai'n gwneud y gwaith yn fwy medrus ar ei ran. Nid oedd neb wedi torri ar eu traws, a'r ddau ddyn dan glo yn yr ystafell, y naill yn siarad a'r llall yn gwrando wrth i'r prynhawn ildio i'r nos.

Roedd wedi bod yn egluro llawer, yn esbonio natur ei weithgareddau yn ystod y blynyddoedd diweddar. Gwyddai Rhisiart fod yr hen swyddog yn gweithredu ar ran Cromwell, yn symud yn y cysgodion ac yn gwneud pethau nad oedd bron neb arall yn gwybod amdanyn nhw. Tyrchu am fradwyr, gwrando am gynllwyn, gwarchod rhag y peryglon nad oedd y rhan fwyaf yn ymwybodol ohonyn nhw. Gweithredu mewn modd na ellid ei drafod yn agored.

Er bod y rhan fwyaf o'r cyfrinachau y mae newydd eu dadlennu iddo yn bethau nad oedd Rhisiart yn gwybod amdanynt, nid yw wedi'i synnu. Gwyddai'n fras beth oedd natur y gwaith, er nad oedd yn gwybod yr holl fanylion. Tan heddiw. Gwyddai ei fod yn gwasanaethu dau feistr ers blynyddoedd, sef John Powel ac Oliver Cromwell, ond ni wyddai'n hollol beth oedd union natur y berthynas rhwng y ddau. Perthynas a oedd, yn ôl yr hyn yr oedd newydd ei glywed, wedi newid yn ddiweddar.

'Dyna ni, Rhisiart. Wi'n cerdded fy llwybr fy hun nawr. Dyw e ddim yn gwybod hynny. Does neb ond llond llaw o bobol yn gwybod hynny, a thithe'n un ohonyn nhw bellach. Ond mae'n rhaid i mi weithredu yn fy ffordd fy hun heb iddo wybod. Wela i ddim dyfodol yma, nid y ffordd mae e yn gweithredu.

'Mewn gwirionedd, *fe* yw'r un sydd wedi troedio llwybr gwahanol. A dyw e ddim yn llwybr sy'n arwain at y fuddugoliaeth fowr, Rhisiart. Dim ond difancoll sydd ar ben y ffordd mae e yn ei cherdded nawr. Mae'r holl obeithion wedi'u chwalu'n yfflon friw, dyna'r gwir plaen. Felly mae'n rhaid i mi wneud rhai pethe fy hun, ti'n gweld. Er mwyn y rhai sy'n dyfod wedyn. Nhw fydd yn mwynhau ffrwythau'r fuddugolieth fowr, Rhisiart, os y'n ni'n gallu helpu i'w hennill ar eu cyfer nhw.'

'Dwi ddim yn dallt yn hollol, syr. Bydd angen fy ngoleuo o ran rhai petha.'

'Gwn i, Rhisiart, gwn i. Aros di, mae'r goleuni ar y ffordd, neu hynny o oleuni y medra i ei daflu ar bethe.'

Ac yna mae'n disgrifio'r llwybr y mae wedi bod yn ei gerdded ers iddo golli ffydd yn Cromwell, gan ddod yn ôl eto ac eto i'r un ymadrodd byr: rhoi hwb bach.

'Rhoi hwb bach bob hyn a hyn. Dyna wi'n ei wneud, ti'n gweld. Rhoi hwb bach i'r rhai sy'n ei haeddu. Y rhai sy'n gallu helpu paratoi'r ffordd ar gyfer dyddie gwell. Y rhai wi'n credu y dylen i eu helpu.'

'Sut ydach chi'n gwybod pa rai i'w helpu, syr?'

'Wi ddim bob tro. Ac wi 'di gwneud digon o gamgymeriade yn y gorffennol. Ond wi'n dysgu bob tro wrth 'y nghamgymeriade. Ac weithie mae'n rhaid i mi ddad-wneud ambell beth wi wedi'i wneud. Helpu rhwystro rhai sydd wedi cael hwb bach yn y gorffennol ond sydd bellach yn sefyll yn y ffordd... yn rhwystro'r rhai sy'n ei haeddu fe'n fwy heddiw.'

'Gyrnol, gyda phob parch, dwi ddim yn eich dallt. Dach chi'n siarad mewn damhegion.'

'Y-fe?' Chwardd. 'Damhegion newydd. *Diarhebion* newydd, hyd yn o'd? Mae'n flin 'da fi, Rhisiart. Wi wedi blino nawr ac wi'n dwlu gormod ar fy ffraethineb fy hun. Mae llawer o ffaeledde 'da fi, a dyna un o'r penna, mae arna i ofn.'

'Peidiwch, syr—'

'Gad i mi siarad yn blaen, Rhisiart, a'i wneud mor amlwg â gole'r dydd. Wna i ddim ceisio egluro beth yw'r fuddugolieth fowr i ti, ond wi am weud un peth.' Mae'n taro'r bwrdd ag un llaw, ddim yn rhy galed, ond gyda digon o nerth i wneud i'r domen agosaf o bapurau ddisgyn.

'Dyw'r oes newydd ddim yn gwawrio, Rhisiart. Ti'n gwybod

'ny. Does yr un ohonon ni'n credu'r holl bregethe nwydwyllt y'n ni 'di clywed yn ystod y blynydde. Gobeithion y *ranters* a'r Lefelars. Y rhai sy'n taeru bod y bumed frenhinieth wedi dyfod. Yr holl *seekers* penbo'th eraill sy wedi gweud bod yr oes newydd ar fin gwawrio. Dyw hi ddim. Nid heddi. Nid fory. Dyw Iesu Grist ddim yn dod 'nôl i deyrnasu dros ddiwedd yr amseroedd.'

Gallai Rhisiart agor ei geg a dweud bod John Powel yn iawn, cyfaddef nad yw'n credu'r holl broffwydoliaethau a'r rhagolygon, dweud ei fod wedi dod i ddirmygu'r dynion hynny sy'n proffwydo. Yr holl eiriau cyfriniol a glywir mewn gwersyllfa, bron cyn amled â gorchmynion y swyddogion, fel pe bai cyfarwyddiadau ynghylch y pethau diwethaf cystal hyfforddiant i filwr â chyfarwyddiadau milwrol.

Stand to arms!

Wele utgorn y milflynyddoedd yn seinio!

Brace to receive!

Mae dydd mawr yr Arglwydd yn dyfod i'n chwilio a'n profi!

Roedd y saith sêl yn cael eu datod ar dafodau dynion bob dydd ym mhob un o wersyllfaoedd Byddin y Seintiau, a rhai o'r milwyr cyffredin yr un mor frwd yn canlyn proffwydoliaethau â'u caplaniaid.

Gallai Rhisiart fod wedi agor ei geg a dweud y cwbl wrtho, ond nid yw'n dewis gwneud hynny. Mae'r drafodaeth wedi cymryd oriau fel ag y mae, ac felly'r cyfan a wna yw amneidio â'i ben, dangos ei gydsyniad, cytuno â'r Cyrnol yn dawel a chydsynio â llif ei ddadleuon.

'Paratoi y'n ni, Rhisiart. Nid paratoi ar gyfer ailddyfodiad Brenin Nef, achos y'n ni'n gwybod nad yw'n dod, nid fel'na.

Mae dyno'n fel ni wedi dysgu un peth. Mae'n rhaid i ni baratoi'r ffordd yn 'yn ffordd 'yn hunen. Helpu'r rhai sy'n gallu gwneud y byd pechadurus hwn yn well. Ac mae'n rhaid i ni droi'n golygon tros y môr. Mae'r seintie wedi bod yn symud i'r byd newydd ers blynydde. Plymouth. Salem. Boston. Yma ac acw ar arfordir yr Amerig.'

Mae'n dechrau sifflo trwy ei bapurau, yn chwilio am ddogfen benodol mewn tomen fawr anystywallt.

'Saeson y'n nhw, y rhan fwya. Y rhai sydd wedi symud dros y môr. Plymouth. Salem. Boston.' Wedi gorffen archwilio un domen, symuda i ddechrau ar bentwr arall o bapurau, yn chwilio ac yn siarad yr un pryd.

'Ond wi wastad wedi becso am le'n cenedl ni, Rhisiart. Y dyrnaid bychan o weddillion cenedl y Cymry sydd yn cyfaneddu eto ar y ddaear hon. 'Yn lle ni yn nhrefn fawr Rhaglunieth. A'r modd wi'n galler defnyddio hynny o rym y mae Duw wedi'i weld yn dda i'w roi i mi i helpu sicrhau'r lle hwnnw.'

Daw ei ddwylo prysur o hyd i'r darn papur y bu'n chwilio amdano – llythyr, yn ôl pob golwg – a'i ddal yn ei ddwylo ar y bwrdd o'i flaen.

Cododd y mân flew ar war Rhisiart pan ddywedodd y Cyrnol y geiriau cyfarwydd hynny. Mae wedi ymgolli yn ei feddyliau'i hun, yn ceisio dwyn i gof yr union ddyfyniad. Daw iddo: 'Y mae i'r dyrnaid bychan hwnnw o weddillion Cenedl-Gymru sydd yn cyfaneddu eto yn eu Gwlad eu hun, lawer o achosion dirfawr, a durfyng i ystyriaeth, ac i gydnabod trugaredd Duw tuag atynt.'

Carwr y Cymry, un o'r ddau lyfryn bychan a fu ym meddiant Rhisiart yn ystod y rhyfeloedd, wedi'u cadw'n ddiogel ynghyd â'i Feibl. *The Souldier's Catechism* oedd y llall. Gwyddai ei fod yn ddrychfeddwl paganllyd pechadurus, ond ni allai Rhisiart ond meddwl amdanynt fel dau dalismon neu swynogl. Y naill yn atgof o'i ymwneud cynnar â Gair Duw a'i ddeffroad ysbrydol gwreiddiol, a'r llall yn gadarnhad croyw o'r cysylltiad rhwng ei

Gristnogaeth a'i ymrwymiad i fyddin y Senedd. Un o'r pethau cyntaf a wnaeth i'w galon agor i'r Cyrnol oedd gallu'r dyn i ddyfynnu neu aralleirio cynnwys y ddau heb gydnabod ei fod yn gwneud hynny, rhywbeth a wnâi Rhisiart yntau'n fynych yn yr hen ddyddiau.

Daw'n ôl i'r presennol gydag ysgytwad. Mae'n ymsythu, yn poeni'i fod wedi colli llif geiriau'r Cyrnol Powel. Gwêl y dyn hŷn anesmwythyd Rhisiart, ac mae'n gostwng ei lais, yn newid cywair.

'Mae golwg wedi blino arnat ti, Rhisiart. Hoffet ti gael rhywbeth i yfed? Diod o ddŵr? Gwin? O's syched arnat ti?'

'Nagoes, syr. Ddrwg gen i.'

Mae'r Cyrnol yn codi o'i gadair unwaith eto, yn araf iawn y tro hwn, a sefyll y tu ôl iddi, yn sythu'i gefn eto. Pwysa un llaw ar y gadair, y llall yn dal y llythyr o hyd. Mae un o'r canhwyllau'n pesychu'n dawel yn ei chwyr ei hun, ei fflam yn ymladd am fywyd wrth farw.

'A dyna pam wi'n becso am un gymuned yn benodol draw yn yr Amerig.'

Mae'r fflam yn diffodd, ac mae un arall o'r saith cannwyll sydd ar ôl yn dechrau ar ei dawns angau hithau. 'Gwêd wrtha i, Rhisiart: wyt ti wedi clywed am Richard Morgan Jones a Chaersalem Newydd?'

Nid yw Rhisiart wedi clywed nac enw'r dyn nac ychwaith enw'r lle, a dywed hynny wrth y Cyrnol.

'Mae Richard Morgan Jones yn un o'r adar sydd wedi hedfan i glwydo mewn sawl nyth yn ystod 'yn cyfnod ni ar y ddaear. Un o'r adar sy'n hedfan i barthe eraill cyn i ti gael cyfle i'w rwydo. Anodd ei nabod, ti'n gweld. Bu gyda William Erbery yng Nghaerdydd am ryw hyd. Ac wedyn yn Llanfaches, gyda Wroth a Cradoc a Llwyd a'r lleill. Ac wedyn...' Mae'n oedi i daflu'i lygaid ar y llythyr yn ei law, fel pe bai'n chwilio am ddarn penodol o wybodaeth. 'Yr Amerig. Cyn i'r rhyfel cyntaf ddechrau. Rhaid mai plentyn oeddet ti ar y pryd. Fyddet ti ddim wedi clywed amdano fe, oni bai dy fod wedi dod ar draws un o'i hen gydnabod, a hwnnw â chwant siarad amdano.'

'Naddo, syr. Dyma'r tro cynta imi glywed yr enw.'

'Dyna ni. Wel. Fe hedfanodd yr aderyn 'ma yr holl ffordd draw i'r Amerig flynydde'n ôl, a haid o'i ddilynwyr gydag e. Ac wedyn, dyma ambell Gymro arall yn ymuno â nhw ers 'ny. Ti'n gwybod, ambell un a oedd wedi hwylio i Blymouth neu i Foston neu i Salem ac wedi penderfynu gadael y lle yna ac ymuno â'i gyd-Gymry. O'r gore, popeth yn iawn, meddet ti. Ond fel gwedes i, wi'n credu bod yn rhaid i ni roi hwb ble gallwn ni i'n cydgenedl yn y byd newydd. Ac mae'n bosibl mai yn fan'no y daw hynny o fuddugolieth a gawn. Mae'n bosibl bod Rhaglunieth – os y'n ni'n credu mai dyna beth yw e – wedi penderfynu mai ar dir yr Amerig ac nid ar yr ynys hon y bydd ein cenedl yn ffynnu. Mae yna arwyddion i'r perwyl yna, Rhisiart. Pwy a ŵyr nad dyna fel y bydd hi? Felly wi ddim am golli cyfle i helpu. Rhaid i mi roi hwb bach iddyn nhw.'

'O'r gorau, syr.'

'O'r gore. Ond dyw hi ddim mor syml â 'ny, Rhisiart. Fel awgrymes i, mae Richard Morgan Jones yn aderyn sy'n nabod ei feddwl ei hun. Mae e a'i ddilynwyr yn credu'n bod ni i gyd wedi colli'n ffordd. Yn credu nad y'n ni wedi deall gwir genhadeth Calfin yn iawn.'

'Calfin, syr?'

'Ie. Ces i grynodeb manwl unweth gan gyfell a glywodd Richard Morgan Jones yn pregethu. Flynydde'n ôl, cyn iddo fe a'i bobol ymadael â Chymru. Pregeth yn erbyn ewyllys rydd oedd hi. Hynny yw, pregeth yn erbyn y syniad. Ymosodiad ar werth gweithredo'dd da, yn gweud nad dyna sy'n achub enaid, a bod y cyfan yn dibynnu ar ragordeiniad yr etholedig.'

'Dwi ddim yn dallt, syr. Beth sy'n arbennig am hynny?'

'Aros di fan'na, Rhisiart. Wn i. Rwyt ti wedi clywed y math

yna o beth o'r bla'n. Canno'dd o weithie, mewn pregethe mewn gwersyllfa ac o bosibl yn yr hen ddyddie cyn y rhyfel.'

Un ffordd arall o bregethu tân a damnedigaeth.

Geiriau ffrom y barnu a'r dedfrydu.

'Yn union, syr. Rhagordeiniad. Yr etholedig. Dweud nad yw gweithredoedd da ar y ddaear yn achub dyn.'

'Rwyt ti wedi clywed y cyfan o'r bla'n. Ganweth a mwy.'

'Do.'

'Do, do. A finne. Y'n ni wedi *byw* y gred yna, Rhisiart. Credu y bydde derbyn bod gweithredo'dd da ar y ddaear yn achub enaid rhag barnedigeth yn gam yn ôl i'r hen oes ofergoelus, i Babyddieth yr oese tywyllion, pan oedd y cyfoethogion yn gallu rhoi tiroedd ac aur i'r eglwys ac elusen i'r tlodion a gorffwys yn dawel eu meddylie gyda hynny eu bod felly wedi prynu eu ffordd i'r nefoedd. Ond mae Calfin wedi'n harwen i gredu bod Duw yn ei anfeidrol ddoethineb Ef yn gwybod pwy sy'n etholedig, ei fod Ef *wedi gwybod* cyn cychwyn amser pwy sy'n etholedig, ac felly dyw agwedd y dyn sy'n credu bod ei elusen a'i holl weithredo'dd da yn dangos ei fod wedi'i ethol i ymuno â'r anfeidrol dragwyddol yn y nefoedd yn ddim amgen na haerllugrwydd. Creadur bach meidrol yn defnyddio'i gyfrwyster anifeilaidd i geisio twyllo'r Hollalluog. Y'n ni wedi clywed y cyfan o'r bla'n. Do, do. Y'n ni wedi gweud pethe tebyg 'yn hunen. Pob un ohonon ni. Yn derbyn athrawieth rhagordeiniad ac etholedigeth... ac wedyn chwilio'n daer mewn chwys oer am arwyddion 'yn bod ni ymhlith yr etholedig rai. Sy'n golygu'n bod ni'n credu – heb weud ein bod ni'n credu – fod gweithredo'dd da'n cyfri gan ein bod ni'n gobeitho darbwyllo'n hunen fod ein gweithredo'dd yn y bywyd hwn ymysg yr arwyddion sy'n dangos ein bod ymhlith yr etholedig.'

'Ac felly mae'r Calfinydd yn twyllo'i hun ei fod yn well na'r un sy'n credu mewn gweithredoedd da, ac ynta'n rhoi pwysau o fath gwahanol arnyn nhw.'

'Yn union, Rhisiart. Nid talu am lwybr i'r nefoedd y mae'r Calfinydd felly ond ceisio'i ddarbwyllo'i hun ei fod ymhlith yr etholedig. Y'n ni i gyd wedi'i wneud, Rhisiart. Yn gefn i'n helusen ni. Yn gyrru'r holl derfysg y'n ni wedi bod yn gyfrifol amdano... yn credu'n bod ni'n gweithredu er mwyn gwella'r ddaear yn unol ag ewyllys Duw. Y'n ni wedi'i fyw, Rhisiart.'

Oeda'r Cyrnol. Mae ei bwyslais ar y gair *wedi* yn gyffes sy'n clymu'r ddau ddyn ynghyd yn dynnach. Rydym ni *wedi* credu, *wedi* byw, *wedi* gwneud. Dywed bethau na fyddai Rhisiart ar hyn o bryd yn eu mynegi ar goedd i neb arall, er ei fod yn eu llefaru'n ddistaw y tu mewn iddo'i hun, ac mae'r dweud hwnnw'n gwlwm o haearn a gwaed rhyngddynt. Ond nid yw'n deall eto y berthynas rhwng eu cydgyffes a'r gwaith y mae'r Cyrnol yn ei roi iddo.

'Ond felly beth oedd yn wahanol am bregeth Richard Morgan Jones?'

'A, ie, wel, i ddychwelyd at graidd y peth, Rhisiart. Wedodd 'y nghyfell i fod y brawd Jones wedi gorffen y bregeth yna drwy weud nad y'n ni'n mynd digon pell. Wedodd e 'yn bod ni i gyd yn cyfeiliorni. Wedodd e mai gwir waith y Cristion yn y bywyd hwn yw cael hyd i ffordd o fyw sy'n gadael iddo fyw yr athrawieth... er fy mod i'n credu mai "gwirionedd" oedd y gair a ddefnyddiodd e. Ac felly yn y bla'n.'

Oeda eto. Mae'n cau'i lygaid am ennyd, ei geg yn gweithio'n dawel, fel pe bai'n ceisio cofio rhywbeth a glywodd amser maith yn ôl, yn chwilio am yr union eiriau a'r oslef briodol. Gwibia meddwl Rhisiart rhwng y presennol pwysfawr hwn, yma yn ystafell y Cyrnol Powel, a'r gorffennol, yr holl bregethau y mae wedi'u clywed. Wele utgorn y milflynyddoedd yn seinio.

Ond egyr y Cyrnol ei lygaid eto ac mae'n siarad, yn araf, yn pwysleisio pob gair.

'Nid y geirie 'u hunen oedd e, ond yr ystyr y tu ôl iddyn nhw. Dyna wedodd 'y nghyfell i. Dyna oedd wedi gwneud ffasiwn argraff arno fe. Nid y geirie ond y modd y llefarodd Richard

Morgan Jones y geirie yna. Y bwriad y tu ôl iddyn nhw. Doedd e ddim yn ddyn a âi o'i blu ar chware bach, 'y nghyfell i. Roedd y ffaith bod y peth wedi aflonyddu arno fe yn ddigon i mi feddwl bod rhywbeth yn ei bryderon e.' Eiliadau o dawelwch, o feddwl, o grynhoi gwybodaeth yn y cof. 'Beth bynnag, mae popeth wi wedi'i glywed ers 'ny yn gwneud i mi gredu bod 'y nghyfell yn iawn. Bod 'da ni reswm i boeni. Petawn i ddim ond yn gwybod.'

'Gwybod beth, syr?'

'Os wi'n iawn i boeni, Rhisiart. Os y'n nhw wedi dilyn y ffordd honno i'r pen.'

'Dach chi ddim yn sicr?'

'Nagw, Rhisiart, wi ddim yn sicr. Dyna'r peth. Does neb wedi clywed gair oddi wrthon nhw ers blynydde. Ond mae ychydig o hanes wedi 'nghyrredd i. Sïon yn fwy na dim byd. Mae'n anodd gwybod y gwir.' Mae'n dal y llythyr i fyny'n uwch a'i ysgwyd ychydig. 'Dyma'r peth ola glywes i. Llythyr ddoth ar long o Loegr Newydd flwyddyn yn ôl. Ond sgrifennwyd e fisoedd cyn hynny. Gan un o 'nghydnabod yng nghyffinie Boston. Miles Egerton. Clywsai stori gan deithiwr a oedd wedi bod mewn lle o'r enw Strawberry Bank, a hwnnw wedi clywed stori yno gan ddyn arall a oedd wedi ymweld â Chaersalem Newydd yn ddiweddar.' Mae'n gollwng ei afael ar gefn y gadair ac yn dechrau cerdded o gwmpas y bwrdd. 'Dywed fod yr hyn mae e wedi'i glywed yn achos pryder.' Mae'n cerdded i ochr Rhisiart, yn estyn y llythyr iddo. 'That which I have heard suggests that they know not what they do. Dyna'i union eirie fe. Edrych di.'

Mae Rhisiart yn sefyll hefyd. Mae'n estyn llaw a chymryd y llythyr, ond mae ei lygaid ar wyneb y Cyrnol.

'Sgrifennes i'n ôl ato fe, at Miles Egerton. Gofyn a fydde'n fodlon ymweld â Chaersalem Newydd.' Oeda, yn syllu ar Rhisiart. 'A dyna pam wi wedi gofyn i ti ddod yma, Rhisiart. Wi am ofyn rhywbeth i ti.'

'Syr?'

'Wi ddim wedi clywed gair gan Miles Egerton ers 'ny. Sais oedd e. Wi'n rhyw feddwl fy mod i wedi gwneud camgymeriad, Rhisiart, yn gofyn iddo fe fynd yno. Cymry y'n nhw, wedi'r cwbwl. Dyna oedd bwriad Richard Morgan Jones, ti'n gweld. Creu cartre ar gyfer y seintiau Cymreig ar dir yr Amerig. A dyna pam wi wedi sgrifennu atat ti, Rhisiart.'

'Syr?'

'Ei di i'r Amerig, Rhisiart? Ei di i Gaersalem Newydd?'

$$- \Delta\Omega -$$

Ceisia eistedd, ond mae'r poen yn ormod iddo. Dechreua godi, ond nid oes ganddo'r cryfder i gyflawni'r weithred. Syrthia'n ôl ar ei gefn, y sêr uwchben yn chwincio, yn cynnig eu cysur oer.

Teimla ychydig o nerth yn dod yn ôl i'w gyhyrau. Gall symud eto, ac mae'n gwneud hynny. Try ar ei ochr yn araf, ac wedyn mae'n cwblhau'r tro nes ei fod yn gorwedd ar ei fol. Mae'n tynnu'i ddwylo o dan ei fynwes, yn agor ei gledrau i wthio ar y ddaear. Tynna'i ben-gliniau i fyny o dano'i hun ychydig hefyd. Gwthia, cwyd. Mae ar ei bedwar rŵan. Mae'r poenau'n fawr, y cryndod yn ei ysgwyd, ond mae'n gallu symud fel hyn. Â'n ôl ychydig ar fodiau'i draed nes bod ei sodlau'n cyffwrdd â'r ddaear. Coda'n betrus, yn ansicr, ond nid yw'n disgyn. Mae'n sefyll. Ond mae'n wlyb ac yn oer ac yn wan. Mae'n noson hydrefol ac mae'r gwynt yn mynd drwyddo. Dechreua grynu eto, y cryndod mor gryf nes ei fod yn ei rwystro rhag cerdded. Ni all ond sefyll yno'n crynu.

– ΔΩ –

Dridiau ar ôl y sgwrs hir honno â'r Cyrnol Powel, mae Rhisiart ar fwrdd llong, a honno wrth angor yn afon Tafwys.

Galiwn yw'r *Primrose*, math o long nad yw wedi newid yn ei chynllun ers degawdau lawer. Rhyw gant o droedfeddi o hyd, tri hwylbren, yn gallu cludo gwerth 180 tunnell o nwyddau. Ond nid yw'r dec hir yng nghrombil y llong wedi'i lenwi'n gyfan gwbl â nwyddau. Mae rhyw ddeugain o deithwyr, ac felly roedd gofodau gweigion wedi'u cadw rhwng y pentyrrau o gasgenni, bwndeli, a bocsiau, ac mae'r gofodau hynny bellach wedi'u llenwi â chistiau a gwlâu dros dro y teithwyr. Mae hanner cant o swyddogion a chriw yn gwasanaethu ar y *Primrose*. Deg a phedwar ugain o eneidiau, noda'r capten, gan ychwanegu bod ei long wedi cludo cynifer â chant a hanner ar ei thaith ddiwethaf i Loegr Newydd.

Mae'r capten, Thomas Marlow, yn Sais, fel y rhan fwyaf o'i griw. Mae hefyd yn ddyn duwiol, yn wahanol i'r rhan fwyaf o'i griw. Dysgodd flynyddoedd yn ôl y byddai'n aros ar y lan am oes dyn pe na bai'n derbyn neb i wasanaethu ar ei long ar wahân i wir Gristnogion. Dywedai'n aml mai hwylio oedd ei waith, a'i fod wedi dod i'r casgliad ei bod hi'n well hwylio gyda haid o baganiaid a Phabyddion nag aros yn segur ar dir sych yn dyheu am yr amhosibl. Mae'n cynnal gwasanaeth bob dydd ar fwrdd ei long, yn weinidog aneneiniedig yn ogystal â chapten, ac mae ambell longwr wedi profi tröedigaeth ar ganol mordaith neu'n ymyl y lan, ffaith sy'n gwneud i'r capten feddwl bod Rhagluniaeth wedi'i dywys i'r cyfeiriad cywir.

Ar hyn o bryd mae'r Capten Marlow yn disgwyl i'r llanw droi, ac felly mae'r *Primrose* wrth angor yn ymyl dociau Deptford. Mae'r rhan fwyaf o'r criw – boed yn Gristnogion, yn baganiaid neu'n Babyddion – yn brysur wrth eu gwaith, ond mae rhai'n sefyll yn segur, fel y teithwyr, yn edrych ar brysurdeb y dociau a'r llongau eraill sy'n aros troad yr afon.

Nid oes ond un Cymro arall ar y llong. Roedd y Cyrnol Powel wedi cyfeirio ato ar ddiwedd eu sgwrs. 'Bydd Owen Lewys yn teithio gyda thi, Rhisiart. Mor bell â Boston. Ar ôl tirio mi fyddi di'n teithio i'r gogledd i Strawberry Bank ac wedyn ymlaen ymhellach i Gaersalem Newydd. I'r de-orllewin y bydd Owen yn teithio. Ar berwyl hollol wahanol. Ond wi am i ti wneud cyfell ohono fe yn ystod y fordaith. Mi weli di ei werth a'i ansawdd. Ac wi'n rhoi llawer o 'ngobeth i ynddo fe. Wi'n credu mai ei fenter e yw'r gobeth mwya sy 'da ni bellach, a gweud y gwir. Os yw'n ofne i'n wir am Gaersalem Newydd.'

Saif Rhisiart yn ymyl Owen Lewys rŵan, y ddau ddyn yn pwyso'u dwylo ar ganllaw'r llong, yn astudio'r olygfa. Y llongau eraill, y gweithwyr ar y dociau, y tai a'r siopau a'r stordai ar y tir. Pobl ym mhob man, yn mynd ac yn dod, yn paratoi, yn cyflawni'r neges. Mae arogl yr afon yn gryf, yn fudr, ac yn wyrdd, yn awgrymu ffresni'r heli a llygredd carthion dynol ar yr un pryd. Cri soprano aflafar gwylanod yn plethu â lleisiau dyfnach dynion, yn gweiddi ac yn galw, yn cyfarch ac yn cadarnhau. Ie, dyna a ddywed fy meistr. Ie, hon yw'r llong. A thwrw'r adar yn codi ac yn disgyn. Babel y glannau, synau'r diriogaeth nad yw'n ddŵr nac yn dir ond yn gymysgedd o'r ddau.

Mae tebygrwydd trawiadol rhwng y ddau ddyn, ac nid yw'n syndod bod rhai o'r morwyr a'r teithwyr eraill yn meddwl mai tad a mab ydynt. Eilliasai Rhisiart ei wyneb yn lân yn y bore cyn dod ar y llong, gan feddwl na fyddai'n gwneud hynny eto tan ar ôl y fordaith. Mae wyneb Owen Lewys hefyd yn hir ac yn lân, ei drwyn a'i ên yn gryf. Mae o leiaf ugain mlynedd – ac o bosibl ryw ddeng mlynedd ar hugain – yn hŷn na Rhisiart. Yn debyg hefyd i'r dyn wrth ei ochr, mae ei wallt yn syrthio'n hir at ei ysgwyddau, ac nid yw wedi'i fritho'n llawer iawn mwy er gwaethaf y gwahaniaeth oedran rhyngddynt. Mae'n ddyn tal hefyd, fel Rhisiart yntau, yn gryf o gorff er gwaethaf ei flynyddoedd. Ei wyneb sy'n dangos ei oed, y croen wedi crychu fel hen ledr. Wyneb un sydd wedi treulio blynyddoedd yn teithio'r lonydd, gefn gaeaf a chanol haf. Gwisga het ddu â chantel llydan, yn debyg i'w gydymaith, ond ei bod hi, fel y dyn sy'n ei gwisgo, dipyn yn hŷn ac yn dangos ei hoed.

'You and your father are far from home.' Mae sylw'r morwr yn ffwrdd-â-hi. Mae wedi'u clywed yn siarad; ac yntau wedi treulio digon o amser ar ddociau a llongau Prydain i glywed yr iaith, mae'n gwybod yn iawn mai Cymraeg ydyw a bod y ddau ddyn, fel y dywed, yn bell o'u cartrefi. Rhagdybia nad yw'r dyn hŷn yn gallu siarad Saesneg. Ond cyn i'r un o'r ddau Gymro gael cyfle i'w ateb, mae'r morwr siriol wedi'u gadael, yn parhau â'i waith.

Gwena Owen Lewys, ei lygaid gleision yn goleuo. 'Pwy a ŵyr ym mha le y mae'n cartrefi yn nawr, ondife, Rhisiart Dafydd?'

Gwena Rhisiart hefyd, yn ymateb yn fwy i eiriau ei gydymaith nag i sylw'r Sais. Gŵyr yn ei galon y daw'r ddau ddyn at y pwnc eto yn ystod y dyddiau a'r wythnosau nesaf, ond nid yw'n siarad ar hyn o bryd.

'Yma yr ydym, ar ymyl y byd hwn ac ar fin mentro i fyd arall.' Disgwylia'n gwrtais am ateb, ond gan nad yw Rhisiart yn agor ei geg, mae'n troi'i lygaid o'r olygfa a'u hoelio ar ei lygaid yntau.

'Ddywedai John Powel ddim beth yw natur dy neges di yn yr Amerig, dim ond dweud dy fod yn gwneud ei waith e.'

''Dan ni ddim ar dir cyfartal felly, mae arna i ofn. Dach chi ddim yn gwybod llawer amdanaf i, ond dwi'n gwybod beth dach chi'n ei wneud. Mi ddudodd wrtha i am eich cenhadaeth chi. Chwilio am gartra ar gyfer y Crynwyr Cymreig.'

'Mi wyddost fod John Powel yn gweithredu gyda bwriad. Dyw e ddim yn gadael dim byd i hap, nag yw e? Rhaid ei fod e'n rhyw feddwl neu obeithio y gallet ti fy nghynorthwyo. Ar ôl i ti orffen pa orchwyl bynnag y mae wedi'i roi i ti ei gyflawni yno. Ar y llaw arall, dyw e ddim yn disgwyl i mi dy gynorthwyo di ac felly penderfynodd na raid i mi wybod dim am y neges sy'n mynd â thi i'r Amerig. Ac ni fydda i'n gofyn i ti.'

Gwena Rhisiart, yn mwynhau'r modd y mae geiriau'r dyn yn cau'r drysau na fyddai'n gyfforddus iddo eu hagor ac yn agor rhai eraill, rhai sy'n arwain at gyfeillgarwch. Dyma'r tro cyntaf iddo siarad â Chrynwr. Mae wedi gweld ambell un yn pregethu neu'n areithio, mae wedi clywed digon amdanynt, ond nid yw wedi cael cyfle i siarad yn hir ag un ohonynt. Dywed Owen Lewys lawer o'i hanes wrth Rhisiart. Bu gyda John Fox yn Lloegr ac roedd yn nabod James Naylor hefyd. Bu gyda John ap John yng nghyffiniau Caerdydd.

'Wyddost ti, Rhisiart Dafydd, mai'n cyfaill ni yw'r un a drefnodd i John ap John ddod yn rhydd pan gafodd ei garcharu?'

'Cyrnol Powel?'

'Ie. John Powel. Er nad oes bron neb arall yn gwybod hynny. Mae'n gweithio trwy eraill.'

Mae'n gweithio trwyddom ni'n dau rŵan, meddylia Rhisiart.

'Mae wedi bod yn ein cynorthwyo'n ddistaw bach ers blynyddoedd, er nad oes neb, bron, yn gwybod hynny.'

Cynorthwyo. Meddylia Rhisiart am ymadrodd y Cyrnol – 'rhoi hwb bach' – a gwenu.

Dywed Owen iddo fod gyda James Naylor a'i gyfeillion yn Llundain yr haf hwnnw, cyn iddynt benderfynu symud i Fryste. Cofia Rhisiart sgwrs rhwng dau o'i gyd-filwyr a glywsai gwpl o fisoedd yn ôl.

'Onid yw Cromwell yn dechrau sôn am wneud rhywbeth i ffrwyno Naylor a'i ffrindiau?'

'Mae'n ddigon posib, Rhisiart Dafydd. Rwy'n credu'r hoffai Oliver Cromwell ein tawelu ni i gyd erbyn hyn.'

'Pam? Onid ydach chi'n rhydd?'

'O ydyn, Rhisiart Dafydd, ers cyfansoddiad 1653. Mae'r gyfraith o'n plaid ac mae llawer ohonon ni'n gwybod sut mae defnyddio'r gyfraith.'

Gwena Rhisiart eto, yn cofio stori am Grynwr a waeddodd ar ganol gwasanaeth, yn torri ar draws y gweinidog, yn herio: 'Pa awdurdod sy'n rhoi'r hawl i ti bregethu yma?' A'r gweinidog yn dweud wrth yr awdurdodau, a nhwythau'n llusgo'r Cwacer trafferthus o flaen ynad. Ac wedyn, pan ddechreuodd yr ynad ddarllen yr achos yn ei erbyn, dyma'r hen Gwacer yn gweiddi, yn torri ar ei draws yntau: 'Pa awdurdod sy'n rhoi grym i ti fy erlid yn y modd hwn?' Ac felly ymlaen, nes bod ei gastiau a'i styfnigrwydd yn rhwystro pawb ac yn dod â'r Cwacer o flaen neb llai nag Oliver Cromwell ei hun yn y diwedd. A'r Arglwydd-Amddiffynnydd yn penderfynu ei ollwng yn rhydd.

'Ond o'n i'n meddwl nad oedd *o* yn eich erbyn yn hollol.'

'Doedd Oliver Cromwell ddim yn ein herbyn ni. Doedd e ddim yn siŵr beth i'w wneud gyda ni, a bod yn gwbl onest. Y tro cynta yr aeth John Fox i siarad gydag e, dywedodd Oliver Cromwell nad oedd yn sicr nad oedden ni'n rhan greiddiol o'r cynllun. Cyfaddefodd nad oedd yn gwybod beth oedd ewyllys Duw a'i fod yn petruso cyn cydsynio â rhai o'i gynghorwyr, y rhai a ddywedai mai hereticiaid peryglus oedden ni. Doedd Oliver Cromwell ddim mor sicr.'

'Pam felly newid ei feddwl?'

'A, wel, mae Oliver Cromwell yn Galfinydd, Rhisiart Dafydd. Dyna yw e ar ddiwedd y dydd: Calfinydd da. Amlygodd y Galfiniaeth honno mewn modd digamsyniol y tro diwetha yr aeth John Fox i'w weld e.'

'Do?'

'Do, do. Dywedodd nad oedd yn derbyn yr hyn a ddywed y Crynwyr am y goleuni oddi mewn. Roedd wedi bod yn siarad â rhai o'i ddiwinyddion ynghylch y peth, wyddost ti, ac roedd wedi ymbaratoi. Wedi ymarfogi yn ein herbyn, fel petai.'

Ni ddywed Rhisiart air, ond mae'r olwg ar ei wyneb yn cymell rhagor ac mae Owen Lewys yn fodlon cydsynio.

'Cei di hyd i'r cyfarwyddyd yn Efengyl Ioan, Rhisiart Dafydd.'

Sylla Rhisiart arno, golwg ymholgar ar ei wyneb. Gwena Owen, a dechrau llefaru.

'Hwn ydoedd y gwir Oleuni, yr hwn sydd yn goleuo pob dyn a'r ysydd yn dyfod i'r byd. Fe weli di, Rhisiart Dafydd, fod Ioan wedi'i anfon oddi wrth Dduw er mwyn tystiolaethu am y goleuni, fel y byddai pawb yn credu trwyddo fe. A pha beth oedd y goleuni hwnnw ond y gwir oleuni, sy'n goleuo pawb oddi mewn. Felly'r ydyn ni, Rhisiart Dafydd, yn tystiolaethu fel Ioan gynt. Yn tystiolaethu am y goleuni sy'n disgleirio y tu mewn i bawb ac yn dangos y ffordd yn yr un modd i bawb.'

Er nad oedd Rhisiart wedi ymuno yn y cyfryw drafodaethau ers talm, roedd wedi arfer â thrafod diwinyddiaeth, a'r mynych arfer hwnnw wedi rhoi min ar ei feddwl. Athrofa ddiwinyddol oedd Byddin y Seintiau, a honno'n drobwll syniadaethol, yn berwi gyda thoreth o wahanol syniadau, a'r milwyr yn eu trafod yn barhaus. Felly mae'n treulio yr hyn a ddywedodd Owen Lewys yn gyflym a dod at ei gasgliad ei hun.

'Mae'ch cred fod y goleuni y tu mewn i bawb yn awgrymu bod yr Ysbryd Glân neu hyd yn oed Crist y tu mewn i bawb. Ond mae Cromwell yn Galfinydd da ac felly'n credu mai dim ond yr etholedig sydd â'r Ysbryd Glân y tu mewn iddyn nhw. Ac unwaith y mae'r ddadl wedi'i chyflwyno yn y modd yna, mae'ch cred chi'n swnio fel cabledd a chitha'n ymddangos fel hereticiaid peryglus.'

'Yn union, Rhisiart Dafydd, yn union. Dyna wir natur ein cyfyng-gyngor. Ni allwn ni wneud yn wahanol, dim ond parhau i dystiolaethu am y goleuni oddi mewn, ac os yw'r rhai sy'n dal grym yn penderfynu'n bod ni'n pregethu cabledd a heresi...'

'Mae wedi canu arnoch chi.'

'Dywedais hynny mewn geiriau plaen wrth James Naylor, ond nid oedd am wrando. "My work here in England is not done, Owen Lewys," dyna ddywedodd e wrtha i cyn ymadael am Fryste. Ond mae yna rai Cymry sy'n cyd-weld â fi'n hollol. O bosib am eu bod nhw'n Gymry.'

Mae Rhisiart yn deall. Ein cydgenedl. Gweddillion hil yr Hen Frytaniaid yn cysgodi mewn cornel o'u hen ynys.

'Ac mae John Powel yn deall, ac wedi penderfynu'n cynorthwyo.'

Rhoi hwb bach yma a thraw. Atgyfodi hen hil Brutus, a hynny ar ffurf gwladwriaeth Grynwraidd ar dir yr Amerig draw.

Milflwyddiant pragmatydd sy'n chwarae â gwallgofrwydd hanes.

'Ond ni wn beth i'w ddisgwyl, Rhisiart Dafydd. Mae'n rhyfygus dweud gyda sicrwydd cyn cychwyn arni. Fe glywais bregethwr o Sais unwaith, ac yntau ar fin hwylio am yr Amerig. Dywedodd ei fod yn mynd i ganol tywyllwch y cyfandir paganllyd hwnnw er mwyn cynnau cannwyll golau Duw yno.'

Mae'r ddau ddyn wedi troi i edrych ar yr olygfa eto, ond mae Rhisiart yn gwrando'n astud, ei feddwl yn gweithio'r symiau diwinyddol wrth iddo dreulio geiriau diwethaf ei gydymaith. Y gwahaniaeth rhwng trosiad a throsiad, rhwng cannwyll allanol a goleuni oddi mewn. Y gwahaniaeth rhwng pregethu a thystiolaethu, rhwng ceisio cynnau fflam a gwybod bod fflam yno. Ond cyn iddo orffen y gwaith meddwl a chynnig dadansoddiad o'r cyfan, mae Owen Lewys yn siarad eto.

'Rhyfyg, Rhisiart Dafydd, dyna ydyw. Rhyfyg a haerllugrwydd.' Cwyd law a'i symud ar draws yr olygfa o'u blaenau, yn cymell Rhisiart i ystyried y tai, y tafarndai, a'r stordai, prysurdeb y dociau a'r llongau llwythog. 'Y mae hwn hefyd yn un o leoedd tywyll y ddaear. Cofia hynny, Rhisiart Dafydd. Ni thycia i ni ddweud bod y lle hwn yn dywyll a'r lle arall hwnnw'n dywyllach eto, a bod golau wedi'i gynnau gan bobl o'r lle tywyll hwn i oleuo'r lle tywyll hwnnw. Y tu mewn y mae'r goleuni. Cofia di hynny, Rhisiart Dafydd.'

Oriau'n ddiweddarach, ac maen nhw'n hwylio heibio i gorsydd Essex, ychydig o goed i'w gweld yn y pellter y tu hwnt i'r tir gwastad gwlyb. Mae tarth yr afon yn cymylu'r cyfan, yn gwneud i Rhisiart feddwl ei fod yn gweld y tir hwn mewn breuddwyd. Wrth i'r haul ddechrau disgyn yn yr awyr, mae golau cochlyd y machlud yn troi'r tarth yn llen o ddeunydd lliw rhuddem, yn debyg i fêl o les a welsai ar het boneddiges yn y dyddiau cyn y rhyfeloedd. Gwêl yr afon, y corsydd, a'r coed o hyd, ond trwy'r llen goch ddisglair honno.

Gresyna nad yw Owen Lewys gydag ef; hoffai rannu'r profiad arallfydol hwn â rhywun, ac nid oes ganddo awydd dechrau sgwrs ag un arall o'r teithwyr. Aethai Owen i lawr ychydig cyn y machlud, er mwyn cynorthwyo gwraig. Rywsut, roedd Sais o'r enw David Farmer wedi dechrau siarad â nhw – neu'n hytrach ag Owen, gan nad oedd Rhisiart yn ymuno – a dweud bod ofn y fordaith ar ei wraig, a hynny i'r ffasiwn raddau nes ei bod hi'n gorwedd ar y plancedi a oedd yn wely iddyn nhw, yn crynu. Poenai y byddai'n sâl pe na bai'n ymdawelu, ond nid oedd dim yr oedd wedi'i ddweud wrthi'n ei helpu. 'Shall I offer to pray with her?' cynigiodd Owen, ac wedyn estyn llaw i gydio ym mraich y Sais ifanc a'i sicrhau. 'And if that fails, I will tell her a nice tale which will divert her from her present worries.' Ac felly saif Rhisiart ar ei ben ei hun, yn syllu trwy'r llen gochlyd, yn dilyn ehediad aderyn mawr o ryw fath – crëyr o bosibl – a godasai o'r corsydd yn ymyl yr afon.

Teimla bwysau yn erbyn ei goes, rhywbeth byw'n gwasgu'n erbyn ei fwtias uchel. Cama'n ôl o ganllaw'r llong er mwyn edrych: cath fawr ddu, gyda mymryn o wyn ar ei chynffon a'i phawennau. Mae'r anifail yn gwasgu'n ei erbyn eto, yn canu grwndi'n uchel. Mae'r llong yn swnllyd rhwng lleisiau'r morwyr, y rhaffau'n rhasglu, y pren yn gwichian, a'r hwyliau'n ergydio yn y gwynt. Ond mae'n gallu clywed y gath yn canu'i grwndi. Plyga er mwyn rhoi mwythau iddi. Cosa ei chlustiau. Rhed ei law ar hyd ei chefn, yn tynnu'n ysgafn ar ei chynffon cyn dechrau eto. Cana'r gath yn uwch, yn pwyso i mewn i'w law. Gwêl mai cwrcath ydyw. Anifail anarferol o fawr. Yn edrych yn groeniach ac yn gryf.

'We call him Nicholas, or Nic.' Mae morwr yn ei ymyl, dyn ifanc bochgoch yn gwenu'n siriol. 'He's the best friend I have on this ship.'

Daw un arall heibio, yr un a siaradasai ag o ac Owen yn gynharach. 'Old Nick I calls him. He's as black as his father the devil.' Dyn hŷn, ei geg yn fain a'i lygaid yn rhy fach ar gyfer ei ben. 'And Robin here's too fond by half o' that devil of a cat.'

Mae Rhisiart yn codi i'w draed eto er mwyn sefyll a siarad â'r dynion wyneb-yn-wyneb, ond maen nhw wedi sylwi bod llygaid y capten arnyn nhw.

'To it, Robin lad.' Siarada'r morwr yn ddigon uchel i'r capten ei glywed, yn gwthio'r un ifanc i ffwrdd. Ac wedyn, yn ddistawach, 'Leave the devil to his own work.'

Symuda'r ddau oddi yno, yn gwneud sioe o ymdaflu i'w gwaith.

Plyga Rhisiart eto, yn cydio yn y cwrcath y tro hwn a chodi gyda'r anifail yn ei freichiau. Cosa'i glustiau, yn mwynhau teimlo'r blew cynnes o dan ei fysedd. Dechreua'r gath ganu grwndi eto. Symuda Rhisiart ei law i wasgu un o'r pawennau gwynion yn ysgafn. 'Dwyt ti ddim yn ddu i gyd, Nicolas, nagwyt?' Dechreua'r cwrcyn ymestyn ei grafangau, dim ond ychydig, yn profi llaw Rhisiart. 'O'r gorau, mae gen ti waith i'w wneud hefyd.' Mae'n gadael i'r cwrcyn neidio i lawr o'i freichiau, ond mae'r creadur yn gwasgu'n erbyn ei goes unwaith eto cyn cerdded i ffwrdd ar drywydd rhyw lygoden anweladwy.

Mae'n fore braf ac mae'r *Primrose* yn hwylio trwy'r tonnau, tir Cernyw i'w weld yn y pellter. Mae'n hwylio i'r gorllewin, y tir i'r gogledd. Hoffai Rhisiart edrych arno, ei astudio, ymollwng i'r eiliad, ond nid yw'n gallu. Mae'r gloch wedi cyhoeddi ei bod hi'n amser newid criw: mae eu hanner yn dod allan o'r ystafell gysgu yn y ffocsl yn y tu blaen ac mae'r hanner arall yn paratoi i ddiosg eu gwaith a chymryd llefydd eu cyd-weithwyr cyn i'w hamocs oeri, ond dyma'r adeg y mae Capten Marlow yn cynnal ei wasanaeth boreuol. Saif dau forwr ar y bwrdd uchel yn y cefn, eu dwylo ar y wipstaff, yn rheoli'r llyw, ac mae nifer yn gwneud gwaith angenrheidiol yn yr hwyliau, ond mae'r rhan fwyaf yn ymuno yn y gwasanaeth.

Saif y capten â'i gefn yn erbyn prif hwylbren y llong, y morwyr a'r teithwyr yn gwneud hanner cylch o'i gwmpas. Mae pawb wedi tynnu'i het yn unol ag arfer y llong, a synna Rhisiart wrth nodi bod Thomas Marlow yn foel. Er nad yw'n ddyn tal, mae'n ymddangos yn fawr. Solet. Mae'i wyneb yn grwn ac yn lân, ei drwyn smwt yn awgrymu gwaetgi o ryw fath. Mae saer coed y llong, Edward Epsham, yn sefyll o'i flaen, yn ei wynebu, yn dal y Beibl mawr ar agor. Sylwa Rhisiart fod y saer yntau'n moeli, er bod stribedau o wallt cochlyd yn hanner cuddio'i war a'i glustiau. Llais bas tanllyd sydd gan Marlow, pob gair yn ergydio o'i geg ac yn teithio'n bell.

'According as His divine power hath given unto us all things that pertain unto life and godliness, through knowledge of him that hath called us to glory and virtue.'

Buasai'n sôn am Seimon Pedr, gwasanaethwr ac apostol Iesu Grist, a Rhisiart yn rhyw feddwl bod y capten yn dechrau awgrymu y gallai pob un o'r morwyr a'r teithwyr fod fel efe, un o wasanaethwyr Crist, ond collasai ddiddordeb yn y bregeth ei hun. Mae Owen Lewys yn ei ymyl ac mae'r Crynwr wedi tynnu'i het fel pawb arall. Cronna'r cwestiwn yn barod ar dafod Rhisiart: onid ydach chi'n gwrthod ymollwng i'r hyn yr ydach chi'n ei weld fel defod grefyddol ddiystyr? Onid ydach chi'n gwrthod cydnabod awdurdod unrhyw ddyn i gyfodi'n weinidog drostoch chi ac arnoch chi? Ond dechreua wrando ar y capten eto pan ddechreua ddarllen o'r Ysgrythur. Cofia hogyn yn eistedd ar gasgen yn ymyl drws yr efail yn darllen ei Feibl yng ngolau'r lleuad. Cofia ddyn ifanc yn pori trwy'r llyfr mewn gwersyll neu farics. Cofia'r pleser o gofio'r holl eiriau, y grym a ddeuai trwy eu galw'n rhwydd i'w dafod.

Ac felly fe'i caiff ei hun yn mwynhau cyfieithu'r darlleniad yn ei ben, yn galw'r geiriau Cymraeg o'i gof i ateb y Saesneg a ddarllenir gan y capten.

Megis y rhoddes ei dduwiol allu Ef i ni bob peth a berthyn i fywyd a duwioldeb, trwy ei adnabod Ef yr hwn a'n galwodd ni i ogoniant a rhinwedd.

Ond mae rhywbeth arall yn mynd â'i sylw: Nicolas, y cwrcyn du, yn gweu'i ffordd drwy'r dorf tuag ato. Noda fod y morwr a enwasai'r anifail yn gweld nad yw'n dilyn y bregeth, ac mae'n gwenu'n slei. Symuda'r Sais ei lygaid er mwyn dangos ei fod yn gweld y gath – sydd bellach yn ymwasgu'n erbyn coesau Rhisiart – ac mae'n gwneud ystum fach â'i wyneb yn mynegi syndod a mwynhad direidus. 'A-ho,' mae'n ebychu yn nychymyg Rhisiart, 'dyma ti'n dangos dy liwiau rŵan, yn ateb galw'r Gŵr Du yn hytrach na gwrando ar Air yr Arglwydd!'

'Brethren, give diligence to make your calling and election sure, for if ye do these things, ye shall never fail.' Frodyr, byddwch ddiwyd i wneuthur eich galwedigaeth a'ch etholedigaeth yn sicr, canys tra foch yn gwneuthur y pethau hyn, ni lithrwch chwi ddim byth.

Fe â hanner y morwyr drwy ddrws y ffocsl, yn awchu am gwsg, ac mae'r rhai sydd newydd godi yn mynd i'r afael â'u gwaith. Dringa Capten Marlow yr ysgol gul i'r dec uchel er mwyn siarad gyda'r morwyr sy'n gweithio'r wipstaff, yn hetiog, ei foelni wedi'i guddio unwaith eto. Mae Rhisiart ac Owen Lewys yn gwisgo'u hetiau hwythau. Y dyn hŷn yw'r cyntaf i siarad.

'Mae Thomas Marlow yn ddyn sy'n sicr o'i etholedigaeth. Ac mae'n pregethu fel pe bai'n credu bod eraill yn gallu profi'u hetholedigaeth nhwythau.'

'Beth ddywedai Calfin?' Gwena Rhisiart, yn ymateb i'w jôc ei hun. Mae'r cwestiwn y buasai'n edrych ymlaen at ei ofyn i'r Crynwr wedi marw ar ei dafod; nid oes ganddo awydd ei herio a'i bryfocio. Mae'n well ganddo ymuno â thrafodaeth sy'n eu gosod ill dau'n solet ar yr un ochr.

'Ie wir, Rhisiart Dafydd. Ond mi ofynna i i ti drachefn, pa beth a feddyliai Calfiniad mawr Lloegr?'

'Mae'n siŵr gen i fod Capten Marlow yn ystyried ei hun yn un ohonyn nhw.'

'O bosib, Rhisiart Dafydd. Ond nid wyf i am ei holi ynghylch y mater.' Gwena'n gellweirus ar Rhisiart cyn troi a cherdded i ffwrdd. Sylwa Rhisiart ei fod yn annerch David Farmer a'i wraig. Rhaid i mi ddysgu'i henw, meddylia; mae Owen yn hoff ohonyn nhw. Dechreua blygu i roi mwythau i Nicolas, ond mae'r cwrcyn wedi hen ddiflannu.

Mae'r ddau ddyn yn pwyso'n erbyn canllaw'r llong, yn dal eu hetiau yn eu dwylo rhag ofn i'r gwynt cryf eu cipio oddi arnynt. Syllant i'r gogledd. Mae'r *Primrose* yn rhedeg gyda'r gwynt drwy fôr agored, ac mae'n anodd credu bod y ffasiwn beth â thir yn bod yn y byd, ond dywed Robin, y morwr bochgoch, fod Iwerddon i'w gweld i'r gogledd. Mae newydd orffen twtio'r clymau'n agos at dop y prif hwylbren, a gwelodd dir Iwerddon o'i glwyd. 'I'm the best climber on board. Born to it, like my friend Nic.' Ond nid yw'r cwrcath yn dringo heddiw; mae i lawr yn y tywyllwch yn hel ei ginio. 'And now it's the mizzen mast for me.' Wedi'u gadael felly, mae Rhisiart ac Owen Lewys yn craffu ar y gorwel, yn chwilio am dir, ond nid oes dim i'w weld ond tonnau'r môr.

'Fe ddywedaist ti dy fod wedi croesi'r môr o'r blaen, Rhisiart Dafydd?'

'Do.'

'Do?'

'Do. Ryw saith mlynedd yn ôl. Hwylio o Fryste' – mae'n amneidio â'i ben a chodi llaw at y gorwel – 'i Iwerddon.'

'Felly'r oeddwn i'n meddwl.'

'Ddechra Medi, tywydd teg, yn debyg i heddiw. Glanio yn Nulyn. Symud wedyn. Mynd fel lladd nadroedd, heb orffwys.

Cyrraedd waliau Drogheda erbyn y nos.' Drogheda: gwarchae'n gorffen mewn môr o waed. Cromwell yn eu gorchymyn i'w lladd i gyd. Garsiwn Drogheda, pob un ohonynt. Dros ddwy fil o ddynion, y rhan fwyaf wedi'u taro i lawr mewn gwaed oer ar ôl ildio. Dienyddio torfol ydoedd, nid ymladd. Ond ei fod yn rhy anhrefnus i fod yn ddienyddiad. Dim defod, dim curo rhythm y drwm, dim cyfle i'r condemniedig ddweud eu geiriau olaf. Dim ond eu taro i lawr. Llofruddiaeth dorfol, cochi pridd y llawr a cherrig y stryd.

'Do wir?'

'Do, do. Ac… wedyn… ar ôl gorffen ein gwaith… hwylio'n ôl ddiwedd mis Hydref. Ar ôl i ni gipio Wexford.'

Wexford. Nid oedd gair ar gyfer y fath ddiwrnod. Lladd cynifer o'r gelyn ag y gwnaethon nhw yn Drogheda, ond hefyd llawer o bobl gwbl ddiniwed. Gwragedd. Hen ddynion. Plant. Cannoedd ar gannoedd ohonyn nhw. A llosgi'r dref. Y march coch yn gadael Wexford yn llwch ac yn lludw o dan ei garnau, ac i'r hwn a oedd yn eistedd arno y rhoddwyd iddo gymryd heddwch oddi ar y ddaear. Nhw, filwyr Byddin y Seintiau, oedd ar gefn y march coch. Byddin y credent ei bod hi'n Eglwys wedi'i Chynnull yn Ei enw Ef. Dyna ddywedai rhai o'u pregethwyr: *We are a gathered Church, doing his work.* Yn gwneud Ei waith Ef yn Drogheda ac yn Wexford.

Ni welsai Isaac Huws ers iddo ddychwelyd o Iwerddon, ond roedd ei wyneb o flaen llygaid ei ddychymyg yn aml, a rhyw gnoi yn ei galon a'i fol bob tro y meddyliai amdano. Fel hogyn ysgol yn chwilio am elyn ar y stryd, yn ceisio codi ffrae a gobeithio glanio dwrn ar wyneb ei wrthwynebydd. Chwiliai am Isaac Huws mewn gwersyllfa a barics, yn llinell pob mintai a âi heibio, yng nghanol ac ar gyrion pob gwasanaeth. Ond roedd y pregethwr wedi cael bywoliaeth yng Nghymru ers rhai blynyddoedd, ac nid oedd yn teithio gyda'r byddinoedd mwyach. Ni chafodd Rhisiart ei wynebu, a'i eiriau yn ddwrn, a gofyn: wele Drogheda a Wexford yn llwch ac yn waed, ai dyma yw'r march gwyn y soniasoch chi amdano? Ai dyma fo, a'i farchog yn gwisgo coron ar ei ben? Ai dyma yw hynt eich buddugoliaeth?

Try Rhisiart i ddweud wrth Owen Lewys nad yw'n gallu gweld dim ond y môr, a chanfod ei fod ar ei ben ei hun. Llithrasai ei gyfaill i ffwrdd yn ddistaw, yn ddiarwybod iddo, a'i adael yn syllu ar y gorwel. Cerdda Rhisiart yntau draw i ochr arall y llong a syllu ar y gorwel hwnnw.

Mae'r pedwar yn sgwrsio gyda'r nos. Mae'n dywyll ar eu dec nhw, ond mae'n noson glir y tu allan ac mae ychydig o olau'r lleuad yn eu canfod trwy bren yr hatsys. Mae Owen Lewys wedi gwneud trefniadau gyda'u cymdogion er mwyn gadael i David Farmer a'i wraig Elizabeth symud eu pethau atyn nhw. Mae Rhisiart wedi dod i nabod y Saeson ifainc erbyn hyn, ac mae'r pedwar yn siarad yn aml.

Elisabeth, meddylia. Wrth gwrs. Pa enw arall? Pa enw arall ond Alys? Mae hi wedi cynefino â'r llong erbyn hyn, ond mae tywydd garw'n ei gyrru'n ôl i afael ei hen ofnau. Mae'r llong yn rhochian ychydig heno, er nad yw'n stormus, ac felly mae Elisabeth yn ddigon bodlon. Siarada'r gŵr am y bywyd y bydd ef a'i wraig yn ei fyw yn Lloegr Newydd. Siarada'n gyflym, cyffro wedi cydio ynddo, ond nid yw Rhisiart yn gwrando'n ofalus. Mae croen y Sais yn wyn, wyn a'i wallt cwta mor olau nes ei fod bron yn dryloyw. Ond mae hynny o wallt sy'n disgyn o gap Elisabeth yn dywyll ac mae ei chroen yn awgrymu heulwen haf. 'A Boston merchant… acquaintance… uncle… letter of introduction… and a start… for five and six…' Hoffa Rhisiart y dyn ifanc, ond ni all ganolbwyntio ar ei sgwrs.

Mae'n wahanol pan fydd Elisabeth yn ymuno. 'Our child will be a girl, this I know.' Ceisia'i gŵr ei thawelu'n dyner, yn dweud na ddylen nhw ddyfalu pa beth y mae Rhagluniaeth yn ei baratoi ar eu cyfer, ond mae hi'n sefyll ei thir, yn dawel ond yn sicr. 'That I know as well, David, but I cannot help myself.' Mae pennau'r ddau'n agos, y golau egwan yn dal gwallt golau'i gŵr ac yn disgleirio yn ei llygaid gleision hithau. 'It is as a certainty inside me.' Dywed y dyn ifanc na ellir bod yn sicr am unrhyw beth ar wahân i ewyllys Duw, gan ychwanegu bod hwnnw hefyd yn ddirgelwch iddyn nhw, feidrolion, y rhan fwyaf o'r amser. 'It is certain. I don't know why, but I do know that. She will be a girl, and we shall call her Faith.' Mae'r pedwar yn dawel am ennyd wedyn. Mae Rhisiart yn ystyried geiriau a glywsai gannoedd o weithiau. Ffydd yn unig sy'n achub. Ffydd yn unig sy'n sicrhau. A ffydd yn unig gyda chwi, ni fydd eisiau arnoch. Y gneuen wag? Pa le y mae'r gwenith a pha le'r us? Cofia wedyn eiriau'r Cyrnol, ei gyffes newydd. Rydym ni *wedi* credu… rydym ni *wedi* byw… rydym ni *wedi* gwneud.

Mae'n teimlo, er gwaethaf y tywyllwch, fod y lleill yn edrych arno, a sylweddola'i fod yn siarad yn uchel ag ef ei hun. Yn hytrach na'i holi yn ei gylch, dechreua Owen Lewys sgwrsio'n Saesneg eto, yn adrodd stori ddigrif am grefftwyr Caerffili. Ond nid yw Rhisiart yn gwrando. Canolbwyntia ar y geiriau Cymraeg hynny, eu troi drosodd y tu mewn iddo, eto ac eto. Wedi credu, wedi byw, wedi gwneud. Wrth gwrs. Elisabeth yw ei henw hi. Pa enw arall? Dwi wedi byw, wedi credu, wedi gwneud.

Prynhawn heulog, braf. Buasai'r gwynt yn eu herbyn am yn agos at wythnos, ond troesai yn ystod y nos ac mae wedi llenwi hwyliau'r *Primrose* ers hynny, er mawr foddhad i'r capten. Diolchgarwch am y gwynt oedd y gwasanaeth a gynhaliodd o flaen yr hwylbren y bore hwnnw. Saif Rhisiart yn yr awyr agored, wedi tynnu'i het a'i gôt, yn mwynhau cynhesrwydd yr haul ar ei wyneb a'r gwynt yn symud trwy'i wallt.

Daw rhaff yn rhydd yn rhywle, yn chwipio yn y gwynt, yn ergydio'n erbyn yr hwylbren. Gwaedda'r bosn, ac mae sŵn traed yn curo pren wrth i nifer o forwyr redeg i fynd i'r afael â'r broblem. Ond nid yw Rhisiart yn troi i edrych arnynt. Mae'n codi ei wyneb i'r haul, ei lygaid wedi'u cau, ac nid yw holl synau'r llong ond megis sibrwd mewn breuddwyd. Hwn yw'r byd, meddylia, a hwn yw'r bywyd dwi wedi'i fyw. Cynhesrwydd croen yw'r gwres y mae'n ei deimlo ar ei wyneb: boch yn gwasgu'n erbyn ei foch yntau. Bysedd byw yn chwarae â'i wallt, llaw yn anwesu'i foch yn chwareus.

Eistedd y pedwar ar eu cistiau, wedi gorffen eu pryd o fara ceirch sych a dŵr. Mae'r caws a'r menyn wedi darfod ers dyddiau. Daw tipyn o olau drwy'r hatsys er bod y diwrnod yn tynnu i'w derfyn. Mae Rhisiart yn awyddus i orffen a mynd i fyny i weld y machlud, er bod y capten a'r bosn wedi bod yn swnian ar y teithwyr, yn dweud wrthynt y dylent gadw o'r ffordd yn y tywyllwch ac aros i lawr ar eu dec nhw. Ond mae Rhisiart wedi bod yn ei mentro hi bob noson braf, yn aros i wylio'r haul yn diflannu a'i liwiau'n paentio'r môr, a does neb wedi'i herio ynghylch y peth eto.

Mae'n gynyddol anodd iddo fwyta fel hyn. Mae hald y llong odanyn nhw, ac nid yw pren eu dec yn atal y drewdod rhag codi a bygwth eu mygu. Arogl dyfrllyd, hallt yn gymysg â surni sbwriel a llygredd. Gofynna i'w gymdeithion fynd i fyny gydag o i fwyta yn yr awyr iach pan fo'n bosibl, ond mae'r capten wedi'i wahardd heddiw. Mae rhai o'r teithwyr yn dod â gormod o bethau allan gyda nhw adeg bwyd, ac mae'r poteli a'r plancedi a'r basgedi yn mynd o dan draed y morwyr. Felly bwyta ar eu dec ym mwrllwch perfeddion y llong y maen nhw, drewdod yr hald yn tynnu unrhyw flas o'r bwyd a sŵn llygod mawr yn crafu yng nghysgodion y corneli'n eu hatgoffa nad pobl yw'r unig bethau sy'n bwyta yn y tywyllwch hwn.

Synna fod Elisabeth yn gallu stumogi ei bwyd o dan y fath amgylchiadau. Mae hi wedi bod yn dangos ers talm; buasai'n rhaid i un o'r gwragedd eraill ei helpu i addasu'i dillad ychydig er mwyn iddi gael symud yn weddol gyfforddus. Bu David yn sôn amdani gydol yr amser wrth iddynt fwyta, yn cymharu gwahanol straeon yr oedd wedi'u clywed am fordeithiau a gwahanol fathau o dystiolaeth am feichiogrwydd er mwyn ceisio penderfynu a fyddai'r babi'n dod cyn i'r llong gyrraedd pen ei thaith neu beidio. Ar y dechrau roedd Rhisiart yn rhyw ddisgwyl i Elisabeth bryfocio'i gŵr a'i atgoffa mai ef oedd yr un a gredai na ddylid dyfalu pa beth y mae Rhagluniaeth wedi'i gynllunio, ond mae hi'n ymuno yn awchus yn y cyfrif a'r dyfalu. Wrth gwrs, meddylia wedyn, mae'r gwynt o'i phlaid hi rŵan ac mae'n mwynhau'i hun. Dyma'r bywyd y mae hi'n ei fyw. Pob bendith iddi.

Dywed Elisabeth eto ei bod hi'n sicr mai merch fydd y plentyn. Awgryma Owen Lewys eu bod nhw'n ei henwi hi'n Primrose os yw'n cael ei geni ar y llong. Mae'r tri yn chwerthin, Elisabeth yn uwch na'r ddau ddyn. 'Her name will be Faith if she's born on ship.' Estynna law at ei gŵr a chydio yn ei law yntau. 'And her name will be Faith if she's born on shore.' Rhagor o chwerthin.

Cwyd Rhisiart i'w draed, yn esgusodi'i hun, yn dweud nad yw am golli'r machlud. Rhaid iddo blygu ei ben er mwyn osgoi ei daro ar y distiau sy'n hongian yn isel ar draws yr holl ofod. Cama'n ofalus rhwng cist a chasgen, yn symud i'r ysgol fechan. Mae'r hats ar agor uwch ei phen, a llifa'r golau i lawr ar hyd yr ysgol, fel dŵr yn rhedeg i lawr cerrig mewn rhaeadr. Cyn cyrraedd a gosod ei law ar bren yr ysgol, clyw sgrialu yn y cysgodion i'r chwith ond nid yw'n troi ei ben i edrych a wêl y llygoden fawr.

Hanner dydd ac mae'r glaw wedi gostegu ychydig. Mae'n bwrw rhywfaint o hyd, ond ddim hanner mor drwm ag y bu, ac mae morwyr yn croesawu unrhyw arwydd o obaith. Mae'r *Primrose* yn torri trwy donnau mawr, yn neidio ac yn hercio i fyny ac i lawr, pob ton yn ergydio wrth daro pig y llong. Mae'n anodd gwahaniaethu rhwng dafnau'r glaw a'r dŵr heli a deflir i fyny gan y gwrthdrawiad rhythmig cyson rhwng pren a thon. Mae'r teithwyr eraill wedi aros i lawr ar gais y capten oherwydd naid afrosgo'r llong. Roedd pob llythyren o'i orchymyn yn ddigamsyniol: nid wyf am beryglu bywyd arall er mwyn claddu corff nad yw ond sypyn o glai. Ond mae Rhisiart yn mynnu bod yno ac nid oes neb yn ei rwystro. Y dyn ifanc bochgoch sy'n cael ei gladdu. Robin. Syrthiasai o'r prif hwylbren yn ystod oriau mân y bore, ei gefn wedi'i dorri wrth daro'r bwrdd. Bu fyw am ychydig, mae'n debyg, ond ni chlywodd y teithwyr isod am y ddamwain tan ar ôl iddi wawrio. Rhaid i draean o'r criw aros wrth eu gwaith, ac felly dim ond ychydig dros ddeg ar hugain ohonynt sydd wedi ymgasglu i gynnal y gwasanaeth. Rhisiart yw'r unig deithiwr. Mae'r rhan fwyaf ohonynt yn dal canllawiau neu raffau er mwyn cadw eu traed yn erbyn naid y llong, ond mae Capten Marlow yn pwyso'i gefn yn erbyn yr hwylbren mawr, ei goesau ar led fel pe bai'n marchogaeth ceffyl, ei gorff yn symud yn ddeheuig gyda cherddediad y llong. Y tonnau'n tasgu a'r glaw ysgafn yn disgyn, a'r dŵr yn taro pen moel y capten.

Buasai saer coed y llong yn dal y Beibl mawr o'i flaen, ond disgynnodd unwaith a gollwng y llyfr sanctaidd ar y bwrdd gwlyb, llithrig. Wedi'i godi a'i sychu, gorchmynnodd y capten iddo'i gadw, ac felly mae Marlow yn gorffen y gwasanaeth heb gymorth. Nid yw'n anodd iddo; mae'n gwybod y geiriau'n iawn, ac yntau wedi'u dweud mor aml. Dydd y Farn Fawr, a'r môr yn ildio ei feirwon.

A'r gynulleidfa mor fach, mae'r fôr-gladdedigaeth hon yn wahanol iawn i'r ddau dro diwethaf. Dau o'r teithwyr, gwreigan mewn oed yr oedd Rhisiart yn synnu'i bod hi wedi mentro'r daith o gwbl, a fuasai farw tua diwedd y mis cyntaf, ac wedyn gŵr iach ei olwg ym mlodau'i ddyddiau fu farw ryw wythnos ar ôl hynny. Llifai'r sibrydion ofnus drwy'r criw a'r teithwyr fel ei gilydd, pawb yn poeni ei fod wedi marw o ryw afiechyd heintus a bod y pla ar fin cydio ynddyn nhw i gyd. Ond nid oedd pla wedi ymweld â'r llong wedi'r cwbl ac ni fu farw neb arall tan y bore hwnnw. Robin fochgoch, wedi'i lapio mewn sachlïain a'r amdo amrwd hwnnw wedi'i bwytho ynghau a'i droi'n barsel mawr twt. Cyfaill y cwrcyn, wedi disgyn i'w farwolaeth o'r un hwylbren yr oedd ei gapten yn pwyso'n ei erbyn rŵan, yn dweud y geiriau olaf dros ei gorff o.

Bydd y môr yn rhoddi i fyny'r meirw sydd ynddo, fel y bydd marwolaeth ac uffern yn rhoddi i fyny'r meirw sydd ynddynt hwythau, a hwy a fernir bob un yn ôl eu gweithredoedd. A dyma Nicolas, yn chwarae ei ran yn y gwasanaeth, yn plethu ei ffordd yn dalog rhwng coesau'r galarwyr, yn tystiolaethu i weithredoedd da'r ymadawedig. Sylwa Rhisiart. Mae wedi bod yn dadbwytho pregeth y capten yn ei ben, yn rhoi bysedd ei resymeg drwy'r holl dyllau ynddi. Mae addasu adnodau Llyfr y Datguddiad ar gyfer y fôr-gladdedigaeth yn awgrymu nad trwy etholedigaeth y mae Duw yn achub enaid ond o ganlyniad i'w farnu ar Ddydd y Farn. Y meirwon, fychain a mawrion, yn sefyll gerbron Duw, a'r llyfrau wedi'u hagor, gan gynnwys llyfr bywyd, a phob un o'r meirwon yn cael ei farnu wrth y pethau a oedd wedi'u hysgrifennu yn y llyfrau hynny, yn ôl eu gweithredoedd. A'r môr yn rhoddi i fyny'r meirw sydd ynddo, fel y mae marwolaeth ac uffern yn ildio'r meirw sydd ynddynt hwythau, pob un yn cael ei roddi gerbron i gael ei farnu yn ôl ei weithredoedd. Mae Nicolas wedi ymuno ag o bellach, ac er nad yw'n gallu'i glywed uwchben llais y capten, mae Rhisiart yn sicr ei fod yn canu grwndi'n ddistaw iddo, yn tystiolaethu i rinweddau cyfaill coll. Nid yw'n weddus, ond ni all Rhisiart ymatal rhag gwenu: mae diwinyddiaeth forwrol y cwrcyn yn drech na Chalfiniaeth fylchog y capten.

Amen, amen. Mae pedwar morwr yn codi'r corff yn ei amdo o sachlïain a'i gludo i'r ochr, eu traed yn llithro a'u pen-gliniau'n plygu gyda naid y llong. Poena Rhisiart fod un ohonynt yn mynd i ddisgyn, poena y bydd Robin yn cael ei daro unwaith eto ar y bwrdd a'i lladdodd, ond mae'r pedwar yn cadw eu traed.

Gyda'r geiriau olaf, maen nhw'n gollwng y parsel hir i'r môr. Ni ellir clywed y corff yn taro'r dŵr, mor uchel y synau eraill – y tonnau'n ergydio wrth daro'r llong, yr hwyliau'n tynnu ar eu rhaffau, y pren yn gwichian, a'r dŵr yn slochian. Ond gŵyr Rhisiart ei fod yn taro'r dŵr gyda sblash ac yn diflannu'n syth o dan y tonnau. Roedd cerrig balast o hald y llong wedi'u gosod yn ymyl traed Robin cyn iddynt bwytho'i amdo ynghau, tameidiau o'r ddaear sych yn mynd ag o ar daith trwy'r dyfroedd. Mae'n suddo'n syth. Y bywyd byr hwn wedi'i fyw. Amen, amen.

Nid yw'n hoffi'i wneud o flaen ei gymdeithion am ryw reswm, ond nid oes ganddo ddewis. Mae wedi'i wneud nifer o weithiau yn ystod yr wythnosau diwethaf, ac wedi ceisio achub y cyfle pan âi'r lleill i fyny i fwynhau ychydig o awyr iach neu grwydro i ran arall o'r dec i siarad â theithwyr eraill. Ond mae Elisabeth yn treulio llawer o'i hamser yn gorwedd bellach, ac felly nid oes ganddo ddewis. Nid yw Owen Lewys yno, ond mae David Farmer yn eistedd ar gist yn ymyl gwely'i wraig. Gŵyr Rhisiart fod gan y Sais ifanc ddiddordeb yn y bwndel hir y mae'n ei gadw'n ymyl ei gist. Gŵyr ei fod wedi disgwyl am y cyfle hwn i weld y milwr yn ei ddadlapio, yn tynnu'r arfau allan o'r hen blanced sy'n eu cuddio, ac nid oes ganddo ddewis y tro hwn ond ei fodloni o'r diwedd. Dyma nhw'n gorwedd ar y blanced sy'n wely iddo yntau, wedi eu dadlapio'n araf o flaen David. Mae Elisabeth yn cysgu, neu o leiaf mae wedi cau'i llygaid, ond mae'i gŵr yn gwylio pob symudiad y mae'r milwr yn ei wneud, ac mae'n gwneud rhyw sŵn bach fel plentyn yn llyncu uwd pan wêl y cleddyf, y mwsged, a'r ddau bistol wedi'u gosod ar y gwely. Egyr Rhisiart ei gist a thynnu pelen fach feddal ohoni; clwtyn seimllyd wedi'i lapio mewn clwtyn arall. Mae'n ei agor yn ei law wrth eistedd ar y llawr, ei goesau wedi'u croesi. Gesyd y clwtyn sych ar un pen-glin a'r clwtyn gwlyb ar y pen-glin arall. Mae'n tynnu'r cleddyf o'i wain yn araf a'i godi, yn ei droi i ddal yr ychydig olau sy'n llifo i lawr trwy'r hatsys, yn chwilio am arwyddion o rwd. Ac yna mae'n gosod yr arf hir ar draws ei goesau ac mae'n codi'r clwtyn gwlyb ag un llaw, y llaw arall yn cydio yng ngharn y cleddyf er mwyn ei ddal yn sownd. Rhwbia'r llafn, yn oedi ar y darnau hynny sy'n peri pryder iddo. Cwyd y cleddyf eto, y golau'n fflachio'n fwy arno'r tro hwn oherwydd y saim gwlyb, ac yna mae'n codi'r cadach arall a'i sychu. Wedi gweinio'r arf, mae'n codi'r pistol cyntaf a'i ddal i fyny yn y golau, yn astudio'r darnau metel.

Prin bod cwmwl i'w weld yn yr awyr las, ond mae gwynt yr Iwerydd yn oer. Mae'r morwr yn noeth at ei hanner ac mae wedi'i glymu i'r hwylbren blaen. Y morwr hwnnw gyda llygaid bychain a cheg fain. Bu'n dawnsio ac yn canu neithiwr. Tom. Lucky Tom y mae rhai o'r morwyr eraill yn ei alw. Er gwaethaf ei wyneb ymddangosiadol galed, mae'n ddyn sy'n mwynhau hwyl a direidi ac yn hoff o wneud i'w gyd-forwyr chwerthin. Ond mae Lucky Tom wedi torri deddf Capten Marlow. Ei gosb yw aros felly'n rhynnu yn y gwynt am ddiwrnod cyfan. Iddo gael dysgu cadw'i draed yn llonydd, meddai'r capten. Bu'n rhaid i bob aelod o'r criw nad oedd yn gwneud gwaith hanfodol ymgasglu pan glymwyd ef i'r hwylbren y bore hwnnw a chlywed y capten yn disgrifio trosedd y dyn a'i gosb. Segur blesera mewn dull anllad. Yn peryglu ymroddiad eraill i'w gwaith, ie, a pheryglu eneidiau eraill hefyd. Daeth rhai o'r teithwyr hefyd, yn lleddf-ddwys, fel pe baent yn mynychu cynhebrwng, ond gwyddai Rhisiart yn iawn pa reddfau sy'n gyrru dyn i weld dioddefaint arall. Roedd y sioe wedi colli'i newydd-deb erbyn canol dydd, a bellach mae Lucky Tom yn rhynnu'n ddistaw yn ddigynulleidfa. Nid yw Rhisiart wedi dod i edrych arno, ond mae'n cerdded, yn synfyfyrio, ac mae wedi cyrraedd y pen hwnnw o'r llong. Edrych Tom arno o gil ei lygad, yn ofalus i beidio â symud ei ben. Chwincia Rhisiart arno yntau, mewn modd cynllwyngar. Daw awydd drosto i gynnig ei gôt i'r dyn, ond gŵyr na fyddai rhyfel agored â'r capten yn beth doeth. Chwincia eto, a cherdded i ffwrdd.

Daw Owen Lewys gydag o i'r hwylbren y noson honno pan mae'n amser. Mae'r naill Gymro yn dal planced ac mae'r llall yn dal potel fach frown – rỳm a roddwyd gan un o'r teithwyr eraill at yr achos. Ond nid ydynt yn gallu cyrraedd Lucky Tom gan fod cynifer o'i gyd-forwyr yno'n barod. Mae'r troseddwr, ei gosb ar ben, wedi'i ddatglymu ac mae wedi'i lapio mewn sawl planced yn barod. Nid yw'n gallu sefyll, ond mae dwylo lawer yn cydio ynddo, yn ei gynnal.

'Dere, Rhisiart Dafydd. Mae'r gwaith wedi'i wneud.'

'Gwirion oeddan ni, yn meddwl na fydden nhw'n edrych ar ôl un ohonyn nhw eu hunain. Teulu ydan nhw.'

'Teulu ydyn ni i gyd, Rhisiart Dafydd.'

Mae'r ddau wedi troi a dechrau cerdded erbyn hyn, yn mynd i ddychwelyd y rỳm nas yfwyd i'w gyn-berchennog a'r blanced i wely Owen Lewys. Cerdda'r ddau'n araf, yn trafod rhyfyg dynion sy'n credu mai iddynt hwy y rhoddwyd yr hawl i ddiffinio pechod a dyfarnu cosb.

Mae'n nos. Dylent geisio cysgu, ond er ei bod hi'n noson gymharol dawel mae'r ddau'n effro, yn siarad. Nid yw David ac Elisabeth yno rŵan; symudasai'r cwpl priod ar gais gwraig arall, er mwyn iddi hi helpu Elisabeth. Mae'r wraig, Anne Creale, wedi helpu geni plant o'r blaen, meddai, ac mae ganddi bethau yn ei chist a fydd o ddefnydd pan ddaw'r angen. Ac felly, gyda Rhisiart ac Owen Lewys yn cynorthwyo David i gario eu pethau, ymadawsai'r Saeson ifainc â chilfach y ddau Gymro. Mae Owen yn treulio llawer o amser gyda nhw yn ystod y dydd o hyd, yn ôl ei arfer, ac mae Rhisiart yntau'n sicrhau'i fod yn galw o leiaf unwaith bob dydd, ond mae'n falch o'r cyfle i siarad yn Gymraeg yn ddi-dor gyda'r nos. Eistedd y ddau ar eu plancedi. Yn y tywyllwch maen nhw'n edrych yn hynod debyg, pob un a'i fwng o wallt blêr yn disgyn i'w ysgwyddau, yn fframio wyneb hir sy'n edrych ychydig yn hwy oherwydd y farf sydd wedi tyfu yn ystod y fordaith. Nid oes digon o olau i ddangos y crychau ar wyneb y dyn hŷn. Yr un ydynt yn y cysgodion hyn, y naill yn ddrych i'r llall.

Diwinyddiaeth yw testun llawer o'u sgyrsiau nhw – neu, yn hytrach, gwrthddywediadau crefyddol yr oes. Rhyfyg y dynion sy'n diffinio pechod ac yn dyfarnu cosb, rhyfyg y rhai sy'n dweud eu bod yn gwybod mai gwaith Duw yw'r hyn a wnânt. Mae Rhisiart yn hoffi meddwl am y trafodaethau hirion hyn fel senedd yr hereticiaid, ond nid yw wedi dweud hynny wrth ei gyfaill. Dychmyga weithiau ei fod yn clywed llais John Powel yn ymuno yn y senedd, yn arwain y weddi hereticaidd: rydym ni *wedi* ei byw, rydym *wedi* ei chredu. Maen nhw wedi bod yn sôn am y rhyfeloedd heno, a Rhisiart yn cyfeirio'n anuniongyrchol at ei wasanaeth yn y fyddin. Mae'r dyn hŷn yn gwrando ar y sylwadau amhendant hyn, ond nid yw'n gofyn cwestiynau. Nid yw wedi'i holi erioed yn ei gylch gan ei fod yn ddyn nad yw'n gorfodi cyfaill i drafod y cyfryw bethau. Mae'r Crynwr yntau wedi profi caledi. Bu yn y carchar nifer o weithiau, a gwelodd gyfeillion mynwesol yn marw ym mryntni cell a seler. Mae ganddo'r cryfder i godi mewn eglwys a dweud ei farn ar goedd yn groes i'r gweinidog gyda grym tawel un a all sefyll yng nghanol torf sy'n ei ddilorni, ond nid yw'n gorfodi Rhisiart i drafod manylion nad yw am eu crybwyll, ac felly nid yw wedi clywed holl hanes Wexford, Drogheda, a Naseby. Yn hytrach, mae'r sgwrs wastad yn troi o gwmpas athrawiaeth, cyfeiliorn gred a ffoliarn dynion sy'n ceisio cyfiawnhau'r amhosibl. Ond heno daw Rhisiart yn agos at drafod ei hanes ei hun, yn agosach nag erioed o'r blaen.

'Ro'n i'n hoffi meddwl amdano fel morthwyl ac einion ers talm. Bywyd milwr ym Myddin y Seintiau. Fel ffurfio haearn gyda morthwyl ac einion.'

'Sut felly, Rhisiart Dafydd?'

'Y ffurfio rhwng y ddau. Adeg y rhyfela. Dychmygwch fywyd milwr yr adeg yna, bywyd un o filwyr byddin y Senedd. Y symud rhwng brwydr a gwersyll yw prif hynt eich bywyd. Ar y naill law, dyna'r holl brofiada ar ddydd y frwydr. Profi caledi a braw. Gweld petha, profi petha, gwneud petha. Ar y llaw arall, dyna'r holl amser mewn gwersyllfa, a'r holl drafod. Hyd yn oed heb sôn am y caplaniaid a'r pregethwyr teithiol. Miloedd o filwyr cyffredin wedi cyfodi'n bregethwyr ac yn ddiwinyddion. Yn trafod syniada ac yn croesholi seiliau ffydd ei gilydd. Yn darllen, yn dadlau, yn trafod, ac yn hidlo athrawiaetha.'

'Mae dyscawdwyr fel goleuadau lawer yr awron ymysg rhai dynion.'

Gwena Rhisiart, yn gyfarwydd â'r geiriau, er nad yw ei gyfaill yn gallu gweld y wên honno. 'Mae dyscawdwyr fel goleuadau lawer yr awron ymysg rhai dynion, ond blinder yw cynnwys llawer o feddyliau, peryglus yw dwedyd llawer o eiriau, ac anghysurus yw croesawu llawer o ysbrydoedd.' Chwardd ychydig. 'Purion. Athrofa o'r fath oedd y fyddin. Pawb yn darllen, yn trafod, yn dadlau. Miloedd o filwyr cyffredin yn cyfodi'n bregethwyr, yn chwarae rhan y dyscawdwr, y naill yn darllen gwers i'r llall. Weithiau'n gytûn, yn Eglwys wedi'i Chynnull fel y dywedai rhai, ac weithiau'n anghytûn, yn drobwll o groesddywediadau ac athrawiaethau gelyniaethus. Ond roedd un peth yn tynnu'r cyfan ynghyd.'

'Pa beth oedd hwnnw, Rhisiart Dafydd?'

'Y gwaith a wnaem ar ddydd y frwydr. Roedd pawb yn trafod gwerth ac arwyddocâd y rhyfel. Y rhesymau dros ein gwaith. Y cyfiawnhad. *Carwr y Cymry* oedd y llyfr pwysicaf a oedd gen i pan oeddwn i'n blentyn.' Chwardd Rhisiart eto, yn uwch y tro hwn. 'Hwnnw oedd yr *unig* lyfr oedd gen i pan o'n i'n blentyn. Ar wahân i'r Beibl. Bûm yn darllen llawer yn y fyddin. Yr holl lyfrau yn cylchynu'r wersyllfa. Ond mi o'n i'n cadw un. Gyda'r Beibl a'r *Carwr*.'

'Pa un oedd hwnnw?'

'Y *Souldier's Catechism*. Llyfr bychan sy'n dangos mewn gwahanol ffyrdd fod milwr ym myddin y Senedd yn gwneud gwaith Duw. Yn dweud mai dymchwel seiliau Babylon oeddan ni'n ei wneud ar faes y frwydr.'

'Alla i ddim dweud fy mod i wedi'i ddarllen e.'

'Dydi o ddim at eich dant chi, mae hynny'n sicr.'

'Rhaid bod yna ryw fath o ddaioni ynddo fe, a thithau wedi cael budd ohono fe ar un adeg.'

'Roeddan ni i gyd wedi cymryd ato fo. Rhoddai i ni'r union beth roedd arnon ni angen ei glywed ar y pryd. Yn dweud ein bod ni'n gwneud gwaith Duw. Mi ddysgais i'r atebion parod i'r gwahanol gwestiyna ar gof. Aeth yn gymaint rhan ohona i â *Charwr y Cymry*. Geiria gwerth eu cael yn eich calon ar ddydd y frwydr. I fight in the defence and maintenance of the true Protestant Religion, which is now most violently opposed. God now calls upon us to avenge the blood of his Saints. The whole Church of God calls upon us to come to the help of the Lord and his people against the mighty.' Chwardd eto. 'Ifanc o'n i. Dwy ar bymtheg. Deunaw. Ugain oed.'

'Ond mae eraill nad oedden nhw mor ifanc, Rhisiart Dafydd. Dynion yn eu hoed a'u hamser. Rhai sy'n hŷn eto heddiw, fel finnau. Paham y mae dy lygaid di'n gweld y cyfan mewn golau newydd yn awr a chymaint o'r dynion eraill hynny a fu'n cyddeithio â thi trwy'r dyddiau gwaedlyd hynny'n dal i gredu'r un fath ag erioed?'

Nid yw Rhisiart yn ateb ei gyfaill, ac ar ôl ennyd o dawelwch siarada'r Crynwr eto. 'Mae'r dyddiau hynny drosodd, Rhisiart Dafydd. Alli di ddim ailymweld â ddoe ac echdoe. Dy weithredoedd di heddiw yw'r unig beth sy'n bwysig. Hynny a'r llwybr y byddi di'n ei ddilyn yfory.'

Llwybr: un o hoff eiriau y Cyrnol Powel. Mae Rhisiart yn dawel am ysbaid a phan siarada eto mae'i lais yn gryg, y geiriau'n tagu ychydig yn ei wddf.

'Roedd y *Catechism* yn dweud wrthan ni sut y dylen ni ganfod y gelyn hefyd... yn ein helpu... i weld dynion a allai fod yn gyfeillion ac yn frodyr fel gelynion. Roedd yn hawdd yn achos y Pabyddion a ddaeth yn ein herbyn weithiau.' Seibia, a llyncu ei boer.

'Cymaint yr hen gasineb at feibion Putain Rhufain.'

'Ie. Gan fod yr hen gasineb 'na mor gry, mi oedd yn haws yn eu hachos nhw.'

'Ond nid yn achos cyd-Brotestaniaid a ymladdai ar ochr y brenin.'

'Yn union. Dyna oedd yn pigo cydwybod. Ymladd yn erbyn cyd-wladwyr. Cyfeillion. Cefndryd. Brodyr.' Pesycha ychydig, yn clirio'i wddf. 'Is it not a lamentable thing that Christians of the same Nation should thus imbrue their hands in one another's blood? Dyna oedd y cwestiwn.'

'A'r ateb?'

'Sais oedd yr awdur. Robert Ram. Ysgrifennu ar gyfer Saeson oedd o. Dyna oedd ei nasiwn o. Ond sôn am 'y nghyd-Gymry oedd o i mi.' Cydgenedl. Gweddillion hil yr Hen Frytaniaid.

'A sut oedd eich *Catechism* yn ateb y cwestiwn hwnnw, Rhisiart Dafydd?'

Cliria ei wddf unwaith yn rhagor, pesychu ychydig, a siarad yn ddistaw. 'We are not to look at our enemies as country-men, or kinsmen, or fellow-Protestants, but as the enemies of God and our Religion, and siders with Antichrist.'

Seibia eto, yn gadael i'r geiriau olaf hongian yng nghlustiau'i gyfaill. Y rhai sy'n cynnal breichiau'r Anghrist. Ac wedyn dechreua eto, ei lais yn uwch. 'Siders with Antichrist, and so our eye is not to pity them, nor our sword to spare them.' Ni fydd trugaredd yn ein llygaid pan fyddwn yn edrych arnynt, ac ni fydd ein cleddyf yn ymatal rhag eu taro i lawr yn eu gwaed.

'A'n helpo!'

'Ia wir. Duw a'n helpo ni. Dyna oedd y nod, dach chi'n gweld. Ceisio peidio â'u gweld fel cyd-wladwyr a brodyr. Roedd cant o Gymry ym myddin y brenin am bob un a oedd wedi codi arfau yn enw'r Senedd. Cant a mwy. Am bob un fel fi. Roeddan nhw yna yn f'wynebu i. Wrth eu cannoedd. Wrth eu miloedd. Yn Edgehill. Yn Newbury. Yn Naseby.' Nid yw'n dweud iddo glywed rhai ar yr ochr arall yn gweiddi'n Gymraeg yng nghanol gwasgfa'r picellau yn Edgehill. Nid yw ychwaith yn sôn am wragedd Naseby. Mae wedi dweud gormod yn barod.

'Mae'n flin 'da fi, Rhisiart Dafydd. Rwy wedi dy arwain oddi wrth dy destun. Y morthwyl a'r einion.'

'Dwi ddim yn credu'i fod o'n destun gen i bellach.' Pesycha unwaith yn rhagor. 'Dim ond testun rhyfeddod.'

'Bid a fo am hynny, dweud yr oeddet ti fod milwr y Senedd fel pe bai'n cael ei ffurfio rhwng y ddau begwn.'

'Dyna chi. Ie. Ond nid dau begwn oeddan nhw, ond dau beth... dau fath o offeryn. Fel ffurfio haearn rhwng einion a morthwyl.'

'Sef y lladd a'r marw ar faes y gwaed a'r holl holi a thrafod yn y wersyllfa.'

'Ie. Neu felly'r o'n i'n meddwl amdano fo ers talm.'

'Pa un oedd y morthwyl a pha un yr einion?'

'Dwn i ddim. Dwn i ddim.'

Mae ystlysau'r *Primrose* yn gwichian yn uchel erbyn hyn, y ddau ddyn yn symud yn eu heistedd gyda'r llong, a hithau'n rhochian ac yn rholio. Codasai'r tywydd ryw dro yn ystod yr oriau diwethaf, ac mae'n bygwth troi'n storm o'r iawn ryw. Crwydrasai'r sgwrs i agweddau eraill ar y pwnc, a manylion Calfiniaeth sydd dan sylw yn senedd yr hereticiaid erbyn hyn. Cytuna'r ddau, er eu bod nhw'n mynegi'u cydsyniad mewn ffyrdd gwahanol.

'Pa hawl sydd gyda nhw i ddweud bod y goleuni'n disgleirio oddi mewn i'r etholedig yn unig? Gwybod bod y gwir oleuni'n disgleirio y tu mewn iddo yw pennaf gyfoeth a rhodd pob enaid byw. Pa awdurdod sy'n gadael i ddyn gredu'i fod e'n gallu sathru ar y rhodd honno a dwyn y sicrwydd hwnnw oddi ar enaid arall? Lladrata gobaith a deall yw haerllugrwydd o'r fath, ac os oes troseddu ym myd yr ysbryd yna mae'n rhaid mai dyna yw'r drosedd bennaf.'

'Dwi'n ei gweld hi fel rhagrith yn fwy na dim. Gwrandewch ar drwch eu pregetha. Does dim byd gwaeth yng ngolwg Protestant na Phabyddiaeth. Ac mae Calfinydd tanbaid, sicr, yn credu'i fod o'n well Protestant na mathau eraill o Brotestant ac felly mae'n casáu Pabyddiaeth yn fwy hyd yn oed. Putain Rhufain. Gau ymerodres Babylon. Llawforwyn y Fall. Yn amlach na pheidio mae'r hen biga 'na yn pwytho brethyn eu pregetha. A'r gair *pabaidd* ynddo'i hun yn ddigon o felltith, yn ddigon o reg yn eu cega. Ond Calfin ydi popeth gynnon nhw. Maen nhw'n ei ddyrchafu'n eilun yn uwch na'r un sant y mae'r Pabyddion yn ei addoli. Yn ddelw sanctaidd ac yn gyff eilun-addoliad. 'Dan nhw ddim yn credu mewn trindod mewn gwirionedd, achos mae yna bedwar enw sy'n wrthrychau eu ffydd. Y Tad, y Mab, yr Ysbryd Glân, a Chalfin. Pedwarawd ydi o, nid trindod.'

'Pwy na ddywedai mai cabledd yw hynny, Rhisiart Dafydd?'

'Yn union. Ond eu cabledd nhw ydi o.'

Fel pe bai'r gair *cabledd* wedi'i gwysio hi i ganol eu byd, sylwa Rhisiart gyda hyn fod llygoden fawr yn cerdded ar dop un o'r cistiau yn eu hymyl. Ffurf dywyll, y mymryn lleiaf yn oleuach na'r tywyllwch o'i chwmpas, yn symud yn igam-ogam ar draws caead y gist. Gwêl Owen Lewys fod rhywbeth wedi tynnu sylw'i gyfaill, a thry yntau ei ben i edrych. Ond cyn i'r un o'r ddau ddyn godi i wneud rhywbeth yn ei chylch, mae ffurf arall, yn dduach na'r tywyllwch o'i chwmpas, yn neidio ar y gist ac mae pawen wen yn fflachio.

Gwich. Sgrialu. Cyrff bychain, pob un yn gryf y tu hwnt i'w faint, yn taro'r pren. Ac wedyn mae'r ddau'n syrthio, bendramwnwgl, o'r gist i'r llawr rhwng y ddau ddyn, y ddau'n ymgodymu. Mae'r llygoden fawr yn fwy na'r rhan fwyaf o'i rhywogaeth, ond mae Nicolas yn gwrcyn mawr gwydn, a chyn hir mae'r frwydr drosodd. Mae corff y llygoden fawr yn rhy fawr i'w gario'n dwt, ac felly mae'r cwrcath yn ei lusgo i'r cysgodion rhwng y cistiau, fel milwr yn llusgo corff gelyn i'r twll claddu.

Thymp, thymp. Ni all Rhisiart ei weld, ond gŵyr mai cynffon y cwrcath sy'n gwneud y sŵn, yn curo'n erbyn y llawr. Gŵyr beth yw'r synau eraill hefyd: esgyrn bychain yn malu; dannedd yn rhwygo cnawd. Gall glywed y cyfan uwchben gwichian ystlysau'r llong a rhuo'r gwynt y tu allan.

'A dyna yw ei diwedd hi.' Mae Owen Lewys yn cosi'i ên gydag un llaw, yn tynnu ychydig ar y farf nad oedd ganddo rai wythnosau yn ôl. 'Diwedd nad oedd hi wedi'i rag-weld pan ddewisodd ddringo'r rhaff o'r doc i'r llong yma, neu fynd i chwilota mewn casgen neu gist a gawsai'i chludo o stordy neu siop i'r lle hwn. Nagoedd. Nagoedd, siŵr. Dilyn greddf anifail oedd hi, beth bynnag a wnaeth, beth bynnag a ddaeth â hi yma i'w diwedd yng ngheg y gath. Ond hwn yw 'nghwestiwn, Rhisiart Dafydd: a yw'r modd y mae'r greddfau mwyaf distadl yn arwain anifail i'w farwolaeth yn sylfaenol wahanol i'r modd y mae'r rhan fwyaf o ddynion yn dilyn eu greddfau nhwythau i'w diwedd?'

'Dwn i ddim am hynny. Ond yn ôl beth dw i'n ei ddallt am longa, mae'n bosibl nad oedd y llygoden fawr 'na wedi dringo rhaff o'r doc nac wedi cyrraedd mewn cist.' Symuda un llaw o'i lle ar ei benelin er mwyn gwneud dwrn â hi ac ergydio'r llawr. Thymp, yn uwch nag ergyd cynffon y cwrcath. 'Mae eu byd nhw o danan ni. Yn holl ddrewdod yr hald, lawr yna yn y gwaelodion. Mae yna gymaint o ddŵr budr a sbwriel erbyn hyn ag sydd o gerrig balast a phelenni ar gyfer y magnelau. Dwi'n gallu'u clywed nhw weithia, pan dwi'n digwydd bod yn ymyl yr hats sy'n mynd o'r dec 'ma i lawr i'r hald. Llygod mawr. Ugeinia ohonyn nhw. Dach chi'n gallu'u clywed os dach chi'n gwrando wrth yr hats. A dwi'n meddwl 'mod i'n eu clywed drwy bren y llawr weithia hefyd. Llwyth ohonyn nhw. Fel haid o adar yn trydar mewn coeden. Ond nid trydar maen nhw. Maen nhw'n gwichian. Gwichian a sgrialu.' Cwyd y llaw a'i chyfeirio i'r cysgodion ble'r aeth Nicolas Ddu â'i ysglyfaeth, er nad yw'n sicr a yw'r dyn arall yn gallu gweld yr ystum. Estynna un bys a'i symud yn rhythmig, fel athro yn ceryddu plentyn. 'Doedd honno ddim wedi dod yma fatha ni, y teithwyr. Naddo. Ganed y llygoden fawr 'na i lawr yn y drewdod 'na odanan ni.' Mae'i law yn ddwrn eto, yn ergydio'r llawr. Unwaith, dwy, tair. Thymp, thymp, thymp. 'I lawr fan'no. Maen nhw'n byw ar y llong 'ma. Cael eu geni yma. Byw yma. Marw yma. Yn yr uffern ddrewllyd, dywyll yma. Dyna eu byd nhw. Y cyfan maen nhw'n ei nabod. Yr uffern yma.'

Bryncyn o groen llwyd yn torri trwy'r tonnau, hanner canllath o'r llong.

'Dyma fo eto!' Ni all Rhisiart ymatal; mae'n siarad â rhyfeddod plentyn. Owen Lewys yw ei dad ac mae'n gweld dyfrgi yn yr afon am y tro cyntaf. Ond mae'r morfil mor fawr â llong, yn fryn o anifail, yn fynydd byw. 'Ac eto!' Mae'r ddau Gymro'n dal eu hetiau yn eu dwylo, a hwythau'n pwyso'n erbyn y canllaw. Mae'r gwynt yn gwneud baneri blêr o'u gwallt hir, ac mae ewyn ton yn eu gwlychu bob hyn a hyn. Cwyd Rhisiart un llaw i wasgu'r dŵr hallt o'i farf ac wedyn symud cudyn o'i wallt o'i lygaid. 'A dyna fo eto! Sbiwch arno fo! Sbiwch!'

Mae Capten Marlow wedi tynnu'i het yntau, ac mae'i ben moel yn disgleirio yng ngolau'r prynhawn. Daeth i'r canllaw i yrru'r morwyr a fuasai'n segura'n ymyl y ddau Gymro yn ôl i'w priod waith. Nid rhyfeddod sydd ar ei wyneb mawr, crwn, ond golwg o fath arall. Yn ddwys-ddifrifol, fel barnwr yn deddfu. 'Leviathan' yw'r unig air a ddaw o'i enau. Dywed y gair eto, dan ei wynt, wrth droi a cherdded i ffwrdd. Leviathan.

'Sarff yw Lefiathan Esaiah.' Mae llais Owen Lewys yn dawel, yn fyfyriol, ac mae Rhisiart yn symud yn nes ato er mwyn ei glywed yn well. 'Neidr neu ddraig, nid anifail fel hwn.' Daw'r geiriau o'i dafod, ei lais yn uwch ac yn gryfach: 'Y dydd hwnnw yr ymwêl yr Arglwydd â'i gleddyf caled, mawr, a chadarn, â Lefiathan y sarff hirbraff, ie, â Lefiathan y sarff dorchog, ac efe a ladd y ddraig sydd yn y môr.' Eiliad o fyfyrio ac wedyn siarada eto, yn dawel fel o'r blaen. 'Nid sarff dorchog yw'r anifail hwn.'

'Mae'n debycach i Lefiathan Llyfr Job, yntydi? Yr un a wna lwybr golau ar ei ôl yn y môr, fel y tybygid fod y dyfnder yn frigwyn.'

'Eitha gwir, Rhisiart Dafydd. Edrych di ar y llwybr y mae'n ei dorri drwy'r ewyn. Ac onid yw un o'r Salmau'n dweud bod Lefiathan yn chwarae yn y môr?'

'Chwara mae o?'

'Mae'n amhosibl deall ei feddwl. Chwarae, ynteu deithio ar ei berwyl ei hun.'

'Mae fel pe bai'n ein hebrwng ni.'

'Ie wir. Petawn i'n credu mewn arwyddion o'r fath mi fyddwn i'n dweud ei fod e'n dangos y ffordd.'

Diflanna'r morfil o dan y tonnau'n gyfan gwbl, yn gadael dim byd ond ei lwybr yn yr ewyn. Try Rhisiart ac astudio wyneb ei ffrind.

'Ond dach chi ddim yn credu mewn arwyddion o'r fath.'

Nid yw'n ateb. Sylla Rhisiart arno am yn hir. Mae esgyrn ei fochau a'i ên yn gryf, ond mae'i groen crychog yn dangos gwirionedd ei oed. Mae rhagor o wyn yn ei wallt hefyd. Daethai'r henaint arno yn ystod dau fis eu taith. Hen ddyn ydyw. Hen ddyn y mae'r Cyrnol Powel wedi rhoi hwb a gobaith iddo, yn ei anfon dros y môr i chwilio am fyd gwell. Moses ei bobl, yn ymbaratoi i arwain Crynwyr Cymreig i wlad newydd, i greu teyrnas heddychlon ar gyfer gweddillion yr Hen Frytaniaid ar dir yr Amerig. A oes digon o nerth ynddo i ddal y freuddwyd honno ar ei ysgwyddau?

Mae wedi troi i wynebu Rhisiart erbyn hyn, yn gwenu'n wylaidd, fel pe bai'n deall meddwl ei gyfaill.

'Fe hoffwn i gredu mewn arwyddion o'r fath, Rhisiart Dafydd. Rwy'n ceisio 'ngorau i ddilyn y goleuni oddi mewn, ond byddai'n braf cael arwydd y tu allan bob hyn a hyn i ddangos y ffordd.' Gwthia'i hun i ffwrdd o'r ganllaw, yn profi'i goesau. Estynna law i gyffwrdd ym mraich Rhisiart a'i gwasgu unwaith, cyn troi a dechrau cerdded, yn rhoi ei het ar ei ben a'i dal hi yno gydag un llaw. Geilw dros ei ysgwydd wrth ymadael, a hynny heb droi ei ben, ei lais yn gryfach eto.

'Rwy'n mynd i lawr i weld Elizabeth a David a dweud hanes Lefiathan wrthyn nhw. Mi wna i stori ohoni a fydd yn dod â gwên i wyneb Elizabeth.'

Try Rhisiart yn ôl i wynebu'r môr. Mae bryncyn llwyd y morfil yn ymddangos eto, yn agosach y tro hwn, y dŵr yn tasgu'n ewynnog wyn o'i gwmpas. Gwena Rhisiart. Dyna fo. Eto. Mor agos. Sbia arno fo. Sbia.

Yn chwarae yn y môr, a'r llwybr golau ar ei ôl o.

$$- \Delta\Omega -$$

Mae'n crynu. Mae ei gorff wedi blino y tu hwnt i'w allu ac nid oes ganddo egni ar ôl i wrthsefyll yr oerfel. Gwêl goed yn y pellter, neu mae'n credu ei fod yn gweld ffurf coed yn nüwch y nos, ond mae'n anodd iddo ganolbwyntio. Pa mor bell y bydd yn rhaid cerdded cyn cael hyd i ychydig o gysgod? Mae ei lygaid yn dyfrio ac mae ei feddwl yn methu canolbwyntio. Ceisia gymryd cam, gorfodi ei goesau i symud, ond mae'n rhy wan ac mae'r cryndod yn ormod iddo. Mae'r gwynt oer yn ei daro fel tonnau'r môr. Symuda un droed o'i flaen, yn dechrau cerdded i gyfeiriad y coed, ond dyna'r cyfan y mae'n gallu ei wneud. Nid oes dim ar ôl yn ei gyhyrau. Syrthia'n drwm ar ei wyneb; nid yw'n codi ei freichiau mewn pryd i dorri ar yr ergyd hyd yn oed.

Mae'n gorwedd ar ei wyneb, yn union fel y syrthiasai. Mae wedi bod yn gorwedd felly am ryw hyd.

Rwyf wedi byw, rwyf wedi gwneud.

Nid oes yn ei gorff ond cryndod. Ni all deimlo'i ddwylo na'i draed. Gŵyr mai yma y bydd farw os nad yw'n symud.

Wedi credu, wedi byw, wedi gwneud.

Ceisia gofio pa beth yw symud llaw a sut deimlad yw ymestyn braich. Mae'n synnu'i fod yn gallu cael hyd i un o'i ddwylo, wedi'i gwasgu rhwng ei fynwes a'r ddaear. Syndod hefyd yw sylweddoli ei fod yn gallu'i symud ychydig. Gwthia, ddigon iddo rolio ar ei gefn. Ond ni all wneud mwy. Daw'r glaw i lawr eto, yn drwm. Mae'r gwynt yn codi'n gryfach hefyd, yn rhuo drosto, yn chwipio'r traeth. Teimla fod ei wallt gwlyb yn wair, yn dyfiant sy'n rhan o'r ddaear o dano. Mae'r dŵr sy'n tasgu mewn ffrydiau bychain o'i farf a'i fochau yn rhedeg i'r ddaear honno, yn dyfrio'r tyfiant, ac yntau'n tyfu'n un â'r ddaear.

– ΔΩ –

'Dewch efo fi!' gwaedda Rhisiart. Mae ar ei ben-gliniau yn ymyl yr hats agored. Fflachia mellten, yn goleuo wyneb gwelw yr hen ddyn oddi tano. 'Dewch, Owen. Fiw i chi aros i lawr fan'na.'

Gwelwyd tir y diwrnod hwnnw. Galwasai un o'r morwyr, ac wedyn un arall. Er nad oedd y storm wedi dod ar eu gwarthaf eto, roedd y môr yn dymhestlog iawn a'r *Primrose* yn cael ei thaflu'n ddidrugaredd ar y tonnau, ac felly Rhisiart oedd yr unig deithiwr a ddaethai i fyny i weld. Roedd yn agosach na'r hyn a ddisgwyliasai. Wrth ddringo i fyny i olau dydd, dychmygai linyn isel o dywyllwch ar y gorwel. Ond, na, yno'r oedd yr arfordir. Gallai weld lliwiau'r cerrig a hefyd y gwyrddni yn y pellter. Gwylanod yn hedfan, yn cael eu gyrru'n wyllt gan y ddrycin. Adar Lloegr Newydd.

Ond codai'r dymhestl yn ei nerth fesul tipyn gydol y dydd, a'r llong yn hercian yn waeth wrth i'r tonnau ei lluchio a'i gwthio. Daeth y glaw hefyd, ac wedyn, gyda'r nos, y mellt a'r taranau. Gorchmynnodd y capten ef i fynd i lawr gyda'r teithwyr eraill. Roedd yn rhy beryglus i chwilio am angorfa: byddai'r tonnau'n chwalu'r llong ar y creigiau. Yr unig ddewis oedd ceisio'i throi hi am ddyfroedd dyfnach eto a disgwyl i'r storm ostegu. Deuai'r glaw'n drymach ac yn drymach, a thasgai tonnau dros yr ochrau. Hyd yn oed gyda drysau'r hatsys ar gau roedd y dŵr yn pistyllu i lawr. Gwaeddai rhai o'r teithwyr a gweddïai eraill wrth deimlo'r dŵr hallt yn eu gwlychu. Gweddïau rhai sy'n gwybod bod y diwedd yn agos. Torrwyd un o'r drysau gan bwysau'r tonnau, a thywalltai rhaeadr o ddŵr i lawr drwy'r hats agored bob hyn a hyn gyda rhythm creulon y storm. 'I know not but that we are below the sea already,' sgrechiodd un wraig uwchben twrw'r tonnau a phrotestiadau gwichlyd ystlysau'r llong. 'God have mercy, for we are drowned already!'

Taflwyd Rhisiart ar ei wyneb gan yr ergyd. Crac fel ergyd magnel ar faes y gad, a holl bren y llong yn ysgwyd. Roedd yn gorwedd ar ei ochr, mewn modfeddi o ddŵr, plancedi gwlybion yn rhwydo ei goesau fel gwymon. Y sgrechian a'r gweiddi. Braw a phoen, gan fod nifer wedi'u taro gan gistiau a chasgenni a syrthiasai gyda'r ergyd. Daeth Rhisiart ato'i hun rywsut a chyrraedd yr ysgol gul. Roedd y llong yn dal fymryn ar ei hochr, a bu'n rhaid iddo ddal yn yr ysgol yn gryf rhag pwysau'r dŵr a ddeuai i lawr arno drwy'r hats agored. Cawod o angau oer, yn ceisio'i wthio'n ôl i'r gwaelod. Dringodd.

Gwelodd ar ôl cyrraedd y bwrdd agored fod y llong ar y creigiau. Er bod y tonnau'n ei tharo'n greulon o galed o hyd, roedd wedi'i dal ar ei hochr gan grafangau'r creigiau. Cropiai morwyr ar eu boliau, yn dal pa beth bynnag a oedd yn gallu eu cynnal a'u cadw rhag llithro i lawr y dec a thros yr ochr. Clywai Rhisiart lais bas Capten Marlow yn gweiddi o bell ond ni allai glywed beth roedd yn ei ddweud. Dringodd allan o'r hats a gafael mewn tamaid o bared y dec uchel yn ei ymyl. Ymlusgo a dringo. Edrychodd am y capten a'i ganfod yn y diwedd: roedd wedi'i glymu'i hun wrth y prif hwylbren rywdro yn ystod y storm, ei ben moel gwlyb yn disgleirio yn fflachiadau'r mellt, a'i lais yn galw ac yn gweiddi, y sŵn yn ddynol o orffwyll ac yn anifeilaidd o ddiystyr. Edrychodd am rywun arall a allai gynnig cyngor, ei lygaid yn gwestiynau i gyd a'i ddwylo'n crynu. Gwelodd rywbeth yn symud ar ganllaw'r ochr uchaf. Nid morwr, nid dyn, ond cath. Cwrcath. Nicolas Ddu'n gweithio'i ffordd drwy'r glaw, ei grafangau'n gadael iddo dramwyo'r pren gwlyb, yn symud i ba ddiwedd bynnag a oedd yn ei aros.

Symudodd Rhisiart yn ôl yn araf i geg yr hats. Cyrhaeddodd a gweiddi. Daeth Owen ar ei bedwar drwy'r dŵr, a'r ddau'n cynnal trafodaeth bytiog, frys, yn gweiddi dros y tonnau a'r taranau. Dywedodd Rhisiart ei fod am ddod i lawr a'u helpu, ond mynnodd Owen Lewys na ddylai. 'Maen nhw'n aros, fel pawb arall. Yn y gobaith bod y capten yn ein cael ni i'r lan.'

'Fydd o ddim, Owen.' Ceisiodd egluro gwir natur pethau, ond roedd gan y dyn hŷn ateb o fath arall.

'Dydyn nhw ddim yn gallu symud, Rhisiart.'

'Arhoswch am ychydig felly. Arhoswch yna. Mi a' i i weld.'

Ymlusgodd Rhisiart oddi wrth y twll eto, er mwyn chwilio am gymorth. Roedd cnwd o forwyr wedi'u gwasgu'n erbyn y ganllaw ar yr ochr isel, yn ceisio dal y pren wrth i'r tonnau olchi drostynt, eto ac eto. Hongiai un arall yn y rhaffau o'r hwylbren cefn, a hwnnw'n gweiddi fel dyn ar dân. Ac roedd y capten yno o hyd, yn sownd wrth yr hwylbren mawr, ei lais dwfn wedi ei droi'n llais plentyn gan ddyfnder y taranau a foddai ei eiriau.

Ac felly daeth Rhisiart yn ôl, mor gyflym ag y medrai, i'r twll, a gweiddi i lawr ar ei gyfaill eto.

'Dewch, Owen! Dewch chitha'ch hunan os na ddôn nhw. Dewch!'

Nid yw Rhisiart yn gallu clywed yr ateb, ond gŵyr yn iawn beth y mae'n ei ddweud. Dywed na ddaw. Dywed ei fod yn mynd yn ôl i gysuro David ac Elisabeth. Fflachia mellten arall, a gwêl Rhisiart fod Owen yn codi llaw arno, yn gwenu trwy'r gawod sy'n llifo i lawr yr ysgol arno. Ennyd arall ac mae wedi mynd. Mae wedi diflannu i'r tywyllwch a'r dŵr.

Mae Rhisiart wedi penderfynu'n barod beth y mae am ei wneud. Ymlusga ar hyd y llawr nes ei fod yn gallu gafael ym mhren pared y dec uchel ac wedyn mae'n tynnu ei hun i fyny, yn dal y pren ac yn hanner cerdded, hanner dringo. I fyny ac i fyny, nes ei fod yn cyrraedd canllaw'r ochr uchel lle buasai Nicolas yn cerdded yn gynharach. Edrych dros yr ochr, fel dyn ar do serth tŷ yn syllu i lawr i'r ddaear oddi tano. Creigiau a wêl, yn ymddangos ac yn diflannu gyda symudiad y tonnau. Edrych draw i gyfeiriad y tir a'i weld mewn silwét pan ddaw fflach o fellt. Symuda ar hyd y ganllaw, yn hanner llusgo'i hun ac yn hanner cerdded, i gyfeiriad cefn y llong. Daw i'r ysgol sy'n mynd i fyny i'r dec uchel, ac mae'n ei dringo hi. Wedi cyrraedd y dec cefn uchel, mae'n llusgo'i ffordd ar hyd y ganllaw i starn y *Primrose*. Edrych dros yr ochr eto, yn dal y ganllaw'n dynn ac yn disgwyl am oleuni. Ennyd. Ennyd arall, ac angau'n ei ddisgwyl. Daw fflach o'r diwedd, a gwêl yng ngolau'r fellten nad oes creigiau i'w gweld oddi tano. Dringa'r ganllaw nes ei fod yn eistedd arni, fel dyn yn eistedd ar ffens, ond bod ei ddwylo'n ei dal yn dynn. Mae'n gobeithio am fflach arall, am ragor o oleuni er mwyn sicrhau nad oes dim i'w weld ond dŵr. Mae'r tonnau'n dwyllodrus, a wyneb y môr yn codi ac yn disgyn. Pa mor uchel oedd o pan gafodd gyfle i edrych? Disgwylia, ond ni ddaw'r golau eto. Daw cyfres o donnau mawr, y mwyaf eto, ac mae'r olaf ohonynt yn sugno'r llong oddi ar y creigiau ychydig. Mae'n symud, y pren yn sgrechian ac yn clecian wrth chwalu. Ni ddaw cyfle arall. Mae'n gwthio'i hun i fyny nes ei fod yn sefyll ar ochr y llong, ac yna mae'n neidio.

Plymia i ddŵr oer. Dŵr yr Iwerydd yn yr hydref. Mae'n sugno'r gwres o'i gorff a gwasgu'r anadl o'i ysgyfaint. Ond nid yw'n taro'r creigiau. Plymia'n ddwfn, yn troi bendramwnwgl yn y dŵr oer, yn diflannu ym mhwll angof. Hon yw ceg Uffern. Nid twll tanllyd, poeth, ond pwll diddiwedd o ddŵr oer, yn ei sugno i lawr oddi wrth y golau.

Ond daw i fyny, yn gorcyn byw, a dechrau nofio.

$$- \Delta\Omega -$$

Gwair gwlyb wyf.

Dim byd ond gwair gwlyb, oer, yn glynu wrth y ddaear. Mae'r gwynt yn ceisio fy chwythu i ffwrdd, ond mae fy ngwallt wedi bwrw gwreiddiau i'r pridd. Yma yr wyf yn aros. Rwyf wedi byw, wedi gwneud, wedi credu. Ac rŵan rwyf yn credu mai yma yr wyf am aros am byth.

Mae Rhisiart wedi cau'i lygaid. Nid yw'n teimlo'r glaw sy'n curo'i wyneb a'r gwaed sy'n rhedeg o'r briwiau lle tarodd ei hun wrth ddisgyn. Sudda'n ddyfnach i'r ddaear, y pwll du yn cau amdano.

II

Hanes Rhyw Gymro Arall
1630–1656

Mae gan bob dyn ddigon o gyfrwystra i'w dwyllo ei hunan.

Morgan Llwyd

when a man of war becomes a man of peace,
he gives a light, divine

though it is also human.
When a man of peace is killed
by a man of war, he gives a light.

You do not have to walk in darkness.
If you will have the courage for love,
you may walk in light. It will be

the light of those who have suffered
for peace. It will be
your light.

Wendell Berry

Mae croesineb tragwyddol rhwng goleuni a thywyllwch: nid y naill
yw'r llall, ac nid yw'r naill yn cynnwys y llall. Er hynny nid oes ond
un unig sylwedd a bod, yn yr hwn y maent yn cydsefyll, ond mae
rhagoriaeth yn yr anian a'r ewyllys; eto ni rannwyd mo'r sylwedd a'r
bod, ond mae gagendor yn gwneuthur y gwahaniaeth, yn gymaint ag
mai dim yw'r naill yn y llall, er hynny yno y mae, ond nid wedi'i egluro
yng nghyneddfau y peth yn yr hwn y mae.

Jakob Böhme (cyfieithiad Morgan Llwyd)

Mae Rhisiart yn bum mlwydd oed ac mae wedi ei ddal yng nghyffro'r eiliad. Saif o flaen ei dad, a hwnnw'n dal llyfr newydd yn ei ddwylo, yn ei anwesu a'i fwytho. Nid oes neb talach na'i dad yn y byd i gyd. Tebyga nad oedd hyd yn oed y brenin Arthur yn dalach, ond nid yw'n siŵr am Rita Gawr a'r cewri eraill y bu Arthur yn ymladd yn eu herbyn. Sylla ar wyneb ei dad, mor fawr a chryf, yn edrych i lawr mor bell arno. Mae bron â chyffwrdd distiau'r nenfwd. Na, amhosibl credu bod Rhita Gawr yn fwy na'i dad. Ond mae'n debycach i'r brenin Arthur nag i gawr. Arwr ei ddychymyg. Amddiffynnydd teyrnas y teulu. Ac mae'i dad wedi ei gyffroi trwyddo, ei ddwylo'n symud yn barhaus, yn troi'r llyfr, yn ei anwesu a'i fwytho. Nid yw wedi gweld ei dad fel hyn erioed o'r blaen, ac felly mae Rhisiart yntau wedi ei gyffroi.

'Wel di yma, fy machgen.' Mae cryndod yn ei lais, ond mae'n sicr o'i eiriau. 'Mae'r Llyfr wedi dyfod i'n meddiant. Bydd yn trigo yma yn ein cartre ac yn ein calonna ni o'r dydd hwn hyd ddiwedd ein hamser ni ar y ddaear. Mi weli di ei fod yn dyfod ar adeg dyngedfennol yn dy fywyd di, fy machgen, a thithau wedi gweld pump o flynyddoedd. Un am bob un o'r Tri – y Tad, y Mab, a'r Ysbryd Glân – ac un hefyd am dy fam di yn ogystal ag i minnau, dy dad cnawdol a'th fam gnawdol. Pump o flynyddoedd a dyma'r Beibl yn dyfod i'n meddiant. Dysg di ei ddarllen bob dydd, a thydi a'i câr weddill dy oes.'

Ac wedyn mae'r pedwar yn eistedd wrth y bwrdd. Edrych ar ei chwaer, Alys. Mae hi saith mlynedd yn hŷn nag o. Claddwyd dau frawd a thair chwaer cyn i Rhisiart ddod i'r byd; gŵyr y plentyn hyn rywsut, er nad oes neb yn sôn amdano. Nid yw'n gwybod eu henwau hyd yn oed, ond mae'n meddwl amdanyn nhw. Ac felly dim ond dau blentyn ysydd, y cyntaf a'r olaf, fel dau bentan llyfrau ar silff sydd fel arall yn wag, a dim byd yn y canol. A hithau'n fwy o drydydd rhiant na chwaer, mae Alys wedi gwneud llawer o'i fagu. Ond nid yw'n meddwl amdani fel chwaer neu fel rhiant, dim ond fel Alys. Mae ei hwyneb hardd a'i gwallt hir, tywyll yn ei gwneud hi'n ddrych i'w mam. Yn hynod debyg ond yn dlysach; mae blynyddoedd o waith caled, geni saith o blant a chladdu pump ohonynt wedi pylu tlysni mam Rhisiart. Ond ymddengys ei fam yn iau heno, ei llygaid yn pefrio yng ngolau'r canhwyllau, a hithau wedi cyffroi'n lân gan fawredd y diwrnod.

Mae'r tad yn agor y llyfr ar y bwrdd, yn ddefodol araf. Mae'n ei ddal felly am ychydig, yn astudio'r tudalen o'i flaen mewn tawelwch, yn sawru'r eiliadau. Cwyd ei lygaid unwaith ac edrych yn bwyllog o'i fab i'w ferch, ac yna mae'n gadael iddynt aros ar ei wraig. Mae dagrau yn ei llygaid hi erbyn hyn, y dafnau bychain yn sgleinio yng ngolau'r canhwyllau. Sylwa'i gŵr, a dechreua dagrau gronni yng nghorneli ei lygaid yntau.

'Llyfr cyntaf Moses, yr hwn a elwir Genesis. Pennod 1.' Mae'n llyncu ei boer a chlirio'i wddf, ac wedyn mae'n darllen yn araf. 'Yn y dechreuad y creodd Duw y nefoedd a'r ddaear.'

1631

Mae'n ddiwrnod poeth, ac mae wedi bod yn helpu ei dad i aredig y mwyaf o'u caeau. Bu ei dad yn canlyn yr aradr a'i fam yn tywys y ceffyl. Sefyll o'r neilltu a gwylio, yn sicrhau bod y rhesi'n syth, fu gwaith Rhisiart. Bu Alys yno hefyd, ond y fo oedd yn gwneud y gwaith go iawn. Âi â diod o ddŵr i'w dad a'i fam bob hyn a hyn. Bu'n rhaid i Alys gynorthwyo gyda'r llestr, ond y fo oedd yn rhoi'r dŵr iddyn nhw, yn gwneud y gwaith pwysig. Y fo oedd yn helpu ei dad i aredig y cae.

Ond mae'r cae wedi'i aredig, ac nid yw'r haul wedi disgyn o'r awyr. Mae'n dal yn boeth. Ni chlywodd y sgwrs, ond wedi cyrraedd pen y rhes olaf, roedd ei rieni wedi penderfynu ar gynllun. Ac felly aeth ei fam i edrych ar ôl y ceffyl ac Alys i lanhau'r aradr, gan adael y ddau i fynd i'r afon.

I'r pwll bach maen nhw'n mynd, y tro yn yr afon lle mae dŵr yn cronni cyn llifo ymlaen rhwng y glannau caregog. Mae Rhisiart yn noeth ac mae'r dŵr yn oer; mae'r haul yn gynnes ar ei freichiau a'i ysgwyddau bob tro mae'n dod i fyny i'r wyneb. Gall sefyll ar y gwaelod a'i ben allan o'r dŵr, ond mae'n dewis plymio a nofio. Dechreuasai ei dad ei ddysgu rai misoedd yn ôl, ac mae'n falch o'r cyfle.

'Dyna chdi, Rhisiart!' Mae llais ei dad yn siriol ac yn glir, yn gweddu i'r heulwen a dŵr glân yr afon. Gŵyr fod ei dad yn siarad o hyd, ond mae wedi bod yn trochi'i ben ac felly nid yw'n sicr beth y mae'n ei ddweud. Daw ato'i hun, yn cofio y dylai wrando ar ei dad. Mae'n cael hyd i'w draed ac mae'n sefyll yno, yng nghanol y pwll bach, dŵr yn tasgu o'i wallt, a'r haul yn gynnes ar ei ysgwyddau. Wyneba'i dad, yn ufudd. Yn gwrando.

'Ni fydd dy debyg yn y sir, Rhisiart, mi wranta i. Ofn dŵr yw un o brif wendidau'r Cymry. 'Dan ni'n byw ar ynys, wst ti, gyda'r môr o'n cwmpas ym mhob man. Mae'n mynyddoedd a'n gwastatiroedd ni'n llawn llynnoedd a phyllau ac afonydd. Ond ychydig iawn o Gymry sy'n gallu nofio. Boddi yng ngolwg y lan; does dim sy'n fwy o wastraff ar fywyd. Dos di rŵan! Dangos i mi!'

Milgi dŵr ydyw, wedi'i ollwng yn rhydd ar helfa gan ei feistr. Mae'n chwerthin a neidio, yn sblasio â'i ddwylo, ac yna mae'n plymio. Daw i fyny'n nofio, ar draws y pwll i'r lan ac yna troi er mwyn nofio yn ôl i'r ochr arall. Â mor gyflym â phosibl. Mae'n dechrau blino, ond nid yw'n arafu. Ceisia symud yn gyflym ac yn ddeheuig, yn dangos i'w dad.

Mae'n neidio eto, yn plymio, heb ddigon o ofal y tro hwn, ac mae cerrig y gwaelod yn crafu'i law a'i benelin. Mae'r poen yn ei daflu; ceisia sefyll, ond ni all roi ei draed i lawr. Mae'n disgyn i'r gwaelod eto, yn llyncu dŵr. Mae'n sicr ei fod yn boddi, ond eiliadau o fraw yn unig ydyw. Cyn pen dim, mae'n sefyll, yn pesychu, yn poeri dŵr o'i geg. Edrych ar ei law; gwêl waed yn cronni yn y briw. Cerdda at ei dad, yn ansicr a yw'n crio neu beidio.

'Dyna chdi, Rhisiart. Ty'd rŵan.'

Funud yn ddiweddarach ac mae'n sefyll yn y gwair, ei dad yn ei sychu â chynffon y crys yr oedd wedi'i dynnu. Ymwisga eto, ei dad yn ei helpu.

'Ty'd rŵan. Mi ddangosa i olion dyfrgi i chdi.'

'Welwn ni'r dyfrgi?'

'Dwi ddim yn credu, Rhisiart. Mae'n well gan y dyfrgi ddangos ei hun yn y nos, neu'n gynnar yn y bore. Ac mi wyt ti wedi bod yn gwneud gormod o dwrw beth bynnag. Mi fydd o wedi dychryn am ei fywyd ac yn cuddio'n ei ffau.'

Mae Rhisiart yn gorffen ymwisgo, yn meddwl am y dyfrgi yn ei dwll. Dyna un o'r pethau sy'n mynd â'i fryd yn aml y dyddiau hyn: anifeiliaid sy'n diflannu o dan y ddaear. Cwningen. Llwynog. Mochyn daear. A'r twrch daear yn enwedig, yn fwy cartrefol yn y ddaear dywyll nag y mae yng ngolau'r haul. Anifeiliaid cynnes, eu blew yn feddal, yn tyrchu yn y ddaear galed, oer, yn byw mewn siamberi cudd ac yn ffurfio twneli sy'n mynd i lawr ac i lawr. Clywsai hen ŵr yn dweud unwaith fod tyrchod daear yn teithio i lawr mor bell ag annwn. Gofynnodd i'w fam beth oedd annwn a dywedodd hi nad beth ond ble oedd y cwestiwn gan fod Annwn yn lle. Gofynnodd wedyn pa fath o le ydoedd ac atebodd ei fam nad oedd hi'n siŵr, bod rhai'n dweud mai gwlad y tylwyth teg ydi hi ac eraill yn dweud mai gwlad cythreuliaid ydi Annwn, yn debyg i Uffern. Gwyddai'n iawn sut le oedd hwnnw: un llawn cythreuliaid ac ellyllon, a nhwythau'n dawnsio o flaen y tanau. Roedd gan Rhisiart nifer o gwestiynau eraill, ond dywedodd ei fam ei bod hi'n well peidio â siarad am bethau felly. Er nad yw'n siarad amdano rŵan, mae'n ystyried yr holl gwestiynau hyn. Meddylia am y byd o dan y ddaear wrth gerdded yn ôl i'r tŷ â'i dad, ei gyhyrau'n brifo'n braf ar ôl yr holl nofio, ei wallt yn sychu'n araf, a'r haul yn disgyn i'r gorwel. Dychmyga dwrch daear yn tyllu'n ddwfn ac yn cyrraedd Annwn, a'r anifail yn cael ei ddychryn gan y cythreuliaid. Beth a wna wedyn? Sgrialu ei ffordd yn ôl i fyny, mae'n siŵr; crafangu trwy'r pridd i wyneb y ddaear, a'r cythreuliaid ar ei ôl o, eu dannedd yn hir ac yn felyn a'u cyrn yn finiog.

Cyn mynd i gysgu heno mae'n datgan ei fwriad wrth Alys. 'Dwi am chwilio am dwmpatha tyrchod daear fory. Dwi isio cael hyd i bob un a rhoi clamp o garreg drosto.'

'Pam, Rhisiart?' Mae hi'n cydio ynddo, yn ei dynnu ati hi, ac mae arwydd chwerthin yn ei llais. 'Wyt ti isio dal tyrchod daear? Eu blingo i mi wneud côt ichdi ohonan nhw?'

'Naci, Alys. Isio cau'r tyllau dwi. Eu cau nhw am byth!'

'Pam felly, Rhisiart bach?'

'I gadw'r cythreuliaid rhag dŵad allan. Dwi isio'u cadw dan y ddaear yn Annwn.'

Mae'n hwyr, ond nid yw'n barod i gysgu eto. Mae'n dal yn ei ddillad, fel Alys a'u mam. Ond mae'r tŷ yn wag ar wahân i'r tri ohonynt, yr holl ymwelwyr a chymwynaswyr wedi ymadael ers tipyn. Bu Alys yn twtio ac yn adfer rhyw fath o drefn, a Rhisiart yntau'n eistedd o flaen y tân gyda'i fam, ond mae ei chwaer wedi ymuno â nhw bellach. Pan mae'n siarad, mae'n gorfodi nerth a grym i'w llais, yn dweud gyda phob sill ei bod hi'n ddigon galluog i edrych ar eu holau nhw.

'Dwi am adael i'r tân fynd rŵan, Mam. Mae'n well i ni geisio'n gwlâu. Ni thâl i ni aros fel hyn drwy'r nos.' Gorfoda wên ar ei hwyneb hefyd, a sylwa Rhisiart mor wahanol y mae i'w mam nhw, eu mam sydd wedi mynd i edrych mor hen a gwan yn ddiweddar. Ond pan siarada, nid llais hen ddynes sydd ganddi ond un sydd wedi blino at ei hesgyrn.

'Alys, be wnawn ni? Mi allet ti fynd i weini, neu briodi hyd yn oed, os daw cynnig. Ond be wnawn ni, Rhisiart a finna?'

'Mi wna i'r gwaith, Mam.' Ceisia orfodi'r un hyder ag Alys i'w lais a siarad fel oedolyn, ond nid yw'n llwyddo. Llais plentyn saith mlwydd oed ydyw, llais hogyn bach sydd newydd gladdu ei dad.

'Allet ti ddim, Rhisiart. Mae'n ormod.'

'Fydd o ddim yn ormod os dwi yma hefyd. Ac mi fydda i yma. A dyna ni.'

Bu'r tri'n byw felly am ryw chwe mis. Alys a Rhisiart a'u mam, yn ceisio gwneud yr holl waith ar y tir ar eu pennau eu hunain. Siaradai Alys a'i mam weithiau am gael gwas i'w helpu, ond nid oedd modd talu dim i neb. Siaradai'r ddwy weithiau am briodi hefyd: pe bai dyn derbyniol yn dymuno priodi Alys a symud atyn nhw, un a allai weithio'n galed ac adfer cydbwysedd eu cartref. Pe bai'r fam weddw'n ailbriodi. Ond nid oedd ganddynt lawer o amser i deithio'r ardal a chymdeithasu. Digon prin oedd yr amser i siarad am bethau felly hyd yn oed, a'r holl waith yn llenwi eu dyddiau. Roedd gan Rhisiart ryw syniad mai'r gwaith caled hwnnw a oedd wedi dod â nhw at lan bedd eu mam yn y diwedd. Beth wnewch chi, gofynnodd y cymdogion i Alys, a chwithau wedi claddu eich tad a'ch mam eleni? Pa beth wnewch chi?

Daeth yr ateb yr holl ffordd o Ddinbych ar ffurf eu hewythr. Mae Rhisiart ac Alys wedi gwisgo'u dillad teithio ac maen nhw'n sefyll o flaen eu tŷ, eu cist wrth eu traed. Mae'n ddyn mawr, yn fwy na'u tad, ac mae'r holl fwd ar ei ddillad teithio yn gwneud iddo edrych yn wyllt, fel anghenfil o'r anialwch. Mae ei lais yn ddwfn ac yn gryg. Nid yw'n siarad mewn brawddegau llawn ar y dechrau, ond yn hytrach eu cyfarch â geiriau ynysig. Ambell ymadrodd. 'Dyna chi' yw'r geiriau sy'n dod o'i enau amlaf. Dywed rywbeth am y daith, am y ffaith mai dyma'r tro cyntaf iddo ymweld â Sir Gaernarfon ers talm. Mae Rhisiart yn gwingo o dan lygaid y dyn, yn methu credu ei fod yn perthyn i'r anghenfil gwyllt hwn. Mae rhan ohono am edrych i weld a oes gan y dyn ddannedd hir melyn a chyrn o dan ei het, ond mae rhan arall ohono'n ei geryddu'i hun am goleddu syniad mor anghristnogol.

Ac wedyn mae'r cawr mawr budr yn plygu'n ei ymyl, yn mynd i'w wrcwd ac yn estyn rhywbeth iddo. Llyfr, un bach, tenau.

'Mae hwn i chi'ch dau. Chdi a dy chwaer.'

Mae Rhisiart yn cymryd y llyfr yn betrus o'r llaw fawr.

'Diolch, 'Newythr.' Mae llais Alys yn siriol ac yn hyderus, a'i llaw ar gefn Rhisiart yn ei gymell yn dyner. Mae'n mwmblian ei ddiolch yntau, yn adleisio geiriau'i chwaer.

'Dyna chi. Rhywbeth bach. Ond mawr. O ran ystyr, hynny ydi.'

Mae Rhisiart yn agor y clawr ac yn darllen y geiriau'n uchel, o bosibl i Alys gael clywed ond hefyd i ddangos i'w ewythr ei fod o'n gallu darllen.

'*Carwr y Cymry* yn annog ei genedl annwyl, a'i gyd-wladwyr er mwyn Crist a'u heneidiau i chwilio'r Scrythyrau, yn ôl gorchymyn Crist.'

Mae clywed y plentyn yn darllen wedi llacio tafod y dyn, fel pe bai'n gwybod bellach ei fod ar dir cyfarwydd.

'Dyna chdi, Rhisiart Dafydd, dyna chdi.' Cwyd a chymryd cam yn ôl, er mwyn edrych ar wynebau'r ddau wrth siarad. 'Mae'ch tad a'ch mam wedi'ch cynysgaeddu â'r Gair. Hynny a mwy o lawer na'r hyn dwi'n gallu'i roi i chi. Ond dw i isio i chi gymryd y llyfryn hwn. Yn ernes. Yn ernes o'm hawydd i wneud 'y ngora drostach chi. Be bynnag. Mi fydd o'n well arweiniad na'r tipyn athrawiaeth sy gen i i'w chynnig i chi.' Chwardd, sŵn mawr, yn debyg yn nhŷb Rhisiart i darw yn brefu.

Maen nhw'n diolch iddo eto, Rhisiart yn fwy calonnog y tro hwn.

'Dewch rŵan. Digon o a-ho a halo. Mae Dinbych yn bell, a thipyn o Gymru i'w gweld cyn i ni gyrraedd.'

1638

Mae'n noson gynnes o haf ac mae'n eistedd ar y gasgen ddŵr yn ymyl drws yr efail. Bu'n rhaid iddo osod caead y gasgen yn dynn gyntaf ac wedyn dringo i'r eisteddle a phwyso'i gefn yn erbyn y wal, rhywbeth a ddysgodd wneud rai misoedd yn ôl pan lithrasai'r caead a'i ollwng i'r dŵr. Bu'n darllen yng ngolau'r lleuad, ond daeth cwmwl yn llechwraidd a chipio'r golau oddi wrtho ac felly mae wedi cau'r Beibl. Anwesa'r llyfr â'i ddwylo, fel pe bai'n rhoi mwythau i gath.

Mi weli di ei fod yn dyfod ar adeg dyngedfennol yn dy fywyd di, fy machgen. Dysg di ei ddarllen bob dydd, a thydi a'i câr weddill dy oes.

Fe'i hatgoffid droeon am y geiriau hynny gan Alys. A hithau gymaint yn hŷn nag o, cofiai lawer o eiriau eu rhieni a sicrhâi fod ei brawd bach yn cofio hefyd drwy eu mynych ailadrodd, yn ceisio gwneud y darnau bychain hynny o'u mam a'u tad marw yn rhan o Rhisiart. Llwyddodd. Nid yw'n gweld ei chwaer yn aml y dyddiau hyn, ond nid yw'n dibynnu arni hi bellach i gadw'r tameidiau hyn o'u hanes teuluol yn fyw yn ei gof. Gall ddyfynnu pethau a ddywedodd ei fam neu'i dad ar ei ben ei hun erbyn hyn, er nad yw'n gwybod yn iawn yn achos y rhan fwyaf ohonynt a glywodd ei rieni'n llefaru'r geiriau hynny â'i glustiau'i hun ynteu a yw'n cofio Alys yn eu hadrodd ac felly'n clywed ei fam a'i dad drwy glustiau'i chwaer. Meddylia am y cwestiwn astrus hwn weithiau, ond nid yw'r ateb yn ei boeni gymaint. Caiff gysur yn y ffaith bod y geiriau hyn yn rhan ohono.

Wel di yma, fy machgen, mae'r Llyfr wedi dyfod i'n meddiant. Bydd yn trigo yma yn ein cartre ac yn ein calonna ni o'r dydd hwn hyd ddiwedd ein hamser ni ar y ddaear.

Mae'n synnu bob tro y mae'n gweld Alys. Mae ugain oed mor hen. Digon hen i briodi. Mae *wedi bod* yn ddigon hen i briodi ers talm iawn. Ond mae hi'n forwyn ym Mhlas Araul ac felly nid yw'n briod. Dyna pam yr oedd eu hewythr wedi sicrhau lle iddo fel prentis yn Wrecsam yn hytrach na Dinbych; gwyddai y câi weld ei chwaer bob hyn a hyn pan ddeuai i'r dref ar ran ei meistres. Prin bod hyn yn digwydd unwaith y mis hyd yn oed, ond mae'n digwydd, a chaiff Alys ganiatâd bob tro i oedi yn y dref er mwyn mynd i weld ei brawd. Yn amlach na pheidio mae Rhisiart ar ganol rhyw orchwyl nad yw'n gallu ei ollwng yn hawdd pan ddaw ei chwaer, ac felly saif Alys yn nrws yr efail a siarad â'i brawd tra'i fod yn bwrw ymlaen â'i waith.

Mae'n anwesu clawr y llyfr yn dyner â blaen un bys, fel pe bai'n cyffwrdd â boch plentyn. Rhoddodd Alys y Beibl iddo pan aeth hi i weithio i deulu Plas Araul.

'Cad di o, Rhisiart. Mae Ieuan Watcyn yn ddyn duwiol. Ni fydda i yn amddifad o'r Gair yn ei dŷ o.'

Ceisiodd ddweud wrthi mai fel arall y dylai fod, dweud y byddai'n prynu ei Feibl ei hun pan ddeuai digon o gyflog i'w ran. Ond gwenodd ei chwaer a rhoi'r llyfr yn ei ddwylo.

'Na, Rhisiart. Dos di ag o, i ble bynnag yr ei di yn dy fywyd. A dos â'm bendith i hefyd.'

Mynnodd ei bod hi'n mynd â'r *Carwr*, a phan geisiodd wrthod dywedodd ei fod wedi dysgu'r cyfan ar ei gof erbyn hynny beth bynnag ac y byddai'n anos iddo ei gweld yn ymadael os nad oedd o leiaf un o'u dau lyfr yn mynd yn gwmni iddi hi.

Bu cyd-ddarllen y ddau lyfr yn ddefod nosol gydol eu dwy flynedd yn Ninbych. *Carwr y Cymry* gyntaf, ac wedyn y Beibl. Ond yn dechrau gyda'r *Carwr*, feunos, am ddwy flynedd.

Canys yr Scrythur lân sydd megis gardd Eden, neu Baradwys daiarol, ac wrth ddarllen neu fyfyrio ar y Gair y bydd dyn yng nghanol yr ardd megis yn ymddiddan â Duw fel yr oedd Adda gynt, ac yn bwyta o bren gwybodaeth da a drwg yn ddiorafun, ie ac yn cael bwyta o bren y bywyd yr hwn sydd yng nghanol

Paradwys Duw. A'r pren hwnnw yw Crist, a'i ffrwyth ef sydd felys yng ngenau y ffyddloniaid, a da ganddynt eistedd tan ei gyscod ef.

Byddai eu hewythr yn eistedd â nhw hefyd ar yr adegau prin hynny pan nad oedd ei fasnach yn ei orfodi i deithio, ond ni fyddai byth yn ymuno â'r darllen. Dim ond eistedd a gwrando, a gwneud rhyw sŵn yn ei wddf bob hyn a hyn, yn atalnodi ac yn ebychu'n ddieiriau. Ac yntau'n meddwl bod ei ewythr yn debyg i arth, credai Rhisiart weithiau mai dyna sut y dywedid 'amen' yn iaith yr eirth, ond ni rannodd y drychfeddwl â'i chwaer.

Ac felly weithiau, pan fo'n rhy dywyll i ddarllen gyda'r nos, mae'n dwyn i gof damaid o ddoethineb y *Carwr*. Bydd dyn yng nghanol gardd Eden neu Baradwys daearol, yn bwyta o bren y bywyd, a'i ffrwyth yn felys yng ngenau'r ffyddloniaid.

Nid yw'n myfyrio ynghylch dyfyniad o'r fath ar hyn o bryd, eithr hel meddyliau o fath arall. Mae'n brentis i Edward Wiliam, ac mae Edward Wiliam yn ddyn da. Ond nid yw'n gwbl sicr a yw'n ddyn duwiol. Mae'n credu ei fod, mae'n hoffi meddwl ei fod, ond nid yw'n gwybod i sicrwydd. Dywed Alys yn aml fod ei meistr a'i meistres yn bobl dduwiol, ond nid yw'n deall sut mae hi'n gallu dweud hynny mewn modd mor bendant. Hoffai ofyn iddi hi, ond yn amlach na pheidio mae Edward Wiliam neu'i wraig neu un o'u merched o gwmpas pan fydd Alys yn ymweld ag o. Teimla'n anghyfforddus, yn rhyw feddwl ei fod yn gwneud cam â'i feistr trwy adael i'r cwestiwn lithro i flaendir ei feddwl. Barnu. Pwy sydd â'r hawl i farnu eraill? Ac mae Edward Wiliam yn ddyn da.

Gefail ei feistr yw byd Rhisiart erbyn hyn. Mae'n dysgu gweithio megin a gweithio morthwyl. Mae'n dysgu trin haearn – cyfrinachau'r curo a'r ffurfio, popeth sy'n digwydd rhwng y poethi yn y tân a'r oeri yn y dŵr. Mae'n dysgu creu. Ymgolla yn y curo, yng nghanu morthwyl ar einion. Nid oes cwmpawd amser y tu hwnt i'r canu a'r curo hwn, ac yntau'n curo diwrnod yn wythnos, wythnos yn fis, a mis yn flwyddyn. Ie, a blwyddyn yn flwyddyn arall. Dim ond ar y Sul y cofia fod trefn i amser, a seibiant o'r gwaith yn rhoi cyfle iddo nodi bod wythnos arall wedi mynd heibio. Mae'n rhagori yn ei waith, a dywed ei feistr ei fod yn gadael iddo ymgymryd â thasgau ar ei ben ei hun na fyddai'r rhan fwyaf o ofaint y byd yn ymddiried i brentis mor ifanc. Dyn tawel yw Edward Wiliam; nid yw'n siarad os nad oes rhaid iddo siarad, ac felly mae'r ffaith ei fod yn canmol Rhisiart yn cynhesu calon y bachgen.

Fe âi'r teulu i'r eglwys fel pawb arall, a Rhisiart gyda nhw, i wrando pregeth ac i ddweud y geiriau cyfarwydd. Ac wedyn câi fwynhau ychydig o hwyl a hamdden y Sul. Deuai cyfle i ymgyfarwyddo â'r dref ar yr adegau hynny, yn cerdded i'r eglwys ac wedyn yn ymuno mewn chwarae â rhai o lanciau eraill y dref, yn taro pêl neu'n ymgodymu. Nid yw bron byth yn colli; mae'r oriau hirion yn yr efail wedi'i wneud yn gryfach na'r rhan fwyaf o'i gyfoedion, ac mae rhyw ddygnwch ynddo sydd, yn ei dyb ef ei hun, yn ymylu ar fod yn rhyfyg pechadurus weithiau. Ond mae'n mwynhau ennill, ac ennill y mae bron bob tro.

Fel yr ymgolla yng nghanu'r curo yn ystod y dydd, felly hefyd y mae'n ymgolli yn sŵn geiriau'r Ysgrythur yn ystod y nos. Ceisia ddarllen ei Feibl bob nos cyn cysgu. Pan fydd ganddo ryw fonyn cannwyll bydd yn ei ddarllen yn y groglofft uwchben yr efail lle mae'n cysgu. Ac weithiau, pan fo'r tywydd yn fwyn a'r lleuad yn ddisglair ei llewyrch, eistedd ar y gasgen ddŵr yn ymyl y drws. Mae'n eistedd yno yn ei grys nos yn darllen yng ngolau'r lleuad.

Pwysa rhywbeth arall ar ei feddwl heno hefyd, rhywbeth ar wahân i dduwioldeb Edward Wiliam a'i hawl i'w farnu. Meddylia am ei ddawn ei hun.

O dipyn i beth daeth i sylwi bod geiriau'n canu yn ei glustiau gydag atsain y morthwyl pan fydd wrth ei waith, ac yntau'n troi geiriau drosodd yn ei ben, yn cofio talpiau o'r Ysgrythur

ac yn cnoi cil ar adnodau dethol. Sylwa ei fod wedi dechrau chwarae â'r holl eiriau hyn, yn ddiarwybod iddo'i hun. Mae'n arfer ganddo bellach eu had-drefnu, eu gweithio a'u cymysgu â geiriau a glywsai ar lafar nad ydynt yn y Beibl.

Ac mae wedi dechrau gweithio geiriau fel y mae'n gweithio haearn. Fel yr â breichiau Rhisiart yn gryf gyda gwaith corfforol, felly hefyd y mae rhyw allu mewnol yn cryfhau ynddo. Cân benillion yn ddistaw iddo'i hun, penillion a gyfansoddwyd ganddo ef ei hunan, a'u canu i gyfeiliant y morthwyl. Bydd yn traddodi pregethau i dân yr efail ambell ddiwrnod, yn areithio am y peth hwn a'r peth arall i'r haearn a weithia, a'r geiriau cain yn dod fesul un, fesul dau, i gyfeiliant canu'r morthwyl ar yr einion. Nid yw wedi ysgrifennu'r un gair erioed – nid oes ganddo na phapur ysgrifennu na'r amser i'w ddefnyddio – ond mae'n cyfansoddi gweithiau yn ei ben fel pe bai'n bwriadu eu cofnodi ryw ddydd. Penillion duwiol. Marwnad i'w fam ac un i'w dad. Caneuon annerch i'w chwaer. Cerdd o fawl i'r gof. Pregethau lu ac areithiau niferus. Ac er na roddwyd yr un ohonynt i lawr mewn inc ar bapur, ac er nad yw wedi eu rhannu â neb, teimla weithiau ei fod yn eu rhannu â'r byd. Maen nhw'n mynd yn rhan o'i waith, yn agwedd ar ffurf ei gynnyrch, ei eiriau'n ymdreiddio i'r haearn a gura, yn mynd yn rhan o'r giât neu'r bedol neu'r gyllell y mae'n ei chreu. Caiff yr holl eiriau eu cofnodi mewn cyfrin ysgrifen yn y metel.

Tywysir ceffyl o'r efail, ei bedolau newydd yn gadael tameidiau o farddoniaeth Rhisiart yn y llaca a'r llaid ar hyd strydoedd y dref. *Y feillionen fwynaf a fu erioed.*

Pan ddefnyddir haearn tân newydd tafarn yr Alarch am y tro cyntaf, mae darnau o araith prentis y gof yn codi gyda'r fflamau. *A ninnau, weddillion hil yr Hen Frytaniaid, yn cofio.*

Egyr giât newydd yr eglwys am y tro cyntaf, yn datgan darn o bregeth wrth wichian ar ei bachau. *Yn enw Iesu Grist, yr hwn a gollodd waed ei galon drosom ni, blant gwael Adda.*

Llewyrch. Golau: dim llawer, ond digon i'w lygaid ifainc, cryf, weld llythrennau ar dudalen. Mae'r cwmwl wedi symud a gadael i'r lleuad ddangos ei wyneb eto. Egyr y llyfr a chanfod ei le ynddo.

Liw nos yn fy ngwely y ceisiais yr hwn a hoffa fy enaid: ceisiais ef, ac nis cefais. Codaf yn awr, ac af o amgylch y ddinas, trwy yr heolydd a'r ystrydoedd, ceisiaf yr hwn a hoffa fy enaid: ceisiais ef, ac nis cefais.

Llais cyfarwydd, yn galw ar draws buarth yr efail o gyfeiriad y tŷ: 'Pa beth a ddywedai fy nhad? A thithe'n eistedd felly yn dy grys nos?'

Elisabeth, merch hynaf ei feistr. Cwyd ei lygaid. Nid yw hi ond megis cysgod gwyn yn nrws y tŷ, ond gŵyr yn union ystum ei phen a phlyg ei cheg. Gŵyr fod ei llygaid yn chwerthin arno fo, yn ei bryfocio a'i herio. Pa beth a ddywedai dy feistr, fy nhad? Mae'n cau'r llyfr a llithro o'r gasgen i'w draed er mwyn ei hateb yn ei sefyll.

'Nid yw hynny'n fy mhoeni gymaint â beth rwyt ti'n ei feddwl amdana i.'

1640

Daw John Dafis yfory i gasglu'r cleddyf. Y cyntaf i'r efail hon ei greu. Cleddyf prawf a fydd yn dangos i'r hen filwr fod Edward Wiliam a'i brentis yn gallu gwneud arfau ar gyfer y milisia. Darn o waith a fydd yn sicrhau rhagor o waith iddynt. Dywedodd John Dafis mai Ieuan Watcyn a awgrymodd y dylai'r gof gael y cyfle hwn, er nad oedd yn orgyfarwydd â'r math hwn o waith. Gwyddai Rhisiart yn iawn o ba le y daeth y cymhelliad: morwyn yn sibrwd yng nghlust ei meistres, ei meistres yn sibrwd yng nghlust ei gŵr, ac, er mawr syndod i John Dafis, dyma Ieuan Watcyn yn dweud wrtho un diwrnod y byddai'n syniad da rhoi cyfle i'r gof Edward Wiliam wasanaethu'r milisia. Nid yw John Dafis yn ddyn sy'n hoffi gwrando ar ddynion eraill, ond mae'n rhaid iddo ufuddhau i'r uchelwr. Er nad yw'n cuddio'i deimladau'n hawdd, nid oedd yn gwbl anfoddog; mae wedi edmygu haearn tân praff yr Alarch fel y mae wedi edmygu giât yr eglwys, a gŵyr yn iawn pa of a'u gwnaeth. O'r gorau, meddai wrtho'i hun, rho gyfle iddynt guro sychau'n gleddyfau. Mae Edward Wiliam yn diolch i Ragluniaeth am y cyfle hwn. Diolcha Rhisiart yntau i'w chwaer, Alys.

Mae gwaith y diwrnod wedi gorffen ers ychydig. Mae'n sbel ers i Edward Wiliam fynd drwy ddrws yr efail, ymolchi yn nŵr glân y gasgen, a cherdded ar draws y buarth i'w dŷ. Ac fel y gwna ar ddiwedd pob diwrnod gwaith arall, mae Rhisiart wedi bod yn twtio'r gweithle. Ysgubo'r lludw sydd wedi disgyn i'r llawr. Tacluso'r offer. Sicrhau bod digon o goed tân yn y pentwr ar gyfer y diwrnod nesaf.

Sgleinia'r cleddyf newydd ar y bwrdd hir yn ymyl y wal. Nid oes ganddynt wain ar ei gyfer, ac felly mae'r llafn noeth yn dal hynny o olau y mae marwor y tân yn ei daflu. Cerdda draw ato a chydio'n ofalus yn y carn. Cwyd yr arf a cheisio'i ddal fel y dychmyga y bydd John Dafis yn ei ddal yfory.

Ymhyfryda Rhisiart fwyfwy yn ei waith bob wythnos. Y curo a'r canu. Y rhin y mae'n ei rhoi yn ei greadigaethau. Y geiriau cyfrin y mae'n eu cau yn yr haearn poeth. Cyfansodda bregeth iddo'i hun a'i chau yn y metel. Llunia gerdd o fawl i'w feistr a'i churo'n rhan o'r darn. Cân gân o serch i Elisabeth, a'i phlygu yn yr haearn poeth.

Dychmyga'r hyn a fydd yn digwydd yn y bore. Daw John Dafis er mwyn profi'r cleddyf. Cwyd yr arf a'i bwyso. Edrych yn ofalus ar y llafn. Fe'i cwyd yn uwch, a sefyll fel pe bai'n wynebu cleddyfwr arall. Mae'n taro'r awyr ag ef, yn lladd gelyn ei ddychymyg. Taro, trywanu, troi, a tharo eto, a geiriau Rhisiart yn diferu o'r llafn. *Pwy all holi'r haearn am ei hynt a'i hoedl, pwy ond y gof a'i gwnaeth?*

Oeda Rhisiart, y cleddyf yn hongian yn ansicr yn yr awyr, ei ymdrechion i ddynwared y milwr wedi'u rhwystro gan ei feddwl ei hun.

Clywsai Walter Cradoc yn pregethu am y tro cyntaf yn gynharach y flwyddyn honno. Ie, y fo ac eraill o gylch Llanfair, rhai a fuasai'n pregethu yn yr ardal cyn mynd i ymuno â'r eglwys newydd a oedd yn ymgynnull yn Llanfaches. Calon yn agor calon. Geiriau yn ei gymell i ystyried gwirionedd y Gair. Lleisiau'n galw arno wrth ei enw, pechadur, i weld ei fywyd ei hun mewn golau newydd. Cefnodd ar chwaraeon y Sul, er i rai o'i hen gyfeillion alw arno i ymuno yn yr hwyl pan gerddai adref o'r eglwys gydag Elisabeth a'i theulu. Credai y dylai gefnu yn yr un modd ar lawer o'i ganu ei hun, ymwrthod â'r awydd i gyfansoddi cerddi mawl a chaneuon serch, ac ymroi'n unig i blygu penillion duwiol yn yr haearn. Ond ni all ufuddhau i'w gydwybod ei hun. Ni all reoli ei awen na ffrwyno'i ddawn. Daw'r geiriau i'w feddwl yn ddigymell i gyfeiliant curiadau'r morthwyl, ac ni all eu rhwystro'n fwy nag y gall dawelu adlais y trawiadau ar yr einion.

Ac felly wrth deimlo pwysau'r cleddyf yn ei law mae'n gofyn iddo'i hun: pa eiriau sydd wedi'u cau yn yr haearn hwn?

Yn hytrach na cheryddu'i brentis am ei ddiddordebau newydd, mae Edward Wiliam wedi mynd efo fo i glywed y pregethwyr teithiol. Daw ei wraig a'i ferch Elisabeth hefyd, weithiau, pan fo'n bosibl ac yn briodol. Maen nhw i gyd wedi clywed Walter Cradoc yn pregethu. Maen nhw wedi clywed Vavasor Powell â'u clustiau eu hunain, ac yntau'n dweud mai gras Duw yn hytrach nag ewyllys dyn sy'n cyfrif, yn siarad fel pe bai'n siarad â nhw'n uniongyrchol, cyfaill yn dweud wrth gyfaill, brawd yn cynghori brawd neu chwaer. Maen nhw wedi tystio i rym pregethwr ifanc o'r enw Morgan Llwyd. Ac maen nhw wedi clywed nifer o rai eraill hefyd, rhai sydd wedi cyffwrdd â'u calonnau er nad ydynt wedi ennill yr un enwogrwydd yng nghylchoedd y ffyddlon â rhai o'r pregethwyr eraill, rhai sy'n gwneud eu gwaith ac yn chwarae eu rhan er na fydd yr oesau a ddêl yn eu cofio.

Gŵyr pawb sy'n ei adnabod fod Edward Wiliam yn ddyn tawel. Mae rhai wastad wedi camgymryd ei dawelwch am swrthni neu ddiffyg cwrteisi neu fudandod anifeilaidd un nad yw'n gallu cynnal sgwrs yn iawn. Ond caiff ei adnabod yn gynyddol y dyddiau hyn fel dyn *myfyriol* tawel. Mae tawelwch yr oedd pobl yn ei gymryd fel diffyg bellach yn cael ei ystyried yn arwydd o bresenoldeb. Dywed trigolion Wrecsam – neu hynny o drigolion Wrecsam sy'n poeni am y cyfryw bethau – fod Edward Wiliam yn ddyn duwiol. Mae ei dŷ yn gyrchfan i'r bobl sy'n cael eu galw'n Ffyddloniaid gan eu cyfeillion ac yn benboethiaid gan y rhai nad ydynt yn cyd-weld â nhw. Mae ambell un yn holi'r gof ynghylch y newid, a dywed, yn ei ffordd dawel ei hun, mewn cyn lleied o eiriau â phosibl, mai ei brentis Rhisiart Dafydd yw'r un sy'n gyfrifol.

Daw Rhisiart i'r tŷ bob nos y dyddiau hyn i gydweddïo a chyd-ddarllen â'r teulu. Mae Edward Wiliam wedi prynu Beibl i'w deulu ac mae'n eistedd yng nghanol y bwrdd yn barhaol, canhwyllbren bob ochr iddo. Ond caiff ei symud o'r anrhydeddus le hwnnw bob nos ar ôl i'r teulu fwyta er mwyn iddynt gael ei ddarllen a'i drafod. Weithiau mae Rhisiart yn datgan o'r *Carwr* o'i gof cyn iddynt agor cloriau'r llyfr.

'Canys yr Yscrythur lân sydd megis gardd Eden, neu Baradwys ddaearol, ac wrth ddarllein neu fyfyrio ar y Gair y bydd dyn y nghanol yr ardd megis yn ymddiddan â Duw fel yr oedd Adda gynt.'

Edrychodd Rhisiart ar Elisabeth unwaith wrth adrodd y geiriau hynny, meddwl am Efa, a chochi. Gwelodd Edward Wiliam benbleth ei brentis, a meddwl mai anghofio geiriau'r llyfr oedd wrth wraidd ei embaras. Aeth ati i brynu copi o *Carwr y Cymry* a'i roi i Rhisiart, i'w gynorthwyo. Teimla'r llanc y dylai ddweud y gwir wrth ei feistr, ond mae'n bymtheg oed ac mae'n ei chael hi'n anodd trafod y pwnc gyda'r dyn. Cura'r geiriau i'r haearn yn ddeheuig yn ystod ei oriau gwaith, ond ni all gael hyd iddynt pan fo'n dymuno'u defnyddio mewn sgwrs.

Fel y gall deimlo'r cryfder yn ei gyhyrau, fel y gŵyr fod nerth gof yn ei freichiau, gŵyr Rhisiart fod grym o fath arall y tu mewn iddo. Mae'r Gair wedi ymdreiddio iddo a mynd yn rhan o'i gyfansoddiad, fel y mae peth ohono'i hun yn mynd yn rhan o'r haearn y mae'n ei guro yn yr efail.

A dyma sy'n chwarae ar ei feddwl rŵan, ac yntau'n sefyll yno yng nghysgodion yr efail, y cleddyf yn ei law. I ba beth y mae nerth yn ei gorff a grym yn ei ewyllys os nad yw'n eu defnyddio i amddiffyn yr hyn sy'n iawn? Nid yw'n beth anghyffredin i dorf godi yn eu herbyn pan fydd y ffyddloniaid yn ymgasglu i wrando ar un o'r pregethwyr teithiol yn yr awyr agored. Gorfoledd yn troi'n berygl, profiad yn troi'n brofiad o fath arall. Unwaith, pan fu William Webster yn traddodi pregeth Saesneg, cafodd Rhisiart ei hun ar yr ochr arall i'r gwrthdaro â chwpl o'r llanciau y buasai'n chwarae â nhw ar y Sul ers talm.

'Edrychwch – Rhisiart Dafydd wedi mynd i wrando ar bregethe'r buarth efo'r ffylied Seisnig.'

A Rhisiart yn ceisio'u goleuo, yn ceisio dweud nad oedd y goleuni arbennig hwnnw'n perthyn i'r Saeson yn fwy nag i'r Cymry. Ceisiai ddyfynnu'r *Carwr* a dweud y gallai'r lleiafrif droi'n fwyafrif pe baent ddim ond yn agor eu calonnau. Safai yn eu herbyn, yn ceisio tawelu eu rhegi a'u bygythiadau â geiriau'r llyfr.

'Y mae i'r dyrnaid bychan hwnnw o weddillion Cenedl-Gymru sydd yn cyfaneddu eto yn eu Gwlad eu hun—'

– rhuo anifeilaidd ei wrthwynebwyr –

'lawer o achosion dirfawr—'

– gwaedd fygythiol –

'i gydnabod trugaredd Duw tuag atynt—'

– chwerthin gwatwarus –

'oherwydd ei amryw ymgeledd a'i ddaioni iddynt...'

Ond nid oedd ganddo ond dau ddewis yn y diwedd: codi ei ddyrnau ac amddiffyn ei hun yn erbyn ei hen gyfeillion, neu droi a ffoi. Gwnaeth yr olaf, a dianc rhag y dorf, yn dweud wrtho'i hun fod yr ebychiadau sarhaus a'r chwerthin miniog yn bris gwerth ei dalu am droi'r naill foch heibio. Agorodd y *Carwr* y noson honno, er mwyn gweld y brawddegau yr oedd yn eu gwybod ar ei gof, a meddwl ei fod yn cael ystyr newydd mewn geiriau cyfarwydd:

Chwi, y gwrandawyr diwyd i chwilio yr Scrythyrau fyddant barod i ddadlau ym mhlaid eu gweinidogion yn erbyn eu gwrthwynebwyr, fel milwyr yn taro ym mharti eu Capteniaid. Hyf, ac hyderus y gallant fod yng nghweryl y gwirionedd, pan fyddo ganddynt gleddyf yr yspryd, yr hwn yw Gair Duw yn arf parod yn erbyn dynion anwybodus, ac anrasol pan ymosodant i wrthddywedyd, gan gablu y gwirionedd drwy resymmau dynol, a chwantau cnawdol.

Yn fuan wedyn clywodd Vavasor Powell yn dywedyd mewn pregeth fod Satan wedi ceisio'i daflu oddi ar y llwybr drwy godi erledigaethau i'w ddychryn a'i flino. Unwaith, pan oedd y gŵr duwiol hwnnw yn teithio yn ei fro enedigol ei hun, daeth dau fonheddwr a oedd yn geraint iddo, dau yr oedd wedi eu ceryddu am eu pechodau, ac ymosod arno gyda phastwn. Fe'i clwyfwyd, ond dihangodd gyda'i einioes a daeth gras a gallu maddeuant i'w galon. Dro arall, ac yntau'n mynd i addoli ar y Sabath, dyma bedwar dyn yn disgwyl yn ymyl y ffordd gydag arfau, yn bwriadu ei ladd, ond dryswyd eu cynllun gan fintai o deithwyr a dihangodd yn fyw unwaith eto.

Dywedai Rhisiart wrtho'i hun mai dyna oedd natur milwr yn dadlau yn erbyn gwrthwynebwyr gweinidogion Duw. Dywedai mai troi'r naill foch heibio a gadael i achubiaeth ddod yn unol â'i ddirgel ragluniaeth Ef oedd dull cleddyf yr ysbryd. Dywedai mai Gair Duw oedd y gwir arf pan fyddai dynion anwybodus yn ymosod ac yn gwrthddywedyd ac yn cablu'r gwirionedd. Eto, ni allai osgoi'r teimlad bod yr Ysbryd yn ei symud i ddarllen geiriau'r *Carwr* mewn ffordd lythrennol a mynd yn filwr dros y Gair hwnnw yn uniongyrchol.

Ac wedyn cafodd Edward Wiliam gyfle i wasanaethu'r milisia, dim ond iddo a'i brentis yn gyntaf ffurfio cleddyf a fyddai'n plesio John Dafis, y capten a'u hyfforddai o dan lygaid Ieuan Watcyn. Nid oedd ei feistr yn sicr y gallai wneud y gwaith anghyfarwydd, ond dywedodd Rhisiart ei fod yn ffyddiog y gallent roi cynnig teg arni, dim ond iddo gael cleddyf o wneuthuriad da ar fenthyg i'w brofi a'i archwilio. Treuliodd beth amser gyda'r arf, yn nodi fel y pwysai yn ei law ac yn teimlo'i drawiad yn yr awyr. Lladdodd lawer cocyn o wellt a choed, a nodi gwaith y llafn. Wedi dyfod i ddeall natur yr arf yn lled dda, cynorthwyodd Rhisiart ei feistr yn y gorchwyl, a llwyddasai'r ddau i wneud y cleddyf sydd yn ei law heno.

Fe'i cwyd yn uwch, yn ei ddal ar ogwydd ac wedyn yn ei

symud eto, nes bod yr ychydig oleuni sydd ar ôl yn yr efail yn dal y llafn.

Meddylia am yr erledigaethau a ddeuai i flino Cristion cyfiawn. Cofia hanesion Vavasor Powell. Oni fyddai'n well i Gristion cyfiawn ymarfogi ac ymddiried yn Nuw? Oni fyddai Ef yn llywio'i law pe bai angen? Gras Duw, nid ewyllys dyn. Ym mha ffordd y mae'r naill yn trechu'r llall? Sut mae adnabod gwir lwybr gras? Cofia fel yr oedd Vavasor Powell wedi codi'r Gair yn erbyn pastwn ei erlidwyr a dianc yn fyw heb ymollwng i drais. Ie, dianc yn ddiogel a derbyn gras, a'r gras hwnnw'n rhoi iddo'r gallu i faddau i'r sawl a fynno fod yn elyn iddo. Dywed wrtho'i hun mai dyna yw ffordd yr Oen.

Ond ni all Rhisiart ymwrthod yn gyfan gwbl â'r awydd. Teimla bwysau'r cleddyf yn ei law a dychmyga'r gwaith y gallai ei wneud ag o. Fe'i cwyd yn uwch. Mae'n troi, trywanu, a tharo, ei eiriau'n diferu o'r llafn.

Mae'n nosi ac mae'r cysgodion yn hir. Daeth yr hydref ar eu gwarthaf yn gyflym, fel pob blwyddyn arall, ac mae'r nos yn dod yn gynt na'r disgwyl. Mae'r rhan fwyaf o'r buarth rhwng yr efail, y stabl, a'r tŷ mewn cysgodion, ond er bod yr heulwen wedi colli'i thiriogaeth yn gyflym yn ystod yr awr ddiwethaf, mae ganddi un troedle bach ar ôl. Erys llain bach o olau, nid yn union yng nghanol y buarth, ond ychydig yn nes at yr efail gan fod to'r adeilad hwnnw'n llai o uchder na'r toeau eraill. Yma y maen nhw'n cyfarfod. Yma, ar ynys fechan o oleuni, yng nghanol cysgodion trymion yr hydref.

Daethai Rhisiart o ddrws yr efail i ymofyn rhagor o goed tân at y bore, ond oedodd yn y goleuni, cau'i lygaid, a throi'i wyneb i'r haul. Yno y mae'n sefyll pan ddaw Elisabeth ato. Buasai hi ar drywydd rhyw neges arall ond gwelodd hi Rhisiart a cherdded draw ato, yn dawel, allan o'r cysgodion i ganol y pwll bach golau hwnnw. Egyr ei lygaid a'i gweld hi'n sefyll yno o'i flaen, yr heulwen hwyr yn ategu sglein ei bochau a llewyrch ei llygaid gleision.

Safant felly am ennyd, y naill yn edrych ar y llall, yr heulwen yn eu trochi fel cawod o oleuni. Gwena Rhisiart, ac mae Elisabeth yn ateb gyda'i gwên ei hun. Cerdda ymlaen wedyn, yn dawel, ond wrth gamu heibio iddi mae'i law chwith yn cyffwrdd â'i llaw dde hi. Am lai nag eiliad, yn ysgafn, bron yn ddamweiniol. Ond yn cyffwrdd, cyn symud allan o'r goleuni i'r cysgodion.

Gorffennaf 1642

Rhed chwys i lawr ei dalcen a'i fochau. Fe'i teimla'n rhedeg i lawr ei war hefyd. Hongia ei grys yn wlyb ar ei gorff, y chwys wedi ei wlychu bron cymaint â phe bai wedi bod yn nofio yn ei ddillad. Ond nid yw'n symud. Gŵyr fod y dynion ar bob ochr iddo yn gwegian; gall glywed y picellau'n ysgwyd yn eu dwylo a'r ochneidio-anadlu sy'n awgrymu bod corff ar fin ildio. Mae'r haul hanner dydd yn greulon o boeth ac mae'n ddiwrnod llonydd, di-awel. Ond ni symuda fodfedd. Mae'n dal ei gorff yn y safle priodol, y goes chwith ar y blaen, pen-glin wedi'i blygu, a'r goes dde yn ymestyn y tu ôl iddo ar ogwydd, ei gorff yn pwyso ymlaen ychydig, a'i ddwylo'n dal ei bicell hir ar ogwydd, y blaen haearn miniog yn hofran yn yr awyr, yn barod i dderbyn ceffyl dychmygol, a phen arall y paladr yn sownd yn erbyn ei droed dde.

Mae'n gae agored heb fymryn o gysgod, a hynny'n rhyfeddol o agos at rai o farchnadoedd prysur Llundain. Tamaid o borfa yng nghanol y wasgfa ddinesig, ond mae'r tamaid hwnnw wedi ei droi yn faes hyfforddi heddiw a'r gwair wedi ei sathru o dan gannoedd a channoedd o draed. Gall y milwyr newydd glywed galwadau'r masnachwyr yn y cefndir, yn gymysg â synau eraill y strydoedd prysur, ond mae pob un ohonynt yn gobeithio clywed un llais penodol. Mae pob un yn disgwyl gorchymyn nesaf eu swyddog, yn dyheu am ei glywed a chael eu hachub o'u hartaith. Mae'n hydoedd ers iddo eu gorchymyn i'r safle hwnnw; fel pob un o'i gyd-filwyr, bu Rhisiart yn disgwyl i'r swyddog ei ddilyn â gorchymyn arall yn syth. Cwyd blinder y tu mewn i'r dynion: mae'n chwarae â ni, mae'n mwynhau camddefnyddio'i awdurdod. Ond mesur y mae – mesur eu cryfder a'u hufudd-dod ar yr un pryd. Aeth munud yn ddau, dau yn dri, tri yn bump, a phump yn ddeg. Clyw Rhisiart ddynion yn bustachu ar hyd y rhes. Clyw'r picellau yn ysgwyd yn eu dwylo, ond nid yw'n symud o gwbl.

Haearn wyf, haearn wedi'i buro mewn tân.

Chwyrlïa cacwn drwy'r awyr, ei sŵn maleisus yn dod yn nes ac yn nes. Gall weld y pryf rŵan, yn chwyrlïo yn yr awyr o flaen ei wyneb. Sua'n nes eto, ac yna mae rhyw ddarn sidanaidd o'r corff bychan yn cyffwrdd â chroen ei foch – adain neu goes neu big yn ei deimlo, ei brofi. Ond nid yw'n ei bigo. Ni symuda Rhisiart. Mae'n cau ei ddannedd yn dynnach, ond nid yw'n symud ei ben. Ni symuda fodfedd. Eiliad sy'n boenus o hir, ac wedyn eiliad arall. Hedfana'r cacwn i ffwrdd, yn suo-chwyrlïo'i ffordd drwy fyllni'r cae digysgod.

Mae Rhisiart yn Llundain ers dechrau'r mis. Cyhoeddasai Siarl ei Gomisiwn Aráe er mwyn llenwi rhengoedd ei fyddin a pharatoi ar gyfer yr ymrafael a oedd ar y gorwel. Clywodd y ffyddloniaid yng nghyffiniau Wrecsam fod lluoedd wedi dod i Gaer er mwyn gorfodi dynion yr ardal honno i ufuddhau i alwad y brenin. Ofnid y deuent i'w tref hwythau nesaf, ac felly'n hytrach nag aros i gael eu tywys i rengoedd y fyddin frenhinol fel defaid yn cael eu gyrru i gorlan, penderfynodd nifer ohonynt ymadael a theithio i Lundain, cadarnle achos y Senedd a'r Seintiau. Cafodd Rhisiart ganiatâd gan ei feistr i dorri rhwymau'i brentisiaeth a mynd.

Cafodd ganiatâd Elisabeth hefyd.

Safodd y ddau yn ymyl drws yr efail am yn hir, golau'r lleuad yn dangos wyneb y naill i'r llall. Siaradai hi am y dyfodol. Ni fyddai'n troi'n rhyfel, byddai'r brenin yn sicr o ddeffro o'i ffolineb. Neu, hyd yn oed os deuai'n rhyfel, ni fyddai'n parhau'n hir. Deuai Rhisiart yn ôl i Wrecsam ymhen rhai misoedd, yn ôl ati hi. Caent fod gyda'i gilydd eto yn fuan, cyn y gaeaf efallai. Siaradai Rhisiart am y presennol, geiriau ceinion yn llifo o'i dafod. Maen nhw'n byw mewn paradwys ddaearol yn barod. Bydd yn mynd â'r baradwys honno i Lundain gydag o, yn ei galon. Mae gwybod ei bod hi'n disgwyl amdano yn ddigon; mae caru o bell yn dal yn gariad, ac mae gwir gariad yn baradwys ar y ddaear. Mae'r sicrwydd hwnnw'n trechu ansicrwydd yr amseroedd. Daeth yr holl eiriau i'w dafod yn rhwydd; llefarodd bob un ohonynt gyda sicrwydd un sy'n llefaru'r gwir.

Wythnos freuddwydiol ar y lôn, yn cerdded yr holl ffordd o Wrecsam i Lundain. Cnwd o'r ffyddloniaid yn cydgerdded, yn siarad yn fyrlymus am y dyddiau da a ddeuai. Yn derbyn caredigrwydd dieithriaid mewn pentref neu ffermdy yn aml, ond weithiau'n gorfod cilio a chuddio pan ofnid bod awdurdodau'r brenin gerllaw. Cymryd ffordd gwmpasog am ychydig wedyn, yn dilyn llwybrau rhwng caeau ac ar hyd llwyni nes ei bod hi'n teimlo'n ddigon saff i deithio'r prif lonydd eto. Ac yn y diwedd: Llundain. Dinas y gallent fod wedi'i gweld fel Gamorrah neu Sodom neu Fabylon, pwll o fudreddi a phechod, cyrchfan y rhai sy'n addoli arian a phleser. Ond, yn flinedig ar ôl dyddiau llychlyd ar y lôn, eu traed yn brifo, eu stumogau'n hanner gwag, a'u calonnau'n chwyddo gan wybod eu bod wedi cyrraedd yn ddiogel, nid dyna a welent ar strydoedd Llundain. Cyrchfan gobaith ydoedd; gorseddfainc cyfiawnder, eisteddle'r Senedd a fyddai'n gwaredu'r Seintiau.

Cymysgwyd y diferyn bychan hwnnw o Gymreictod a ddaethai o Wrecsam â môr o Seisnigrwydd. Aeth Rhisiart i fyw mewn stordy a droesid yn farics, yn cydletya ac yn cydhyfforddi â channoedd o Lundeinwyr. Prentisiaid o bob math. Crefftwyr. Mân-fasnachwyr. Cychwyr o ddociau afon Tafwys. Dynion ifainc a fuasai'n gwneud dyn-a-ŵyr-beth cyn ymrestru â lluoedd newyddion y Senedd a dilyn rhawd hyfforddiant y *London trained bands*. Gwirfoddolwyr, milwyr y Seintiau. Yn dod i'r cae hwn bob dydd, yn gwlychu yn y glaw, yn chwysu yn yr haul. Yn ymbaratoi.

Daeth y newyddion dridiau'n ôl: codasai'r brenin ei faner yn Nottingham. *God save King Charles and hang up the Roundheads* yw rhyfelgri gableddus y lluoedd sy'n canlyn y faner honno, ond gŵyr Rhisiart a'i gyd-wirfoddoliaid mai nhw yw'r milwyr y mae Duw wedi'u galw. Nhw sydd yn hyfforddi i wneud Ei waith Ef. Dywed y pregethwyr teithiol sy'n ymweld â'u barics gyda'r nos ac ar y Sabath eu bod nhw megis eglwys wedi'i chynnull yn yr Ysbryd. Gwyddant fod hyn yn wir. Maen nhw'n cydweddïo fel eglwys. Maen nhw'n cydsymud fel eglwys ar y cae hyfforddi hefyd, yn paratoi i wynebu'r gelyn cyfeiliornus ar ddydd y frwydr a sefyll, ysgwydd wrth ysgwydd, fel eglwys sydd wedi'i chynnull yn yr Ysbryd. Ac yma y maen nhw, yn haul crasboeth Gorffennaf. Yn hyfforddi. Yn ymbaratoi.

Cthwmp.

Clyw Rhisiart sŵn yn ei ymyl, sŵn trwm – corff yn disgyn, yn ergydio'n drwm ar y ddaear – ac wedyn sŵn ysgafnach picell yn sboncio wrth lanio ar y gwair, ei phaladr hir yn rhatlo. Clyw synau tebyg yn bellach i lawr y rhes. Ond nid yw'n troi ei ben i edrych. Erys yn llonydd, yn ddisymud, y chwys yn rhedeg i lawr ei wyneb ac yn rholio i lawr ei war ac yn ffrydio i lawr ei goesau a'i freichiau. Mae paladr pren ei bicell yn teimlo'n llithrig yn ei ddwylo, ond nid yw'n colli'i afael arno.

Ac yna, o'r diwedd, llais y swyddog yn gweiddi, yn torri trwy'r awyr fel utgorn: *Order your pikes! Stand! Order! Pikes to your inside!*

Hydref 1642

Maen nhw'n symud eto ar ôl sefyll am yn hir, yn cerdded mewn trefn, yn ddisgybledig. Maen nhw'n ymgolli yn rhythmau cymysg eu marts: cannoedd ar gannoedd o draed yn curo'r ddaear, yn plethu â churiadau'r drymwyr ar eu tabyrddau, cleddyfau'n clencian ar goesau, paladr ambell bicell nad yw'n cael ei dal mor ddeheuig yn clencian ar baladr arall. Symudant ymlaen, yn martsio mewn colofn i lawr y lôn, i gyfeiriad y bryn.

Mae Rhisiart yn rhes flaen ei garfan ef o bicellwyr, ac felly gwŷr y gynnau sy'n martsio'n union o'i flaen, mwsgedau ar eu hysgwyddau hwythau. Pob un yn cerdded, yn rhan o rythm y marts, yn cyfrannu at y myrdd o guriadau sy'n llenwi'u clustiau. Bu'n bwrw glaw yn ddiweddar ac felly nid yw llwch yn codi mewn cwmwl i'w dallu a'u tagu. Bendith o fath. Ond ni fu'n bwrw'n rhy galed, ac felly nid ydynt yn martsio trwy fwd. Bendith o fath arall.

Cerdda Rhisiart yn rhythmig o ddisgybledig, ei ddwylo'n dal ei bicell hir ar ei ysgwydd, ei gleddyf yn curo ar ei goes gyda phob cam. Mae ei ben ychydig yn boeth yn ei helm, ond nid yw'n ei boeni. Mae wedi arfer a'r arfwisg drom sy'n gwarchod ei fynwes a'i fol hefyd; nid yw'n teimlo fel pwysau ychwanegol bellach, ond fel rhan o'i gorff. Cragen. Croen caled. Mae'r haul yn gynnes ond mae'r gwynt yn oer, ac nid yw'r cerdded yn anodd.

Mae llythyr yn ei sach, ond ni raid ei estyn er mwyn ei ddarllen; mae'r geiriau sydd arno yn ei feddwl, a gall symud llygad mewnol ei gof drostynt, yn dyner o araf, yn mwytho'r llawysgrifen fesul llythyren, fesul gair. Mae'r tri gair cyntaf yn ddigon i lenwi ei galon: *Fy annwyl Risiart*. Tri gair, yn cadarnhau cysylltiad ac yn datgan cariad. A'r geiriau olaf: *Bydd ddiwyd, bydd ddiogel, bydd iach*. Geiriau'n cyfleu cysur gweddi neu swyn. Ac yn olaf un, yr enw: *Elisabeth*. Dywed yng nghorff ei llythyr ei bod hi ar ei ffordd i Lundain cyn hir. Roedd Ieuan Watcyn wedi sicrhau gwaith i'w thad yn un o arfdai'r Senedd yno, ac felly roedd y teulu cyfan yn symud. Roedd chwaer Rhisiart wedi symud yno'n barod, gan fod y Watcyniaid wedi adleoli swmp eu gweision o Blas Araul i'w tŷ yn y ddinas. Dywed Elisabeth yn ei llythyr nad oedd yn gallu disgwyl i'w gweld hi eto: *Alys, yr hon y caf ei chyfarch fel chwaer i minne cyn diwedd y flwyddyn.*

Cyn diwedd y flwyddyn. Os deuai Rhisiart yntau yn ôl i Lundain yn iach. Bydd ddiwyd. Bydd ddiogel. Bydd iach.

Cerdda ymlaen, ei gorff yn ildio i'r rhythm ac yn ei greu ar yr un pryd. Curiadau cannoedd ar gannoedd o draed ar y ddaear. Tabyrddau'n curo. Arfau'n clencian, yn creu croes-guriadau i brif rythm y marts. Gall weld rhagor o'r bryn erbyn hyn, ei gopa'n tyfu wrth iddynt nesáu.

Arwm

Sŵn yn torri ar draws rhythm eu traed, yn uwch ac yn ddyfnach ac yn estron. Yn dod o gyfeiriad y bryn.

Arwm Arwm Arwm

Y magnelau, y gynnau mawrion, yn tanio. Ni all glywed y pelenni'n taro; rhaid bod y gelyn yn saethu at eu blaenfilwyr. Ond mae'r sŵn yn taro hyder ei gyd-filwyr. Gall glywed rhythm y marts yn newid wrth i rai ohonynt neidio ychydig ac i eraill faglu, y rhengoedd yn colli gafael ar lif curiadau eu traed. Clyw lais rhingyll yn gweiddi yn y pellter, ac er nad yw'n gallu deall yr union eiriau, gŵyr ei fod yn galw arnynt i symud ymlaen, yn galw arnynt i beidio â digalonni.

Arwm Arwm Arwm

Dechreua un ohonynt ganu, a chyn iddo orffen y nodyn cyntaf mae eraill yn ymuno, a chyn iddynt hwythau orffen y llinell gyntaf, mae milwyr ar hyd y golofn yn ychwanegu eu lleisiau ac yn chwyddo'r gân.

My Shepherd is the Living Lord
Nothing therefore I need,
In pastures fair with waters calm
He sets me forth to feed.
He did convert and glad my soul,
And brought my mind in frame
To walk in paths of righteousness
For his most holy name.

Mae taranau'r magnelau'n plethu â'r gân, yn gyfres anghyson o wrthbwyntiau bas i'r cannoedd o leisiau. Fe â'r martsio'n fwy rhythmig byth, traed y milwyr yn curo'n hyderus, yn cyfeilio i'r salm y maent yn ei chanu. Cân Rhisiart hefyd, ond mae geiriau Cymraeg yn dod yn ddigymell i'w feddwl wrth i'r llinellau Saesneg dorri o'i wddf a saethu o'i geg. *Yr Arglwydd yw fy mugail i, ni bydd eisiau arnaf i.*

Dyma nhw'n gadael y lôn, yn cael eu tywys i gae agored. Mae'r canu wedi distewi ac mae Rhisiart yn gweddïo'n dawel. Cofia glywed Vavasor Powell yn dweud mewn pregeth y gall y gwir sant weddïo ym mhob man, boed yn sefyll neu'n cerdded neu ynteu'n siarad. Ei fartsio yw ei weddi o. Curiad pob troed ar y ddaear, cryfder ei ddwylo yn dal ei bicell, y modd y mae'n cerdded â'i gefn yn syth: dyna yw ei weddi. *Nid ofnaf niwed, canys yr wyt ti gyda mi.*

Symudant o'u colofn i mewn i linellau, rhingyll yn dweud wrthynt ym mha le y dylai pob carfan stopio a sefyll, yn eu ffurfio mewn llinellau rhyfel. Gall Rhisiart weld rhai o'u baneri ar hyd y llinell erbyn hyn, yn cyhwfan yn y gwynt, ynysoedd bychain o liw symudol yn hofran yn yr awyr. Mae un faner yn ddigon agos iddo ddarllen y geiriau arni, llythrennau duon mawrion ar gefnlen o felyn llachar: **God With Us**. Gwêl linellau'r brenhinwyr o flaen troed y bryn yn y pellter, eu baneri hwythau'n tynnu'r llygaid â'u lliwiau. Daw synau ceffylau o'r tu ôl iddo. Ni all droi ei ben ac edrych, ond gŵyr fod rhai o'u meirchfilwyr yn symud heibio i gefn eu rhengoedd, yn cael eu gosod mewn rhan arall o'r maes.

Arwm Arwm Arwm

Gall weld y mwg yn codi o fagnelau'r brenhinwyr yn y pellter. Daw'r sŵn o rywle arall y tro hwn hefyd, o'r tu ôl ac i'r chwith. Eu gynnau mawrion nhw yn ateb. O'r diwedd. Daw sŵn o fath arall hefyd, suo maleisus yn yr awyr, yn dod yn nes ac yn nes, wrth i belenni'r gelyn hedfan dros eu pennau. Mae un yn taro'r ddaear gyda *thwanc* rhyw ugain llath o'i flaen, yn taflu pridd i'r awyr mewn cwmwl bychan, blêr.

Mae'r gwynt yn troi, a chyn hir mae mwg o'u magnelau'n chwythu trwy'u rhengoedd, yn dod â blas swlffwr i'w cegau a dagrau i'w llygaid. *Arwm arwm arwm.* Rhagor o fwg, ac ni all Rhisiart weld dim o'i flaen ond ambell smotyn o liw yn y pellter. Ambell seren yn chwincio trwy ambell rwyg yn y cymylau, ond mae'r cymylau ar y ddaear, yn eu cwmpasu, yn eu tagu.

Twrw, yn dod yn nes ac yn nes. Cannoedd o garnau'n colbio'r ddaear, dynion yn bloeddio, eu gwaedd yn chwyddo gyda sŵn y carnau. Yn dod yn nes ac yn nes. Mae clustiau Rhisiart yn fyddar i orchymyn y rhingyll, ond teimla'r rhes yn symud a gŵyr yn reddfol beth i'w wneud. Symuda ei droed chwith ymlaen, yn plygu'r goes ac yn gollwng ei bicell ar ogwydd ar yr un pryd. Symudiad bychan gyda'i ddwylo wedyn, er mwyn sicrhau bod pen pŵl paladr ei arf yn eistedd yn sownd yn erbyn ei droed dde.

Ond mae cyfeiriad ymchwydd y twrw wedi newid. Mae meirchfilwyr y brenin wedi mynd i'r ochr, heibio canol y llinell. Gall weld yr olaf ohonynt trwy'r mwg erbyn hyn, yn symud ar draws eu tu blaen i'r chwith. Cyfres o ergydion wedyn, y fintai o fwsgedwyr yn ymyl ei fintai ef o bicellwyr yn tanio. Meddylia ei fod yn gweld dyn yn syrthio o gefn ei geffyl, ond daw cwmwl newydd o fwg i guddio'r olygfa cyn iddo gael cyfle i graffu'n well. A dyma synau eraill o ben eithaf y llinell ar y chwith. Synau erchyll, wrth i ruthr meirchfilwyr y gelyn gyrraedd eu byddin nhw. Metel ar fetel, sgrechiadau, ergydion, ceffylau'n gweryru'n wyllt.

Duw a'u helpo.

Twrw'n dod eto o gyfeiriad troed y bryn, yn cynyddu'n gyflym. Ton arall o feirchfilwyr yn rhuthro ar draws y cae. Dyma nhw, mae'r rhain yn dod aton ni, meddylia Rhisiart. Mae'r rhain yn dod ata i. Mae'n ysgwyd ei bicell ychydig, yn sicrhau ei bod yn sownd yn erbyn ei droed dde. Ond ni ddaw'r rhuthr ato. Yn hytrach, maen nhw'n dilyn yr un llwybr â'r brenhinwyr eraill, yn carlamu heibio canol byddin y Senedd ac yn ymosod ar yr ochr.

Mae synau'r ymladd a ddaw o'r cyfeiriad hwnnw yn newid ychydig, fel twrw tonnau'n taro ar hyd traeth, yn lapio gwahanol ddarnau fesul tamaid, y sŵn yn rholio'n gyflym yn nes ac yn nes. Ac wedyn mae'n symud i ffwrdd yn bellach oddi wrth Rhisiart, yn bellach i'w chwith eto ac o bosibl ychydig y tu ôl i'w linellau hefyd. Mae yna siarad nerfus ar hyd y llinell. Daw i glustiau Rhisiart yn ei dro: roedd gennym rai o'n meirchfilwyr ni ar y chwith, ond maen nhw wedi torri o dan bwysau rhuthr y brenhinwyr. Maen nhw'n cilio, yn ffoi, gyda meirchfilwyr y gelyn yn eu cwrso. Maen nhw wedi torri.

Duw a'u helpo.

Rhywbeth yn symud yn gyflym o'i flaen. Ceffylau, pump neu chwech ohonynt, yn carlamu'n wyllt, nid ato ond heibio iddo, ychydig o lathenni o flaen pennau blaen eu picellau. Er na chafodd gyfle i weld ei wyneb, gŵyr Rhisiart pwy oedd un o'r marchogion. Iarll Essex. Mae am droi ei ben i geisio canfod ei hynt, ond mae rhywbeth o'i flaen wedi tynnu ei lygaid: mae'r dirwedd o gwmpas troed y bryn wedi symud. Mae'r tir yn symud tuag atynt. Craffa Rhisiart, ond mae chwa arall o fwg wedi cymylu'r olygfa. Ennyd, ennyd arall, ac mae wedi clirio ddigon iddo weld yn well. Nid y tir ond dynion sy'n symud. Rhesi hirion o filwyr a fuasai'n sefyll yn llonydd ar hyd troed y bryn. Miloedd o ddynion, a hwythau'n symud rŵan. Prif fyddin y brenhinwyr ar gerdded, miloedd o'u traedfilwyr yn dod yn nes ac yn nes.

Duw a'n helpo.

Sibrwd a siarad, yn byrlymu i lawr y llinell. Maen nhw'n dŵad, maen nhw'n dŵad, maen nhw'n dŵad. Parablu nerfus. Daliwch eich tir, hogia. Daliwch. Mae Duw o'n plaid. Daliwch. A dyma neges arall yn cael ei throsglwyddo o ddyn i ddyn ar hyd y llinell, un sy'n cael ei llefaru'n galonnog. Mae Iarll Essex yn sefyll gyda ni. Mae wedi dod i lawr oddi ar ei geffyl ac mae'n sefyll yn y rheng flaen gyda ni.

Hold fast! Here they come! Hold fast!

Maen nhw'n dŵad, maen nhw'n dŵad, maen nhw'n dŵad. Daliwch eich tir.

Dal dy dir, Rhisiart bach, mae'n dweud wrtho'i hun. Mae Duw o'n plaid, felly saf yn gryf a dal dy dir. Ni fydd arnat eisiau.

Sylwa fod darnau o linell flaen y gelyn yn oedi, yn sefyll. Eu mwsgedwyr yn paratoi i saethu. Mae'n meddwl ei fod yn clywed un o'u swyddogion hwythau yn galw ar fwsgedwyr y Senedd i ddal a disgwyl nes bod y gelyn wedi dod yn agosach, ond nid yw wedi llwyddo i'w rheoli. Ffrwydra'r ergydion i lawr y llinell, wrth i wŷr y gynnau saethu cyn i'r brenhinwyr gael cyfle i danio'u harfau hwythau. Gwêl ambell un yn llinell y gelyn yn disgyn, ond dim ond ambell un. Mae'r rhengoedd yn cau'n syth; nid yw wedi cael effaith o fath yn y byd. Daw cyfres o ergydion yn ateb wedyn, mwsgedwyr y brenin yn saethu, a mwg yn codi mewn plethwaith o gymylau bychain llwyd. Clyw Rhisiart un o'i gyd-filwyr yn gweiddi rywle i lawr y llinell, ond nid yw'n gallu gweld y dyn yn syrthio.

Daw picellwyr y gelyn yn nes ac yn nes. Mae smotiau lliwgar eu baneri wedi tyfu erbyn hyn; gall weld ambell lun yn glir. Coeden. Pen carw corniog. Coron. Nid yw'n gallu darllen y geiriau eto, ond gan fod digon o sïon wedi'u cyrraedd yn ystod yr wythnosau diwethaf, mae'n gwybod yn iawn pa eiriau sydd ar rai ohonynt. *For King and Church. For King and Queen. Cuckholds Here We Come. Death to all Traitors.* Gwaedda nifer o'u swyddogion nhw, ac mae'u picellwyr yn dod â'u harfau i lawr, yn barod i'w cyfarfod. Saf, dal dy dir. Yr Arglwydd yw fy mugail. Fy annwyl Risiart, ni fydd arnat eisiau. Dal dy dir. Saf.

Ergydia cyfres ar ôl cyfres o fwsgedau ar y ddwy ochr yn union cyn i'r llinellau ddod ynghyd, ac o gornel ei lygad gwêl ddynion yn syrthio. Rhai ohonyn nhw, rhai ohonon ni. Mae pawb yn gweiddi wrth i'r picellau gyfarfod, sgrechiadau anifeilaidd y dynion yn cymysgu â chlencian yr arfau. Pren yn taro pren, metel yn taro metel. Pelydr hirion yn ymdaro, yn gwasgu, yn gwthio.

Mae Rhisiart yng nghanol gwasgfa'r picellau, wedi'i gau mewn coedwig symudol o belydr yn gwau trwy'i gilydd, yn taro'i gilydd, yn symud i fyny ac i lawr. Mae rhai milwyr ar y ddwy ochr wedi gollwng eu picellau'n gyfan gwbl a thynnu eu cleddyfau, ac maen nhw'n ceisio symud wysg eu hochrau trwy'r wasgfa o belydr. Ond mae'r mwg yn dod yn ddiddiwedd, chwa ar ôl chwa, cwmwl ar ôl cwmwl, yn sychu'r gwddf ac yn llenwi'r llygaid â dagrau. Teimlad, ysgytwad: mae blaen picell Rhisiart wedi mynd yn sownd yn rhywbeth, ond ni all weld yn union beth. A yw wedi suddo mewn cnawd? A yw un o'r gelynion wedi cydio yn y paladr? Gwthia ychydig, a symud ymlaen hanner cam, ond ni all weld. Cliria'r mwg wedyn, ddigon iddo ganfod wynebau'r gelynion, yn union o'i flaen. Hyd paladr picell yn unig. Wynebau wedi eu stumio mewn ofn a dicter. Gwallgofrwydd. Dyma un yn symud yn nes, yn gwthio'i hun ar hyd y pelydr. Mae wedi gollwng ei bicell a thynnu ei gleddyf. Cama Rhisiart ymlaen, ei ddwylo'n gollwng ei bicell yntau, ei law dde'n chwilio am garn ei gleddyf.

Mor hawdd. Taro unwaith, ddwywaith, ac yna mae ei lafn yn cyrraedd gwddf y dyn, yn union o dan ei ên. Taro, taro, taro. Metel ar fetel, metel ar fetel, metel yn suddo i gnawd.

Nid yw'r dyn yn ei ymyl wedi cael cyfle i ollwng ei bicell a thynnu ei gleddyf eto, ac felly mae'n haws, hyd yn oed. Llafn yn canfod gwddf, un llaw'n dod i fyny'n rhy hwyr.

Try at y nesaf. Mae hwn yn barod, ond nid yw'n gallu ei wrthsefyll. Taro, gwthio. Taro, taro, canfod cnawd. Yn hyf ac yn hyderus, yn ymladd yng nghweryl y gwirionedd, yn cludo cleddyf yr ysbryd.

Milwr yn taro dynion anrasol, y rhai sy'n cablu'r gwirionedd.

Y gwirionedd hwnnw yn ei law, a'r llaw honno'n taro.

Rhisiart Dafydd yn chwarae'i ran ym mrwydr Edgehill.

Mae'n ddwy ar bymtheg oed. Mae'n lladd dynion sy'n llawer iawn hŷn nag o. Mae'n lladd ambell hogyn sy'n iau nag o hefyd. Ond mae oedran, enw, a phob ystyriaeth ddynol arall wedi ymadael ag o yng ngwasgfa'r picellau a thagfa'r mwg. Mae'n greadur oesol, yn angel gwarcheidiol, un o genhadon yr Arglwydd. Mae'n filwr ym Myddin y Seintiau.

Mai 1643

Cheapside eto, ryw wythnos ar ôl iddynt falu'r Grog Fawr. Morthwylio a malu pob darn ohoni. Ei thynnu i lawr. Ei chwalu'n drylwyr. Wrth gwrs, ni fu Rhisiart yn gwneud y gwaith ei hun, dim ond gwylio a gwarchod. Yn cadw'r dorf rhag ymyrryd â'r gweithwyr. Roedd un o hoelion wyth y Senedd yn poeni y gallai droi'n derfysg, a chan fod mintai y Cyrnol Powel yn y ddinas ar y pryd gofynnodd iddo sicrhau y byddai'r gwaith yn mynd rhagddo'n ddiderfysg ac yn ddi-waed. Clywodd Rhisiart ambell floedd o ddicter y diwrnod hwnnw. Ambell reg. Ambell felltith. Ond roedd y rhan fwyaf o'r dorf yno i orfoleddu. Eto, bu'n rhaid eu cadw rhag ymyrryd â'r gweithwyr yr un fath, rhag ofn bod darn o garreg, plaster neu blwm yn disgyn ar rywun a'i frifo. Ac felly yma y mae Rhisiart eto, ef a rhai o'i gyd-filwyr, yn gwneud yr un gwaith eto, yn cadw'r dorf rhag ymyrryd â'r sioe.

Nid oes ond pedwar gweithiwr y tro hwn. Tri o'r dynion a fuasai'n trefnu coed ar gyfer y goelcerth, yn sefyll gerllaw, yn dal bwceidiau o ddŵr rhag ofn bod y tân yn ymledu gormod, ac un dyn yn dal y bicwarch. Mae'n erfyn hir, y goes bren wedi'i gwlychu'n dda er mwyn ei chadw rhag llosgi, ac mae'n ei dal i fyny yn syth fel milwr yn dal picell adeg refiw. Ond mae'r blaen yn drwm, ac mae'r dyn yn gorfod gweithio'n galed a defnyddio holl gyhyrau'i freichiau er mwyn ei dal yn uchel yn yr awyr. Mae'n edrych fel baner fechan drwchus, ond o graffu'n well gwelir mai llyfr ydyw. Mae pigau'r bicwarch wedi'u gwthio drwy'r llyfr ac mae'n cael ei ddal felly, yn yr awyr, uwchben pennau'r dorf a'r milwyr sy'n eu cadw draw o fflamau'r goelcerth.

Gŵyr Rhisiart pwy yw'r dyn hwn, er nad yw'n gwybod ei enw. Fo yw'r crogwr. Yr hangmon. Dienyddiwr swyddogol y plwyf.

Gŵyr hefyd pa lyfr sydd ar fin cael ei ddienyddio. Llyfr y Chwaraeon.

Cama pregethwr a ddaethai gyda'r milwyr ymlaen a dechrau annerch y dorf. Dechreua'r crogwr gerdded yn araf o amgylch y goelcerth, yn chwifio'i faner bendrwm ychydig. Maen nhw'n gwneud drama o'r dinistr, y geiriau a'r symudiadau wedi eu dewis yn ofalus er mwyn creu effaith ar y gynulleidfa.

Ond nid yw Rhisiart yn canolbwyntio ar y sioe. Saif yno, yn dawel, yn hyderus bod ei bresenoldeb arfog yn ddigon ynddo'i hun i gadw'r dorf yn ei lle. Ond nid yw ei feddwl ar y dorf na'r gweinidog na'r crogwr na'r llyfr na'r tân.

Bydd yn priodi Elisabeth heno. Rhoddodd y Cyrnol Powel ei hun ganiatâd iddo ymadael â'i wasanaeth am dridiau, yn dechrau gyda diwedd y llosgi. Ar ôl i'r dorf wasgaru, bydd yn ffarwelio â'i gyd-filwyr dros dro a cherdded y we o strydoedd prysur sy'n arwain at gartref newydd Edward Wiliam a'i deulu. Edward Wiliam, ei gyn-feistr a'i ddarpar dad-yng-nghyfraith. Yno y bydd y teulu cyfan yn disgwyl amdano. Yno y bydd Alys, wedi cael caniatâd gan Ieuan Watcyn i dystio i briodas ei brawd. Yno y bydd John Griffith, caplan mintai y Cyrnol Powel, yn disgwyl i wasanaethu. Ac yno y bydd Elisabeth yn disgwyl amdano fo. Ac yno y mae ei feddwl yntau, yn bell o'r sioe yn Cheapside.

Ond ni all anwybyddu'r waedd a ddaw o enau'r crogwr wrth iddo nesáu at y goelcerth: *Thus I make an end of* The Book of Sports, *and thus will I make an end of any who doth still cherish it.*

Mae rhywun yn galw'n fygythiol o'r dorf, yn melltithio'r crogwr a'r Senedd sydd wedi'i roi ar waith. A dyma lais arall o ran arall o'r dorf yn rhegi ac yn melltithio mewn modd cyffelyb. Ond nid yw Rhisiart yn troi ei ben er mwyn ceisio canfod y dynion cableddus. Nid yw am lusgo neb o flaen ei well heddiw. Milwr ydyw, yn gwneud ei waith, a dim mwy. Caiff eraill erlid mân gableddwyr os mynnant.

Mae'r crogwr yn lledu ei goesau ychydig, bron fel picellwr

yn paratoi ei arf i dderbyn rhuthr y gelyn. Ond nid yw'n gosod pen pŵl y goes yn ymyl ei droed a dal yr erfyn ar ogwydd. Yn hytrach, mae'n ei godi'n uwch ac yn uwch, yn gollwng y llyfr sy'n crogi ar bigau'r bicwarch fesul tipyn, yn is ac yn is, i'r tân.

Cydia'r fflamau yn y papur, ac mae sŵn y dorf yn chwyddo gyda'r tân. Ychydig o brotestio a melltithio, ond mae'r rhan fwyaf yn cymeradwyo. Dechreua rhai ganu salmau, ond yn hytrach nag uno mewn un côr, mae'n fabel o wahanol leisiau'n canu gwahanol ganeuon ar yr un pryd. Mae sawl un yn codi pen a galw mewn llawenydd.

Heddiw yw'r Sabath, sancteiddied y diwrnod.

Cofiwch y Sabath, i'w sancteiddio Ef.

Ni fydd cablu diwrnod yr Arglwydd mwyach.

Â fflamau'r tân yn uwch ac yn uwch, a daw gwynt i gipio tameidiau llosg o'r llyfr, y papur yn troi'n lludw o flaen llygaid y dorf, a'r lludw'n toddi i'r awyr ac yn diflannu mewn cawodydd bychain o eira du.

Ychydig yn ddiweddarach, ac mae'r rhan fwyaf o'r dorf wedi ymadael ac ymdoddi i brysurdeb arferol Cheapside. Erys grwpiau bychain o bobl, yn sefyll yma ac acw, yn siarad neu'n cynnal cyfarfod gweddi byrfyfyr. Ond mae egni'r difa a'r dinistr wedi mynd. Mae'r sioe ar ben. Try Rhisiart ei gefn ar y marwor a'r lludw. Dechreua gerdded, yn gyflym, pobl yn symud i adael i'r milwr ifanc fynd heibio iddynt.

Mehefin 1643

Mae Rhisiart yn eistedd. Ni all ei gweld hi, ond mae'n teimlo ei llaw ar ei ysgwydd. Saif Elisabeth y tu ôl iddo, yn torri ei wallt. Mae'n ddiwrnod braf, cynnes, ac felly daeth hi â chadair allan i'r cwrt rhwng eu tŷ a'r tŷ nesaf. Mae'r cwrt bach hwn yn gul iawn, ac felly mae cysgodion yn ei dywyllu'r rhan fwyaf o'r amser, ond mae'n ganol dydd a chan eu bod wedi gosod y gadair yn union yn y canol mae'r heulwen yn eu cynhesu.

Mae hi wedi bod yn sôn am liwiau. Cred Elisabeth y gallai wneud paent lliw da, ond gŵyr na fyddai ei thad yn cymeradwyo'r fath beth. Prydera y dywedai mai oferedd ydyw. Addawsai Rhisiart siarad ag o. Wedi'r cwbl, cofiai Alys yn dweud bod ystafelloedd lliwgar hardd ym Mhlas Araul, ac ni fyddai neb yn gwadu duwioldeb Ieuan Watcyn. Dywedasai hefyd y gallai atgoffa ei thad o'r giatiau haearn addurnedig yr oeddynt wedi eu gwneud yn Wrecsam. Paid â'i gynhyrfu, meddai. Mae'n ddyn tawel, ond mae'n styfnig. Ond roedd hi'n dyheu am liwiau. Glas. Gwyrdd. Melyngoch. Siaradai'n chwareus, yn mwynhau hyn o oferedd. Yn trafod lliwiau. Addurniadau. Blodau gwynion yn gwau trwy ei gilydd mewn patrymau ceinion, yn harddu ymylon waliau melyngoch.

Ond maen nhw'n dawel bellach. Mae Rhisiart wedi cau ei lygaid a chodi ei wyneb i'r haul, gan orfodi Elisabeth i roi'r gorau i'r torri am ychydig. Saif yno, ei llaw dde yn dal y gwellau haearn a'i llaw chwith yn pwyso ar ysgwydd ei gŵr. Saif felly am yn hir, yn mwynhau'r tawelwch hwn. Mae'n bosibl ei bod wedi cau ei llygaid hithau hefyd. Siarada eto ar ôl rhyw hyd, ansawdd ei llais yn wahanol y tro hwn, yn fyfyriol-ddifrifol.

'Mi wn i beth sydd yn dy feddwl, Rhisiart Dafydd.'

'Mmm?' Mae ei lais yn gysglyd, fel pe bai wedi suddo'n rhy ddwfn i gysur yr ennyd i lefaru geiriau yn iawn. Y gadair yn cymryd ei bwysau'n braf, yr heulwen yn anwesu ei wyneb, a llaw Elisabeth yn mwytho cyhyrau ei ysgwydd y mymryn lleiaf drwy ei grys tenau – y cyfan yn ei lapio mewn cysur, fel pe bai'n suddo i mewn i wely plu, yn barod i fwynhau oriau o gwsg di-dor. Mae trwch y tŷ rhyngddynt a'r stryd brysur yr ochr draw, ac felly mae holl synau'r diwrnod Llundeinig wedi eu mygu, fel lleisiau a glywir rhwng cwsg ac effro yr ochr arall i freuddwyd.

'Mi wn, Rhisiart. Rwyt ti'n meddwl am y buarth rhwng yr efail a thŷ 'nhad yn Wrecsam.'

'Mmm?' Egyr ei lygaid a throi ei ben ychydig er mwyn ceisio'i gweld hi. 'Ydw i?'

'Wyt.' Mae'n gwasgu ei ysgwydd. 'Achos dyna beth dw i'n meddwl amdano fo, a dw i'n gwybod pan fyddwn ni'n meddwl am yr un peth.'

'Wyt ti?' Cwyd ei law dde at ei ysgwydd chwith a gafael yn ei llaw hi. 'Sut felly?'

'Rhyw deimlad. Rhyw deimlad y tu mewn yn deud 'tha i. Dw i ddim yn gorfod meddwl amdano fo. Mae'n sicrwydd. Mi wn pan fyddi di'n meddwl yr union yr un peth â minnau fel y gwn i fy mod i'n gweld golau pan agora i'n llygaid.'

Ac mae'r ddau yn ddistaw, yn aros yno, ei law fawr wedi ei chau o gwmpas ei llaw hi, ei fawd yn symud yn ôl ac ymlaen dros ei garddwrn. Arhosant felly, yn ddistaw, yr heulwen yn eu lapio, a synau'r stryd yn bell.

'Iawn, 'te, Rhisiart Dafydd. Ymlaen â'r cneifio.' Mae'n tynnu ei llaw yn rhydd a'i defnyddio i wthio'i ben i lawr i'r safle priodol. Clicia'r gwellau yn fygythiol yn ymyl ei glust.

'Cneifio, wir! Mae'r rhain wedi'u gwneud ar gyfer defaid.'

Mae'n codi cudyn o wallt gyda'i llaw chwith a'i dorri.

Snic.

Roedd Rhisiart wedi gwneud gwellau tebyg, nifer ohonynt, yn yr efail yn Wrecsam.

Snic.

Roedd wedi curo ei eiriau i mewn i'r haearn poeth, cau llinellau yn y llafnau.

Snic.

A phan ddefnyddid pâr o'i wellau am y tro cyntaf, disgynnai tameidiau o'i farddoniaeth gyda gwlân y ddafad. *Mawr yw mwynder heulwen haf a hithau'n dod i'w therfyn.*

Ond ni ddaw geiriau o'r gwellau hyn, dim ond tameidiau o'i wallt ei hun. Ceisia ddychmygu'r gof a'u ffurfiodd, ond ni all weld yr un efail ar wahân i hen efail yn llygad ei feddwl, efail ei dad-yng-nghyfraith.

Snic, snic.

'Dyna ni. Rwyt ti'n rowndyn twt eto.'

'Ust!' Try yn ei gadair er mwyn cydio ynddi â'i freichiau. 'Paid â deud hynna.'

'Does neb yma i'n clywed ni, Rhisiart.' Mae arlliw chwerthin yn ei llais. Ildia i gryfder ei freichiau, a gadael iddo ei thynnu i eistedd ar ei lin.

'Ond mae'n well peidio ag arfer, Elisabeth.' Mae ei lais yn dyner ac yn dawel, ond yn bryderus. 'Rhag ofn.'

Ac mae'n adrodd stori y mae wedi ei hadrodd wrthi hi o'r blaen. Rhywbeth a welodd pan oedd yn bicellwr gyda gwirfoddoliaid Llundain, cyn ymuno â mintai y Cyrnol Powel. Mewn gwersyllfa: sgwrs rhwng dau o'i gyd-filwyr, a'r naill yn galw'r llall yn *the boldest of roundheads*. Anwyldeb, y ddau'n ffrindiau mawr. Ond clywodd milwr arall nhw, un a ystyriai bob un o reolau Byddin y Seintiau yn debyg i'r Deg Gorchymyn. Aeth â'r mater at swyddog neu gaplan, ac arestiwyd y milwr y noson honno.

'Mae'n drosedd i un o filwyr y Senedd alw un arall yn rowndyn.'

'O'r gorau, Rhisiart, ond nid milwr ydw i.'

'Ust, Elisabeth. Mae'n well peidio ag arfer.'

Edrydd weddill y stori, er ei bod hi wedi ei chlywed o'r blaen. Bu'n rhaid iddynt ymgynnull yn eu rhengoedd y bore wedyn ar gyfer y gosb. Fe'i clymwyd i gerbyd un o'r magnelau a daeth caplan i ddatgan pa beth oedd ei drosedd. Wedyn, gyda dau filwr yn dal ei geg yn agored, daeth un arall â haearn poeth yn ei law a llosgi blaen ei dafod. Nid digon i'w anffurfio am oes, ond digon i sicrhau y byddai pawb yn cofio'r wers.

'O'r gorau, Rhisiart.' Try ychydig er mwyn gosod ei gwefusau ar ei glust. Mae'n sibrwd, ei gwefusau'n cyffwrdd yn ysgafn â'i groen fel adenydd glöyn byw, ei hanadl yn gynnes yn ei glust. Dywed na fydd yn ei ddweud eto yma, y tu allan, ond y bydd hi'n ei alw'r un peth eto heno, yn y gwely, a neb yno i'w clywed. Cusana ei foch ac mae Rhisiart yn cau ei freichiau'n dynnach o'i chwmpas, yn ei gwasgu ato.

Medi 1643

Nid yw'n llawer o fachlud. Er nad yw hi wedi bwrw glaw ers oriau, mae llen o gymylau llwydion yn cuddio'r haul o hyd. Mewn un man y mae'r cymylau wedi ymagor ychydig, dim ond un rhwyg bach yn y gorchudd gormesol hwnnw o lwydni, yn gadael i ychydig o olau melyngoch gyrraedd y ddaear.

Ac mae cyrff wedi eu taenu ar draws y ddaear honno. Dros dair mil ohonynt, rhai'n gorwedd yn gelanedd unigol ac eraill wedi eu plethu mewn pentyrrau o gnawd marw. Mae cyrff ceffylau i'w gweld yma ac acw hefyd, ambell un â chorff dyn yn sownd o dano. Gwêl sbwriel rhyfel ym mhob man. Casgenni a chertiau a sachau. Gynnau a chleddyfau a phicellau, rhai o'r arfau wedi'u plannu yn y ddaear wleb, yn sefyll yn syth neu ar ogwydd, fel coed tenau wedi'u hamddifadu o'u canghennau.

Deil hynny o belydrau'r machlud a ddaw i'r ddaear ddarnau o arfwisg bob hyn a hyn. Sgleinia darnau bychain o fetel yn felyngoch, yn creu goleuadau arallfydol bychain. Cannwyll corff, meddylia Rhisiart, yn cofio straeon ei blentyndod. Dacw ganhwyllau'r cyrff hyn, yn chwincio ac yn fflachio mewn cors o angau. Yn wrthbwyntiau i'r fflachiadau llachar achlysurol hyn, mae siapiau duon bychain yn symud ymysg y celanedd hefyd. Brain a chigfrain, yn neidio o gorff i gorff ac yn hopian-hedfan i ben y tomenni o gnawd i bigo, rhwygo, a bwyta. Dros dair mil o feirwon yng nghanol holl froc môr rhyfel. Adladd y cynhaeaf ar faes Newbury, canlyniad deuddeg awr o ymladd.

Cerdda Rhisiart yn araf, ei gorff yn drwm a'i ddillad yn annifyr o wlyb. Wedi'i wlychu'n drylwyr gan y glaw neithiwr, a chwys gwaith y diwrnod yn ei wlychu drachefn cyn iddo gael cyfle i sychu'n iawn. Noson ddi-gwsg ar ddaear wleb, y glaw yn ei fflangellu, a diwrnod cyfan o ymdrechu ac ymladd. Ond roedd Newbury yn eu meddiant nhw rŵan, a'r brenhinwyr wedi cilio a gadael y lôn i Lundain yn agored unwaith eto. Cerdda Rhisiart yn ofalus, yn camu dros gorff heb oedi i edrych arno. Heb oedi i weld a yw'n fyw hyd yn oed. Mae'n chwilio am ei geffyl, am unrhyw geffyl, er mwyn ailymuno â gweddill mintai'r Cyrnol Powel. Cerdda ymlaen, yn baglu ychydig, yn disgyn i'w bengliniau yn y mwd. Saif yn araf, yn sythu ac yn ysgwyd blinder o'i lygaid. Gwêl ddau geffyl ar draws y maes, yn ddianaf yn ôl pob golwg. Cerdda'n araf tuag atynt.

Pythefnos a hanner o ddyddiau caled a nosweithiau digysur, yn gorffen yma ar faes Newbury. Yn dechrau ar ddiwrnod cyntaf y mis, gyda'r refiw. Pymtheng mil ohonynt, yn draedfilwyr ac yn feirchfilwyr, wedi'u hymgynnull mewn trefn i'r Iarll Essex gael eu harchwilio. Ac wedyn y farchogaeth galed. Rhoddwyd mintai Powel i warchod blaenfyddin gwirfoddoliaid Llundain. Marchogaeth ymlaen i archwilio'r tir a'r pentrefi ac wedyn symud yn gyflym yn ôl i ddweud wrth swyddogion y traedfilwyr pa fath o dirwedd a oedd yn eu disgwyl i lawr y lôn. Rhisiart yn helpu gwarchod ei gyn-gyd-filwyr – hwythau'n martsio'n araf, yn cludo mwsged neu bicell, ac yntau yn ei wisg dragŵn ar gefn ei geffyl. Gobeithiai gael cyfle i oedi gyda'r brif fyddin a chwilio am rai o'i hen gyfeillion, ond ni ddaeth y cyfle hwnnw. Yn ôl ac ymlaen, yn symud yn gyflym, yn archwilio, yn asesu, ac yn adrodd. Sgarmes fach yn ymyl Hook Norton ar yr ail o Fedi, ond ni chafodd Rhisiart gyfle i danio'i lawddryll na thynnu'i gleddyf. Y cyfan drosodd funudau ar ôl iddo ddechrau. Roedd y miloedd o draedfilwyr a ddaethai i fyny'r lôn y tu ôl iddynt yn dioddef oherwydd diffyg bwyd a dŵr, felly rhoddodd y Cyrnol orchymyn iddynt farchogaeth yn bellach na'r arfer o flaen y brif fyddin er mwyn chwilio'r pentrefi a'r ffermydd y tu allan i Gaerloyw.

'Be damned, you traitors, you thieving roundhead traitors,' gwaeddai'r hen ddyn ar eu holau wrth i Rhisiart a'i gymdeithion arwain moch y ffermwr oddi yno. Rhisiart, Dafi, Owen, a Siôn.

Yr enwau a ynganai'r Cyrnol fel rhigwm plentyn. Rhisiart, Dafi, Owen, a Siôn. Roedd Owen a Dafi wedi disgyn o'u ceffylau; gyrrai Owen y moch o'i flaen ac arweiniai Dafi'r ddau geffyl. A hwythau'n marchogaeth o hyd, cadwai Rhisiart a Siôn eu llygaid ar y llwyni a'r coed o'u cwmpas, rhag ofn. Yn gyrru'r moch yn ôl i gyfeiriad y brif fyddin, a'r hen Sais yn galw ar eu holau. 'Damned thieving traitors, you damned crop-eared devils.'

'Peidiwch â gwrando arno.' Owen, yn galw ar y lleill. 'Mae'r hen ddyn yn Babydd. Mae wedi cael ei haeddiant.'

'A'r moch?' Llais Siôn, yn galw'n ôl. 'Ofynnest ti a oedden nhw'n Babyddion, Owen?'

Brwydr fechan o flaen Cirencester ar y pymthegfed, ond roedd gwŷr y Cyrnol Powel wedi'u gosod filltir i ffwrdd i wylio, ac felly ni ddaeth Rhisiart wyneb yn wyneb â'r gelyn y diwrnod hwnnw chwaith. Erbyn y nos roedd y traedfilwyr wedi dal rhyw ddau gant o filwyr y gelyn yn garcharorion. Ac yn bwysicach na hynny, cawsant hyd i storfeydd sylweddol o fwyd yn y dref.

Ac felly ymlaen, yn chwilio, yn cysgodi, yn ymladd ambell sgarmes fechan, ac yn dwyn bwyd oddi ar drigolion Wiltshire. Nes cyrraedd cyffiniau Newbury ar y pedwerydd ar bymtheg o'r mis a chanfod miloedd o filwyr y brenin yno yn eu disgwyl, yn gwarchod y lôn ac yn gorfodi byddin y Senedd i fynd i'r maes. Dywedodd y Cyrnol y bydden nhw'n gadael gwirfoddoliaid Llundain; roedd y traedfilwyr yn symud i gopa bryn ar ochr arall y maes, a'i fintai o ddragŵns yn mynd i ymuno â gweddill y meirchfilwyr yn y llwyni ar hyd y caeau a'r lonydd bychain. Ac wedyn daeth y glaw, yn oer ac yn drwm, yn bwrw drwy'r nos. Awgrymodd Siôn eu bod nhw'n gadael eu safle yn ymyl y clawdd er mwyn cysgu gyda'r ceffylau, yn meddwl y byddai gwres cyrff yr anifeiliaid yn eu cynhesu rywfaint. 'Na wnawn ni ddim,' atebodd Rhisiart, 'a hynny am ddau reswm. Yn gyntaf, byddai'n golygu anwybyddu'n hordors ni. Ac yn ail, dydi ceffyl ddim yn llonydd yn y nos. Gall gamu arnat ti os wyt ti'n cysgu'n ei ymyl. Torri asgwrn neu waeth.' Felly cysgu'n ymyl y clawdd yr ochr arall i'r llwyn. Neu geisio cysgu. Yn wlyb ac yn oer. Yn crynu trwy oriau hirion y nos. Yn ceisio cadw'u powdr yn sych.

Gostegodd y glaw gyda'r wawr. Gwobr gysur, y glaw'n peidio a'r frwydr yn dechrau. Deuddeg awr o ymdrech i Rhisiart a'i gymdeithion, gyda galw ar ôl galw ar fintai'r Cyrnol Powel i lenwi bwlch neu wthio pen y llinell. Saethu a symud. Rhuthro a chilio. Neidio oddi ar eu ceffylau ac ymladd ar draed. Chwysu a gwaedu, clwyfo a lladd. Milwyr yn taro o blaid cyfiawnder. Yn hyf ac yn hyderus, yn ymladd yng nghweryl y gwirionedd, yn taro'n galed â chleddyf yr ysbryd. Ac, o'r diwedd, buddugoliaeth o fath. Y brenhinwyr yn cilio o'r maes, yn gadael y lôn i Lundain yn agored. Yn gadael celanedd Newbury i olau egwan y machlud pŵl hwn.

Cyrhaedda Rhisiart y ceffylau. Mae un yn dychryn pan mae'n ceisio cydio yn ei harnais; mae'n taflu'i ben, ei lygaid yn wyllt. Ceisia Rhisiart afael ynddo eto, ond mae'r ceffyl yn ymateb yn ffyrnig y tro hwn, yn codi ar ei goesau ôl a chicio â'i goesau blaen. Neidia Rhisiart i'r ochr, yn osgoi'r carnau o drwch blewyn bach. Mae'n disgyn yn glwt ar ei wyneb ar y ddaear wleb, ac erbyn iddo droi a dechrau codi mae'r ceffyl gwyllt wedi carlamu i ffwrdd. Mae'r anifail arall yn fwy dof, ac er ei fod wedi camu ychydig yn bellach oddi wrtho, nid yw'n dianc. Cerdda Rhisiart yn araf ato a chydio yn ei ffrwyn. Mae'n rhoi mwythau iddo. Sibrwd yn ei glust. Mae'n rhoi'i ben yn agos, yn gadael i'r ceffyl weld ei lygaid.

Yn fuan ar ôl esgyn i'r cyfrwy mae'n clywed sŵn anghynnes gerllaw. Rhochian a rhwygo; ceg farus, aflan, yn cnoi cnawd ac yn hollti esgyrn. Try yn ei gyfrwy, yn chwilio am ba beth bynnag sy'n gwneud y twrw dieflig. Dacw fo, rhyw ddecllath i ffwrdd. Mae'n annog y ceffyl i droi a cherdded yn araf i gyfeiriad y sŵn. Mae'r llwydni'n ildio i ddüwch nos erbyn hyn, ond gall weld yr olygfa'n iawn ar ôl nesáu rywfaint. Celain, corff un o'r brenhinwyr yn ôl pob tebyg, a mochyn mawr yn ei fwyta. Buasai'r milwr yn gwisgo arfwisg dros ei fynwes a'i fol, ond mae'r anifail wedi gwthio'r gorchudd i fyny rywfaint er mwyn suddo'i drwyn ym mherfedd y dyn. Mae brân wedi clwydo ar ei ben, ei phig yn tyllu'r llygaid, ond ni all Rhisiart glywed yr aderyn gan fod y mochyn yn bwyta mor swnllyd. Mae'n tyrchu a sugno, cnoi a lleibio.

Mae'n eistedd yno am yn hir, y ceffyl yn ufudd a llonydd, yn ystyried lladd y mochyn. Tyrchu am hynny o bowdr sych sydd ganddo ar ôl, llwytho'i bistol, a saethu'r bwystfil drwy'i ben. Neu neidio o'r cyfrwy, tynnu'i gleddyf, ac agor ei wddf. Byddai'n fwyd i nifer ohonynt y noson honno. Ond mae blinder yn ei lethu. Gwêl filwyr eraill yn cerdded tuag ato, yn archwilio'r maes, yn sifflo trwy olion y frwydr. Penderfyna adael y mochyn iddyn nhw. Try ben y ceffyl yn dyner a phrocio'n ysgafn â'i sawdl, yn cymell yr anifail i adael y mochyn cableddus y tu ôl iddyn nhw.

Nadolig 1644

Mae'r chwech yn eistedd wrth y bwrdd. Ar un pen y mae Edward Wiliam ac ar y pen arall y mae ei wraig, Ann. Ar un ochr y mae'r ddwy ferch iau, Margaret ac Ani, yn eistedd, ac yr ochr arall y mae eu merch hynaf, Elisabeth, a'i gŵr, Rhisiart Dafydd. Nid ydynt yn dathlu'r Nadolig fel y cyfryw gan eu bod yn deulu duwiol sydd wedi cefnu ar yr hen arferion ofer, ond maen nhw'n mwynhau'r pryd syml hwn gyda'i gilydd, a hynny'n enwedig gan mai dyma'r tro cyntaf i Rhisiart fod yn eu plith ers misoedd.

Mae'r bwyd o'u blaenau yn barod i'w fwyta – cig moch hallt, bara, caws, menyn, nionod wedi'u piclo, gwin wedi'i gymysgu â dŵr mewn cwpanau pren – ac mae Edward Wiliam newydd orffen ei weddi. Cofiwn heddiw, Arglwydd, y diwrnod y daeth dy fab i'r byd. Gadewch i ni ei gofio mewn modd sy'n weddus yn dy olwg, a rhoi o'n cyrff a'n hysbryd y dydd hwn, fel pob dydd arall, i'th wasanaethu di. Amen. Tawelwch am ennyd, pawb yn myfyrio'n dawel. Ac wedyn mae Edward yn siarad eto:

'Amen. Boed felly.'

Mae'r rhieni a'r merched iau yn dechrau, synau bodlon teulu'n bwyta yn llenwi'r ystafell fach. Ond nid yw Rhisiart ac Elisabeth yn estyn am eu bwyd. Eistedd y ddau yno'n dawel, yn dal dwylo o dan y bwrdd.

Dyma'r tro cyntaf iddynt weld ei gilydd ers iddi golli'r babi. Daethai'r llythyr ato yn y diwedd, ryw fis ar ôl iddi ei ysgrifennu, a'i ganfod mewn gwersyllfa ganol Gorffennaf, ychydig ar ôl brwydr Marston Moor. *Dywed fy nhad mai ewyllys yr Arglwydd ydyw. Dywed fod daioni anweledig ym mhob peth o'i wneuthuriad Ef, ond ni allaf deimlo dim ond tristwch a cholled.* Mae llaw chwith Rhisiart yn gafael yn dynn yn ei llaw dde o dan y bwrdd. Gŵyr ei bod hi'n meddwl yr un peth ag yntau: byddai'r plentyn yma erbyn hyn, pe bai wedi cyrraedd ei lawn dymor ac wedi'i eni'n fabi byw. Byddai yma gyda ni heno.

Mae hi'n tynnu'i llaw yn rhydd o'i afael a'i gosod ar ei ysgwydd. Plyga'n nes ato, a sibrwd yn ei glust. Daethost adra. Rwyt ti yma heno. Rwyt ti'n fyw. Rhaid i hynny fod yn ddigon i ni.

'Ydi hyn ddim yn ddathliad?' Margaret, yn dair ar ddeg oed, ac yn fythol chwilfrydig.

'Nac'di, siŵr.' Llais ei thad, ac yntau'n siarad trwy gegiad o fara a chaws. 'Bwyta ydan ni. Cofio'r diwrnod yn weddus, nid dathlu'r Nadolig gyda gwledd.'

'Ond beth os dw i'n mwynhau'r pryd? Beth os dw i'n teimlo mor llawen nes fy mod i'n chwerthin?'

'Ia.' Llais Ani, pymtheg oed. 'A beth os ydi'r pethe digri ma'n chwaer fach yn eu deud yn gneud i minne chwerthin?'

Ac yna mae'r ymatal wedi methu, ac mae'r ddwy yn chwerthin yn braf. Sylla'r tad yn syn arnynt, ei wyneb yn cochi ychydig. Llynca'i fwyd ac yna agor ei geg, fel pe bai'n siarad, ond ni ddaw'r geiriau, ac mae'n cau'i geg eto, ei wyneb yn cochi'n fwy.

'Dyna ni, Edward Wiliam.' Mae Rhisiart yn achub cam ei chwiorydd-yng-nghyfraith, ei lais yn ystyriol. 'Dylen ni ddathlu bywyd. Ymhyfrydu ym mywyda'n gilydd bob tro 'dan ni efo'n gilydd. Dyna y mae'r genod yn ei ddangos i ni heno.'

Ochneidia Edward Wiliam, pa eiriau bynnag yr oedd wedi dechrau eu paratoi yn chwalu ar ei dafod.

'Pa ffordd well o ddangos ein gwerthfawrogiad i'r Crëwr?' ychwanega Rhisiart.

Daw 'Amen' o enau Edward. Gwena wedyn, a chodi'i gwpan bren at ei wefusau.

Pwysa Elisabeth yn nes at ei gŵr, yn gwasgu'i hysgwydd yn erbyn ei ysgwydd yntau.

Mehefin 1645

Mae'r morthwyl yn drwm yn ei law. Mor drwm nes bod ei fraich yn brifo. Gall deimlo'r poen yn llifo trwy ei gorff, yn rholio i fyny o'i law a'i fraich i gydio yng nghyhyrau'i ysgwydd. Ceisia godi'r morthwyl. Rhaid iddo. Rhaid iddo godi'r morthwyl a gorffen y darn hwn o waith. Rhaid iddo orffen curo'r geiriau i mewn i'r haearn poeth. Rhaid iddo orffen y gerdd. *Rhisiart, Dafi, Owen, a Siôn, yn rhodio glan yr afon. A'r dydd yn fwyn a theg a llon a'r farchnad yn Rhiwabon.* Na, nid dyna ydoedd. Nid dyna oedd yr odl. Nid â'r geiriau i mewn i'r haearn; ni all orffen y gwaith. Mae'n rhy drwm, ac mae rhywbeth yn cosi'i foch, yn ei gwneud hi'n anodd iddo gael hyd i'r geiriau. *Rhiwabon.* Ie, un o Riwabon oedd Siôn. Ie, ond nid âi i'r farchnad. Fe'i lladdwyd mewn sgarmes ar y lôn. Ai dyna oedd yr odl? *Fe laddwyd yntau ar y lôn.* Collodd Dafi ei goes ar ros Marston. Yn agos at flwyddyn yn ôl. Mae yn Llundain, neu'n ôl yng Nghymru, yn byw ar gardod. *Rhisiart, Dafi, Owen, a Siôn. Ble mae'r pedwar Cymro llon?* Ai dyna ydoedd? Ni all godi'r morthwyl, ni all orffen y gerdd. Ble maen nhw? Ble mae'r morthwyl? Ceisia ei godi eto, ond mae'n rhy drwm ac mae'i fraich yn rhy wan.

Mae'r synau'n gyfarwydd. Griddfan. Gweiddi. Galw am gymorth, galw am gyfaill coll. Gweryru. Adladd brwydr. Ble mae o? Mae'n gorwedd ar ei gefn. Mae ganddo gur pen ac mae'i fraich dde yn brifo. Egyr ei lygaid: haul diwedd y prynhawn ac ychydig o gymylau gwynion mewn awyr las. Try'i ben i'r ochr: mae'r ceffyl marw yn gorwedd ar ei fraich. Mae'i fraich o dan wddf yr anifail a'i fwng yn cosi'i foch. Rholia at y ceffyl, fel pe bai'n cofleidio gwddf yr anifail marw, yn dod â'i law chwith i afael ynddo. Gwthia. Ceisia godi. Gwthia eto, ac mae'n symud digon iddo dynnu'i fraich dde'n rhydd.

Ble mae Owen?

Ble mae'r hogia?

Er nad yw Rhisiart ond ugain oed, mae'n meddwl amdanyn nhw fel yna. Yr hogiau. Y Saeson ifainc a ddaethai i lenwi'r rhengoedd ddechrau'r gwanwyn. Thomas, Nicholas, Henry, a John. A oedd deunydd cerdd yna? Digon o fynd i'r llinell? Nac oedd. Efallai. *Thomas, Nicholas, Henry, a John.* Gall droi unrhyw enw, unrhyw air, yn ddeunydd cerdd. Os yw'r nerth ganddo. Ta waeth. Ble mae'r hogia?

Ddwy neu dair blynedd yn iau na Rhisiart. Ar wahân i Henry, a oedd yr un oed ag o. Ond meddylia amdanyn nhw fel yr hogiau. Roedd wedi mynd yn dad ac yn athro iddyn nhw pan ymunasai'r pedwar ddechrau'r gwanwyn. Hogiau o deuluoedd duwiol, yn gallu trin ceffylau, yn gadarn yn yr achos, ond yn ddibrofiad. Ni ddangosai Owen lawer o ddiddordeb ynddyn nhw, ond âi Rhisiart ati i'w haddysgu a'u helpu i ymwroli. Ymbaratoi.

Roedden nhw'n teithio gyda byddin Oliver Cromwell, y fyddin newydd. *New Modelled.* Ond dywedai Rhisiart wrth yr hogiau bob dydd na fuasai'n rhaid i fintai'r Cyrnol Powel blygu i wialen newydd gwersi Cromwell. Roedd y Cyrnol wedi ffurfio'i ddragŵns o ar hyd llinellau tebyg ar y dechrau. Dewis ei wŷr yn ofalus. Sicrhau bod ganddynt y gallu a'r hyfforddiant a'r cymhelliad. Haearn wedi'i buro mewn tân. Ond roedd y lluoedd a ddaeth gyda Cromwell yr haf hwnnw yn dangos yr un rhuddin. Miloedd ar filoedd ohonyn nhw, Byddin y Seintiau ar ei newydd wedd, ar ei ffordd i drechu lluoedd y brenin. Yma'r oedd diwedd y daith. Yma, ar faes Naseby.

Mae'n dal ei fraich dde ar ei fynwes, yn ei mwytho'n ofalus gyda'i law chwith. Teimlo. Profi. Anwesu. Archwilio. Mae wedi'i brifo, wedi'i chleisio'n ddrwg, ond nid yw'n meddwl bod asgwrn wedi'i dorri. Nid oes anaf, dim ond cleisiau. Na. Aros. Mae'n archwilio'i law dde'n ofalus â'i law arall, yn teimlo'r bysedd fesul un. Na. Nid yw'n gwbl ddianaf. Mae'i fys bach yn brifo'n ofnadwy. Ni all ei symud o gwbl. Mae'n gam. Un bys bach. Nid yw'n llawer o anaf, o ystyried. Fawr ddim. Ble mae Owen? Ble mae'r hogia?

Fo oedd eu hathro. Fo oedd eu bugail. Cafodd lyfryn newydd ar ddechrau'r mis, ar ddechrau'r daith a fyddai'n arwain at y maes hwn. Llyfr bach gan Robert Ram. *The Souldier's Catechism, composed for the Parliament's Army.* Llawlyfr. Holwyddoreg. Fe'i defnyddiai i addysgu'r hogiau. I godi'u calonnau a'u helpu i ymwroli. Rhoddai gysur iddo yntau hefyd, yn cyfleu peth o'r teimlad a gofiai o'i blentyndod pan fyddai'n darllen *Carwr y Cymry* â'i chwaer Alys. Yr un holi ac ateb pwrpasol, yr un cadarnhau a chysuro, yr atebion yn dweud ei fod yn gwneud y peth cywir. Yn eistedd yn ymyl y tân gyda'r nos, ar ôl iddynt osod y ceffylau a bwyta hynny o fwyd a oedd ganddynt. Yn dysgu'r hogiau, Owen yn eistedd ar y cyrion, yn gwrando, er ei fod yn cogio nad oedd ganddo ddiddordeb. Rhisiart, yn dal y llyfryn o'i flaen, er ei fod wedi dysgu'r rhan fwyaf o'r geiriau yn barod:

'What Profession are you of?'

Y pedwar llais yn ateb, plant ysgol yn cydlafarganu:

'I am a Christian and a Soldier.'

Owen yn gwrando ac yn gwenu ychydig, ond yn gwrthod ymuno.

'I fight in the defence and maintenance of the true Protestant religion, which is now violently opposed.'

Y fflamau'n goleuo'r wynebau ifainc taer. Sŵn y tân, y coed yn craclo ac yn crensian wrth iddo losgi, yn atalnodi'r llafarganu.

'We take up arms against the enemies of Jesus Christ, who in the King's name make war against the Church and People of God.'

Deuai milwyr eraill heibio weithiau. Byddai rhai'n cydeistedd â nhw ac ymuno yn y gwersi, ac eraill yn sefyll ar y cyrion, yn ceisio ymddangos yn wybodus-aeddfed a chuddio'u diddordeb, yn debyg i Owen. Ond weithiau byddai'n tyfu'n dorf sylweddol, a Rhisiart yn gorfod sefyll a thaflu'i lais. Pregethwr yn annerch ei braidd. Ysgolfeistr yn holi'i ddisgyblion:

'But is it not a lamentable thing that Christians of the same Nation should thus imbrue their hands in one another's blood?'

Côr o leisiau'n llafarganu, yn cydlefaru'r geiriau:

'I confess it is.' Rwyf yn cyfaddef mai yfelly y mae, ond mae'n amhosibl osgoi'r rhaid sydd wedi'i roi gerbron pobl dduwiol y wlad.

'God now calls upon us to avenge the blood of his Saints.' Geilw Duw arnom i ddial, yn cofio bod gwaed ei Seintiau Ef wedi'i dywallt gan yr annuwiol rai.

'The whole Church of God calls upon us.' Geilw holl Eglwys Dduw arnom i warchod a chynnal y Rhyddid hwnnw a'r Efengyl honno a roddasai Rhagluniaeth i ni.

'We are not to look at our enemies as country-men or kinsmen or fellow-Protestants, but as the enemies of God and our Religion, and siders with Antichrist.' Ni ddylai'n llygaid dosturio wrthynt. Ni ddylai'n cleddyf oedi cyn eu taro. Gelynion Duw a Chrefydd ydynt, nid cyd-wladwyr a charwyr. Y rhai sy'n cynnal plaid yr Anghrist, gelynion cyneddfol milwyr yr Arglwydd.

Mae'r milwyr yn siarad yn unfryd, yn llafarganu'n galonnog. Eglwys wedi'i chynnull ydynt. Eglwys y mae Rhisiart yn ei thywys ac yn ei bugeilio.

Ble mae'r hogia rŵan? Ac Owen? Ble mae o?

Buont gyda'i gilydd y bore hwnnw. Yn flinedig, wedi marchogaeth trwy'r nos. Dywedodd y Cyrnol Powel eu bod nhw'n ymuno â gweddill y dragŵns o dan y Cyrnol Okey yn y cloddiau ar hyd ochr y maes. Yn cuddio yn y llwyni fel adar, unwaith eto. Yn debyg i Newbury. Eu ceffylau'n cael eu dal y tu ôl iddyn nhw, a hwythau'n swatio yna, yn ymwasgu i'r llwyni. Ond roedd hi'n sych y bore hwnnw, yn wahanol i Newbury.

Roedden nhw'n flinedig, a hwythau heb gysgu trwy'r nos, ond o leiaf roedden nhw'n sych. Yno'r oedd Rhisiart, yn pwyso'n erbyn y brigau, ei fwsged yn barod. Nicholas ar un ochr ac Owen yr ochr arall iddo. Gallai weld y maes trwy frigau'r llwyn. Tir gwael ar gyfer ceffylau. Anwastad. Eithin yma ac acw, yn torri ar rediad y tir. Tyllau cwningod ym mhob man. I fyny'r allt ar y dde, prif fyddin y Senedd, mewn llinellau hirion, rhes ar ôl rhes o bicellau'n codi, yn herio haul y bore. Y baneri cyfarwydd yn chwifio yn y gwynt.

Ac i'r cyfeiriad arall, ar y chwith, y brenhinwyr. Ynysoedd bychain aflonydd eu baneri'n tynnu'r llygad. Rhai swyddogion mewn dillad lliwgar ar gefn ceffylau o flaen y prif rengoedd, yn symud yn ôl ac ymlaen.

'Mae yna Gymry draw fan'na.' Owen yn ei ymyl, yn pwyso'i fwsged ar gangen isel, yn amneidio â'i ben helmog i gyfeiriad byddin y gelyn. 'Mae cannoedd ar gannoedd o Gymry yno. Traedfilwyr Rhys Thomas. Catrawd Syr John Owen.'

Edrychodd Rhisiart, yn craffu ar y rhesi hirion o smotiau bychain. Catrawd Syr John Owen. Cymry o Wynedd. Cyd-wladwyr. Carwyr. Cyfeillion bore oes. Y llanciau y buasai'n chwarae â nhw ar y Sul ers talm. 'Edrychwch – Rhisiart Dafydd wedi mynd i wrando ar bregethe'r buarth efo'r ffylied Seisnig.' Y mae i'r dyrnaid bychan hwnnw o weddillion Cenedl-Gymru sydd yn cyfaneddu eto yn eu Gwlad eu hun lawer o achosion dirfawr i gydnabod trugaredd Duw tuag atynt. Ni ddylai'r llygad dosturio wrthynt na'r cleddyf oedi rhag eu taro. Gelynion Duw a gwir grefydd ydynt. Bydd barod i daro, yn hyf ac hyderus, yng nghweryl y gwirionedd.

Dechreuodd y brenhinwyr weiddi 'God and Queen Mary!' Daeth gwaedd i'w hateb o ael y bryn, a lluoedd y Senedd yn galw 'Religion! Religion! Religion!' Symudodd Rhisiart ei ben ychydig o ochr i ochr, yn ystwytho cyhyrau'i ysgwyddau. Ac yna pwysodd ymlaen ychydig, yn sicrhau bod ei fwsged yn gorffwys yn sownd ar un o ganghennau'r llwyn. Crefydd! Crefydd! Crefydd! Craffodd ar luoedd y gelyn. Cyd-wladwyr. Carwyr. Gelynion Duw a'i Eglwys. Crefydd, crefydd, crefydd.

Trwy drugaredd, meirchfilwyr y brenin a ddaeth heibio eu cuddfan gyntaf, nid y traedfilwyr Cymreig. Cafalîrs y Tywysog Rupert, eu swyddogion yn gain yn eu melfed, eu sidan, a'u les. Roedd y gwaith yn hawdd. Saethu trwy'r llwyn. Llwytho, a saethu eto. Yn teneuo rhengoedd y marchogion wrth iddyn nhw garlamu heibio. Nid oedd y brenhinwyr yn troi i'w wynebu hyd yn oed, dim ond carlamu ymlaen, i fyny'r allt, yn rhuthro ar feirchfilwyr y Senedd, yn gadael cnwd o geffylau a dynion meirw a chlwyfedigion wedi'u taenu ar y tir anwastad o flaen y llwyn.

Gorchymyn i syrthio'n ôl at eu ceffylau wedyn. Ni allai weld y maes am ychydig, ond clywai'r twrw a ddywedai fod prif rengoedd meirchfilwyr y ddwy ochr wedi dod ynghyd. Tonnau o fetel a chnawd yn ymdaro. Ergydion a gweryru a sgrechian dieflig.

Disgwyl, wedyn, yn bell y tu ôl i'r llwyn. Yn gwrando ar daranau'r frwydr, yn dychmygu'r olygfa. A dyna'r ddau gyrnol, Powel ac Okey, yn carlamu ar hyd eu llinell, yn gweiddi gorchmynion. Llwytho llawddrylliau. Paratoi. Yn barod i ruthro i ben y llwyn ac ar draws y maes; mae prif rengoedd eu traedfilwyr yno, yn agored. Mae'n gyfle, fechgyn, i ddangos eich gwerth.

Disgynnodd Thomas cyn iddynt gyrraedd y gelyn, ei geffyl wedi torri'i goes mewn twll neu wedi baglu. Diflannodd Nicholas o'i ochr pan drodd mwsgedwyr y gelyn a saethu, ychydig eiliadau cyn iddynt gyrraedd pen eu rhuth. Yno'r oedd Owen o hyd, ei geffyl yn tuchan, y ddau wedi dadlwytho'u drylliau a thynnu eu cleddyfau. Y tro cyntaf iddynt ruthro fel hyn ar y gelyn, y tro cyntaf iddynt ymladd fel meirchfilwyr go iawn. Cleddyfau'n barod i daro, yn barod i ganfod pennau traedfilwyr y gelyn. Yn troi i osgoi'r picellwyr, ac yn anelu am y mwsgedwyr, a hwythau'n troi eu gynnau ben i waered, yn eu dal fel pastynau, yn camu'n ôl wysg eu cefnau, yn dechrau torri'n barod.

Ac wedyn y taro. Y sŵn, y teimlad, y taro. Eu ceffylau'n taro cyrff byw, a hwythau'n taro â'u cleddyfau. Rhisiart fel hogyn yn gweithio â'i dad, bilwg yn ei law, yn torri brwgaets. I fyny ac i lawr, i fyny ac i lawr, y canghennau'n syrthio. Ei dad yn ei ymyl, yn ei annog, y ddau'n torri ac yn torri. Ei gleddyf yn canfod breichiau, yn canfod gyddfau. Yn canfod pen ar ôl pen ar ôl pen. Yn troi'i geffyl mewn cylchoedd yng nghanol y dynion. Nid traedfilwyr mwyach, ond dynion diymgeledd yn ceisio dianc, yn rhedeg yma ac acw fel ieir, yn ceisio neidio rhag carnau'r ceffylau. Roedd y rhan fwyaf wedi gollwng eu gynnau erbyn hyn ac yn dal eu breichiau i fyny er mwyn ceisio gwarchod eu pennau. Yn ofer. I fyny ac i lawr, yn torri brwgaets. Ei gleddyf yn clecio wrth ganfod braich a gwddf a phen.

Ac wedyn ei geffyl yn hercian i'r ochr, yn disgyn, a Rhisiart yntau'n cwympo o'r cyfrwy. Glanio, rywsut ar ei bedwar, wedi colli'i gleddyf. Yn dechrau sefyll eto, yn troi at ei geffyl. Roedd yr anifail yn dechrau sefyll eto hefyd, ond wrth i Rhisiart estyn llaw i gydio yn ei ffrwyn, dyma fo'n disgyn eto, yn drwm y tro hwn, yn derfynol, a Rhisiart yn mynd i lawr oddi tano. Ei ben yn taro'r ddaear yn galed, ei fraich wedi'i dal o dan bwysau'r ceffyl marw.

Synau'n pylu, ac yntau'n disgyn mewn pwll o dawelwch.

'Diolch i Dduw.' Llais cyfarwydd yn ei ymyl. Owen, yn plygu drosto, yn estyn dwylo i'w helpu. Synau cyfarwydd: griddfan, gweiddi, a galw. Ceffylau clwyfedig yn gweryru.

'Ble maen nhw, Owen?'

'Maen nhw wedi ffoi.' Ei gyfaill yn camddeall. 'Mae'r brenin a gweddillion ei fyddin ar ffo. Ni biau'r maes.'

'Naci, Owen. Nhw. Yr hogia. Ble maen nhw?'

Ebrill 1646

Cerdda mor gyflym â phosibl. Mae'r strydoedd yn brysur, yn brysurach na'r arfer hyd yn oed. Daethai i lawr o'i gyfrwy er mwyn tywys ei geffyl trwy'r dorf. Cam wrth gam yr â, yn gwthio heibio i brysurdeb sgwâr, cornel, a stryd. Cerdda ymlaen, heb sylwi ar wynebau na gwrando ar leisiau. Mae'n agos iawn, mae bron wedi cyrraedd, ond mae'r munudau olaf hyn yn amser nad yw'n amser. Mae'n cerdded mewn breuddwyd, y byd i'w weld trwy gen o hud a phob cam yn ymdrech afresymol, fel pe bai tywod gwlyb yn sugno ar ei draed ac yn ei arafu. Gwthia ymlaen, yn gwasgu heibio i gwlwm ar ôl cwlwm o bobl. Ar frys ac eto'n symud yn araf. Yn rhwystredig, ond yn agos. Mae'n dod adref. Mae'n dod adref ati hi.

Gŵyr pawb fod y rhyfel ar ben. Er nad yw Rhydychen wedi syrthio eto, mae'r Albanwyr wedi cipio'r brenin. Disgwylir iddynt ei drosglwyddo i fyddin y Senedd cyn hir. Ac mae'r gwarchae'n tynhau'i afael ar Rydychen, caerfa olaf y brenhinwyr. Ond mae'r rhyfel ar ben. Mae'r brenin wedi'i garcharu ac mae'r haul yn dechrau codi ar deyrnas newydd. Dywedasai'r Cyrnol Powel eu bod wedi gwastraffu digon o'u hamser yn disgwyl i Rydychen agor ei phyrth. Dywedasai fod gan y Senedd amgenach gwaith iddyn nhw yn Llundain, a rhoi caniatâd i bob un oedd â chartref yn y ddinas farchogaeth o flaen y fintai er mwyn treulio ychydig o amser gyda'u teuluoedd cyn i'r gweddill ohonyn nhw gyrraedd.

Mae'n ddiwrnod melfedaidd o fwyn. Daw awel Ebrill i'w ffroenau, yn cludo arlliw o ffresni a bywyd nad yw holl fudreddi a drewdod Llundain yn gallu ei guddio. Mae'n ddiwrnod hyfryd o wanwyn, mae'r haul yn disgleirio'n braf ar deyrnas newydd, ac mae ar ei ffordd adref ati hi.

Dacw'r ffenestri bychain cyfarwydd.

Dacw'r adwy.

Arweinia'r ceffyl blinedig o dan y gronglwyd sy'n hanner cau'r bwlch rhwng y waliau, ei garnau'n clecian ar y cerrig crynion, atsain ac adlais y sŵn yn llenwi'r gofod caeëdig.

Er bod cysgodion yn tywyllu'r rhan fwyaf o'r cwrt bach cul, mae ychydig o haul y prynhawn yn llithro dros do'r adeilad gyferbyn ac yn taro'r drws. Buasai'n dychmygu cyrraedd y drws hwn. Ei agor. Cerdded trwyddo. Ei gau'r tu ôl iddo. Ond mae'n freuddwydiol o wahanol. Disgleiria'n arallfydol ym mhelydrau'r haul. Porth Llys Arthur neu Deml Caersalem. Giatiau'r Nef. Cama'n nes, carnau'r ceffyl yn curo'r cobls. Clec, clec, clec. Try rhith yn rhywbeth arall. Gwêl fod y drws pren wedi ei baentio: melyngoch golau, a myrdd o flodau gwynion yn gwau mewn patrwm cain o gwmpas yr ymylon. Mae'r lliwiau'n llachar ac yn lân. Disgleiria. Try'n rhith eto. Porth Llys Arthur. Giatiau'r Nef.

Sudda'r haul o'r golwg dros y to ac mae'r lliwiau'n pylu ychydig wrth i'r heulwen ymadael â'r cwrt. Rhith yn troi'n rhywbeth arall eto.

Ac wedyn mae'r drws yn agor ac mae Elisabeth yno, yn neidio trwy'r porth ac yn rhedeg ato.

Pwysa Owen ar y wal isel, ei wyneb yn goch ac yn sgleiniog gan chwys.

'Oes yna enw Cymraeg ar eu cyfer?'

'Mae yna air Cymraeg ar gyfer popeth ar y ddaear hon.' Mae Rhisiart yntau'n chwysu, haul yr haf yn ei rostio'n araf yn ei ddillad a'i arfwisg, ond saif yn gefnsyth.

'Oes? Be ydi'r gair Cymraeg amdanyn nhw 'ta?'

'Dw i ddim yn siŵr *beth* ydan nhw, a bod yn onest. Anodd rhoi gair ar rywbath nad wyt yn gwybod beth ydi o.'

'Lefelars.' Mae Owen wedi estyn pwt o hances ac mae'n sychu ei dalcen a'i fochau. 'Dyna ydan nhw. Lefelars.'

'Ia wir? Dyna ydan nhw?' Ceisia Rhisiart swnio'n ddifrifol, ond mae chwerthin yn llechu yn ei lwnc, yn bygwth codi i'w enau.

'Ia. Lefelars. Dyna'r gair.'

Nid yw Rhisiart yn gallu ymatal rhagor. Chwardd. 'A pha iaith yw honna, Owen Huw? Cymraeg 'ta Saesneg?'

'Dwn 'im. Y ddwy.' Tinc ansicr yn ei lais, fel plentyn yn synhwyro bod yr ysgolfeistr ar fin torri'i grib.

'Y ddwy?' Chwardd Rhisiart yn uwch, a phlygu i guro'i gyfaill ar ei gefn â chledr ei law. 'Dyna dorri dadl ar ei hunion! Mi wyt ti'n dipyn o ysgolar, chwara teg.'

Sytha Rhisiart ei gefn eto a chodi'i lygaid. Astudia'r gaerfa yr ochr arall i'r stryd. Waliau uchel, tyrau yma ac acw, a bryncyn mawr llachar y Tŵr Gwyn yn codi yn ei chanol, yn uwch na'r gweddill. Sylwa Owen ac mae'n sythu ei gefn yntau, yr hances yn ei law o hyd.

'Fan'na mae o? John Lilburne?'

'Ia. Rhywle yn y Tŵr, am wn i.'

'Wyt ti'n cofio Samuel Lamb?'

'Hwnnw a laddwyd yn Torrington?'

'Ia. Hwnnw.'

'Yndw. Dwi'n ei gofio. Pam?'

'Mi fu'n gwasanaethu gyda Lilburne ym myddin Iarll Manchester cyn ymuno â'r Cyrnol Powel.'

'Do?' Mae llais Rhisiart yn fyfyriol, ac mae'n siarad yn ddistaw. Prin y gall ei gyfaill ei glywed uwchben twrw'r holl bobl a'r holl anifeiliaid sy'n symud ar y stryd. 'Bu pob un ohonon ni'n gwasanaethu efo rhywun arall cyn i'r Cyrnol ein galw.'

'Bron bob un. Mae Jenkins a Smyth a Joiner wedi bod efo fo ers y dechra.'

'Bron bob un. Beth am Samuel Lamb? Oeddet ti'n ei nabod o?'

'Rhyw ychydig.'

'A beth ddywedodd o am John Lilburne?'

'Dw i ddim yn cofio'n union. Dydi geiria ddim yn aros yn fy mhen i fel dylsan nhw. Ond dw i'n gwybod ei fod o'n hoff ohono. Mi ddywedodd ei fod o'n ddyn da. Dewr. Ffyddlon. Taer. Dywedodd fod Manchester ei hun wedi'i ganmol ar sawl achlysur. Dwi'n cofio hynna.'

'Ac rŵan mae wedi'i garcharu am siarad yn erbyn Manchester.'

'Mwy na siarad yn ei erbyn o, Rhisiart. Dywedodd fod yr Iarll yn fradwr sy'n cynnal breichiau'r brenin. Deud mawr am ddyn sydd wedi arwain byddin y Senedd ar y maes.'

'Deud mawr. Mae'n talu amdano rŵan.' Amneidia Rhisiart, yn cyfeirio at y Tŵr â'i ben.

'Fydd y Senedd yn ei grogi am hyn?'

'Crogi John Lilburne? Dw i ddim yn credu rywsut. Ei dawelu. Rhoi rheswm iddo feddwl cyn siarad fel'na eto. Ond dw i ddim yn credu y gallen nhw ei ladd o.'

'Gallen nhw, Rhisiart.'

'Na allen.'

'Pam?'

'Mae'n fater cyfreithiol, dyna un peth. Beth fyddai'r drosedd? Enllibio'r Iarll? Efallai, ond dydi enllib ddim yn achos dienyddio. A dyna beth arall: mae gan Lilburne ormod o ddilynwyr. Mae ei blaid wedi mynd yn fawr.'

'Y Lefelars.'

'Os mai dyna wyt ti'n eu galw nhw.'

'Dyna mae David Smyth yn eu galw nhw.'

Nid yw Rhisiart yn ei ateb. Mae'n symud ei ben o'r naill ochr i'r llall, yn craffu ar y wasgfa ddynol sy'n llenwi'r stryd. Yn astudio'r dorf, yn chwilio am arwyddion. Teithwyr. Masnachwyr. Porthmyn. Ond dim arwydd o dorf yn ymgasglu. Dim arwydd o ddynion ar berwyl anghyffredin. Mae Owen yn deffro ychydig, yn cofio'i ddyletswydd, a dechreua yntau graffu ar y dorf.

'Ble maen nhw, p'run bynnag?'

'Dwn 'im.'

'Ond mi oedd y Cyrnol Powel yn meddwl y bydden nhw'n ymgasglu yma.'

'Doedd o ddim yn sicr, Owen.'

'Ond mae am i ni eu gwylio nhw. Gwrando. Rhag ofn.'

'Ydi. Rhag ofn.'

'Ydi o'n drwgdybio pobl Lilburne?'

'Dwi ddim yn credu'i fod o. Ddim eto. A bod yn gwbl onest, dwi'n credu bod y Cyrnol yn rhyw barchu Lilburne. Ond mae ofn ar y Senedd.'

Plyga Owen yn nes ato, yn edrych o'u cwmpas yn gyflym, ei lygaid yn bryderus. Gesyd ei wefusau yn ymyl clust Rhisiart, er mwyn sicrhau ei fod yn clywed y sibrwd. 'Ofn beth?'

'Ofn colli gormod o'r fyddin.' Nid yw Rhisiart yn sibrwd. Gŵyr nad oes neb yn gwrando arnyn nhw. 'Ofn y bydd plaid Lilburne yn tyfu yn rhengoedd y fyddin. Ac os yw'r fyddin yn gwrando ar ddyn fel y fo, mi fydd y Senedd yn colli sylfeini'i grym.'

'Beth wyt ti'n 'i feddwl amdano fo?'

'Dw i ddim yn gwybod digon i farnu. Ond dwi'n credu 'mod i wedi clywed ei debyg.'

Mewn gwersyllfa, barics, a maes. Y trafod brwd. Y dadleuon. Y cynllunio ar gyfer dyfodiad Teyrnas Nef. Milwr yn pregethu i'w gyd-filwyr. Areithwyr pen boncyff. Athrawon hunanetholedig. Proffwydi'n darllen arwyddion yr amseroedd. Byddin a oedd yn eglwys ac yn athrofa ac yn areithfa ac yn bulpud. Credinwyr yn cytuno ar un pwynt ac yn anghytuno ar bwynt arall. Athroniaeth a chrefydd a gwleidyddiaeth yn berwi yng nghrochan eu trafod, a gwahanol ddynion yn rhoi gwahanol fathau o danwydd ar y tân ac yn lluchio gwahanol fathau o gynhwysion i ganol y potes. Milwyr a oedd wedi'u hyfforddi i symud yn ufudd ac yn unffurf mewn brwydr yn tynnu'n groes yn eu trafodaethau. Ymrannent yn garfanau lu, yn llesmeiriol o anuniongred eu credoau. Roedd nifer fechan o linynnau arian yn eu tynnu un ac oll ynghyd – eu cred bod y fyddin yn fodd i greu teyrnas well a'u sicrwydd mai nhw oedd y gwir Brotestaniaid yn ymladd i warchod purdeb eu crefydd – ond roedd y gwahanol linynnau amryliw o gred a ffydd a blethid ynghyd yn y gwead yn ddi-ben-draw o niferus.

'Do?' Mae llais Owen yn amhendant, ei feddwl yn crwydro.

'Do, do. Ganwaith. Ond, eto, rhaid bod yna rywbeth gwahanol am John Lilburne. Rhyw daerineb anarferol. Dwn 'im.'

'Rhisiart?'

'Ia?'

'Wyt ti'n meddwl y bydd y Cyrnol Powel yn ein harwain i'r maes eto?'

'Mae'r rhyfel ar ben. Paham dylai fo fynd â ni i'r maes eto?'

'Wn i. Ond… dim ond meddwl o'n i.'

'Meddwl am beth, Owen Huw?'

'Wyt ti'n hoffi'r gwaith y mae'r Cyrnol yn ei osod i ni y dyddia hyn? Gwylio. Casglu gwybodaeth. Gwrando ar filwyr eraill. Chwilio corneli'r ddinas am gysgodion heb enwau. Nid dyna be ydi bod yn filwr, naci? Dwi'n hiraethu weithia, am fel oedd petha.'

'Fedra i ddim cydsynio â thi, Owen Huw. A fedra i ddim credu dy fod yn credu hynny yn dy galon. Mynd i ryfel eto? Gosod dy hun o flaen y tân? Lladd dy gyd-Gristnogion? Dy gyd-wladwyr?'

'Ai dyna sut wyt ti'n meddwl amdanyn nhw, Rhisiart?'

Yr hen holwyddoreg. I ba alwedigaeth yr wyt yn perthyn? Yr wyf yn Gristion ac yn filwr. Onid yw'n druenus bod Cristnogion o'r un wlad yn baeddu eu dwylo â gwaed ei gilydd? Rwyf yn cyfaddef mai yfelly y mae, ond ni ddylem ystyried ein gelynion yn gyd-wladwyr nac yn garwyr nac yn gyd-Brotestaniaid, ond fel gelynion ein Duw a'n crefydd, a phleidwyr yr Anghrist.

'Rhisiart?'

'Beth?'

'Dim ots.' Ochneidia Owen yn uchel. 'Dydan nhw ddim yn dyfod. Ddim heddiw.' Cwyd ei law i dynnu'i helm o'i ben. Mae ei wallt yn wlyb, fel pe bai wedi bod yn sefyll yn y glaw.

'Diolch byth. Tyrd, Owen. Awn ni'n ôl.'

Tachwedd 1646

Maen nhw'n gwylio'r tân yn marw. Nid oes ond un fflam fach ar ôl, a honno'n beth bach eiddil, wedi'i gwreiddio yn yr ychydig farwydos sy'n dal i losgi. Eisteddant mewn cadeiriau, eu traed wedi'u hymestyn nes eu bod bron yn cyffwrdd â'r marwydos. Nid oes golau arall; mae'r canhwyllau wedi hen losgi'n ddim. Mae rhieni a chwiorydd Elisabeth wedi'u gadael ar eu pennau eu hunain. Mae'n hwyr ac mae'r tŷ yn anarferol o dawel. Gallant glywed ci yn cyfarth yn y pellter, mewn cwrt neu stryd gefn, yn codi'i lais yn her. Daw cyfarthiad arall, o gyfeiriad arall, yn ei ateb. Ond wedyn mae'n dawel eto. Anarferol o dawel. Try Rhisiart ac edrych arni hi. Mae'i gwallt brown hir yn ddu yn y tywyllwch, yn fframio'i hwyneb hi â chysgodion meddal, ond disgleiria'i llygaid yng ngolau egwan y tân. Estyn law a chydio yn y dwylo y mae hi wedi'u plethu yn ei harffed. Cydia yn ei bysedd hi a'u gwasgu'n dyner.

Mae Rhisiart yn gadael yn y bore. Bydd yn teithio i Southampton ac yn aros yno am rai misoedd, yn gwneud gwaith y Cyrnol Powel yno. Ni fu'n trafod union natur ei genhadaeth ag Elisabeth; nid oes gan y gwaith hwnnw le yn yr ystafell dawel hon heno. Yn hytrach, bu'r ddau'n sôn yn hir am eu haduniad. Yn dychmygu'r tymor a'r amgylchiadau. Yn y gwanwyn, a hithau'n drwm. Neu yn yr haf efallai, a'r babi wedi cyrraedd cyn iddo ddychwelyd. Buont yn sôn am yr holl gymorth a gâi hi. Rhieni a chwiorydd. Alys yn sicr o gael caniatâd i ddyfod ac edrych am ei chwaer-yng-nghyfraith. Buont yn diolch i'r Arglwydd am deulu, yn diolch iddo am ei ofal Ef, yn diolch am ei gweld hi'n dda i'w hamgylchynu â theulu gwarchodol.

Ond nid ydynt yn siarad rŵan. Eisteddant yn dawel, eu traed wedi'u hymestyn i gyfeiriad hynny o dân sydd ar ôl. Mae cochni'r marwydos yn troi'n ddu, y tân yn ildio'i fywyd i'r lludw.

Nadolig 1646

Mae'n meddwl ei fod yn gweld golau yn y pellter.

Dim ond ychydig o olau. Y smotyn lleiaf yn chwincio arno o bell. Yn aneglur, dim mwy nag addewid o newydd nad yw'n dywyllwch. Gobaith o fath. Mae wedi nosi ers talm, ac mae crafangau'r oerfel yn dynn yn ei gnawd. Gŵyr na ddylai barhau i farchogaeth. Dylai fynd i lawr a cherdded. Arwain y ceffyl a sicrhau nad yw'n baglu a thorri coes. Ond mae'n rhy oer ac mae'n rhy flinedig. Daeth yr eira ar ei warthaf ar y tir uchel rai oriau ar ôl iddo adael Exeter. Yn annisgwyl o drwm, yn cuddio'r rhosydd ar bob ochr i'r llwybr cul. Dylai gerdded ac arbed yr anifail. Ond mae arno ofn y bydd yn ildio i'r oerfel. O leiaf mae gwres y ceffyl yn codi trwyddo, yn fodd i gadw'r crafangau rhewllyd rhag cyrraedd ei galon.

Ceisia gyfrif dyddiau'r daith. Ceisia lunio map yn ei feddwl. Southampton. Bournemouth. Dorchester. Exeter. Ac ar ei ffordd bellach i Okehampton. Heddiw, ar ddydd Nadolig. Yn y tywyllwch yng nghanol gwlad na welsai erioed o'r blaen, a'r oerfel yn tynnu'r nerth o'i gyhyrau, y ceffyl yn straffaglu'n herciog oddi tano. Yn hela sgwarnog, a honno'n rhedeg yn bell o'i flaen ac yn cadw o'i olwg o. Yn ei dywys ar helfa seithug o le i le, trwy wlad ddieithr. Southampton. Bournemouth. Dorchester. Exeter. Gŵyr yn ei galon na fydd yr helfa ar ben nes ei fod yn cyrraedd pen eithaf penrhyn Cernyw. Ar drywydd cynllwyn Edward Samington. Pwy oedd y dyn? Pabydd. Rhith. Sgwarnog. Bwgan chwedlau plant, a hwnnw'n ymddangos ym mhob man. Ac yn nunlle. Roedd yn Southampton. Roedd wedi'i throi hi am gyffiniau Bournemouth. Na, ceisiodd loches gyda chyfeillion mewn pentref yn ymyl Dorchester. Naci, mae brenhinwyr cudd Exeter yn ei warchod. Naci, naci, roedd yr hen ddyn hwnnw'n sicr: maen nhw'n cyfarfod yn Okehampton. Samington a'i gyd-Babyddion Seisnig yn cyfarfod â chynllwynwyr brenhingar Cernyw. Sgwarnogod, yn cuddio yn eu tyllau. O'r golwg yn eu tyllau dyfnion, yn symud mewn twneli o dan y rhostir rhewllyd hwn. Gwe o dwneli, yn arwain i lawr ac i lawr trwy'r ddaear i geg Annwn. Sgwarnogod cynllwyngar yn dawnsio ag ellyllon o flaen fflamau'r tân.

A fyddai'i daith yn mynd ag o yr holl ffordd i Gernyw? A fyddai'n clywed yr iaith honno y dywedent ei bod hi'n debyg i'r Gymraeg? Clywodd Sais o gyd-filwr yn disgrifio iaith carcharorion o Gernyw a gymerwyd ym mrwydr Sourton Down. Dywedodd eu bod nhw'n swnio fel Cymry, ond bod yna fwy o awl yn eu siarad. Mwy o awl? Ie, dyna a ddywedodd. *Spake like Welsh, but with more of an awl to it.* Pa fath o sŵn oedd hwnnw? Efallai y câi gwrdd â dyn o Gernyw cyn hir a'i glywed yn siarad. Mae'n bosibl mai dyna a siaradai'r sgwarnogod a'r ellyllon yn eu tyllau tanllyd. Iaith yn debyg i'r Gymraeg ond gyda mwy o awl ynddi hi.

Bagla'r ceffyl, ond nid yw'n disgyn. Plyga Rhisiart er mwyn rhoi mwythau i wddf yr anifail.

'O 'wan. Dyna chdi. O 'wan.'

Cerdda ymlaen. Rhyddhad: nid yw wedi brifo. Ond mae wedi blino; nid oes llawer ar ôl ynddo.

'O 'wan. Dyma ni. Ychydig eto. Dyna chdi.'

Gwena Rhisiart, ei lais ei hun yn fodd iddo ddeffro ychydig. Ceisia gofio manylion y chwedlau a glywsai gan yr hen bobl pan oedd yn hogyn bach yn Arfon. Cythreuliaid Annwn. Ogof y Brenin. Ceisia gofio llais ei dad, ac yntau'n sefyll o'i flaen.

Wel di yma, fy machgen. Mae'r Llyfr wedi dyfod i'n meddiant. Bydd yn trigo yma yn ein cartre ac yn ein calonna ni o'r dydd hwn hyd ddiwedd ein hamser ni ar y ddaear.

Nid llais ei dad y mae'n ei gofio, ond llais ei chwaer, Alys, yn adrodd yr hanesyn wrtho yn ystod eu blynyddoedd gyda'u hewyrth yn Ninbych. Yn annog ei brawd bach i ddal rhywfaint o'i afael ar eu hen fywyd gynt. Yn mynnu'i fod yn cofio'u mam a'u tad. A oedd yn eu cofio? Ychydig. Faint? Anodd dweud: mynd a dyfod yr oedd yr atgofion, a'r ffin rhwng atgof dilys ac un wedi'i hau yn ei gof gan Alys yn dwyllodrus o lithrig.

Trafodai'r atgofion hyn ag Elisabeth weithiau. Weithiau, pan fyddai hi'n gofyn am ei blentyndod. Pan fyddai'n plymio i waelod cof a chalon ei gŵr. Dyna a ddywedai pan holai yntau am ei chwilfrydedd.

'Pam wyt ti eisiau gwybod cymaint am hynna?'

'Achos dyna yw fy mraint. D'adnabod di. Dw i eisiau plymio i waelod dy gof. Dwi eisiau nabod gwaelod dy galon.'

Rwyt ti wedi plymio i waelod fy nghalon eisoes. Yno'r wyt ti. Ers y nosweithiau hynny ar fuarth yr efail yn Wrecsam. Pa beth a ddywedai fy nhad? A thithe'n eistedd felly yn dy grys nos? Nid yw hynny'n fy mhoeni gymaint â beth rwyt ti'n ei feddwl amdana i.

Eistedd i fyny yn y cyfrwy.

Oes, mae yna olau. Yno o'i flaen. Ac ychydig yn is; rhaid bod y tir yn disgyn i bant neu ddyffryn. Rhaid bod tŷ neu dafarn yno. Rhyw adeilad â ffenestr, a thân y tu mewn, yn llosgi'n braf, a golau'r tân hwnnw'n galw arno trwy'r tywyllwch a'r eira.

Golau addewid. Gobaith.

'O 'wan. Dyna chdi. O 'wan.'

Mae'n tynnu ar yr awenau ac mae'r ceffyl yn sefyll yn llonydd. Plyga Rhisiart ychydig i'r ochr ac wedyn mae'n disgyn a glanio ar ei draed. Teimla'r eira yn gwlychu'i goesau hanner ffordd at ei ben-gliniau. Cwyd law a rhoi mwythau i wddf y ceffyl, cyn camu ymlaen trwy'r eira.

'Dyna chdi. Dydi'm yn bell rŵan. Cerddwn ni'n dau.'

1647

Mae'n sefyll yno yn edrych ar y drws.

Nid yw wedi symud ers hydoedd. Mae'r glaw wedi'i wlychu at ei groen ac mae'n sefyll mewn pwll o ddŵr. Mae pant bach yng nghanol y cwrt ac mae'r glaw wedi'i lenwi a ffurfio pwll. Saif yng nghanol y pwll hwn, ei draed o dan ddŵr. Yn wlyb at ei groen. Ond nid yw'n symud. Saif yno yn syllu.

Hyllni. Mae'r harddwch wedi'i anffurfio a'i droi'n hyllni.

Croes goch fawr, a honno wedi'i phaentio ar frys, yn flêr. Craith fawr hyll yng nghanol y drws melyngoch. Paent coch wedi diferu o freichiau a gwaelod y groes i lawr dros rai o'r blodau gwynion. Eu hanffurfio am byth.

Buasai yng nghyffiniau Plymouth ar ddechrau'r wythnos, ond cafodd ganiatâd i ymadael a marchogaeth i Lundain. Dyfod adref.

Y Pla Bach. Clywsai rai'n ei alw felly. Ei ymweliad â'r ddinas yn dosturiol o fyr, ei drawiad yn dosturiol o ysgafn. Dyna a ddywedai pawb; roedd yn fach o'i gymharu â phlâu mawrion y gorffennol. Dim ond rhyw dair neu bedair mil wedi marw; dim llawer o gofio'r degau o filoedd a aethai gyda phlâu'r gorffennol.

> Roedd yr Arglwydd wedi ymestyn ei law dosturiol Ef
> a dywedyd wrth Angel Angau mai dyna ydoedd, a therfyn ydoedd.

Strydoedd cyfan heb golli'r un enaid byw. Teuluoedd cyfan

heb achos i alaru. Y Pla Bach. Dim ond rhyw dair neu bedair mil wedi marw.

Tair neu bedair mil, ac Elisabeth yn eu plith.

Elisabeth a'i thad a'i mam, a'i chwiorydd Ani a Margaret. Ie, ac Alys ei chwaer-yng-nghyfraith hi, a ddaethai i gynorthwyo gyda'r enedigaeth. Ni wyddai a oedd hi wedi marw cyn esgor neu beidio. Ni wyddai a ddaethai'r babi i'r byd yn fyw neu beidio. Rhaid nad oedd. Ni ddywedasai neb air yn ei gylch wrtho. Ymholodd am eu beddau, ond nid oedd neb yn gwybod yn union pa gae a ddefnyddiwyd. Roedd sawl un wedi'i dyllu, sawl bedd torfol wedi'i agor ar gyfer meirwon y Pla Bach. Ond ni allai neb ddweud wrtho pa un ydoedd.

Ac felly daeth i'r stryd hon. Cerddodd, yn araf, heb geffyl i'w dywys. Daeth heibio i'r ffenestri bychain cyfarwydd. Daeth i'r adwy. Cerddodd o dan y gronglwyd oedd yn hanner cau'r bwlch rhwng y waliau, ei draed yn slochian trwy'r dŵr.

Ac yma y mae'n sefyll, mewn pwll o ddŵr. Yn wlyb at ei groen. Yn syllu ar hyllni'r drws.

1648

'Wi'n falch ca'l gweud.'

Gall Rhisiart weld ychydig o wyneb y dyn trwy'r twll bach. Mae pedair o'r ffenestri bychain hyn yn y wal. Tyllau hirsgwar bychain, heb wydr. Nid oes barrau haearn chwaith. Ni raid wrthynt; mae'r tyllau'n rhy fach i ddyn roi'i ben i gyd trwodd, heb sôn am wthio'i gorff cyfan trwy'r ffenestr a dianc. Dywedasai un o'r gwarchodwyr wrth y drws fod y carcharorion yn Gymry, a daeth Rhisiart i'r twll a galw i weld a oedd hynny'n wir. Daeth un ato, yn barod i siarad.

''Nôl ym mis Mawrth. Fe ddechreuodd yr helynt yng Nghastell Penfro, chi'n gweld. A chwap, dyma bobol ar hyd a lled de Cymru, wedi dyfod mas o blaid y brenin. Does dim ots 'da fi weud 'ny nawr, er bod cerrig y walie 'ma rhyngton ni, a Duw a ŵyr beth yn 'y nisgwyl i. Ond dyna ni. Fe gewch chi 'nghrogi i, 'n saethu i, 'sdim ots 'da fi beth. Wi'n falch ca'l gweud 'mod i wedi dyfod allan o blaid y brenin unweth yn rhagor.' Mae'r dyn yn ysgwyd ei ben wrth siarad, ac mae darnau gwahanol o'i wyneb yn ymddangos yn y cysgodion yr ochr arall i'r twll wrth iddo symud. Llygad ac wedyn llygad arall. Glas neu lwyd. Trwyn bach smwt. Blew tywyll trwchus ar ei wefus uchaf. Bochau'n ddu gan fudreddi. Budreddi'r frwydr a budreddi'r lôn.

Mae Rhisiart newydd gyrraedd Bryste. Bu'n teithio gyda mintai o feirchfilwyr, ar eu ffordd i ymuno â lluoedd Cromwell. Roedd y Cyrnol Powel wedi gadael iddo aros gyda garsiwn Southampton yn ystod y flwyddyn ddiwethaf, ond pan gododd y brenhinwyr eu harfau eto, fe'i gorchmynnwyd o a nifer o rai eraill i fynd ac atgyfnerthu byddin Cromwell. Byddin a ymlwybrai i gyfeiriad de Cymru.

Rhisiart, yntau, ar ei ffordd i dir Cymru, y tro cyntaf ers blynyddoedd.

Roedd wedi clywed llawer am helyntion y wlad gan bobl eraill yn ystod y blynyddoedd. Clywsai am y tân a oedd wedi llosgi chwarter tai Wrecsam yn 1643. Un tŷ o bob pedwar yn ulw. Rhai yr oedd wedi gwneud gwaith haearn ar eu cyfer. Giatiau, colynnau, a bachau. Darnau ceinion a ffurfiasai ar einion ei feistr, yn gollwng ei eiriau ef i'r gwynt pan ddefnyddiwyd hwy gyntaf gan eu perchnogion newydd. Wedi'u symud gyda'r ulw a'r rwbel i domenni sbwriel, a thai newydd yn cael eu codi yn lle'r hen adeiladau, darnau newydd gan ofaint eraill yn dal eu drysau.

Clywsai am y difrod yn Amwythig, Croesoswallt, Bangor, a Chaernarfon. Tai wedi'u dymchwel y tu allan i furiau trefi er mwyn amddifadu darpar warchodwyr o'u cuddfannau. Tai wedi'u llosgi gan warchodwyr neu fyddin deithiol. Clywsai am longau oddi ar arfordir Môn a llongau'n cyrchu Enlli. Clywsai am farwolaeth Siôn-cefnder-Phylip ac Edwart, mab hynaf hen sgweier Rhosgadmael. Marwolaethau dynion nad oedd yn eu nabod, ond enwau a olygai rywbeth iddo. Y naill ar ôl y llall. Ei gydgenedl, un ac oll wedi'u medi gan y rhyfeloedd. Y rhan fwyaf yn frenhinwyr. Gelynion y wir ffydd Brotestannaidd. Ei gydgenedl.

Clywsai hefyd am wragedd Naseby.

Sïon.

Sibrydion tawel.

Straeon arswydus, chwedlau i ddychryn plant.

Si yn unig ydoedd ar y dechrau. Cyd-filwyr yn sibrwd yn dawel ar ôl y frwydr. Ond nid oedd yn gwneud synnwyr; gwyddai nad oedd wedi clywed y stori'n iawn, ac ni ofynnodd am ragor o fanylion. Gwell peidio. Ac wedyn si arall. Ac un arall. Ac wedyn teithwyr a fuasai'n ymweld â Chymru'n cludo'r hanes, wedi'i glywed gan rai o'r teuluoedd, rhai a gefnogai'r brenin. Stori, ac wedyn stori arall. Y naill yn debyg i'r llall. Roedd rhai o'r manylion yn amrywio, ond roedd swmp a sylwedd y chwedl yr un fath. Y straeon yn cyd-fynd, y sïon yn asio'n ddarlun, a'r darlun yn dangos ffawd gwragedd Naseby.

Bu ar y maes yn Naseby. Do. Yng nghanol y rhuthr, eu ceffylau'n taro cyrff byw. Y sŵn. Y teimlad. Yn taro ac yn taro ac yn taro. Ond syrthiodd ei geffyl. Cwympodd o'r cyfrwy. Bu'n gorwedd ar y maes am yn hir, ei fraich yn sownd o dan ei geffyl marw. Nid aeth ymlaen gyda'r meirchfilwyr. Ni chafodd weld. Dim ond clywed, wedyn, pan ddeuai'r sïon a'r straeon i'w glustiau. Eto ac eto, yn cael eu sibrwd a'u sisial rhwng dannedd caeëdig: hanes gwragedd Naseby. Eto ac eto nes bod stori'n troi'n ffaith.

'O ble y'ch chi, 'te?'

Mae'r wyneb yn symud i fyny ac i lawr yr ochr arall i'r twll bach. Llygad yn craffu arno. Llygad glas neu lwyd. Gwefusau wedi'u hanner cuddio gan flew tywyll trwchus, yn codi i'w annerch.

'Wrecsam. Yno'r oeddwn i'n byw cyn i'r rhyfel cynta ddechra. Ond . . .'

Mae'r wyneb yn llonydd rŵan, llygaid gloywon yn syllu arno o'r cysgodion.

'Ond... dwi wedi bod yma ac acw ers hynny.'

'Ond ble ma'ch cartre chi nawr?'

'Yma ac acw. Dwi'n byw bywyd milwr. Does gen i ddim cartra fel arall. Ddim rŵan.'

'Nago's? Ma'n flin 'da fi weud, ond dyw e ddim yn llawer o fywyd, nagyw?'

'Nac'di. Dydi o ddim yn fywyd o fath yn y byd.'

1649

Cri'r gwylanod.

Gwynt chwareus yn gwlychu'i wyneb ag ewyn y tonnau.

Arogl yr heli'n llenwi'i ben.

Pwysa Rhisiart yn erbyn canllaw'r llong, yn gafael yn dynn ac yn mwynhau teimlo'i gorff yn symud gyda thrawiadau rhythmig y tonnau. Bwm. Bwm. Bwm. Y llong yn neidio gyda phob ysgytwad, ei gorff yntau'n sboncio'n erbyn y ganllaw, ac ewyn y don yn ei wlychu. Bwm. Bwm. Bwm.

Teimla'r ergydion yn ei gleisio, yn ei ysgwyd at ei esgyrn, ond mae'n mwynhau'r math yma o boen.

Mae'r môr yn ei hawlio, yn ergydio'i hanes a'i hunan ohono, yn dweud nad oes gorffennol na dyfodol, dim ond y presennol mawr hwn. Dim byd ond cri'r gwylanod, arogl yr heli, y dŵr yn ei wlychu, ac ergydion y llong, pob un yn dweud, Ildia i hwn ac anghofio. Ildia di. Ildia di. Ildia di. Bwm, bwm, bwm.

Ond mae dynion eraill sy'n ymyrryd. Dyna yw dyn: creadur amherffaith sy'n ymyrryd â pherffeithrwydd y cread. Y byd megis gardd Eden neu baradwys ddaearol, a dyn yn sathru'r ffrwythau melys o dan ei draed, yn maeddu addewidion tragwyddol hedd.

Clyw ddynion yn siarad y tu ôl iddo. Morwyr, yn gweithio, yn galw, y naill ar y llall. Milwyr eraill, yn chwerthin, yn mwynhau cyfeillgarwch, yn clochdar dros eu buddugoliaeth.

Gwêl longau eraill bob tro y mae'n agor ei lygaid. Rhai'n weddol agos, rhai'n bell, yn neidio trwy'r tonnau, morwyr yn smotiau prysur yn trin rhaffau a hwyliau, milwyr yn eu lifrai coch yn gymylau bychain o liw. Dynion eraill yn teimlo ergydion y tonnau'n ysgwyd eu cyrff, cri adar y môr yn llenwi'u clustiau, ac arogl yr heli yn llenwi'u ffroenau. Ond gŵyr Rhisiart nad yw'r dynion eraill hyn yn debyg iddo. Nid ydynt am ildio i'r presennol mawr hwn ac anghofio. Maen nhw'n meddwl am y gorffennol a'r dyfodol, yn cynnig gweddi o ddiolch am y buddugoliaethau a ddaeth i'w rhan yn Iwerddon ac yn ystyried pa weithredoedd bynnag sydd o'u blaenau yn Lloegr. Nid felly Rhisiart. Ildia, dywed wrtho'i hun, a'r gair yn adleisio cri'r gwylanod. Ildia, ildia, ildia i'r presennol hwn.

Gofynasai i'r Cyrnol Powel. Y fo. Er mwyn peidio ag ailymuno â mintai'r Cyrnol yn Llundain. Fo ddewisodd fynd gyda lluoedd Cromwell. Roedd y brenin yn ei fedd ac roedd Oliver Cromwell yn troi'i feddwl at Iwerddon. Fe'i penodwyd yn Arglwydd-Raglaw Iwerddon gan y Senedd ym mis Mehefin, yn gyfrifol am arwain yr holl luoedd arfog a oedd am hwylio i'r ynys y flwyddyn honno. Llifai'r siarad drwy'r fyddin ym mhob man yr haf hwnnw: mae Oliver Cromwell yn paratoi; mae am gymryd goreuon ei Newly Modelled Army, hufen Byddin y Seintiau; mae'n mynnu talu'r milwyr yn iawn a sicrhau na fydd eisiau unrhyw beth arnynt ac mae'n darbwyllo'r Senedd i werthu tiroedd a fuasai'n eiddo i'r brenin a'i eglwys er mwyn codi'r arian. Byddin wedi'i threfnu'n fanwl yn unol â dymuniad yr Arglwydd-Raglaw ei hun; ni fydd eisiau dim arnynt. Gwirfoddolodd Rhisiart. Gofyn caniatâd y Cyrnol Powel a'i gael. Dewis mynd. Sathru'r ffrwythau o dan ei draed. Er mwyn osgoi dychwelyd i Lundain. Ymgolli mewn gwaith. Peidio â meddwl. Y fo ddewisodd, nid Rhagluniaeth. Neb na dim ond y fo. Dyn amherffaith, yn dewis maeddu'r ardd.

Try'i ben a chraffu. Ni all weld tir y tu ôl iddynt, dim ond rhagor o longau a'r tonnau diddiwedd. Mae Iwerddon wedi llithro dros y gorwel. Y tu ôl iddo y mae Wexford. Y tu ôl iddo y mae Drogheda. Edrych i'r cyfeiriad arall: dim golwg o Gymru na Lloegr, dim ond y llynges yn neidio'n herciog trwy'r tonnau.

Hwyliodd gyda'r llynges ganol Awst. Dros ddeg ar hugain o longau, un ohonynt yn cludo Cromwell ei hun. Daeth Ireton â llynges arall a chwrdd â nhw yn Nulyn, ble roedd y Cyrnol Michael Jones yn disgwyl amdanyn nhw â'i luoedd ef. Yr holl luoedd wedi'u cyfuno o dan arweiniad yr Arglwydd-Raglaw – deuddeng mil o filwyr profiadol, hufen Byddin y Seintiau. Cyn diwedd wythnos gyntaf mis Medi roedden nhw'n disgwyl y tu allan i waliau Drogheda.

Waliau Drogheda: ugain troedfedd o uchder, wedi'u cryfhau gan nifer o dyrau. Prif ran y dref ar lannau gogleddol afon Boyne, a phont y gellid ei chodi yn rhwystro unrhyw un a lwyddai i gipio rhan ddeheuol y dref rhag croesi. Syr Arthur Aston a'i filwyr yn swatio y tu ôl i'r waliau hyn, yn hyderus yng nghadernid eu caerfa. Aros. Disgwyl. Tameidiau o newyddion yn cyrraedd y milwyr cyffredin, rhai'n dweud bod Aston yn ystyried ildio'r dref, eraill yn dweud ei fod yn gwrthod. Rhai'n rhannu straeon doniol, am Aston a'i goes bren, yn clecian cerdded ar ben waliau'r dref. Siarad, hel sïon, disgwyl. Ond dim arwydd o symud. Aros, disgwyl, a gwylio. Erbyn canol yr ail wythnos roedd Cromwell wedi cael digon: dechreuodd y magnelau danio. Bwm, bwm, bwm. Yn saethu at waliau'r dref. Barnedigaeth yr Arglwydd, yn taro dynion cableddus i lawr. Erbyn diwedd y prynhawn y diwrnod cyntaf hwnnw roedd tyllau wedi'u hagor yn y waliau. Roedd Rhisiart gyda'r meirchfilwyr, yn aros ac yn gwylio'r cyrch cyntaf. Aethai rhai ohonynt i fyny'r afon er mwyn canfod rhyd a'i chroesi; eu gwaith nhw fyddai amgylchynu rhan ogleddol y dref a sicrhau na fyddai neb yn dianc. Ond arhosodd Rhisiart gyda'r gweddill, yn barod i gynorthwyo'r traedfilwyr pan ddeuai'r amser.

Ac fe ddaeth yr amser. Rhuthrodd ton o filwyr y Seintiau am y tyllau yn y waliau, ond roedd amddiffynwyr Drogheda yn dal eu tir. Yn ddewr. Yn benderfynol. Yn saethu ac yn saethu o'u cuddfannau yn y tyrau ac yn y rwbel lle'r oedd tameidiau o'r muriau wedi'u dymchwel. Cyrhaeddodd rhai o filwyr y Senedd ambell adwy yn y waliau, ond nid aethant ymhellach. Syrthiodd llawer ohonynt yno, eu cyrff yn cau'r bylchau yn y muriau. Ac yntau'n awyddus i orffen y gwaith, yn methu â disgwyl rhagor cyn cyflawni barnedigaeth yr Arglwydd, arweiniodd Cromwell gyrch ei hun yn y diwedd. Aeth ar frig ton arall o filwyr Byddin y Seintiau yn gwthio trwy'r waliau o gyrff ac yn ymwasgu trwy'r tyllau, yn tywallt i mewn i strydoedd Drogheda ac yn bwrw eu llid a'u dicter ar ei thrigolion.

Erbyn i rai o'r giatiau gael eu hagor i'r meirchfilwyr roedd y gwaith yn rhan ddeheuol y dref wedi'i orffen. Gwelai Rhisiart eu cyrff, yn gorwedd fel carpedi balciog ar hyd y strydoedd ac wedi'u cronni'n domenni bychain yn y pyrth. Ciliasai Aston a hynny o'i ddynion a oedd yn dal yn fyw yr ochr hon i'r afon a cheisio lloches ar fryn Millmount. Caerfa olaf y brenhinwyr – bryncyn mawr â wal bren isel yn ei amgylchynu. Cafodd Rhisiart a rhai o'i gydfeirchfilwyr oedi yno am ychydig tra oedd y flaenfyddin yn gwthio'r bont dros yr afon. Disgrifiodd milwr a fuasai ar flaen y gad gyda Cromwell funudau olaf Aston. Yr Arglwydd-Raglaw'n gweiddi na ddylen nhw arbed neb. Ystlysau pren y wal yn dod i lawr fel coesau gwenith o flaen cenfaint o foch. Hwythau'n rhuthro am Aston a gweddillion ei fintai. Peidied ag arbed neb, dyna oedd gorchymyn Cromwell. Hyd yn oed ar ôl iddyn nhw ildio. Troi gynnau'n bastynau a'u curo'n farw. Troi'r ystlysau pren yn bastynau a'u curo'n stwnsh. Fel lladd llygod mawr mewn cafn. Dyna a roed iddynt; ni ddylen nhw arbed neb. Tyrd, meddai, tyrd a gweld. Yno y mae Aston yn gorwedd yn ei waed ei hun. Mi ddangosa i i ti. Yno y mae, heb ei goes bren. Mi welais ei farw â'm llygaid fy hun. Mi syrthiodd din dros ben, y ffŵl, ei goesau yn yr awyr. Gafaelodd un o'r hogiau yn ei goes bren a'i thynnu. Yno'r oedd yn gorwedd, yn cicio'i unig goes yn yr awyr, y ffŵl gwirion. Y fo, Syr Arthur Aston. Wedi ei droi'n gyff gwawd, yn dâl am ei ryfyg a'i gabledd a'i fradwriaeth. Yn rholio ar ei gefn ac yn cicio'i unig goes yn yr awyr. Mi ddaru iddyn nhw ei guro'n farw â'i goes bren. Gwir i ti, defnyddio'i goes ei hun fel pastwn a'i guro'n farw. Y ffŵl. Tyrd, mi ddangosa i i ti. Gwrthododd Rhisiart, a symud gyda gweddill y meirchfilwyr i lan yr afon. Roedd eu blaenfyddin wedi croesi'r bont yn barod; bu'n rhaid i Rhisiart a'r meirchfilwyr ddisgwyl yno, rhag ofn y byddai rhai o'r gelynion yn ceisio croesi eto a dianc. Ni chafodd gyfle i ddadweinio'i gleddyf hyd yn oed, dim ond aros ar lannau'r afon, yn gwylio ac yn gwrando. Corws aflafar o leisiau, y rhan fwyaf yn sgrechiadau anifeilaidd, y rhai a oedd yn gweiddi geiriau'n rhy bell i ffwrdd i'w clywed yn glir. Ond clywodd ambell air. Ambell air yn Saesneg, ambell sŵn y gwyddai ei fod yn air ond ei fod mewn iaith nad oedd yn ei deall. Tanau'n ymddangos yma ac acw yn rhan ogleddol y dref. Tŵr eglwys i'w weld ar dân. Dim ond wedyn y clywodd Rhisiart fod rhai o filwyr y gelyn wedi ceisio lloches yn y tŵr a Cromwell wedi gorchymyn eu llosgi'n fyw. Barnedigaeth yr Arglwydd. Clywodd yr ymffrostio wedyn. Yn hwyr y noson honno, wrth iddyn nhw adael rwbel a lludw Drogheda a'i miloedd o gelanedd i ddisgwyl am y wawr. Ymffrost. Lladd trigolion y dref hefyd. Gwyddelod. Pabyddion. Barnedigaeth yr Arglwydd. Oedd, roedd yna offeiriaid hefyd. Yn gofyn am eu cosb, yn fwy na milwyr Aston hyd yn oed. Pabyddion, gweision yr Anghrist. Yn cymryd amser i grogi ambell un, ond eu taro i lawr yn ddiymdroi fel arall. Ymffrost gorchest Byddin y Seintiau, yn gwneud y gwaith yr oedd wedi'i chreu i'w wneud. Milwyr yn taro'n hyf ac yn hyderus ym mhlaid eu capteiniaid, yn dadweinio Cleddyf yr Ysbryd ac yn taro dynion anrasol sy'n cablu'r gwirionedd. Dywedodd yr Arglwydd-Raglaw ei hun fod tynged Drogheda yn dâl am droseddau lu'r Pabyddion, a phwy a all wadu'i air ef?

Wexford, wedyn, cyn diwedd y mis, eu llinellau'n cau mewn gwarchae ar bob ochr i afon Slaney, y dref wedi'i sodro rhwng eu rhengoedd a'r môr. Ni fu'n rhaid iddyn nhw ddisgwyl yn rhy hir; syrthiodd cyn canol mis Hydref. Roedd Rhisiart yn gwylio o bell y tro hwn, yn rhan o'r llinell denau o feirchfilwyr a osodasid i rwystro unrhyw un a geisiai ddianc dros y tir. Ni chyrhaeddodd y rhan fwyaf ohonynt y tir, ond yn hytrach boddi yn yr afon a'r harbwr, yn neidio'n wyllt i'r dŵr, wedi'u gyrru gan Fyddin y Seintiau. Y march coch yn carlamu drwy strydoedd Wexford ac yn sathru pawb a phopeth yn llwch o dan ei garnau. Gwelodd Rhisiart rai o'r cyrff y diwrnod wedyn. Y rhai y daeth y tonnau â nhw i'r lan. Dynion o bob oed. Gwragedd. Plant. Cyrff wedi'u taenu'n froc môr dynol ar hyd y traeth a'r glannau. Roedd Wexford yn llongddrylliad; y celanedd a symudai'n llesg yn y dŵr bas ar hyd y glannau oedd ei gweddillion hi. Barnedigaeth yr Arglwydd.

Pwysa Rhisiart yn erbyn canllaw'r llong, yn cau'i lygaid ac yn cydio'n dynn yn y pren. Mae'n wlyb ac yn oer ond nid yw'n symud i chwilio am loches rhag y gwynt a'r tonnau. Tân yr oerfel, fflamau sy'n ei buro. Nid oes dim byd y tu hwnt i'r presennol hwn. Cri'r gwylanod: ildia di, ildia di, ildia di. Arogl yr heli. Y tonnau'n ergydio'r llong a'r ergydion yn curo'i hanes a'i hunan ohono. Bwm. Bwm. Bwm.

Mae'r ddadl yn llenwi'r ystafell. Bu ei gyd-filwyr, pob un yn Sais, yn trafod dyletswyddau'r Senedd tuag at y gweinidogion, y rhai yr oedd hi wedi'u gosod wrth eu gwaith ac wedyn wedi penderfynu eu diswyddo. Mae rhai'n ddiloches, yn byw ar gardod. Dynion duwiol, gweinidogion yr Efengyl, wedi'u bradychu gan y Werin-Lywodraeth y buont yn ei gwasanaethu mor ddiwyd. Mae rhai o'r milwyr am ddechrau deiseb yn galw ar y Senedd i ailosod y gweinidogion hyn yn eu bywoliaethau. Ond mae eraill yn anghytuno, ac mae'r drafodaeth wedi troi'n ddadl, lleisiau'r dynion yn adleisio ar y waliau cerrig, eu swper yn angof ar y byrddau.

Cwyd Rhisiart o'r fainc. Ni fu'n siarad o gwbl ond, yn hytrach, yn canolbwyntio ar ei fwyd, yn bwyta'n dawel a'i ben i lawr. Nid oes ganddo ddiddordeb yn y drafodaeth ac nid yw am ymuno mewn dadl, felly mae'n sefyll a cherdded allan o'r ystafell gynnes, yn ysgwyd ei ben i'w glirio rhag dwndwr y lleisiau. Mae'n cau'r drws arnynt, rhai o'r lleisiau'n dechrau codi'n rhuo blin. Cerdda i ffwrdd, yn mwynhau ffresni'r awel ar ei wyneb. Crwydra i fyny'r lôn i gyfeiriad y caeau, tyrau eglwysi Portsmouth y tu ôl iddo.

Mae'r llyfr bychan yn ei law. Daeth gyda'r negesydd echdoe, yn barsel bach wedi'i lapio ddwywaith. Haen o bapur melyn ac wedyn haen o liain. Tamaid o bapur y tu mewn i'w glawr, a llawysgrifen gyfarwydd arno. *Dyma un arall o weithieu Mo: Lloyd. Darllena. Ystyria.* Dim byd arall. Dim ond trawiad cyfarwydd y llythrennau a ddywedai mai llaw John Powel ydoedd.

Cerdda ymlaen yn araf, un llaw'n gwasgu'r gyfrol fechan i'w fynwes. Dyna hi: y garreg fawr wastad yn ymyl y lôn, llwyfan llwyd yn codi o ganol yr eithin. Eistedd arni ac agor y llyfr, ei lygaid yn mwytho geiriau sydd wedi dechrau mynd yn gyfarwydd yn barod. Geiriau sy'n gwadu geiriau: *Nid mewn papur ag inc y mae bywyd yr enaid.*

Yma y mae ei ddadl. Nid gyda'r Saeson yn y ffreutur, ond yma gyda'r Cymro hwn sy'n ei annerch trwy inc ar bapur. Mae arno eisiau dadlau ag o, anghytuno, dweud bod geiriau o'r math cywir wedi'u gwneud yn sylwedd yn bethau grymus, yn gyswllt byw rhwng dyn amherffaith a gwybodaeth uwch. Mae arno eisiau dweud ei fod wedi teimlo grym geiriau pan fu'n eu curo a'u plygu yn yr haearn poeth. Ond synhwyra nad yw wedi llawn amgyffred dyfnder dadl y Cymro arall hwn, ac mae'n mwynhau'r ymgodymu deallusol. Dyma ddyn sy'n siarad mewn damhegion newyddion. Dyn y mae ei eiriau'n rhyfeddol o gadarn ac yn felys o lithrig ar yr un pryd. Cynigia ystyr mewn brawddeg ac wedyn ei wadu mewn brawddeg arall. Dywed dan grechwenu: Na. Darllena di eto. A meddwl. Rwyf yn dweud yr hyn nad wyf yn ei ddweud. Mae'n arteithiol o syml ac yn hyfryd o gymhleth.

Plant y dydd a garant y Goleuni.

Ag er amled crugleisiau'r cnawd, a rhesymau hunan mae rhai a edwyn lais y Bugail, o'r tu fewn.

O Bobl Cymru! Attoch chi y mae fy llais, O Drigolion Gwynedd a'r Deheubarth, Arnoch chi yr wyf i yn gweiddi. Mae'r wawr wedi torri, a'r haul yn codi arnoch.

Cwyd ei ben a chau'r llyfr, ei fawd yn dal ei le rhwng y tudalennau. Mae aderyn bychan yn fflitian hedfan uwchben yr eithin. Fe'i dilyn â'i lygaid nes ei fod yn disgyn a diflannu. Na, yno hefyd y mae fy nadl. Nid yw'r wawr wedi torri. Nid oes haul ond haul y byd hwn yn tywynnu arno. Egyr y gyfrol eto.

O Bobl Cymru!

O Drigolion Gwynedd a'r Deheubarth.

Mae'r adar yn canu: Deffro, O Gymro, Deffro.

Daw sŵn i aflonyddu arno; nid canu'r adar, ond lleisiau dynol. Dau ddyn, yn cerdded i fyny'r lôn i'w gyfeiriad, yn siarad yn hamddenol yn Saesneg. Y ddau'n parhau â'r drafodaeth, yn amlwg yn cytuno â phenderfyniad y Senedd ac yn cytuno â'i gilydd.

Diligence is needed. Mae angen diwydrwydd. *Lest purity of purpose be forfeit.* Rhag ofn yr aberthir purdeb yr amcan. Edrych Rhisiart ar y llyfr eto, yn anwybyddu'r ddau Sais ac yn cau ei glustiau i'w geiriau.

Y Cymro Gwyllt. Dyna'r enw. Oherwydd ei wallt hir, blêr, a'i locsyn trwchus. Efallai oherwydd yr olwg yn ei lygaid hefyd, a'r ffaith nad yw'n hoffi siarad â'i gyd-filwyr yn fwy na'r angen. Gwna synau gyddfol blin i ateb eu cwestiynau, yn rhochian ei *Ie* a thuchan ei *Na* yn hytrach na'u hateb â geiriau dynol.

The Wild Welshman, he will have Penruddock's head he will.

Bydd, bydd, mae'r lleill yn cytuno'n frwd. Daw yn ôl i Southampton â phen Penruddock ar bawl. Daw'n ôl, yn udo rhyfelgri anifeilaidd, pen John Penruddock yn un llaw a phen Joseph Wagstaffe yn y llaw arall. Ac wedyn, ar ôl eu mwydo mewn olew a finegr a'u rhoi i'w cadw o dan ei obennydd, fe â i'r gogledd, yn marchogaeth yn wyllt i chwilio am Iarll Rochester a dod â'i ben yntau'n ôl. Cyfeiria un o'r Saeson ifainc ato fel 'The Old Welshman'. Yr Hen Gymro. Mae'n ddeg ar hugain oed, ond meddylia'r milwyr ifainc amdano fel yr hen ddyn blin neu'r hen Gymro gwyllt. Cymeriad oesol. Chwedlonol. Proffwyd llygadwyllt yn cyrchu pen y brenin pechadurus.

Mae'n wythnos ers iddyn nhw adael Southampton ar drywydd y gwrthryfelwyr. Bournemouth. Dorchester. Exeter. Yn marchogaeth yn gyflym, yn carlamu heibio i fintai ar ôl mintai o draedfilwyr yn ymlwybro'n bwyllog i'r un cyfeiriad. Pawb ar drywydd John Penruddock a'i gefnogwyr. Y rebels a godasai yn enw'r alltud a alwant yn Charles yr Ail. Llwyddasant i gipio Salisbury ac maen nhw ar grwydr yn Nyfnaint rŵan. O leiaf rai ohonynt. Ar eu ffordd i Gernyw o bosibl, i alw rhagor o frenhinwyr i'w baner.

Ond daeth negesydd ar garlam o'r cyfeiriad arall i'w cyfarfod rai milltiroedd y tu allan i Exeter, yn dweud bod meirchfilwyr Crook wedi curo'r gwrthryfelwyr yn rhywle o'r enw South Mount neu South Mouth. Mae'r rebels un ac oll wedi'u lladd neu wedi'u cipio a'u carcharu. Mae John Penruddock yntau yn nwylo Crook. Arhoswch yma nes daw gair o'r gogledd. Dywedir bod Iarll Rochester a'r lleill wedi cilio. Mae wedi dianc i'r cyfandir, meddir. Fe ymddengys fod y gwrthryfel byrhoedlog hwn ar ben.

Y noson honno, a hwythau'n eistedd o gwmpas y tân, yn bwyta bara a chaws a nionod, dyna fo, yr hen Gymro gwyllt. Yn gorfod bodloni ar nionyn yn hytrach na phen gwrthryfelwr. Gad lonydd iddo, 'ngwas i, neu mi fydd wedi cymryd dy ben dithau oddi ar d'ysgwyddau cyn i ti ddweud ho dandi.

Nid yw'n edrych ar y Saeson ifainc.

Mae'n cnoi ei fwyd yn dawel, yn syllu i fflamau'r tân.

Diwedd haf 1656

Oeda o flaen y giatws.

Mae ar frys. Mae arno eisiau symud trwy'r porth i ganol prysurdeb y bont, ymwasgu trwy'r dorf, gweithio'i ffordd ar hyd y strydoedd gorlawn a chael hyd i'r Cyrnol Powel. Gweld y dyn a chlywed ei gennad o'i enau ef ei hun. Dysgu'r rheswm dros ei lusgo'n ôl i Lundain. Ond ni all symud ar hyn o bryd. Mae rhyw swyn wedi'i hudo ac mae'n ei ddal yno. Eistedd felly am yn hir, y ceffyl yn sefyll yn ufudd o lonydd, pobl yn gweithio heibio iddo i ymdaflu i wasgfa'r bont. Rhaid iddo aros, oedi, ac ystyried. Rhaid astudio'r pennau sy'n pydru ar bicellau, myfyrio ynghylch addurniadau porth y bont. Penglogau'n hanner ymddangos trwy rubannau o gnawd llwyd a choch a phiws. Brain a gwylanod yn hopian-hedfan o ben i ben i dyllu a chwilio. *Memento mori.* Cofia y byddi dithau farw.

Symuda'r awenau i un llaw a phlygu'i gorff i'r ochr. Llithra o'r cyfrwy a glanio ar ei draed. Cama ymlaen, yn arafu digon i anwesu gwddf y ceffyl â'i law rydd. Ac wedyn mae'n tynnu'n ysgafn ar yr awenau, yn arwain y ceffyl i ganol prysurdeb y bont. Gwthia drwy fôr o wynebau, pob un yn fwgwd o gnawd byw sy'n cuddio penglog.

Cofia, cofia fod angau'n agos.

III

Byd Arall

Nenachihat sakimanep peklinkwekin.
Wonwihil lowashawa wapayachik.
(Gwyliwr oedd y pennaeth; edrychodd i gyfeiriad y môr.
A'r amser yma y daeth y dynion gwynion, o'r gogledd ac o'r de.)

Walam Olum

Diamau yw, fy nghymydog, mai'r hwn y bo dyn yn was iddo, gan hwnnw y caiff ei gyflog, pa un bynnag fo, ai llygredigaeth ai anllygredigaeth.

Morgan Llwyd

I

Mae'n deffro a chanfod ei fod yn sych ac yn gynnes ac yn gorwedd ar rywbeth meddal. Gŵyr fod planced o ryw fath wedi'i thaenu o dano; gall deimlo'r defnydd ar ei groen ar hyd ei gorff noeth. Mae'n ymwybodol o'r poenau – ei gyhyrau, yn enwedig yn ei freichiau a'i goesau. Briwiau ar ei ben-gliniau, ei ddwylo, a'i wyneb. Blinder affwysol. Teimlad ei fod yn ffodus i fod yma ar yr ochr hon i farwolaeth.

Gŵyr ei fod o dan do, er nad yw'n gallu gweld yn iawn eto; mae'n dywyll ar wahân i ychydig o olau a ddaw o dân sy'n mudlosgi yn ei ymyl. Cymysgedd o arogleuon – rhai'n gyfarwydd, rhai'n estron iddo. Mwg tân coed. Lledr. Ac wedyn rhyw fath o olew neu bersawr anghyfarwydd.

Mae'n troi'i ben ychydig a gweld bod rhywun yn sefyll rhwng y tân a'r wal. Dyn. Mae'n dal ac yn gydnerth, ac yn gwisgo dillad lledr. Â i'w gwrcwd ac eistedd felly yn ymyl Rhisiart. Mae ei groen yn gymharol dywyll, a'i wyneb yn ddi-farf ac yn lân. Mae tu blaen ei ben wedi'i eillio'n foel ond mae gwallt du hir yn syrthio i lawr ei gefn. Try ychydig oddi wrth Rhisiart er mwyn edrych ar y tân. Cwyd frigyn a bywiogi'r marwor. Neidia cwpl o fflamau bychain, y golau'n disgleirio ar dalcen hir y dyn. Gwêl Rhisiart fod y rhan honno o'i ben wedi'i haddurno â phaent coch. Try'r dyn i edrych arno eto, ei lygaid yn pefrio a'i wyneb yn garedig. Siarada'n ddistaw ag o, ond nid yw Rhisiart yn deall yr iaith.

Acwi sageso.

Ac yna mae'n dal rhywbeth o'i flaen, powlen fach bren. Estyn un llaw a'i rhoi'r tu ôl i ben Rhisiart. Cwyd ei ben ychydig gyda'r naill law ac estyn y bowlen at ei wefusau gyda'r llall.

Mitsi. Acwi sageso.

Mae'r cawl yn gynnes. Blas cig o ryw fath, a blasau na all eu henwi.

Mitsi, mitsi.

Gall weld rhagor o'r ystafell fechan erbyn hyn. Waliau o risgl bedw wedi'u cynnal gan bolion pren syml. To isel. Ychydig o sachau lledr a phethau eraill yn y cysgodion na all eu gweld yn iawn. Y cyfan yn gysurlon o gartrefol ac eto'n rhyfeddol o ddieithr ar yr un pryd.

Mae drws yn agor a daw ychydig o olau llwyd-las i mewn. Golau'r lleuad. Mae'n ganol nos, ond does bosibl mai'r un noson ydyw. Nid oes gan Rhisiart gyfle i feddwl yn hir amdano, gan fod rhywbeth yn mynd â'i sylw. Daw dyn arall i mewn cyn cau'r drws eto, yn debyg o ran ei wisg a'i wallt, ond ychydig yn hŷn na'r llall. Try yntau at y newydd-ddyfodiad a'i gyfarch yn bwyllog.

Cwai Nijia.

Cwai, cwai.

Saif wedyn er mwyn siarad wyneb-yn-wyneb ag o. Mae'n drafodaeth hir. Weithiau mae'r geiriau'n llifo'n gyflym iawn, ond weithiau maen nhw'n arafu er mwyn ailadrodd rhai pethau. Sylwa Rhisiart fod rhai geiriau'n cael eu hailadrodd eto ac eto, yn atalnodi'r sgwrs, yr un geiriau fel pe baent yn gwestiynau ac yn atebion ac yn ebychiadau.

Nebi.

Sobagw.

Senojiwi.

Tegoac.

Cichi Niwascw.

Ceisia Rhisiart ddiolch iddynt yn Saesneg, er nad yw'n gallu codi ar ei eistedd er mwyn gwneud hynny, dim ond troi'i ben ychydig a cheisio edrych arnyn nhw'n well. Mae'r ddau'n tawelu a gwrando arno, ond nid oes arwydd eu bod yn ei ddeall. Dechreuant siarad â'i gilydd eto.

Tegoac. Nebi. Senojiwi. Sobagw. Cichi Niwascw.

Ac felly ymlaen, y ddau'n siarad yn ddistaw, eu geiriau'n lapio o amgylch Rhisiart fel cynhesrwydd yr ystafell. Teimla gwsg yn ailafael ynddo ac mae'n cau'i lygaid, yn ildio.

Acwi sageso. Gawi, gawi.

Mae'n deffro bob hyn a hyn. Weithiau mae'n ddistaw yn yr ystafell, ar wahân i glecian y coed sy'n mudlosgi yn y tân, ac weithiau mae'r lleisiau yno, yn siarad yn ddistaw. Y cyfan yn gysurlon o gyfarwydd ac yn rhyfeddol o ddieithr: cartref rhywun, a'r rhywun hwnnw wedi'i achub.

Deffry unwaith a chlywed lleisiau benywaidd. Merched, gwragedd, yn siarad yn ddistaw â'r dynion. *Cichi Niwascw. Senojiwi. Tegoac. Nebi. Senojiwi. Sobagw.* Gwragedd yn siarad iaith nad yw'n ei deall. Gall eu clywed rhwng cwsg ac effro, eu geiriau'n plethu â chlecian y coed yn y tân. Mae yn Iwerddon.

Try ei ben a cheisio craffu arnyn nhw. Mae yn Naseby, ond nid yw'n gorwedd ar ei gefn, ei fraich yn sownd o dan y ceffyl marw. Mae ei gorff yn brifo, mae wedi blino, ond nid yw'n gorwedd ar ei gefn. Saif yno, yn edrych arnyn nhw. Mae wedi bod yn marchogaeth gyda'r lleill. Ni ddaeth i lawr oddi ar gefn ei geffyl ac ni syrthiodd yr anifail arno. Aeth ymlaen, yn marchogaeth gyda'r lleill, yn erlid y brenhinwyr o'r maes. Ymlaen ac ymlaen. Yn gadael maes y frwydr. Nid oes dim sy'n gallu eu rhwystro. Rhuthr y march coch, ymlaen ac ymlaen ac ymlaen. Ac yno y maen nhw, yn sefyll o'i flaen. Neidia i lawr o'i gyfrwy, nid syrthio, ond neidio, yn ddiymdrech. Ac yno y mae'n sefyll, yn edrych arnyn nhw. Gwragedd Naseby. Rhyw gant ohonyn nhw. Yn siarad iaith nad yw'n ei deall. Edrych eto, ac mae wynebau rhai ohonyn nhw'n lled gyfarwydd. Nid ydynt yn annhebyg i Elisabeth ac Alys. Dacw un hŷn, a'i hwyneb yn debyg i'r hyn a gofia am wyneb ei fam. Edrych eto, yn gwrando'n astud arnyn nhw. Nid yw'r iaith yn estron rŵan. Mae'n deall. Mae'n deall gwragedd Naseby.

Gawi. Cowawtamenô. Gawi, gawi, gawi.

Egyr ei lygaid a chanfod golau dydd. Yno, yn llithro trwy adwy'r drws. Daw rhywun i mewn i'r ystafell. A rhywun arall. Cwyd ei ben ychydig a gweld: mae pump o bobl yn eistedd o gwmpas y tân. Y ddau ddyn a fuasai'n cadw cwmni iddo neithiwr a thri arall. Mae un ohonyn nhw'n ddyn ifanc. Llanc, mewn gwirionedd, pymtheg oed neu o bosibl ychydig yn hŷn, tu blaen ei ben wedi'i eillio fel y dynion eraill, a'r coch sy'n ei addurno'n fwy llachar, fel pe bai newydd ei baentio. Ac mae dwy wraig yno, eu gwallt tywyll yn syrthio'n hir, yn wahanol iawn i arddull y dynion. Gwêl sêr bychain yn chwincio trwy'r cudynnau tywyll; metel, gemwaith yn eu clustiau, yn dal hynny o olau sydd yn yr ystafell. Saif y dyn a fuasai'n tendio arno yn y nos ac estyn rhywbeth o ochr y tân. Llestr o ryw fath; mae'n ei ddal gyda chadach neu liain ac yn tywallt hylif ohono i'r bowlen bren.

Symuda Rhisiart, yn eistedd i fyny yn araf, yn ceisio cuddio'i noethni gyda'r blanced wrth iddo droi i bwyso'i gefn yn erbyn y wal. Cwyd ei ddwylo i dderbyn y bowlen. Diolch.

Mitsi. Gwena'r dyn cyn troi ac eistedd eto. Mae llygaid y pump yn gwylio Rhisiart yn ofalus, yn astudio'r modd y mae'n yfed o'r bowlen fel pe baent yn chwilio am arwydd. Wedi gorffen, mae'n rhoi'r bowlen ar y llawr wrth ei draed. Diolch.

Try'r dyn a fuasai'n ei fwydo ei ben ac amneidio ar y llanc. Saif hwnnw a chamu'n nes at Rhisiart. Symuda'r lleill yn bellach i ffwrdd er mwyn gwneud lle iddo eistedd yn ymyl y dieithryn. Plyga'r dyn ifanc dros Rhisiart, cochni ei dalcen yn sgleinio'n dywyll yn y cysgodion.

Cwai, cwai.

Gwena'n hael ac estyn llaw. Gwêl Rhisiart ei ystyr ac mae'n

codi ei law yntau. Gafaela'r dyn ifanc ynddi gyda'i ddwylo a'i hysgwyd, yn gwenu.

'I can iglismônwi. Speak like the English. Can you?'

'Yes, I can.' Ydw, dw i'n gallu'r Saesneg. Dywed ei fod yn diolch iddynt am achub ei fywyd. Dywed fod arno ddyled iddynt na all ei had-dalu. Eistedd y llanc rhwng Rhisiart a'r dyn sydd wedi bod yn ei fwydo. Siarada'r dyn ag o, yn gyflym, yn saethu cwestiynau ac yn cynnig sylwadau o dan ei anadl. Clyw Rhisiart rai geiriau'n cael eu hailadrodd.

Pilewac. Iglismôn. Plachmon.

'My father says you are not English.' Dwyt ti ddim yn Iglismôn, dwyt ti ddim yn Sais. *Nda, nda.*

'My father says you are not French either.' Dwyt ti ddim yn Blachmon, dwyt ti ddim yn Ffrancwr chwaith. *Nda, nda.*

Mae o'n iawn. Cymro dw i.

Try'r llanc ac egluro, ac mae'r pedwar arall, y ddau ddyn a'r ddwy wraig, yn ei drafod yn frwd. Nid yw'r gair yn gyfarwydd, ond mae Rhisiart wedi egluro wrth y llanc ac rŵan mae o'n egluro wrthynt hwythau. Cymro. Cymry. Gweddillion hil yr Hen Frytaniaid.

Wli, wli. Wligo. O'r gorau, maen nhw'n deall. Cymro, nid Iglismôn. O'r gorau. *Wligo.*

'We are Alnôbak. Wôbanakiak. The English call us Abenaki.'

Ac felly ymlaen, yn trafod yn frwd. Y llanc yn siarad â Rhisiart ac wedyn yn troi i egluro wrth y lleill, yn oedi i ymuno yn eu trafodaethau, yn gofyn eu cwestiynau drostynt ac yn ceisio ateb cwestiynau Rhisiart. Mae'r pump yn chwerthin weithiau, yn mwynhau sylw nad yw'r llanc yn gallu ei gyfieithu'n iawn i Rhisiart, ond mae'n gwenu gyda nhw yr un fath, yn mwynhau'r gwmnïaeth a'r cynhesrwydd. Diolcha Rhisiart iddynt eto ac eto, ac mae'r llanc yn cyfieithu, yn cyfleu ei werthfawrogiad i'r lleill. *Wlioni, wlioni.* Rhagor o drafod, cwestiynu, chwerthin, a diolch, ac mae'n bryd iddynt rannu enwau.

Rhisiart Dafydd. Na, nid Richard Davies. Rhisiart Dafydd. Isiad Dawi.

Malian.

Asômi.

Msadokwes.

'My father's name is Pene Wonse. The English call him Penewans. I am Simôn. I have another name, but that is what you can call me. Simôn.'

Mae Pene Wonse yn ceisio ynganu ei enw ei hun yn null y Saeson, yn troi corneli ei geg i lawr yn fursennaidd ac yn tynnu'n hir ar y llafariaid. 'Pe-ne wans.' Mae'n cogio'i fod yn siarad yr iaith, yn gwneud synau diystyr sy'n efelychu synau'r iglismônwi, yr olwg ar ei wyneb yn cyd-fynd â'r perfformiad comig. 'Pe-ne wans. Se se with with me se se fith.' Ceisia ddal ei wyneb felly, wedi'i ystumio'n olwg ffug-ddifrifol, ond ni all ymatal. Chwardd, ac mae'r lleill yn ymuno yn y chwerthin. Chwardd Rhisiart yntau, yn dychmygu'r Sais y mae Pene Wonse yn ei ddychanu.

Mae llawenydd yma. Maen nhw wedi achub y dyn hwn o grafangau Angau. Hwn, y dyn a ddaethai i'w glannau o afael y tonnau. Pilewac ydyw, ond eto nid yw'n un o'r pilewacak. Mae'n ddyn dŵad ond nid yw'n un o'r estroniaid eraill hynny. Nac ydyw. Fe roddwyd ei achub iddyn nhw. Fe roddwyd ei fywyd yn eu dwylo nhw. Nhw, a neb arall. Ac maen nhw'n gwybod mai felly y mae. Yma, yn rhannu llawenydd ag ef. Yn siarad. Yn holi. Yn chwerthin.

Malian.

Asômi.

Msadokwes.

Pene Wonse.

Simôn.

Isiad Dawi.

Bu'r gofal yn dyner a'r sylw yn drylwyr. Cysgai lawer, ond hyd y gwyddai nid oedd wedi'i adael ar ei ben ei hun am gymaint ag ennyd. Bu o leiaf un aelod o'r teulu yno gydol yr amser. Simôn, Malian, neu Pene Wonse. Y mab, y fam, neu'r tad. Rhoent fwyd iddo bedair gwaith y dydd − cawl o wahanol fathau, pysgod wedi'u mygu, neu rywbeth a oedd yn ymddangos yn debyg i uwd ond yn blasu fel planhigion a ffrwythau yn hytrach na cheirch.

Gwyddai Rhisiart erbyn yr ail ddiwrnod ei fod o'n gallu sefyll a cherdded yn araf ar ei ben ei hun, ond mynnai Pene Wonse ei helpu bob tro y byddai'n codi. Yr unig achlysuron ar y dechrau oedd pan fyddai'n mynd allan i ollwng dŵr ac ymgarthu. Ac yntau'n noeth o hyd, byddai'n gwisgo'i blanced fel clogyn a phwyso ar fraich Pene Wonse. Cerddai'r ddau heibio'r tân a losgai'n barhaol ddydd a nos a thrwy'r drws.

Safai cartref y teulu mewn llannerch lydan, gyda choed bedw o wahanol feintiau'n tyfu o gwmpas yr ymylon a choed pinwydd tal i'w gweld y tu hwnt iddynt. Nid oedd ond un adeilad arall yn y llannerch − cartref Asômi a Msadokwes, tŷ bychan wedi'i wneud o risgl a choed bedw yn union fel cartref teulu Pene Wonse. Roedd nifer o dwmpathau hirion hefyd gydag ychydig o dyfiant brown marw arnynt: gerddi, wedi'u noethi gan y cynhaeaf gyda dim ond yr adladd ar ôl, ambell gnonyn a gwinwydden yn araf bydru i'r pridd.

Byddai'r ddau'n cerdded yn bwyllog − fraich ym mraich, fel arglwyddi'n rhodio mewn gorymdaith. Ymlaen â nhw i'r coed ar ymyl y llannerch, ac wedyn roedd Rhisiart yn cael gwneud beth bynnag yr oedd arno angen ei wneud. Byddent yn siarad weithiau, Pene Wonse yn ei annog yn gyfeillgar gyda llif o eiriau na ddeallai'r Cymro ar wahân i'w enw ei hun.

Isiad Dawi.

Fe'i hatebai'n Gymraeg, gan ddiolch iddo a sylwi ar y tywydd, yr haul, a lliw'r dail. Newydd ddechrau troi oedd dail y coed bedw y tro cyntaf y daeth Rhisiart allan i'r llannerch yng ngolau dydd, ond ar ôl rhyw wythnos o'r bywyd llonydd, tawel hwn, roedd gwyrddni ymylon y llannerch wedi'i ddisodli â dail coch a melyn llachar, gyda gwyrdd tywyll y coed pin yn y cefndir yn wrthbwynt i'r waliau euraid ysblennydd hyn. Erbyn i'r dail orffen troi roedd sgwrs y ddau ddyn wedi dechrau troi'n fwy ystyrlon.

Ac felly dyma nhw'n cerdded heddiw. Cerddant i gyfeiriad yr *abaziak*, y coed, gan sylwi ar liwiau hardd y *maskwamozi*, y fedwen, a chodi'u llygaid, *koaikok*, i'r coed pinwydd. *Pamgisgak* yw'r hyn y maent yn symud trwyddo; bu Rhisiart yn meddwl ei fod yn air ar gyfer y llannerch ond mae'n dechrau meddwl ei fod yn cyfeirio at y presennol neu o bosibl heddiw. Mae *kizos*, yr haul, yn union uwch eu pennau, yn dangos mai canol dydd ydyw. Ar ôl cyrraedd y coed, gollwng ei ddŵr, a dychwelyd i bwyso ar fraich Pene Wonse eto, mae'n twtio'i blanced, y *maksa*. Ar gyrraedd drws y *wigwôm* eto mae Rhisiart yn oedi a diolch i'w gydymaith yn ei iaith ei hun.

Wlioni.

Mae Pene Wonse yn amneidio â'i ben, y paent coch ar ei dalcen uchel yn disgleirio yn yr haul. Egyr y drws ag un llaw a thywys Rhisiart yn ofalus trwy'r adwy â'r llaw arall, yn ei alw'n *Nidoba.*

Mae'n air y mae Pene Wonse yn ei ddefnyddio'n aml yn eu sgyrsiau, un y mae Rhisiart yn ei ddeall yn iawn:

Fy nghyfaill.

3

Mae wedi bod yn gofyn iddyn nhw ers dyddiau. Mae wedi bod yn ymbil ac yn erfyn, yn trafod ei gais yn fanwl yn Saesneg â Simôn, ac yn ceisio darbwyllo Pene Wonse gyda hynny o eiriau Abenaki sydd ganddo, ac mae wedi llwyddo o'r diwedd. Gŵyr Pene Wonse fod Rhisiart yn ddigon iach i deithio'n bellach na'r llannerch. Gŵyr hefyd nad yw'n gallu nacáu'r daith hon i'w gyfaill.

Cychwynasai'r tri gyda'r wawr. Pene Wonse, Simôn, ac Isiad Dawi, yn gadael y llannerch *sôkhipozit kisos*, gyda'r wawr. Dysgodd Rhisiart air newydd arall y bore hwnnw. Safasai Malian, Asômi, a Msadokwes yno yn ffarwelio â nhw:
Wlibomkanni.
Gair yn dymuno siwrnai saff, taith lwyddiannus, dychweliad buan. *Wlibomkanni.* Ac mae'r daith wedi mynd yn hwylus hyd yn hyn. Mae'n ddiwrnod sych, braf, er bod y gwynt yn gafael. Cred Rhisiart fod rhyw dair wythnos wedi mynd heibio ers i'r llong suddo; nid yw'n gwybod yr union ddyddiad, ond gŵyr mai mis Hydref 1656 ydyw. Dywed Pene Wonse mai Penibagos ydyw, yr amser o'r flwyddyn pan fydd y dail yn cwympo. Mae'r rhan fwyaf o'r dail ar y coed o hyd. Cerddant yng nghysgod coed pinwydd tal y rhan fwyaf o'r amser, eu brigau gwyrdd tywyll yn hidlo'r haul uwch eu pennau a'u pinnau meirw yn ffurfio carped brown persawrus o dan eu traed. Mae coed llydanddail yn ymddangos yn ynysoedd bychain amryliw bob hyn a hyn, eu dail melyn a choch yn disgleirio yn yr heulwen.
Mae Rhisiart yn gwisgo'i ddillad ei hun eto, er nad yr un dillad ydynt.

Ar ôl golchi'r heli ohonynt a'u sychu yn yr heulwen, aeth Malian ati i drwsio'r tyllau mawr ar ben-gliniau'i drowsus a phenelinoedd ei grys, ac felly mae darnau o groen golau wedi cymryd lle'r darnau coll. Nid yw'n teimlo'r gwahaniaeth ar ei groen: mae'r croen carw wedi'i weithio nes ei fod mor esmwyth â'r defnydd gorau a wisgasai Rhisiart erioed. Rhoes esgidiau iddo hefyd, rhai y mae Rhisiart wedi dysgu cyfeirio atynt fel *makezenal*. Esgidiau o ledr, y gwadnau'n galetach na'r gweddill ond eto'n hyblyg. Mae'n gwisgo'r un socasau hirion â'i gyfeillion, rhai wedi'u haddurno â rhyw fath o fwclis lliwgar sy'n cysylltu'i esgidiau â gwaelod ei drowsus. Nid oes ganddo glogyn yr un fath â nhw, ac felly mae'n gwisgo'i blanced, *maksa*, o gwmpas ei ysgwyddau. Mae'r tad yn cario bwa ac mae ganddo saethau mewn cwdyn hir ar ei wregys. Mae mwsged yn llaw'r mab. Buont yn trafod arfau neithiwr wrth baratoi ar gyfer y daith ac eglurodd Simôn eu bod wedi cael y mwsged gan y Saeson yr haf blaenorol. Nid yw mor ddibynadwy â'r bwa saeth, ond mynnai tad Simôn ei fod yn ei ddefnyddio gan ei fod yn cyfleu neges bwysig. Dywed wrth y Saeson a brodorion eraill fel ei gilydd fod teulu Pene Wonse yn gallu defnyddio arfau'r Iglismôn. Yn debyg i'r Saesneg y gall Simôn ei siarad, mae'r neges hon yn un bwysig. Mae'r ddau yn gwisgo cyllell fetel a gawsant wrth ffeirio â'r Saeson. Mae Rhisiart yn teithio heb arf o unrhyw fath, am y tro cyntaf ers yn agos at bymtheng mlynedd.

Cerdda Rhisiart ychydig y tu ôl i'r tad a'r mab. Maen nhw'n oedi weithiau, yn troi'u pennau i glustfeinio a chraffu ar darddiad rhyw sŵn, yn codi'u harfau ychydig, yn paratoi. Ond nid oes dim i'w weld ond adar a gwiwerod. Beth a wêl yr anifeiliaid hyn? Beth a welai dyn arall pe bai'n dod ar eu traws? Dau frodor, un yn ddyn canol oed a'r llall yn llanc, tu blaen eu pennau wedi'i eillio'n foel ac wedi'i addurno'n goch, gwallt du pob un yn syrthio'n gynffon i lawr y cefn, eu hwynebau'n lân. A'r trydydd teithiwr – ei wyneb yn welwach, ei wallt brown brith yn flerach, a hanner ei wyneb wedi'i guddio gan locsyn anystywallt, ei ddillad yn gyfuniad o'r byd y daethai ohono a'r byd y mae'i gyfeillion wedi'i groesawu iddo.

Nid ydynt yn torri'r siwrnai i fwyta, ond yn hytrach yn estyn pysgod sych a'u bwyta wrth gerdded. Mae'n gadael blas hallt ar dafod Rhisiart, ac felly nid yw'n sylwi ar y dechrau ei fod yn cerdded yn arogl yr heli. Mae'r coed wedi teneuo, eu traed yn sathru ar wair a brwyn cyn amled â dail pinwydd bellach. Sylwa fod curo rhythmig isel yn cyrraedd ei glustiau, sŵn tonnau'n taro'r traeth.

Acwi sageso, Isiad Dawi.

Mae Pene Wonse wrth ei ymyl, ei law ar ei fraich, yn ei dywys. *Acwi sageso*, Isiad Dawi, *acwi sageso*. Eglura Simôn fod ei dad yn dweud wrtho na ddylai boeni. Mae'n meddwl y bydd arno ofn dychwelyd i'r lle hwn, y man lle bu yng nghrafangau Angau. Mae'n diolch iddo, *wlioni*, a cherdded o gysgod y coed olaf ar draws y gwair. Mae ambell dwmpath bychan o frwyn yma ac acw, a hefyd creigiau duon yn torri wyneb y ddaear yn achlysurol, fel ysgerbydau anghenfilod a gladdwyd mewn oes o'r blaen.

Daw i'r ymyl a sefyll yno yn edrych i lawr yr allt i'r môr. Nid yw'r allt ei hun mor hir nac mor serth ag yr oedd yn ei gofio. Cama o'r gwair i'r traeth caregog a theimlo'r cerrig mân yn sgrialu o dan ei draed, ei goesau'n llithro a'i gorff yn dechrau symud i lawr yr allt yn erbyn ei ewyllys. Nid yw'n disgyn ond nid yw'n ceisio cerdded ymhellach. Saif yno, yn cofio'r noson. Cofia deimlad y cerrig mân yn sgrialu o dan ei ddwylo a'i goesau. Y poenau yn ei gyhyrau. Y cryndod yn ysgwyd ei gorff. Ymdrech yn ffinio ar anobaith, llesgedd yn ymylu ar farwolaeth.

Gwêl ffurfiau o wahanol fathau a meintiau yn britho'r traeth. Nid esgyrn caledion y creigiau duon, ond pethau mwy bregus eu golwg. Pren yw'r rhan fwyaf ohonynt, weithiau'n dameidiau bychain ac weithiau'n ddarnau mawr, rhai yr un maint â cheffyl.

Darnau o long y gellir eu hanner adnabod. Mae ambell ddarn o ddefnydd yma ac acw hefyd. Dryll o hwyl neu hamoc sydd wedi'i hanner llenwi â cherrig a'i angori ar y traeth, ei ymylon rhydd yn symud yn freuddwydiol yn ewyn y tonnau.

Saif yno yn hir, yn ysgubo'r broc môr â'i lygaid, yn chwilio am ddrylliau o fath arall. Mae arno ofn eu gweld ond eto mae arno eisiau gwybod, ac felly mae'n craffu ar yr olygfa, yn chwilio am y cyrff.

Daw Simôn i sefyll gydag o. Mae'r gwynt yn codi, yn gwneud baner o'i wallt, ei gynffon ddu yn chwipio yn y gwynt y tu ôl iddo. Teimla Rhisiart grafangau'r gwynt yn tynnu ar ei wallt yntau a chlyw'r rhuo yn ei glustiau, yn cymysgu â thwrw'r tonnau ar y traeth caregog. Ond gall glywed llais y llanc yn ei ymyl, er nad yw'n siarad yn uchel.

'My father asks me to tell you the story.'

Stori? Chwedl? Try ei ben er mwyn astudio wyneb Simôn. Nid yw'r dyn ifanc yn edrych i'w lygaid ond, yn hytrach, yn syllu ar y môr. Gall Rhisiart weld llinell syth y paent coch sy'n harddu tu blaen ei ben, llinell sy'n rhedeg yn gyfochrog â llinell ei wallt lle'r oedd wedi'i eillio. Chwipia'i wallt yn y gwynt, ac mae'i lygaid yn dyfrio ychydig. Siarada'n araf, yn bwyllog, yn cadw'i lygaid ar y tonnau gydol yr amser.

Roedd Msadokwes ac Asômi wedi gweld y llong y bore hwnnw. Buasai'r ddau'n cysgu yn y goedwig y noson cynt er mwyn codi'n gynnar a manteisio ar y llanw i hel cregyn a dal pysgod ar y traeth. Ac yno'r oedd, fel anghenfil yn codi o'r moroedd. Y llong, yn fwy na'r rhai bychain a welid weithiau, yn hwylio i fyny ac i lawr yr arfordir. Anghenfil. Creadur chwedlonol. Roedd yn symud yn nes ac yn nes, fel pe bai'n bwriadu tirio, er nad oedd un o borthladdoedd y Saeson yn yr ardal. Yn hytrach na mynd i'w helfa, daeth y ddau adref yn syth ac adrodd yr hanes wrth y lleill. Penderfynwyd y dylai Pene

Wonse fynd yn ôl gyda Msadokwes i ganfod beth oedd cennad y llong. Ond roedd y storm wedi codi'n ddrwg erbyn i'r dynion gyrraedd yr arfordir, a'r llong wedi mynd o'r golwg. Nid oedd dewis ond dychwelyd a chysgu dan do. Roedd y storm wedi chwythu'i phlwc erbyn y bore, ac aeth y pump yn ôl i chwilio'r glannau. Bu'n rhaid iddynt gerdded am hanner diwrnod cyn dod o hyd i'r man. Yno'r oedd y gweddillion. Tameidiau o'r llong ar y traeth yn sboncio yn y tonnau, yn gymysg â chyrff y meirwon. Un corff yn gorwedd hanner ffordd rhwng y traeth a'r coed, a hwnnw'n fyw. Aeth Pene Wonse a Msadokwes â'r corff byw hwnnw adref. Arhosodd Malian, Simôn, ac Asômi i ofalu am y lleill.

Saif y ddau yno am ychydig, yn myfyrio'n dawel. Meddylia Rhisiart am yr holl gyrff a welsai ar feysydd brwydr. Yn chwyddo yng ngwres yr haul. Yn oeri o dan y lleuad. Brain, cigfrain, gwylanod yn eu bwyta. Moch yn dod i durio. Cŵn yn sleifio o lech i lwyn i gydio mewn braich neu goes. Gofyn i Simôn beth sydd wedi digwydd i'r cyrff.

'Come, Isiad Dawi, we will show you.'

Mae llain o bridd nad yw'n rhy garegog, yn bell o grafangau'r tonnau. Ar yr ochr orllewinol y mae canghennau'r coed pinwydd mawrion yn cysgodi'r beddau, ond mae'r ochr ddwyreiniol yn agored i wynt y môr. Mae naw ohonynt, pob un yn dwmpath hirsgwar, clawr y bedd yn gymysgedd o bridd a cherrig mân a chregyn. Saif croes fechan yn ymyl pen pob un, dau frigyn o binwydd wedi'u torri a'u dinoethi o'u rhisgl a'u clymu ynghyd â llinyn lledr. Naw ohonynt. Rhaid bod y môr wedi mynd â'r lleill i lannau eraill neu wedi'u sugno i lawr i'r gwaelod yn rhwyd y llongddrylliad. Teimla Rhisiart y dylai ofyn am ragor o fanylion. Dynion? Gwragedd? Pa oedran? Lliw'r gwallt? Ond ni all orfodi'r cwestiynau hyn i'w dafod. Cerdda o gwmpas y llain nifer o weithiau, ei gamre'n amgylchynu'r naw bedd, yn nodi ffin y fynwent fach newydd. Cerdda'n araf, ei ben i lawr, yn astudio gwaith Malian, Simôn, ac Asômi. Saif Rhisiart wrth draed y bedd cyntaf, yn gostwng ei ben, yn gweddïo.

Mae marwolaeth yn dwyn enaid y duwiol i gymundeb â Duw mewn hyfrydwch a gogoniant tragwyddol. Mae'n ei ryddhau o drueni a thrallod y byd hwn ac yn fodd iddo ymryddhau o'i ymrafael â phechod. Mae'n agor y drws i ddinas y Duw byw, porth y Gaersalem nefol. Mae marwolaeth yn gosod yr enaid mewn cyflawn bresennol feddiant o'r holl etifeddiaeth a'r holl ddedwyddwch a addawyd. Mae'n cyflawni'r hyn a addawodd Crist i ti yn ei air ef ei hun, yn cyfleu i ti yr hyn a brynodd ef trwy ei waed ef ei hun.

Mae'n hen, hen weddi, un a gydiasai yn ei gof flynyddoedd cyn iddo glywed Walter Cradoc yn pregethu am y tro cyntaf. Roedd ei chwaer, Alys, wedi'i dysgu iddo; dywedodd hi mai dyna oedd y geiriau a lefarasai pan gladdesid eu rhieni nhw. Gŵyr Rhisiart ei fod wedi ailweithio'r weddi a'i gosod yn ei eiriau'i hun. Mae'n rhyw gofio'i fod wedi curo'r geiriau i mewn i haearn poeth yn yr efail yn Wrecsam. Ond nid yw'n cofio pa ddarnau a glywodd gan Alys a pha eiriau sy'n ffrwyth ei ddychymyg ei hun; y cyfan a gofia yw'r ffaith ei bod yn hen weddi, un a saernïwyd yn ei gof cyn iddo ddechrau gwrando ar y pregethwyr teithiol.

Cwyd ei ben a chamu'n araf at droed y bedd nesaf. Sylla'n hir ar y groes fach. Astudia'r cymysgedd o bridd a cherrig a chregyn. Mae'n cau'i lygaid a gollwng ei ben. Gweddïa eto. Mae marwolaeth yn dwyn enaid y duwiol i gymundeb â Duw. Cwyd ei ben eto a cherdded i droed y trydydd bedd. Oeda. Gweddïa. Mae marwolaeth yn gosod yr enaid mewn cyflawn bresennol feddiant. Ac felly ymlaen, eto ac eto. Naw gwaith. Gŵyr fod Pene Wonse a Simôn yn sefyll yn dawel gerllaw ac mae arno eisiau troi atynt a holi. Dyn mewn oed? Gwraig ifanc? Lliw'r gwallt?

Owen Lewys? Capten Marlow? David? Elizabeth? Ond nid oes ganddo'r gallu i ofyn y cwestiynau. Ni all droi a'u holi, dim ond cerdded yn araf, astudio'r beddau, a gweddïo. Ond mae llais yn gofyn yn ddistaw y tu mewn iddo:

Owen?

David?

Elizabeth?

Elisabeth?

Alys?

Mae'n troi'i gefn ar y fynwent o'r diwedd a cherdded draw at Pene Wonse a Simôn. Saif gyda nhw am ychydig, yn edrych ar y môr. Mae'r llanw'n codi, ac mae eisoes wedi ysgubo rhai o weddillion y llongddrylliad o'r traeth. Gall weld ambell ddarn o hyd, y darnau mwyaf yn sefyll fel creigiau a'r darnau llai'n symud yng ngafael y tonnau, tameidiau bychain yn sboncio yn yr ewyn. Broc môr y meirwon.

Mae'n holi Simôn am y croesau. *Are you, then, a Christian?* Dywed y llanc nad yw wedi cefnu ar ffydd ei bobl, ond maen nhw'n gwybod bod y Saeson yn hoffi cael eu claddu yn y modd hwnnw. Ymddiheura wedyn, yn dweud *I am sorry*, Isiad Dawi, *I know you are not an* Iglismôn. Dywed Rhisiart ei fod yn iawn, yn egluro bod y teithwyr yn Saeson. Pob un ar wahân i un. Owen Lewys. Oeda am ennyd, yn meddwl eto y dylai ofyn a yw'n bosibl iddo ddisgrifio'r cyrff a gladdwyd, ond ni ddaw'r cwestiwn i fyny o'i grombil. Hola ragor am y croesau, ac er nad yw'n Gristion mae Simôn yn awyddus i ddangos ei fod yn deall llawer am ffydd y pilewacak, crefydd yr estroniaid. Bu'n dysgu Saesneg gyda Moses Walker, y Sais a ddywedai ei fod wedi dod i oleuo tywyllwch eu coedwigoedd. Dysgodd y llanc iaith y dyn, ond ni chofleidiodd ei grefydd. Dysgodd lawer o bethau eraill am y Saeson hefyd, pethau sy'n destun rhyfeddod a phethau sy'n destun syndod. Roedd newydd ddychwelyd at ei deulu ychydig ddyddiau cyn y llongddrylliad, ei ben newydd ei eillio yn null ei dadau. Oeda er mwyn egluro i'w dad yn eu hiaith eu hunain yr hyn y mae'n ei drafod ag Isiad Dawi. Try'n ôl at y Cymro wedyn a pharhau â'r sgwrs yn Saesneg. *I tell my father that it is a very strange thing. Here I am, come back to home out of the world of the Iglismôn and then we find all of you washed up here on the beach, washed all the way from England.* Ymddiheura eto. Ond rwyf yn gwybod nad wyt ti'n Sais, Isiad Dawi. Gweddillion hil yr Hen Frytaniaid, proffwyd gwyllt o'r hen oesau, ei wallt a'i locsyn yn hir ac yn anystywallt, yn gwisgo dillad sy'n ei osod rhwng dau fyd, yn sefyll yma rhwng coed a thraeth yng ngafael gwynt yr Iwerydd.

Alosada.

Mae Pene Wonse yn siarad yn dawel. Gadewch i ni fynd rŵan.

Alosada.

Mae'r tri dyn yn troi a cherdded yn ôl heibio i'r fynwent.

Wlibomkanni.

Siwrnai saff i byrth teyrnas Duw.

Ffarwél.

Cerdda'r tri ymlaen, yn gadael y beddau a'u croesau y tu ôl iddynt. Ildia'r gwair o dan eu traed i garped brown persawrus y pinwydd. Mae'r haul ar fachlud, ac mae cysgodion y coed yn drwm dros y llwybr. Cerddant ymlaen, Rhisiart yn dilyn y ddau arall, ei feddwl ar y llong, y traeth, a'r beddau.

Mae'n sylwi nad yw'r ddau ddyn arall yn cerdded hanner eiliad cyn iddo faglu i mewn i gefn Simôn. Saif y tad a'r mab yno, eu pennau wedi'u troi ar ogwydd, yn gwrando ac yn craffu ar y cysgodion â'u llygaid. Mae Pene Wonse wedi gafael mewn saeth ac mae wrthi'n ei gosod ar y bwa. Gwna'r cyfan yn ddistaw, ddistaw. Yn gwylio ac yn gwrando ac yn ymbaratoi.

Gwêl Rhisiart fod rhywbeth yn symud yn y tywyllwch,

rhywbeth sy'n dywyllach na chysgodion y coed. Mae'n llithro'n gyflym tuag atyn nhw, yn herio'r llygad i'w ddilyn. Synhwyra fod y tad a'r mab wedi ymlacio ychydig. Nid yw'r creadur yn fawr ac nid yw Pene Wonse yn saethu ato. Daw'n nes, yn symud yn gyflym, pawennau gwynion yn dal hynny o olau sydd ar ôl. Eiliad arall ac mae'r cwrcyn du yno, yn gwau trwy goesau Rhisiart.

'Nicolas.'

Mae'n plygu â'i godi, un arall a ddaethai'n fyw o'r *Primrose*. Dalia'r cwrcyn yn dynn i'w fynwes a chodi un bys i'w gosi o dan ei ên.

Widôba.

Mae Pene Wonse a Simôn yn chwerthin, yn mwynhau'r syndod. *Widôba*, ei gyfaill o. *Widôba*, cyfaill Isiad Dawi. Ymuna Rhisiart, yn chwerthin ac yn siarad. *Ndapsizak*. Dyma fy nghyfaill bach. Nicolas. *Ndapsizak*. Cerdda'r tri adref yng nghysgodion y coed, Pene Wonse yn cario'i fwa, Simôn yn cario'i fwsged, a Rhisiart yn cario'r cwrcyn du.

4

Mae Rhisiart yn eistedd yn y gwair, ei goesau wedi'u croesi a'i gefn yn syth. Nid oes llawer o wynt ac mae'n ddiwrnod cynnes, er bod mis Hydref yn tynnu i'w derfyn. Penibagos: yr amser o'r flwyddyn pan fydd y coed yn colli'u dail. Aeth storm echnos â llawer ohonynt. Mae tipyn o felyn i'w weld yn amgylchynu'r llannerch o hyd, ond mae tyllau wedi ymddangos yn y waliau euraid, bylchau sy'n cynnig cipolwg ar ysgerbydau'r coed bedw a'r coed pinwydd tywyll y tu ôl iddynt.

Addawodd Pene Wonse y byddent yn mynd cyn i amser Penibagos ildio i ddyddiau Mzantanos, cyn i'r dail orffen syrthio ac i'r rhew ddechrau ffurfio. Mae'r stormydd wedi mynd a dywed pob arwydd y bydd y tywydd yn braf am gyfnod go lew, ac felly penderfynwyd y byddant yn ymadael yfory. Nid oes arno awydd mynd. Mae pellter byd rhwng y llannerch hon a Llundain, ac mae pellter o fath arall rhwng y dyn sy'n eistedd yma yn y gwair a'r un a eisteddodd yn ystafell y Cyrnol Powel ddau fis yn ôl. Ond roedd wedi addo i John Powel ac mae Pene Wonse wedi addo iddo yntau. Maen nhw'n mynd cyn i'r dail orffen syrthio. Maen nhw'n dechrau ar eu taith yfory.

Ni all weld Malian, ond mae'n teimlo'i llaw yn tynnu'i wallt. Tynnu ar un cudyn, tynnu, tynnu, ac wedyn snic wrth i'r gyllell ei dorri, ei ben yn neidio ymlaen ychydig bob tro. Cydia hi wedyn mewn cudyn arall a dechrau tynnu eto. Roedd wedi eillio'i wyneb yn gyntaf. Gofynnodd a oedd am iddi foeli tu blaen ei ben hefyd, yn barod i'w addurno'n goch. Oedodd ychydig cyn ateb trwy Simôn, ei mab hi, eu cyfieithydd nhw, yn poeni y byddai'n ei phechu, ond dechreuodd y pump chwerthin a gwyddai ei bod hi'n tynnu'i goes. Dywedodd hi nad oedd wedi eillio wyneb erioed o'r blaen ond gwnaeth y gwaith yn gyflym heb dorri'r croen unwaith. Y locsyn yr oedd wedi'i dyfu, barf y dyn gwyllt, arwydd proffwyd sy'n trigo yn yr anialwch: syrthiodd y cyfan yno yn y gwair o flaen *wigwôm* Malian, Pene Wonse, a Simôn. Bu tipyn o chwerthin a siarad, a Simôn yn cyfieithu'r sylwadau.

Mae Asômi yn dweud dy fod di'n debycach i'w gŵr hi rŵan.

Anghytuna Msadokwes; mae'n fwy golygus na hynny.

Gofynna Malian a ddylai hi eillio'r gath nesaf.

Awgryma Pene Wonse y byddai pen-ôl cath noeth yn debycach i wyneb Msadokwes na wyneb Isiad Dawi.

Bu'n rhaid i Malian oedi nifer o weithiau, gan fod ei llaw'n crynu gan chwerthin, ond ni thorrodd Rhisiart unwaith. Symudodd y tu ôl iddo, mynd i lawr ar ei phen-gliniau eto, a dechrau torri'i wallt ychydig uwchben ei ysgwyddau, fel yr oedd wedi gofyn iddi ei wneud. *Wdupkuanal.* Gwallt. Mae'n deall pan fydd hi'n dweud y gair hwnnw. Fel arall, mae'n cael trafferth yn deall Malian gan ei bod hi'n siarad yn gyflymach ac yn ddistawach na'r lleill. Ond mae'n mwynhau sŵn ei llais, fel yr oedd yn mwynhau teimlo'i llaw ar ei wyneb pan oedd hi'n ei eillio. Mae Rhisiart yn deall rhywbeth arall y mae'n ei ddweud. Nita, ei henw hi ar Nicolas y cwrcyn. Dywedodd Simôn ei bod hi'n galw'r anifail felly gan ei fod yn neidio mor gyflym. Yno y mae ac wedyn, *nita*, mae yma. Fel cath i gythraul. Nita. Mae Nicolas yn cysgu yn ymyl coesau Msadokwes, ei flew heb ei eillio ac yn sgleinio'n ddu yn yr haul.

Mae Msadokwes yn ei alw'n rhywbeth arall, enw hir nad yw Rhisiart yn gallu'i gofio'n iawn. Mae'n ei fewnoli fel Macawiganô, er ei fod yn sicr nad dyna'r gair cyfan. Gŵyr ei fod yn cyfeirio at liw'r anifail: Yr Un Du.

Mae gen ti gymaint o enwau â'r Diafol ei hun, meddylia Rhisiart. Nic. Old Nick. Nicolas. Macawiganô. Nita. Cath i gythraul, yn nofio i'r lan, yn cyrraedd yn fyw. Da yr edrych y Diafol ar ôl ei was. Ffwlbri, Rhisiart. Nofiodd. Fatha chdi dy hun. Does neb yn edrych ar ein holau ni ond y ni ein hunain.

Teimla law Malian ar ei ysgwydd yn ei wasgu'n dyner. Dywed rywbeth am ei *wdupkuanal* a gŵyr Rhisiart ei bod hi wedi gorffen torri'i wallt. Mae'n troi a diolch iddi.

Wlioni. Diolch. *Wlioni,* Malin, *nidoba.*

Mae pawb yn chwerthin ac mae Simôn yn egluro. Dywed na all ei fam fod yn *nidoba* i Rhisiart. Mae Simôn yn *nidoba* i Rhisiart. Mae'i dad hefyd yn *nidoba* iddo fo. Ac mae Rhisiart yntau yn *nidoba* iddyn nhw. Ond ni all ei fam fod yn *nidoba.* Mae hi'n *nidobaskwa.* Ceisia Rhisiart ynganu'r gair:

Nidoba sgwa.

Chwardd pawb eto, ac mae'r sŵn yn deffro'r cwrcyn. Cwyd ar ei draed, yn ymestyn ei goesau'n araf. Edrych o'i gwmpas yn dalog, brenin yn arolygu ei deyrnas. Ar ôl ymestyn ei goesau unwaith eto, dechreua gerdded yn hamddenol i gyfeiriad Rhisiart.

Ndapsizak.

5

Maen nhw'n oedi am ychydig i werthfawrogi'r wawr. Mae craig fawr yn codi'n fryncyn o ganol y coed, a dywed Pene Wonse y dylent ei dringo a sefyll yno i weld yr haul yn codi yn y dwyrain.

Cychwynasant yn y golau llwyd di-haul. Daeth Malian, Msadokwes, ac Asômi i ymyl y llannerch i ffarwelio â nhw. *Wlibomkanni. Wli nanawalmezi.* Ewch yn iach. Cofleidia Malian ei mab am yn hir, ac yna ei ollwng yn rhydd gyda rhyw sylw nad oedd Rhisiart yn ei ddeall ac a wnâi i bawb chwerthin. Cofleidiodd ei gŵr wedyn, ac arhosodd y ddau felly am yn hir. Ac yna roedd y tri dyn yn cerdded i'r coed. Daeth Nicolas Ddu i ganlyn sodlau Rhisiart; roedd wedi bod yn ymuno ag o am deithiau byrion yn ystod y dyddiau diwethaf. Galwâi Simôn yn ôl ar y tri a safai ar ymyl y llannerch, a daeth chwerthin i'w ateb. Nid oedd yn syndod i neb fod Nita yn dewis mynd gydag Isiad Dawi; roedd ar y cwrcath ofn y byddai Malian yn ei eillio'n foel pe bai'n aros yn y *wigwôm* gyda hi. Ac felly roedd y triawd wedi troi'n bedwarawd. *Wli nanawalmezi.* Ewch yn iach. *Wlibomkanni.* Ffarwél.

Gwisgai Pene Wonse a Simôn gotiau lledr hirion a rhyw fath o hugan y gellid ei thynnu'n het bigfain i orchuddio'r pen pe deuai'n law. Gwisgai Rhisiart yntau ei blanced dros ei ysgwydd, yn glogyn gwneud a weddai i'w ddillad clwt. Roedd mwsged Simôn yn ei ddwylo a chludai'r llanc fwa, yn debyg i'w dad. Cerddai'r tad a'r mab yn ofalus, yn osgoi gwneud sŵn diangen, a cheisiai Rhisiart wneud yr un fath.

Mae'i gorff yn symud yn reddfol, yn gwneud gwaith cyfarwydd, ei gyhyrau'n cofio. Mae'n cerdded ag arf yn ei ddwylo, yn ceisio gweld cyn cael ei weld. Symuda mewn rhes, yn dilyn Dafi a Siôn, yn archwilio coedlan ar gyrion rhyw bentref yn Lloegr. Yn llithro i ymguddio yn y llwyni ar drothwy brwydr. Ond mae ei feddwl yn effro i'r presennol hwn. Mae'n dilyn Simôn a Pene Wonse, dau ddyn yn eu gwlad eu hunain. *Ndakinna*, fy ngwlad i. Dyna a ddywedodd Pene Wonse ar ddechrau'r daith. Rwyf yn nabod pob darn o'r wlad hon canys fy ngwlad i yw hi. Mae'n nabod pob llwybr, pob llannerch, pob craig a chlogwyn. Pan ddywed Simôn fod ei dad am iddynt ddringo i ben y graig hon er mwyn gweld y wawr, mae Rhisiart yn hanner meddwl bod Pene Wonse wedi cynllunio'r daith yn y modd hwn er mwyn iddynt gyrraedd y llecyn hwn ar yr union adeg hon. Gwena.

Bu Nicolas Ddu yn teithio yn ei ffordd ei hun, yn canlyn sodlau Rhisiart yn agos ar adegau ond yn ei ddilyn o bell ar adegau eraill. Diflannai bob hyn a hyn er mwyn erlid rhyw sŵn yn y dail crin, ond byddai'n dod yn ôl bob tro, yn sboncio i'r llwybr i ailymuno â'r fintai fechan a ymlwybrai'n ofalus drwy gysgodion y coed. Am ryw reswm mae Rhisiart yn poeni na fydd y gath yn deall eu bod am ddringo'r graig, ac felly mae'n gafael yn y mwsged gydag un llaw a phlygu er mwyn codi'r cwrcyn â'r llaw arall. Llithra'r anifail o'i afael ac mae Rhisiart yn meddwl ei fod am neidio i lawr a dianc, ond dringa i fyny ei fraich i eistedd ar ei ysgwydd, ei grafangau'n sownd yn ei glogyn o blanced.

Er nad yw'n uchel iawn, mae'n ddigon i'w godi uwchben y coed o'u cwmpas. Safant yno ar ben y graig yn edrych i gyfeiriad y môr. Cwyd yr haul, ac wrth iddo ddringo'n uwch ac yn uwch mae'r golau'n newid o lwyd i goch. Rhyngddynt a'r arfordir y mae rhyw hanner milltir o goed: mae rhai wedi eu dinoethi o'u dail ac yn estyn bysedd esgyrnog i'r awyr, ond mae digon ohonynt yn gwisgo'u mentyll o hyd. Mae'n glytwaith o liw, cymysgedd o frown, melyn, coch, a gwyrdd yn ymrolio i'r môr, a'r môr yntau'n llen werdd, dywyll, yn ymrolio i'r gorwel, cyffyrddiad y wawr yn ei britho â stribedi o gochni. Mae Simôn a Pene Wonse yn siarad yn gyflym; nid yw Rhisiart yn deall y sgwrs ac nid yw'n gofyn i'r llanc gyfieithu. Saif yno, y cwrcyn du'n eistedd ar ei ysgwydd, yn gwylio'r haul yn dringo i hawlio'r awyr. Sylwa wedyn fod y ddau wedi tawelu a bod Simôn wedi symud yn nes ato. Ar ôl ennyd arall o dawelwch mae'n codi ei law ac egluro. *Wôban.* Golau'r wawr. Dyna ydym ni. Y bobl sy'n byw yng ngwlad y wawr. Wôbanakiak.

Gwranda, fy mrawd. Mae'r wawr ar dorri. Edrych dithau ar y goleuni. Ymofyn am ffynnon dealltwriaeth ac yf yn fynych ohoni. Deffro, deffro, deffro, a rhodia fel plentyn y dydd. Dywedaf drachefn: yma y mae'r wawr, a'r haul yn codi i hawlio'r lle hwn fel y mae wedi'i wneud bob dydd ers dechrau'r Cread. Yma yr wyf, yn derbyn ei oleuni, yma, gyda Phobl Gwlad y Wawr. Mae'r wawr wedi torri, a'r haul yn codi arnaf. Mae'r adar yn canu: Deffro, o Gymro, Deffro. Ag oni chredi eiriau, cred weithredoedd. Edrych o'th amgylch a gwêl. Edrychaf. Gwelaf.

6

Heddiw yw ail ddiwrnod eu taith ac mae'n ddiwrnod euraid. Dywed Pene Wonse y dylai fod yn oerach, ond mae'n diolch am y tywydd annhymig. Cyfeiria at yr awel gynnes, ysgafn fel atgof anadl yr haf. Daw anadl y gaeaf cyn hir, meddai. Gall ddod trannoeth, trennydd neu dradwy, meddai, ond mae'n ddiolchgar am heddiw. Crensia dail coch a melyn o dan draed Rhisiart, sŵn sych a llawen, diolch i'r dyddiau di-law y maent wedi'u cael yn ddiweddar. Cred fod rhagor o liwiau'r hydref yn y canghennau uwch eu pennau erbyn hyn hefyd. Dywed Pene Wonse y gall hynny fod yn wir: maen nhw'n teithio i'r de ac mae'n ffaith i'r sawl sy'n sylwi arni fod dail yn glynu'n hwy yn y de. Gall diwrnod a hanner o gerdded fod yn ddigon i wneud gwahaniaeth. Ar y llaw arall, ychwanega'n ystyriol, mae'r coed ym mhob man yng ngafael Penibagos, a bydd yn rhaid iddynt un ac oll ddiosg eu dail cyn hir. Ond nid heddiw; mae'n diolch eto am atgof o anadl haf. Mae Simôn yn cyfieithu geiriau'i dad; er bod Rhisiart yn dysgu ac yn cofio nifer o eiriau newydd bob dydd, nid yw'n gallu deall llif iaith Pene Wonse pan fydd yn traethu'n rhydd.

Roedd wedi synnu pan ddysgodd ddoe eu bod nhw'n teithio i'r de. Mae Rhisiart yn ddyn sy'n meddwl am fapiau; mae'n eu ffurfio yn ei ben pan fydd yn teithio ac yn hoffi dweud wrtho'i hun fod y lle hwn i'r gorllewin i'r lle hwnnw a nodi bod y daith wedi mynd ag o i'r cyfeiriad hwnnw. Am ryw reswm roedd wedi tybio bod y llong wedi suddo rywle rhwng Boston a Strawberry Bank ac felly roedd wedi disgwyl i Pene Wonse a Simôn fynd ag o i'r gogledd. Ond, na, maen nhw'n teithio i'r de; suddodd y *Primrose* oddi ar yr arfordir i'r gogledd o Strawberry Bank. Gwerth dau ddiwrnod a hanner i'r gogledd, yn ôl Pene Wonse.

Mae arogleuon y coed wedi llenwi'i ben gydol y daith, cymysgedd o ffresni digamsyniol y pinwydd ac arogl sych, priddlyd y coed llydanddail, a'u lliwiau hardd yn addurno'r byd uwch ei ben a than ei draed. Mae'n dir caregog, gyda chreigiau o wahanol feintiau'n torri ar rediad llain neu allt. Cofia ei blentyndod yn Sir Gaernarfon: nofio mewn nant gyda'i dad a chodi'i lygaid i ystyried y mynyddoedd. Mae'r tir hwn bron mor garegog, ond mae'n hollol wahanol hefyd, yn galed mewn ffyrdd gwahanol mewn mannau ac yn feddal mewn ffyrdd gwahanol mewn mannau eraill. Penderfyna fod y ddaear yn dangos gwahanol esgyrn mewn gwahanol ddarnau o'r byd mawr hwn. Daw'r môr i'r golwg yn achlysurol, y llen werdd honno, anfeidrol ei maint, yn ymrolio'n barhaus i'r gorwel, gydag ambell ynys neu fryncyn o graig yn torri ar y tonnau bob hyn a hyn.

Maen nhw wedi bod yn cerdded mewn tawelwch am ychydig, y tri dyn yn dilyn llwybr cul trwy drwch o goed pinwydd, y cwrcyn du'n cerdded yn ymyl Rhisiart. Aeth oddi ar y llwybr unwaith, a dychwelyd â llygoden yn ei geg. Beth fydd Nita yn ei fwyta yn y gaeaf, gofynnodd Pene Wonse, pan fydd y llygod yn cysgu yn y ddaear? Adar, atebodd Simôn. A phan fydd yr eira'n rhy drwchus a'r adar yn clwydo'n rhy uchel? gofynnodd ei dad drachefn. Bydd Isiad Dawi yn rhoi bwyd i'w gyfaill oedd ateb y mab. Chwerthin wedyn, y ddau'n cnoi geiriau cyfarwydd drosodd yn eu cegau. *Widôba*. Nita. Efe, yr Un Du. Ond maen nhw wedi ymdawelu erbyn hyn, ac mae'r pedwar yn cerdded mewn distawrwydd, persawr y pinwydd yn llenwi pen Rhisiart.

I fyny allt wedyn. Mae'r tir yn fwy caregog yma ac mae'r coed yn teneuo. Ymlaen, yn dilyn llwybr i lawr i ddyffryn bychan, a sŵn nant yn eu swyno, sisial dŵr dros gerrig yn cymysgu â chrensian y dail sych o dan draed Rhisiart. Siarada Pene Wonse; dywed rywbeth wrth ei fab, geiriau cyflym nad yw'r Cymro yn eu deall.

'My father says I should tell you about the dying times.'

Erbyn iddyn nhw gyrraedd y nant mae Simôn wedi egluro. Mae am adrodd hanes diweddar eu pobl, yr hyn sydd wedi digwydd i Bobl Gwlad y Wawr ers i'r Ffrancwr a'r Sais ddod i'r glannau hyn. Hanes amseroedd y marw a ddaeth gyda'r Plachmon a'r Iglismôn. Oeda Rhisiart a gafael yn Nicolas Ddu cyn camu i'r garreg gyntaf a chroesi'r afonig. Ar gyrraedd y lan arall mae'n rhoi'r cwrcyn i lawr eto, ac mae'r anifail yn sboncio o'u blaenau. Dechreua'r dynion gerdded ac mae Simôn yn dechrau adrodd.

Oedd, roedd rhyfela. Cyrchoedd, ymladd, lladd. Ond nid dyna oedd hanfod amseroedd y marw. Marw o fath arall ydoedd. Angau a ddaeth ar hyd llwybr gwahanol. Pesychu. Chwyddo. Chwysu. Twymyn. Haint. Pla. *Akuamalsowôgan.* Daeth y Marw Mawr yn ôl dro ar ôl tro, weithiau'n lladd pedwar o bob pump mewn pentref ac weithiau'n lladd naw o bob deg. Diflannai pentrefi cyfain weithiau, y coed yn llyncu cartrefi, caeau, a gerddi. Ton ar ôl ton, môr o farwolaeth yn ergydio tir byw eu pobl. Yn ystod oes ei hen daid. Yn ystod oes ei daid. Yn ystod oes ei dad. Ac er nad yw'n hen, mae Simôn yntau wedi tystio iddo. Ton ar ôl ton, yn ysgubo teuluoedd cyfain o gof y genedl, yn cipio pentrefi yn eu crynswth, yn gwneud pobl yn bethau prin yng Ngwlad y Wawr. Ton ar ôl ton yn taro'r traeth, yn dod yn ôl ac yn ôl ac yn ôl. Mae'n air hir, ac mae Rhisiart yn cael trafferth cofio'r geiriau hir fel arfer, ond gŵyr yn ei esgyrn y bydd yn cofio'r gair hwn.

Akuamalsowôgan.

Mae Rhisiart yn gofyn i Simôn pam roedd ei dad wedi dewis rhannu'r hanes hwn ag o rŵan. A oes beddau gerllaw? Olion hen bentref diflanedig?

Siarada'r mab yn gyflym â'i dad ac yna mae'n trosi'r ateb. Nac oes, nac oes. Nage, nage. Dŵr y nant, yn sisial yn siriol rhwng y cerrig: mae'r sŵn llawen yn dod ag atgofion trymion.

Dechreua Rhisiart ofyn a ydynt wedi colli teulu a chydnabod, ond mae'n cau'i geg yn glep ar ôl gorffen ynganu'r gair cyntaf. *Have.* Nid *have you,* nid ydych chi wedi colli, dim ond yr un gair hwnnw. Wrth gwrs eu bod nhw wedi colli. Maen nhw wedi colli llawer. Teuluoedd cyfain. Pentrefi cyfain. Maent yn bobl a fuasai'n byw mewn pentrefi mawrion; pa beth yw eu cymuned rŵan? Pump o bobl yn byw mewn dau dŷ mewn llannerch. Dau deulu, un yn ddi-blant, a Simôn yntau'n unig blentyn. Gweddillion ydynt. Gŵyr fod cymunedau eraill o Bobl Gwlad y Wawr yn byw yn y fro hon, ond gweddillion ydynt yr un fath. Mae arno eisiau agor ei geg eto a dweud rhywbeth arall, rhannu'i hanes ei hun yn hytrach na gofyn cwestiwn. Dweud ei fod wedi profi dinistr yr Angau hwnnw. Y march gwelw-las yn carlamu trwy rengoedd y fyddin yn Reading. Y Pla Bach yn dwyn y cyfan oddi arno yn Llundain.

Ond ni all ynganu'r geiriau. Mae'n llyfrdra o fath − gwrthod rhannu'i golled â rhai sydd wedi colli mwy nag o. Gŵyr Rhisiart mai dyna ydyw, ond ni all rannu'r hanes hwn ac nid yw'n siarad. Cwyd ei lygaid a sylwi ar y modd y mae haul y prynhawn yn cynnau'r dail melyngoch uwchben y llwybr. Harddwch sy'n ei gwneud yn anodd iddo anadlu. Llawenydd sy'n dod ag atgofion trymion.

7

Pesgatak was.

Dywed Pene Wonse y geiriau trwy wên lydan, ac wedyn siarada'n gyflym ac mae'i fab yn chwerthin. Ceisia Simôn egluro: mae enwau ac wedyn mae yna enwau, rhai yr ydym ni'n eu defnyddio'n barhaol a rhai sy'n mynd a dod. Ers iddynt gyrraedd y glannau hyn y mae'r Ffrancwr a'r Sais wedi cymryd rhai o'r enwau hyn a gwrthod eraill. Weithiau maent yn cymryd geiriau nad ydynt yn enwau a'u troi'n enwau. Ond mae Pene Wonse yn hoffi'r enw hwn. *Pesgatak was,* mae'r dŵr yn edrych yn dywyll.

Safant ar lethr foel yn astudio'r afon lydan. Mae ynysoedd bychain yn ymyl y lan hon ac un hwy i'w gweld yr ochr draw. Mae'r llethrau hyn wedi'u hamddifadu o'r coed, a gall Rhisiart weld yr olygfa yn glir – yr afon yn agor mewn aber a'r môr y tu hwnt, dŵr llwyd tywyll yn troi'n wyrdd tywyll yn nheyrnas yr heli. Gwêl un adeilad pren mawr yn ymyl y lan o danynt, nid tŷ o wiail a rhisgl bedw ond adeilad hirsgwar praff gyda chorn simdde o gerrig. Atgof o dai Lloegr, er bod rhyw wahaniaeth yn ei adeiladwaith. Gwêl ambell dŷ arall ar y lan arall ac ar rai o'r ynysoedd, er nad ydynt ond smotiau bychain.

Synhwyra bresenoldeb taer ei gyfeillion. Try a chanfod wynebau difrifol, y gwenu a'r chwerthin wedi ymadael â nhw. Siarada Pene Wonse yn gyflym ac yna mae'n gwasgu rhywbeth i law Rhisiart, llyfryn tenau wedi'i lapio mewn defnydd meddal.

'We made this for you. My father drew the land and I wrote the names. All for you.' Dywed Simôn mai *awighigan* ydyw. Dywed y bydd yn ei gynorthwyo ar ei siwrnai o'r lle hwn i ben ei daith. Mae'n crynhoi llawer o wybodaeth; bu ei fam a'i dad yn ymgynghori â Msadokwes ac Asômi am yn hir, yn cloddio cof ac yn dehongli'r straeon a glywid gan deithwyr. Mae'n *awighigan* da a manwl. Bydd yn gydymaith ffyddlon. Ac wedyn mae Pene Wonse yn gafael yn ei fraich.

Wlibomkanni, Isiad Dawi.

Dos yn iach, Rhisiart.

Dos yn iach, *nidoba*, fy nghyfaill.

Plyg i roi mwythau i Nicolas a phan gwyd eto mae gwên ar ei wyneb. Dywed Simôn fod ffarwelio'n llawen yn well bob amser. Mae gwên ar ei wyneb yntau.

Daeth y ffarwelio hwn yn ddisymwth, ac nid yw'n barod amdano. Roedd wedi gobeithio dweud mwy. Traddodi araith o ddiolch. Saernïo geiriau a fyddai'n mynegi ei deimladau. Ond maen nhw'n ymadael yn ddisymwth, ac nid oes ganddo gyfle i chwilio am y geiriau hynny. Mae'n fud ac mae ei fudandod yn boenus. Ond daw o hyd i ddau air cyn iddynt droi a cherdded yn gyflym i fyny'r llethr.

Wlibomkanni.

Wlioni.

Ffarwél.

Diolch.

Cerdda'n bwyllog i lawr yr allt, yn nodi ambell foncyff yn hel mwsog yng nghanol y gwair. Coedwig a gollwyd. Coed a dorrwyd i wneud pren ar gyfer llongau neu dai. Tanwydd i gynhesu cartref neu i fwydo ffwrnais.

Cyrhaedda ddrws y tŷ. Gwaedda halo. Diflanna'r cwrcyn, yn canlyn llwybr ysglyfaeth o dan sylfeini'r adeilad. Gwaedda Rhisiart eto.

Halo?

Mae'n codi dwrn i guro'r drws, ond daw llais i'w rwystro.

'I saw you from the bank. I am Thomas Fernald.'

Mae'r acen yn Seisnig ond eto mae'n anodd iddo leoli'r union flas sydd ar iaith y dyn. Gwlad yr Haf? Dyfnaint? Arlliw o Rydychen ond eto'n wahanol?

'My name is Rhisiart Dawi. I sailed on the *Primrose*, a ship which foundered off these shores some weeks hence.'

Cyn iddo orffen y frawddeg, mae'r cwrcyn yn ymyl ei draed, llygoden yn ei geg. Sylwa'r Sais arno a saif y ddau ddyn yno'n dawel am ennyd, yn gwylio Nicolas Ddu, y naill mewn syndod a'r llall yn falch o'r cyfle i beidio â siarad. Nid oes sŵn ar wahân i gracio'r esgyrn bychain yng ngheg y cwrcyn ac ochneidio gyddfol isel yr anifail.

'Well! I see you have not come to my door alone!'

Ni ddywed Rhisiart air; nid yw am rannu rhagor o'i hanes â'r dyn hwn. Ac felly mae'n aros yn dawel, ei lygaid ar y cwrcyn bodlon wrth ei draed.

Nid wyf wedi dyfod ar fy mhen fy hun, naddo. Daeth hwn i'r lan yn gydymaith i mi. Fi, yr unig enaid byw a ddaethai i'r lan ag anadl einioes ynddo. Plymiais yn ddwfn i'r dyfroedd duon, euthum i lawr ceg dywyll Uffern. Nid yw'n danllyd ac yn boeth ond yn rhewllyd o oer. I lawr yr euthum yng ngafael yr oerfel marwol hwnnw, i lawr yn bell o deyrnas goleuni a bywyd, ond deuthum i'r lan yn fyw.

8

Nid yw'n dref. Nid yw'n bentref hyd yn oed; hynny yw, nid yw'n debyg i bentrefi Cymru a Lloegr. Rhyw ddeugain o dai ac ambell ysgubor, gweithdy, a melin, wedi'u gwasgaru ar hyd glannau'r afon, gydag ambell un ar yr ynys fwyaf. Er nad oes gan y gymuned ganolfan fel y cyfryw, mae'r rhan fwyaf o'r adeiladau ar y lan ddeheuol, ac felly trefnasai Thomas Fernald gwch i fynd â Rhisiart ar draws y dŵr. Y Piscataqua yw'r enw y mae'n ei roi ar yr afon, y gair yn rholio'n fain oddi ar dafod y Sais.

Bu'n gyfeillgar iawn ac yn barod ei gymorth, ond roedd yn awyddus i'r Cymro wybod ei fod yn ddyn o bwys yn yr ardal. Mab i'r diweddar Renald Fernald, yr hen feddyg enwog, dyn a gawsai les ar lan ogleddol y Piscataqua gan neb llai na Syr Ferdinand Gorges ei hun. Er na wyddai Rhisiart am dad Thomas Fernald, roedd ganddo ryw frith gof ei fod wedi clywed yr enw arall ryw dro yn y gorffennol – cyd-filwyr o Lundain neu o Fryste, efallai, yn crybwyll enw Syr Ferdinand wrth fynd heibio. Ond ni ddangosodd ei anwybodaeth nac ychwaith ei wybodaeth, dim ond gwrando'n gwrtais ar ddisgrifiad Thomas Fernald o'i hawl ar dir, hanes, ac urddas. Eisteddai Rhisiart yno'n dawel, golwg ar ei wyneb y gallai'r Sais ei ystyried yn barch, ei feddwl yn crwydro i ystyried geiriau cyfarwydd.

Ond mae pob un yn ymbalfalu fel dall am y mur ag am y goreuon, ac yn chwilio am ryw beth i lenwi ei lygaid, i esmwytho ar ei galon, ac i oeri'r chwant tanllyd sydd o'r tu mewn iddo, ac yn byw megis ar lan traeth, lle mae llanw a thrai cnawd a gwaed yn ymgyrchu yn ddibaid. Ped fai pawb yn plygu i mi fel i Dduw mi a fyddwn gŵr gwych, medd un. Pe cawn i berfedd y ddaear i'm cist a'm coffr, mi gysgwn yn llonydd a gwyn fyddai fy myd, medd arall. Ond o, y Cymro, nid yw'r un o'r rhain yn adnabod daioni. Mae'r bobl yn ceisio'r byw ymysg y meirw ac yn chwilio am yr haul ymhyllau'r ddaear.

Fe'i traddodid o dŷ i dŷ ac o deulu i deulu nes i rywun feddwl tua diwedd y prynhawn am y lle priodol iddo. *But of course: take him to the Welshman.* Y Cymro. Unig Gymro'r gymuned. Cymro Strawberry Bank. Ac felly yma y mae heno, yn eistedd o flaen y tân yng nghartref Gwilym Rowlant, yn dysgu nad Cymro Strawberry Bank ydyw, ond Cymro Portsmouth.

'Dyna ti, Rhisiart, fy machgen i, mae'r enw wedi'i newid ers tair o flynydde. Mae'r petision 'da fi ar fla'n fy nhafod, yn gyflawn yn fy nghof. Ro'dd 'da fi ran yn ei lunio fe, ti'n gweld.' Mae enw Gwilym Rowlant wedi'i newid hefyd – William Rowlands y'i gelwir gan Saeson Portsmouth – ond mae'n falch cael siarad â Chymro arall. Dyn arall sy'n deall ei enw.

Mae'n ddyn mawr, gyda bol sy'n dangos ei fod yn mwynhau bywyd a bwyd, ac mae'r gadair yn gwichian cwyno pan symuda ei bwysau fymryn. Mae locsyn pigfain gwyn yn addurno'i leuad o wyneb, a'i wallt yn syrthio'n gudynnau torchog ar ei ysgwyddau llydan.

'Y lleill dorres eu henwe arno fe. Pendleton, Fernald, Haines, a Sherbourn. Ond ro'dd 'da fi ran yn llunio'r petision. Cystal rhan â'r un ohonyn nhwythe. Ac rwy'n ei gofio air am air.' Mae'n codi llaw, un bys wedi'i ymestyn a'i anelu at ei arlais ei hun. 'Yma mae fe. Yma, yng nghesail fy nghof.' Symuda'i gorff sylweddol ychydig, y gadair yn gwichian ei rhybudd, a dechreua adrodd mewn llais uchel, ei acen yn rhyfeddol o Seisnigaidd. 'To the honoured General Court at Boston, this present month of May 1653, the humble petition of the inhabitants of the town at present called Strawberry Bank, showeth...' Geiriau balchder i esmwytho'r galon, tlysau daearol i lenwi'r llygaid. Dynion yn twyllo'u hunain, yn gadael i'w dallineb eu harwain i feddwl bod safle, cyfoeth, a grym yn ffynonellau goleuni. Rhwysg y meirw yn baglu ym myd y byw a'u llygaid wedi'u cau i'r haul. *Honour. Commonwealth. Captain. Court.* Pob gair yn lluman, yn faner sy'n ceisio hawlio darn o dir. Coeg ymffrost anrhaith. 'The desire of your humble petitioners is that this honoured Court would grant us the neck of land... Strawberry Bank, accidentally so called by reason of a bank of strawberries found in this place upon the first landing, that we now humbly desire to have called Portsmouth.' Pwysa ymlaen ychydig, y gadair yn bygwth chwalu o dano. 'Rwyt ti'n gweld, fy machgen i, mae'r enw'n gweddu'n well, gan ein bod ni'n byw yma yn ymyl yr aber. Bydd porthladd yma, ti'n gweld, un i ryfeddu ato fe. Dyw hi ddim ond megis gwanwyn arnon ni yma, ond pan ddaw'n gynhaeaf ar y gymuned hon, a ninne'n medi ffrwyth ein llafur, bydd y byd yn gweld mai yma y mae'r porthladd mwya yn Lloegr Newydd. Bydd yn fwy na Salem, yn fwy na Plymouth, yn fwy na Boston. Hwn fydd y lle, fy machgen i, ac yma y byddaf i, yn barod i gymryd fy nghyfran i o'r cyfoeth fydd yn llifo trwyddo fe.'

Mae Rhisiart yn gwrando'n astud, yn dangos cwrteisi priodol i'r dyn hwn sydd wedi'i groesawu i'w dŷ, ond hefyd am reswm arall: mae wedi deffro o'r newydd i'w genhadaeth. Bu'r prynhawn hwnnw yn brofiad y gellid ei ddisgrifio fel deffro'n araf. Gadael un byd a dyfod i fyd arall. Ciliai Gwlad y Wawr o flaendir ei feddwl fel breuddwyd nos yn toddi yng ngolau'r dydd. Wrth iddo gael ei draddodi o dŷ i dŷ ac o deulu i deulu, wrth iddo gyfarfod â Saeson gydag enwau fel Fernald a Cutt a Haines a Smyth, daeth yn raddol i ddeffro i'r presennol hwn: Lloegr Newydd. Ac rŵan y mae'n eistedd yma yng nghartref unig Gymro Portsmouth, yn siarad yn ei famiaith ac yn cnoi cil ar y genhadaeth a roddasai y Cyrnol Powel iddo. Ei di, Rhisiart?

Methodd y Sais Miles Egerton, a dyma pam rwyf wedi gofyn amdanat ti, Rhisiart. Ei di?

Ar ôl mynd i'r bwrdd a bwyta, mae'r ddau ddyn yn dychwelyd i'w cadeiriau o flaen y tân. Mae Gwilym Rowlant yn ŵr gweddw. Mae ganddo un plentyn byw, un mab, ond mae hwnnw wedi mynd i'r môr, yn gapten ar long. Mae ganddo was a morwyn, ond maen nhw wedi diflannu i'r gegin a gadael eu meistr gyda'i westai. Cysga'r cwrcyn o flaen y tân; teithiai yntau o gartref i gartref gyda'r newydd-ddyfodiad, yn destun syndod, rhai'n crechwenu ac eraill yn sisial. Dim ond rŵan, ar ôl rhai oriau yng nghwmni'i gilydd, mae'r hen fasnachwr yn cyfeirio ato.

'Gwylia di, fy machgen i, os doi di ar draws y crefyddwyr penboeth yna. Dyweden nhw mai gwrach wyt ti, gyda'r creadur bach hwn yn dy ganlyn i bob man.' Chwincia'n chwareus ar Rhisiart, yn codi'i bib glai hir ac yn sugno'n ddwfn arni. Cynigiodd un i Rhisiart, ond gwrthododd. Chwyrlïa'r mwg tybaco yn yr awyr, ei arogl chwerw yn cymysgu â chynhesrwydd arogl y coed sy'n llosgi'n braf yn y tân. Tyn y bib o'i geg a'i hymestyn at Rhisiart fel bys hir, cyhuddgar.

'Dy ddillad di hefyd.'

'Fy nillad i?'

'Ie, fy machgen i. Rhaid i ni gael rhywbeth arall i ti ei wisgo.'

'Paham?'

Amneidia â'i bib eto, yn pwyntio at ben-gliniau trowsus Rhisiart.

'Ôl llaw Indian sydd ar y gwaith clwt yna. Paid di â cheisio gweud fel arall. Bydd pobl yn siarad, Rhisiart. Ddylet ti ddim tynnu sylw atat ti dy hun fel'na. Thâl hi ddim, fy machgen i.'

Rhydd y bib yn ôl rhwng ei ddannedd a sugno'n fodlon arni, yn pwyso'n ôl, y gadair yn gwichian o dano. Nid yw Rhisiart yn sôn am Bobl Gwlad y Wawr. Nid yw'n enwi Pene Wonse, Simôn, na Malian. Ond nid yw'n ceisio gwadu gwirionedd geiriau Gwilym Rowlant chwaith. Mae'r hen ddyn yn mwynhau clywed sŵn ei lais ei hun – yn enwedig, mae'n debyg, gan ei fod yn clywed ei lais ei hun yn siarad Cymraeg am y tro cyntaf ers talm – ac felly mae Rhisiart yn gadael iddo siarad. Traetha'n faith ac yn fanwl am hanes ymwneud y Saeson â'r brodorion. Disgrifia'r rhyfel â'r Pequot ugain mlynedd yn ôl, y dinistr a'r colledion. Mae'n egluro'r hyn a ddigwyddodd ryw ddeng mlynedd wedyn pan ddaeth John Eliot o Loegr gyda chomisiwn gan y Senedd ei hun a digon o arian yn ei logell i sefydlu cenhadaeth Gristnogol rymus ymhlith y Wampanoag. Troes llawer ohonynt yn Gristnogion.

'Praying Indians – dyna y'n nhw, Rhisiart. Ond maen nhw'n gwneud mwy na gweddïo.' Chwincia eto a thynnu'n hir ar ei bibell.

'Dwi ddim yn deall. Pa beth arall maen nhw'n ei wneud?'

'A-ha! Wel, fy machgen i, dyna yw camp y peth. Mae'n gynllun rhyfeddol o dda. Penderfynwyd eu gosod mewn pentrefi newydd o amgylch Boston.'

'Gwela i. Cyfres o gaerfeydd o gwmpas eich prif ganolfan. Amddiffynfa. Yn gwarchod.'

'Dyna'n union yw hi, Rhisiart. Llinell o bentrefi yn gwarchod Boston a'r cyffiniau rhag ofn bod y lleill yn ymosod eto. Mae digon ohonyn nhw yn llechu yn yr anialwch, wyddost ti. Y Narragansett. Y Massachussett. Yr Abenaki. Y Mohegan. Y Nipmuck a'r Pocumtuck. Mae digon ohonyn nhw i'w cael. Ac felly mae'n dda cael Indiaid Cristnogol yn amddiffynfa, fel rwyt ti'n ei weud. Llinell gadarn rhyngon ni a nhw.' Sugna'n daer eto, ei fochau'n pwffian yn swigod mawr, ond ni ddaw'r mwg. Tyn y bibell o'i geg ac edrych arni'n siomedig wrth ganfod bod y tybaco wedi darfod.

'Ond mae un peth am y cynllun nad yw'n iawn.'

'Beth yw hwnnw?'

'Mae'r Wampanoag Cristnogol yn gwarchod Boston a'r cyffiniau, ond dy'n nhw ddim yn ein gwarchod ni. Mae'r llinell yn rhy bell i'r de ac i'r gorllewin. Y'n ni yma yn y gogledd yn gorfod edrych ar ôl ein hunain. Ac felly'r dillad.'

'Y dillad?'

'Ie, fy machgen i. Y dillad. Bydd rhaid i ni gael dillad newydd i ti. Thâl hi ddim i bobl yn y parthau hyn feddwl dy fod yn rhy gyfeillgar gyda'r anwariaid.'

Siarada Gwilym Rowlant am yn hir, yn doethinebu ac yn cynghori. Mae'n oedi bob hyn a hyn a gofyn cwestiwn, ond nid yw'n pwyso am ormod o atebion. Daw'n ôl eto ac eto i'w hoff destun: masnach. Mae'n cymryd yn ganiataol bod Rhisiart wedi dod i'r Amerig i wneud ei ffortiwn.

'Mae'n dda 'da fi weld bod Cymro arall wedi'i mentro hi i'r glannau hyn. Does dim digon o fenter ynon ni'r Cymry fel rheol. Dyna yw fy mhrofiad i. Mae'r Cymry yn rhy gaeth i'w gorffennol. Yn troi'r un hen diroedd â'u tadau, yn canlyn yr un aradr, yn cerdded yr un llwybr. Ond mae dynion sy'n mentro ymhlith y Saeson. I'r sawl sy'n mentro y daw'r wobr, dyna un peth sy'n sicr am y byd hwn, Rhisiart Dewi. A'r glannau hyn yw'r lle i fentro, rwy'n gweud 'thot ti. Os wyt ti'n mo'yn aros yma yn Portsmouth, galla i fod o gymorth. Rhoi hwb bach yma ac acw. Dy osod wrth fenter fydd yn talu.'

'Mawr yw fy niolch am eich caredigrwydd. Ond mae gen i deulu yn bellach i'r gorllewin. Dw i'n gobeithio cael hyd iddyn nhw, a dechrau o'r newydd yn y lle hwnnw.'

Mae'r hen ddyn yn gosod ei bibell oer ar ei lin, un llaw'n anwesu'i locsyn, ei lygaid yn craffu ar Rhisiart.

'Cymry eraill? Yn y parthau hyn?'

'Ie. Nifer ohonyn nhw.'

Try ei ben a syllu i'r tân.

Erys y masnachwr yn dawel am ychydig, a phan siarada eto mae ei lais yn freuddwydiol o bell.

'Mi wn i pa rai rwyt ti'n sôn amdanyn nhw, Rhisiart.'

'Ydach chi'n gallu fy nghynorthwyo, felly?'

Mae Gwilym Rowlant yn chwilota mewn poced, ond ar ôl cael hyd i'w dybaco mae'n codi ei lygaid i astudio wyneb Rhisiart.

'Dyw e ddim yn fater o gynorthwyo.'

'Dw i ddim yn deall.'

Nid yw'r dyn hŷn yn ei ateb. Mae ei lygaid yn edrych i lawr, yn astudio'i fysedd plwmp ei hun, a hwythau'n brysur yn llenwi powlen y bib â thybaco. Wedi gorffen y gwaith, mae'n dechrau pwyso ymlaen fel pe bai am godi, ond saif Rhisiart yn gyntaf. Cydia mewn brwynen sych o'r fasged yn ymyl yr aelwyd a'i dal yn y tân. Try wedyn a chynnig y fflam i Gwilym Rowlant. Amneidia yntau i ddiolch, coes y bib glai yn sownd rhwng ei ddannedd, ac estyn llaw er mwyn cymryd y frwynen. Gwasga'r fflam i'r bowlen, ei fochau'n pwffian yn galed. Ar ôl i'r mwg ddechrau llifo mae'n lluchio hynny o'r frwynen sydd ar ôl i gyfeiriad y tân a thynnu'r bib o'i geg, y mwg yn ymrolio o gwmpas ei wyneb mawr crwn.

'Fyddi di ddim yn cael hyd iddyn nhw, fy machgen i.' Sugna ar y bib unwaith eto, a chwythu'r mwg dros ei wefusau. 'Thâl hi ddim i ti obeithio.'

Mae'n astudio wyneb Rhisiart, yn ceisio asesu effaith ei eiriau arno. Pan siarada eto mae ei lais yn fwy tosturiol ac yn gynhesach.

'Maen nhw'n gweud bod Jeriwsalem Newydd wedi methu. Mae'n flin 'da fi, fy machgen i, ond dyna glywais i. Does neb yno. Mae wedi canu arnon nhw. Mae pawb wedi marw, mwy na thebyg. Pla neu'r anwariaid. Pawb wedi diflannu. Pawb a phopeth.'

Sugna eto, yn codi ei ên fymryn, a chwythu'r mwg mewn torch i gyfeiriad y nenfwd.

'Does dim byd yno ond anialwch. Mae tywyllwch y coed wedi llyncu'r cyfan.'

Mae Rhisiart yn syllu ar y tân, yn osgoi llygaid Gwilym Rowlant.

9

Mae'r noson yn dywyll ond gadawodd gwas Gwilym Rowlant gannwyll yn llosgi yn yr ystafell. Eistedd Rhisiart ar ymyl y gwely, yn pwyso dros y bwrdd bach, anrheg ei gyfeillion yn ei ddwylo. Dechreua ddadlapio'r deunydd meddal. Croen anifail ydyw, ond nid yw'n lledr. Carw, mae'n rhaid. Y cig wedi'i fwyta, yr esgyrn wedi'u troi'n offer o wahanol fathau, a'r croen wedi'i droi'n rhywbeth arall. Darn hirsgwar a dorrwyd gan ddwylo deheuig, a'r dwylo hynny wedi'i weithio a'i weithio a'i droi'n sidanaidd o feddal. Mae sypyn o bapur y tu mewn. Llyfryn tenau. Edrych Rhisiart yn agosach, yn ei ddal ychydig yn nes at fflam y gannwyll, a gwêl nad papur mohono ond rhisglyn. Darn o risglyn bedwen, wedi'i dynnu'n ofalus o'r goeden gan ddwylo deheuig a'i weithio a'i weithio a'i droi'n rhywbeth arall. Gwêl nad yw wedi'i rwymo fel llyfr; daw'r trwch o'r modd y mae wedi'i blygu arno'i hun. Mae'n ei agor, plyg ar ôl plyg, fel map, a'i osod ar y gwely.

Awighigan.

Cwyd y gannwyll a'i symud uwchben y ffurfiau hardd. Gwlad ydyw, byd bychan yn hanner ymddangos iddo yng nghysgodion y nos. Mae'n deall ystyron y ffurfiau'n reddfol. Dyma afonydd, llynnoedd, mynyddoedd, a chymunedau, eu llinellau wedi'u ffurfio'n gain, weithiau'n chwareus o gymhleth ac weithiau'n stoicaidd o syml. Llawysgrifen arall a greodd y geiriau. Crwydra llygaid Rhisiart i ymyl y byd a nodi bod afon fawr yn aberu i'r môr, gyda'r geiriau Pesgatak was Piscataqua wedi'u hysgrifennu ar ei hyd. A dacw smotyn bach cymhleth. Craffa arno a gweld tai wedi'u gwasgu ynghyd â dynion bychain ym mhob man o'u cwmpas, osgo eu cyrff morgrugaidd yn awgrymu prysurdeb, a'r geiriau Straebery Banke Portsmouth o dan y cyfan. Daw gwên i wefusau Rhisiart: gwnaethpwyd yr *awighigan* hwn i'w gyfarwyddo ef ym myd yr Iglismôn yn ogystal â'i dywys trwy diroedd Pobl Gwlad y Wawr. Llinellau ceinion a siapiau awgrymog wedi'u disgrifio mewn cymysgedd o iaith y Sais a geiriau'r Wôbanakiak, yn sianelu cof, cyfarwyddyd, a chyngor. A'r cyfan wedi'i greu er mwyn ei dywys o.

Carwr y Cymro Hwn.

Awighigan Isiad Dawi.

Anadl y gaeaf.

Chwytha'r gwynt trwy'r coed, yn ysgwyd canghennau lleiaf y pinwydd. Mae'n finiog o oer ac mae'n gafael yn y cnawd. Gŵyr Rhisiart cyn gorffen ei frecwast fod gweddillion yr hydref y tu ôl iddo. Bydd yn cerdded i gyfeiriad y gaeaf heddiw.

Roedd yn braf pan gychwynasai wythnos yn ôl, atgof o anadl yr haf yn yr awyr o hyd, ond mae'n oeri bob nos. Deffrodd heddiw i wynt oer yn datgan bod gaeaf ar y ffordd. Mae'n gwisgo'r dillad a dderbyniodd yn rhodd gan Gwilym Rowlant. Esgidiau lledr uchel gyda gwadnau caled, da. Trowsus brethyn trwchus. Dau grys o dan gôt hir o ledr bwff. Het a chantel llydan ar ei ben. Mae cleddyf yn hongian o'i wregys a phac ar ei gefn, ei blanced wedi'i phlygu a'i chlymu uwchben y sypyn. Mae mwsged yn ei law, y gorau y gallai'r masnachwr ei brynu.

Bu'n ceisio darbwyllo Rhisiart i beidio â mynd ar y siwrnai gydol y ddau ddiwrnod cyntaf y bu'n aros yn ei gartref. Dywedodd mai ffolineb ydoedd. Gwastraff o'i amser ar y gorau, gwastraff o'i fywyd ar y gwaethaf. Ond erbyn y trydydd diwrnod gwelodd Gwilym Rowlant nad oedd modd troi meddwl ei gyfaill newydd, ac felly ymroes i'w helpu i ymbaratoi. Ffarweliasai â Nicolas Ddu a Gwilym ar yr un pryd. Roedd yr hen fasnachwr wedi cymryd at y cwrcyn, a'i forwyn yn canmol y gwaith a wnâi yn difa llygod, a chan fod yr anifail yntau wedi hawlio'i le yn y cartref, dywedodd Rhisiart y dylai aros. Yn iach, Nicolas. Ffarwél, Old Nic. *Wlibomkanni*, Nita. Nid ei di'n ôl i'r môr; mae dy ddyddiau crwydro ar ben. Aros di yma, yn hela'n hamddenol ac yn cysgu'n dawel o flaen tân Gwilym Rowlant. Derbyniodd un gymwynas olaf gan drigolion Portsmouth – taith mewn cwch ar draws lledred peryglus y Piscataqua – ac wedyn ymadawodd yn ddyn unig, yn cerdded ar hyd glan ogleddol yr afon.

Teithiai i'r gogledd-orllewin wedyn, yn dilyn llinellau ceinion ei *awighigan*. Deuai i adnabod natur y coedwigoedd mawrion, y newidiadau cynnil yng ngwyrddni tywyll y pinwydd, y coed llydanddail, eu canghennau'n esgyrnog o noeth, yn poblogi ymylon llannerch neu gors. Gwahanol fathau o goed bedw – weithiau'n syfrdanol o denau a thal, weithiau'n hawlio llai o sylw, weithiau'n fedwen unig mewn llain o binwydd ac weithiau'n ymgasglu'n fintai gref. Sylwa dro ar ôl tro fod tair bedwen yn tyfu'n ymyl ei gilydd yn aml, eu canghennau noethion yn plethu yn ffurf eu trindod. Cama dros aml i fedwen farw hefyd, y goeden wedi syrthio ar draws y llwybr, ei rhisgl gwyn yn araf ildio i frown wrth i weddillion y pren marw ddychwelyd i'r pridd.

Daeth i adnabod gwahanol fathau o dir gwlyb. Corsydd llawn brwyn, weithiau gydag ychydig o ddŵr i'w weld yn y canol, ac weithiau gyda'r tyfiant yn llenwi'r cyfan, greddf yn unig yn dweud bod dŵr o dan y brwyn a'r dail meirwon. Y gwahanol siapiau a ymffurfia pan fydd afonig yn cwrdd â chors neu bwll, dŵr croyw, clir, yn cymysgu â myllni tywyll. Llynnoedd o wahanol feintiau, a'r gwahaniaeth rhwng llyn a llyn – cerrig gloywon i'w gweld trwy ddŵr clir un, a dyfroedd mawnog tywyll yn cuddio cyfrinachau un arall. Mae dail lili llydan yn addurno wyneb ambell bwll, ac mae glan ambell lyn wedi'i ffurfio gan waith yr afanc, argae o frigau coed ar ogwydd, yn tywys y llygad o'r tir i'r dyfnder. Gall fod yn anodd adnabod ffin rhwng afon, aber, cors, a llyn, ond mae'r *awighigan* wedi'i dywys yn ffyddlon trwy'r cyfan hyd yn hyn.

Daeth i adnabod gwahanol fathau o dir caregog hefyd. Mae talpiau mawr o wenithfaen yn ymddangos yma a thraw, weithiau fel creigiau'n codi'n uchel allan o'r tir, ac weithiau fel llawr caled wedi'i hanner cuddio gan y mwsog, y gwair, a'r dail meirw, fel pe bai rhywun wedi taenu'r haen denau hon yn garped dros y graig galed sy'n ffurfio'r llawr. Carreg yw'r tir hwn; celwydd gwyrdd yw'r cen o fwsog sy'n ceisio cuddio'r holl wenithfaen o dan ei draed.

Mae mynyddoedd. Maen nhw'n fynyddoedd coediog gan mwyaf, gwyrddni'r pinwydd yn eu gwisgo, ond mae ambell glogwyn ac ambell gopa sy'n foel neu'n lled-foel, pig pŵl yn codi o'r coed fel pen cawr, ei drwyn wedi'i droi i'r awyr a'i lygaid wedi'u cau.

Daeth yn law un noson, ac un noson yn unig, a chan iddo gysgodi o dan silff o garreg a ffurfiai ffau gymharol sych, nid oedd lawer gwaeth pan ddeffrodd y bore wedyn. Gwêl aml i garw yn ystod y dyddiau, a gallai fod wedi saethu un am ei gig, ond mae digon o fara a chaws a physgod hallt wedi'i fygu yn ei sach, ac ni fynna wneud sŵn. Oeda i yfed dŵr y nentydd cyflym, ond bwyta wrth gerdded yw ei arfer. Saif bob hyn a hyn yn cnoi tamaid ac yn astudio'r *awighigan*, yn cymharu'r llun hwn neu'r arwydd hwnnw gyda'r nodweddion tir a wêl o'i gwmpas. Aethai o lan llyn i odrau bryn, ar hyd afonydd a thrwy fylchau yn y mynyddoedd, llinellau ceinion llaw Pene Wonse yn ei dywys ymhellach ac ymhellach i ffwrdd o drefedigaethau'r Iglismôn, y cyfan yn ei arwain i un gornel o'r *awighigan*. Yn y gornel honno mae arlun cymhleth, plethwaith o linellau'n awgrymu tai a dynion yn debyg i'r un a enwyd yn Straebery Banke Portsmouth gan Simôn. Ond nid oes yr un hiwmor yn perthyn i osgo'r dynion bychain hyn. Nid oes enw ar y lle chwaith, ond gŵyr Rhisiart ystyr y llun. *U tali.* Yma, yma y mae.

Ac felly mae'n paratoi ar gyfer diwrnod arall o gerdded. Ar ôl cadw'i ychydig bethau yn ei sach, mae'n astudio'r *awighigan* a fydd yn ei dywys i'r lle hwnnw. *U tali.* Dylai gyrraedd ymhen rhyw dridiau arall o gerdded. Dylai gyrraedd cyn i'r eira ddod yn ormod o drwch i'w rwystro, ond mae'i anadl yn codi'n darth o flaen ei lygaid ac mae'n gwybod y bydd yn cerdded i gôl y gaeaf.

Mae'n plygu'r papur rhisglyn a'i gadw'n saff ym mhoced ei grys. Symuda'n gyflym, yn cau'i gôt yn erbyn yr oerni, yn gwisgo'i sach ac yn codi'i fwsged. Dechreua gerdded, y gwynt yn ysgwyd canghennau'r pinwydd uwch ei ben.

II

Saif yn llonydd.

Teimla y dylai ddiflannu yn y cysgodion. Teimla y dylai geisio gwneud ei hun yn fach. Teimla y dylai guddio. Ond gŵyr na ddylai symud a thynnu sylw ato'i hun. Aros yn llonydd yw'r unig ddewis sydd ganddo. Mor llonydd â'r coed o'i gwmpas.

Mae wedi bod yn cerdded ar waelod llethr. Dyma'r tir mwyaf caregog y mae wedi'i weld yn ystod y daith; mae esgyrn y ddaear yn ei gwneud hi'n anodd i wreiddiau'r coed ddal eu gafael, ac felly mae ambell lain foel yn torri ar drwch y coed yma ac acw. Yng nghanol un o'r lleiniau agored hyn y gwelodd rywbeth yn symud. Funud yn ôl. Yno, rhyw ddau gan llath i fyny'r allt. Pobl. Tri dyn yn cerdded yn frysiog ar draws y tir agored. Pobl Gwlad y Wawr, yn ôl pob tebyg. Mae'n sicr nad ydynt yn Saeson. Rhyw genedl frodorol arall, o bosib. Ac maen nhw yna, yn cerdded o flaen ei lygaid, y dynion cyntaf iddo eu gweld ers iddo ymadael â Portsmouth. Saif yno, yn llonydd, yng ngafael ias y gwybod nad yw ar ei ben ei hun.

Teimlai ar adegau yn ystod y dyddiau diwethaf fod llygaid arno. Ond ni châi sicrwydd. Bob tro yr oedai i droi'i ben a chraffu ar y cysgodion o dan y coed nid oedd neb i'w weld yno. Ond dyma nhw rŵan, yn llithro ar draws y tir caregog agored, yn symud yn bwrpasol.

Cyn iddyn nhw ddiflannu yn y coed unwaith eto, mae un o'r tri'n troi'i ben. Nid yw'n oedi, dim ond troi'i ben i edrych ar Rhisiart. Nid oes arwydd o syndod na phryder o fath yn y byd yn ei osgo. Dim ond edrych wrth gerdded, yn ffwrdd-â-hi, fel pe bai'n taflu'i lygaid dros olygfa gyfarwydd.

Erys yn llonydd am ennyd, ac wedyn am ennyd eto. Ni all glywed dim. Ni all weld yr un arwydd fod dynion eraill gerllaw.

Dechreua gerdded.

Crwydrodd oddi ar lwybrau'r *awighigan* y diwrnod ar ôl iddo weld y dynion eraill hynny. Echdoe. Dim ond ar ôl iddo gyrraedd pen pellaf dyffryn cul y bu'n ei droedio am rai oriau y sylwodd na welsai ddim y gallai'i gysylltu â llinellau'r map. Troi'n ôl oedd yr unig ddewis. Dilyn ei gamau'i hun am ddiwrnod cyfan nes iddo ddod o hyd i fan cyfarwydd eto. Afonig yn neidio'n igam-ogam rhwng pedair craig fawr, a'r darn hwnnw o'r ddaear wedi'i nodi'n glir gan Pene Wonse. Sicrwydd.

Mae'n sicr ei fod yn dilyn cyfarwyddyd yr *awighigan* heddiw, ond mae'n teithio i gyfeiriad lle a nodir ar y map gan arwydd nad yw'n ei ddeall. Cylch ydyw, ei ffurf wedi'i chreu gan smotiau bychain tebyg i ddafnau glaw. Mae llawer o linellau tenau yn mynd yn ôl ac ymlaen ar draws ei gilydd y tu mewn i'r cylch, yn tywyllu'r gofod ac yn awgrymu cysgod neu gwmwl. Gall weld yn glir ei fod yn cerdded i gyfeiriad y lle hwn – mae wedi adnabod y copa hwnnw a'r afon honno – ond ni ŵyr i ba fath o le y mae'n teithio.

Tua diwedd y prynhawn, a'r haul yn dechrau disgyn i freichiau'r machlud, mae'n cyrraedd y man. Daw i agoriad mawr yn y goedwig, un sy'n rhy fawr i'w alw'n llannerch. Gwêl yn fuan ar ôl iddo gamu o gysgod y coed fod bylchau oddi mewn i'r gofod hwn. Mae olion sy'n awgrymu ffiniau a fu – cylch mawr a oedd bron yn berffaith yn y canol a nifer o gaeau hirsgwar rhwng ffin y cylch a'r goedwig. Wrth gyrraedd y cylch ei hun gwêl fod olion siapiau eraill y tu mewn iddo. Er bod y goedwig wedi dechrau ailhawlio'r lle, ni all y coed bedw a masarn bychain guddio'r gweddillion hyn yn gyfan gwbl; mae twmpathau i'w gweld yn glir yn y gwair, ambell un â choeden fach yn tyfu yn ei ganol, ac ychydig o wiail yn sefyll ar rai o hyd, yn atgof o'r hen waliau.

Olion cartrefi, ugeiniau ohonyn nhw.

Tir y bu pobl yn byw arno.

Caeau a fu'n fagwrfa bwyd.

Gweddillion pentref, a hwnnw'n bentref mawr.

Cymuned gyfan a aethai'n ysglyfaeth i bla. *Akuamalsowôgan.* Haint. Y Marw Mawr.

Mae'n deall ystyr llun Pene Wonse. Nid dafnau glaw ydynt, ond dagrau. Dyma fan a ddiffinnir gan ddagrau.

Nid yw Rhisiart yn oedi yma. Er bod nos yn agos, cerdda ymlaen, yn benderfynol y bydd ei wersyllfa mor bell â phosibl o'r lle hwn. Ond gŵyr na fydd ei freuddwydion yn rhydd o afael y pentref marw heno. Pan fydd yn troi yn ei gwsg ar y ddaear galed bydd yn clywed carnau march yn curo cerrig crynion. Bydd yn agor ei lygaid a gweld croes goch fawr yn anffurfio drws, paent fel gwaed yn diferu dros flodau gwynion.

13

Mae pob heddiw yn oerach na'i ddoe. Dyna'r peth cyntaf y mae'n sylwi arno bob bore wrth ddeffro. Gwynt sy'n fwy miniog a main na'r bore blaenorol yn chwythu'n anniddig trwy'r coed, ei grafangau'n cydio yn ei gnawd a'i anadl oer yn sibrwd yn ei glust: mae'r gaeaf yn tynhau'i afael. Ond er bod barrug yn addurno'r tyfiant ar y ddaear a rhew yn cloi pob afonig a phwll, nid yw wedi bwrw eira eto.

Dywed wrtho'i hun cyn cysgu bob nos ei fod wedi bod yma o'r blaen. Dywed y bydd yn deffro yn y bore i drwch o eira'n pwyso ar ei fynwes. Disgwylia agor ei lygaid a gweld planced wen yn cuddio'r ddaear, pob llwybr wedi'i ysgubo o dan haen farwol o eira. Mae arno ofn y bydd gweddill y daith yn debyg i'r siwrnai honno i Okehampton, ei geffyl yn baglu trwy'r eira, ac yntau'n chwilio'n daer am olau yn y tywyllwch. Ond nid oes ganddo geffyl ac nid y wlad honno yw'r wlad hon, ac er bod Pene Wonse a Simôn wedi'i sicrhau y byddai Mzantanos yn dod â theyrnas o eira yn ei sgil, nid yw wedi dyfod eto.

Ac felly dechreua gerdded y bore hwn, y dail a'r barrug yn craclo ac yn crensian o dan ei draed. Dychmyga'r anifeiliaid cynnes sy'n byw o dan yr haen honno o bridd rhewllyd, pob pawen ar waith yn cloddio, yn ymestyn rhwydwaith o dwneli sy'n arwain i lawr ac i lawr i gynhesrwydd y ddaear.

Ymlaen ag o, ar hyd gwaelod dyffrynnoedd ac o gwmpas corsydd, yn gwirio'i daith yn erbyn copa mynydd neu leoliad llyn, yn dilyn cyfarwyddyd ei *awighigan*. Mae'n symud trwy fôr o binwydd, gydag ambell lannerch neu bwll neu graig yn ymddangos yn ynys fechan yn ehangder y coed, ychydig o goed llydanddail yn hawlio'r ffiniau lle nad oes pinwydd, eu canghennau noeth yn amneidio at yr awyr. Gwêl ambell drindod o goed bedw ar lan afonig neu ar lethr bryn, tair coeden wen yn ymwasgu ynghyd, fel arwydd yn codi o galedi'r ddaear, ond ni wêl yr un enaid byw.

Troedia filltir ar ôl milltir, yn teimlo'i fod yn teithio'r tymhorau wrth iddo deithio'r tir. Mae'n gadael yr hydref yn bellach ac yn bellach ar ei ôl gyda phob cam. Cerdda – yn benderfynol ac yn ddi-droi-yn-ôl – i mewn i gôl y gaeaf.

14

Fe'i deffrowyd gan sŵn.

Presenoldeb.

Ymwelydd.

Yno y mae, creadur rhyfedd a ddaeth i chwilota yn ei bac.

Eistedd Rhisiart, y sŵn wedi'i dynnu o'i gwsg, ac estyn am ei gleddyf, ond nid yw wedi'i ddadweinio. Gwêl na raid iddo; nid oes bygythiad i'w fywyd, dim ond bygythiad i'w fwyd. Yno, yn yr ychydig olau leuad a ddaw trwy len y pinwydd, y mae'r anifail. Mae'n debyg o ran siâp ei gorff i arth, ond nid yw'n fwy na chorgi. Cynffon streipiog, hir, a mwgwd o ddu o amgylch ei lygaid. Bu'n chwilota yn y sypyn gyda phawennau a symudai'n debyg i ddwylo dyn, ond roedd symudiadau Rhisiart wedi tarfu arno. Yno y saif rŵan, yn dawel, yn pwyso dros y pac, ei lygaid duon bychain yn sgleinio yng ngolau'r lleuad.

Un o ellyllon Annwn wedi dyfod i fyny o ddyfnderoedd cynnes y ddaear ydyw, ond nid yw'n bygwth gwaeth na dwyn pysgod sych o'r sypyn. Ennyd arall, a phenderfyna'r creadur y bydd yn rhaid iddo chwilio am fwyd mewn mannau eraill: try a cherdded o'r golwg ar ei bedwar.

Erys Rhisiart yno am yn hir, yn eistedd i fyny, y cleddyf yn ei wain ar draws ei ben-gliniau, yn craffu ar gysgodion y coed. Nid yw'n clywed dim ar wahân i ubain y gwynt.

Mae'n gosod yr arf ar y ddaear galed yn ei ymyl, ymestyn ei freichiau, a sythu'i gefn. Ennyd arall, ac mae'n gorwedd eto, y blanced wedi'i thynnu at ei ên. Mae'r ddaear yn galed ac yn oer, ond mae'r lleuad yn cynnig cysur ei golau. Daw iddo trwy nenfwd fylchog uwch ei ben, canghennau'r coed yn plethu rhyngddo a'r lleuad bell, yn we o ffurfiau duon.

Cerdda gyda chyflymdra un sydd ar fin cyrraedd pen ei daith. Gŵyr ei fod yn agos iawn. Dywed yr *awighigan* hyn wrtho. Mae greddf yn dweud wrtho hefyd; mae gwahaniaeth yn y goedwig a golwg ar y llwybr sy'n awgrymu bod pobl yn tramwyo'r tir hwn yn aml. Pobl na all symud heb adael olion.

Prysura. Mae'r llwybr yn eglur, yn dilyn afonig sy'n ymdroelli trwy'r coed, y pinwydd tal yn cysgodi'i glannau. Tincial y dŵr gloyw dros gerrig y nant fu cyfeiliant ei gerdded gydol y bore, ond erbyn hyn mae rhuo'r gwynt a gwichian canghennau'r coed yn llenwi'i glustiau, fel y mae cymysgedd o bersawr y pinwydd ac arogl sy'n addo eira yn llenwi'i ffroenau.

Mae'r llwybr yn hollti. O'i flaen mae'n mynd ymlaen ar hyd glan yr afon fach, ond mae un arall yn ymuno yma, yn plygu i'r chwith i ganol y coed. Edrych arno a gweld ôl defnydd ar y llwybr newydd hwn. Cwyd ei lygaid a gweld rhyw wahaniaeth yn y coed yn y cyfeiriad hwnnw. Dywed natur y golau fod y pinwydd tal yn teneuo; mae'n awgrym o ofod, addewid bod bwlch mawr y tu ôl i'r llen o binwydd. Dechreua gerdded eto, yn troi i'r chwith, yn gadael glan yr afonig.

Daw'r gwynt ag arogl i'w ffroenau. Mwg. Arogl mwg tân coed. Cyflyma, yn prysuro ar hyd y llwybr. Mae'n clywed sŵn. Ac un arall. Gwahanol synau yn plethu, yn codi'n uwch ac yn uwch wrth iddo nesáu. Ambell un yn gliriach. Morthwyl yn canu ar einion, curiad pell ond clir yn ei alw i efail na all ei gweld. Ci'n cyfarth, ac un arall. Bwyell yn hollti coed. Lleisiau'n galw, yn siarad. Prysurdeb pentref.

Ennyd arall ac mae'n gallu gweld rhywbeth trwy'r llen denau

o goed: gofod mawr agored, a rhagor o goed i'w gweld y tu hwnt iddo. Daw'n nes eto a gweld nad coedwig ydyw. Dyma dirwedd wedi'i ffurfio gan ddwylo dynol. Caeau yw'r tir agored, adladd cnydau'r cynhaeaf i'w weld yn glir. Nid coedwig a wêl y tu draw i'r caeau hyn, ond wal. Wal o goed tal wedi'u cwympo, eu ffurfio, a'u codi'n amddiffynfa. Ac un arall yn codi'n uwch y tu ôl i'r wal gyntaf. Muriau. Â'r llwybr trwy adwy yn y wal gyntaf ond mae giât neu ddrws o ryw fath ar gau yn y wal fewnol. Ni wêl ddim yn y gofod rhwng y ddwy wal ond cysgodion.

Mae wedi dechrau bwrw eira. Erbyn iddo gamu o'r coed i'r tir agored mae plu mawr yn disgyn yn drwchus ac yn hel yn gyflym ar y llwybr o'i flaen. Mae'r waliau pren yn freuddwydiol o agos, yn fawr ac yn dywyll ond eto wedi'u cymylu a'u meddalu gan wynder yr eira. Teimla gyffyrddiad rhewllyd y plu ar ei wyneb.

Gwaedd: llais dynol yn gweiddi'n uchel. Er bod ei lygaid yn dyfrio, gall weld ffurf yn symud ar dop y waliau uwchben yr adwy. Dyn. Gwyliwr.

Mae Rhisiart yn camu ymlaen trwy'r eira. Mae'n symud yn nes ac yn nes, y muriau'n codi'n uwch ac yn uwch o'i flaen.

Muriau Caersalem Newydd.

IV

Caersalem Newydd

Canol Tachwedd 1656

Mae trefn i bopeth, ac mae rheswm y tu ôl i'r drefn honno.

Cwyd dau dŵr pren uwchben y waliau, y naill yn wynebu'r llall ar draws y pentref. Codant o'r mur mewnol, y naill yn yr eithaf deheuol a'r llall yn diffinio eithafbwynt y gogledd, yn ffurfio echel anweladwy yn union ar draws canol y pentref ac yn gorfodi pawb i fyw oddi mewn i'r cwmpawd hwn.

Mae'r waliau'n grwn ac yn cau'r holl adeiladau yn eu cylchoedd perffaith. Yn gyntaf, y wal isel – rhes o goed pinwydd tenau wedi'u dinoethi a'u ffurfio'n byst, eu pennau wedi'u naddu'n bigau miniog, saith troedfedd o daldra. Ac yn ail, dri cham bras o'r wal allanol hon, y mur mewnol mawr, pedair troedfedd ar ddeg o uchder, wedi ei ffurfio o goed pinwydd mawrion a weithiwyd yn fwy llyfn a gofalus na'r rhai bychain sy'n ffurfio'r wal allanol. Mae pennau'r coed hyn wedi'u naddu'n bigau hefyd, ond gan fod trwch sylweddol i bob coeden unigol, mae bylchau rhwng y pigau hyn i'r gwylwyr edrych trwyddynt. Saif y gwylwyr ar lwybr pren tenau wedi'i gysylltu â'r ochr fewnol, ac felly mae'r rhai sy'n gwarchod y muriau yn gallu cerdded ar hyd parapet y gaerfa bren. Ceir drws bychan ym mhob ochr y ddau dŵr sy'n agor ar lwybr y mur. Mae pedwar dyn yn gwarchod y waliau hyn bob amser, ddydd a nos. Saif un ar do'r tŵr deheuol uwchben y pyrth ac un ar ben y tŵr gogleddol, ac mae'r ddau arall yn cerdded yn ôl ac ymlaen ar hyd ei hanner cylch o wal o'r gogledd i'r de ac yn ôl o'r de i'r gogledd, y naill yn gwylio'r ochr orllewinol a'r llall y dwyrain. Cerddant yn araf fel rheol, ac mae'r rhythm yn ystyrlon; mae curiadau cerddediad y gwylwyr hyn yn atgof parhaol o'r morthwylio a ffurfiasai'r muriau y maent yn eu gwarchod.

Nid yw giatiau'r wal allanol yn wahanol i'r wal ei hun o'r tu allan, ond mae'r ddau ddrws wedi'u llunio i'r union fesur er mwyn sicrhau eu bod yn cyffwrdd â'r mur mewnol pan fyddant ar agor; maen nhw'n creu corlan fach deirochrog i ddal y sawl sy'n disgwyl i'r pyrth mewnol agor. Ar agor y pyrth hyn, gellir cerdded trwy waelod y tŵr deheuol i weld pig y tŵr gogleddol yn codi yn y pellter uwchben y tai. Tywysir y llygaid ar hyd yr echel anweladwy sy'n torri'r pentref yn union yn ei hanner, yn rhedeg o'r pwynt deheuol hwn i eithafbwynt y gogledd. Daw ymwelydd yn ymwybodol o gwmpawd bywyd y pentref cyn camu i'w ganol.

Yn union yng nghanol y pentref, hanner ffordd ar hyd yr echel anweladwy sy'n rhedeg rhwng y ddau dŵr, y mae un adeilad sy'n sylweddol fwy na'r lleill. Saif ei do ddwywaith yn uwch na'r tai o'i gwmpas, tua hanner maint y ddau dŵr. Adeilad hirsgwar praff ydyw, ei ddrws yn wynebu'r de ac yn agor ar y llwybr sy'n rhedeg yn unionsyth ato o'r pyrth. Nid oes dim ar draws y llwybr hwn, ac felly gellir gweld yr holl ffordd yn glir o'r pyrth i'r drws. Hwn yw'r addoldy, canolbwynt y gymuned. Mae ffenestri bychain, yn ddiwydr fel holl ffenestri'r pentref, yn britho'r waliau trwchus, pob un yn ddigon o fwlch i ganiatáu i amddiffynnwr saethu ohono, ond yn rhy gul i adael dyn i mewn. Fe'i cynlluniwyd fel caerfa fechan, gorthwr olaf y castell pe bai'r gelyn yn torri'r waliau. Er bod y waliau'n bren, saif fel craig yng nghanol cylch perffaith Caersalem Newydd. Mae'r eglwys yn garreg a honno'n gaerfa, a'r gaerfa'n noddfa rhag pob drwg.

Mae deuddeg o dai'r pentref – sef y rhan fwyaf ohonynt – wedi'u gosod mewn cylch o gwmpas y canolbwynt hwn, tua hanner maint cylch y muriau sy'n eu cau rhag y byd y tu allan. Hanner ffordd o'r pyrth i ddrws yr addoldy mae'r prif lwybr yn cyrraedd croesffordd, lle y gellir troi i'r dde neu i'r chwith a cherdded ar hyd llwybr arall – y lôn gylch, fel y'i gelwir – sy'n mynd o ddrws i ddrws o gwmpas y cylch mewnol hwn o dai. Mae pedwar tŷ arall y tu mewn i'r cylch, wedi'u ffurfio'n gyfan gwbl o bren fel y tai eraill, ond ychydig yn fwy. Safant yn ymyl pedair congl yr addoldy, hanner ffordd rhwng yr adeilad mawr a'r lôn gylch. Tai'r gweinidogion ydynt. Yn y gofod agored rhwng yr adeiladau hyn a'r addoldy y mae hynny sy'n weddill o erddi'r haf i'w weld, ôl-dyfiant brown mawr yn britho'r haen denau o eira a oedd wedi disgyn yn ysbeidiol yn ystod y dyddiau diwethaf.

Mae saith tŷ y tu allan i'r cylch mewnol, yn torri ar batrwm rheolaidd y cynllun. Un ohonynt yw cartref a gefail y gof, a saif ar ochr ddwyreiniol y llwybr sy'n arwain o'r pyrth i'r cylch mewnol. Ac wedyn mae chwe thŷ arall yma ac acw rhwng y deuddeg o dai sy'n amgylchynu'r canol a'r mur mawr sy'n cau'r cyfan i mewn. Perygl tân sy'n egluro pam y lleolwyd yr efail yn bell o'r tai pren eraill. Peryglon o fathau eraill a gymhellodd eu hadeiladwyr i leoli'r tai eraill hyn ar gyrion y gymuned. Fe'u codwyd ar gyfer y rhai nad oeddynt wedi'u derbyn yn aelodau llawn, y rhai na ellid profi eu bod ymysg y seintiau.

Mae trefn i bopeth, a rheswm y tu ôl i'r drefn honno, hyd yn oed y tu ôl i'r hyn a ymddengys i'r diddeall fel diffyg trefn.

Sylwodd Rhisiart ar ddau fan amlwg arall yn syth ar ôl iddo gael ei dywys trwy'r pyrth y diwrnod cyntaf hwnnw. Ar y ffordd i'r cylch mewnol, rhyw ddeg llath ar ôl iddo gerdded heibio i'r efail ar ei dde ond cyn cyrraedd y groesffordd, gwelodd ddau safle, un bob ochr i'r llwybr. Ar yr ochr ddwyreiniol, yn weddol agos at yr efail, saif y ffynnon gymunedol, wedi'i chau gan wal gerrig isel. Mae llawr o gerrig gwastad o'i chwmpas sy'n creu gofod crwn y mae'r ffynnon yn ganolbwynt iddo: cylch oddi mewn i gylch. Ar yr ochr arall, yn wynebu'r ffynnon ar draws y llwybr cul, y mae llwyfan pren yn codi i ryw ddwy lathen o uchder.

Nid yw Rhisiart wedi cael cyfle i holi eto am y llwyfan, ond mae wedi dysgu llawer am gynllun y gymuned yn ystod y tridiau ers iddo gyrraedd. Cynllun. Dosbarth. Trefn. Rheswm. Mae pedwar adeilad ar hugain, heb gyfrif y ddau dŵr, ac mae pedwar ar hugain yn rhif rheolaidd da. Mae dau a thrigain o drigolion. Rhif rheolaidd da arall, dwywaith nifer y sylfaenwyr. Hwyliodd un ar ddeg ar hugain o Fryste dros bymtheng mlynedd yn ôl, ond nawr mae dau a thrigain ohonynt. Er gwaethaf pob adfyd a pherygl, maent wedi cynyddu ddwywaith drosodd. Dwywaith yn union. Prawf. Arwydd sicr na ellir ei wadu.

Rhoddwyd llety iddo yn un o'r tai sy'n sefyll rhwng y cylch mewnol a'r mur, tŷ gwag a ddefnyddir fel stordy cymunedol. Symudwyd y casgenni, y basgedi, a'r cistiau i'r ochrau er mwyn gwneud lle i Rhisiart daenu ei blanced yn ymyl y lle tân bach. Mae'r llawr pren yn galed, ond nid yw'n galetach na'r ddaear a fu'n wely iddo yn ystod ei daith. Dywedwyd wrtho y gallai Rowland Williams y saer wneud gwely iddo os yw am aros yn eu plith. Rhoddwyd bwyd iddo. Golchwyd ei ddillad. Gosodwyd digon o goed yn ei lety i'w gadw'n gynnes.

Rhosier Wyn oedd wedi'i dywys o gwmpas yn ystod y dyddiau cyntaf hynny.

Cyfeiria'r lleill ato fel yr Henadur. Ni allai Rhisiart gyfrif am ei oedran, ond rhaid ei fod o leiaf hanner cant ac o bosibl yn agosach at drigain. Awgryma'i wyneb ei fod yn hŷn, ond symuda gydag egni dyn ifanc. Mae'n foel ar wahân i ychydig o wallt llwyd llipa sy'n hongian uwchben ei glustiau. Gwena'n aml, ei wefusau tenau yn agor i ddangos rhes fylchog o ddannedd cam. Mae'n fyr iawn, ac yn foliog, ac mae'i freichiau'n anarferol o hir, ond er gwaethaf y corff ymddangosiadol drwsgl hwn, symuda'n chwim, yn camu o flaen Rhisiart er mwyn dangos y ffordd ac yn siarad yn gyflym.

'Yr holl ffordd o Strawberry Bank, yfe?' Mae'i lais yn uchel ac mae'n taro'n fain ar glustiau Rhisiart, ond mae diffuantrwydd y wên lydan yn gwneud yn iawn am y synau gwichlyd sy'n dod o'i geg.

'Ie.'

'Ie wir? Yr holl ffordd o Strawberry Bank?' Gwên arall, yn dangos ei ddannedd bach cam.

'Ie, ond Portsmouth maen nhw'n ei alw fo rŵan.'

'Yr holl ffordd, ar dy ben dy hun?' Gwên arall.

'Ie.'

'Wel, wel! A'n cyrra'dd yn iach fel y dydd y ganed di.' Ac yna mae'n gwenu ac yn gafael ym mraich Rhisiart, yn ei dywys o ddrws ei lety ac yn ei arwain rhwng dau dŷ i'r lôn gylch. Er ei bod hi'n oer ac eira'n gorchuddio'r darnau hynny o ddaear nad yw pobl yn eu troedio'n aml, mae'n ddiwrnod heulog ac mae pobl i'w gweld yma ac acw, yn cludo dŵr o'r ffynnon neu faich o goed tân, ambell un yn oedi i siarad â chymydog. Mae pawb yn gwisgo dillad o ansawdd da. Yn syml ac yn ddiaddurn fel rheol, yn ddu neu'n llwyd neu'n frown, ond dillad o ansawdd da, y gwneuthuriad yn gyfarwydd. Oeda pawb i'w cyfarch, pob un yn anelu'i 'fore da' at ei dywysydd wrth ei enw, yn ei alw'n 'Rhosier Wyn' neu'n 'Henadur'. Pob un yn gwenu ar Rhisiart hefyd, ac ambell un yn ei gyfarch yntau wrth yr enw a roddasai iddyn nhw: Rhisiart Dewi.

Wrth i'r ddau gerdded o gwmpas y lôn gylch, mae ton o leisiau'n codi. Try Rhisiart ei ben, ond cyn iddo agor ei geg mae'r Henadur yn amneidio â'i ben moel ac yn taflu'i freichiau afrosgo i gyfeiriad yr addoldy.

'Y plant.' Gwên lydan, ei ddwylo'n symud yn egnïol, yn

cymell Rhisiart i ddychmygu'r hyn sy'n digwydd o'i olwg y tu ôl i waliau'r adeilad praff. 'Ar ganol eu hysgol, yn llawen yn eu diwydrwydd.'

Cwyd y lleisiau'n uwch, yn cydadrodd eu gwersi mewn côr unsain.

'Mae pedwar ar ddeg ohonyn nhw yn yr ysgol, t'wel. Yr ieuenga yn dair blwydd oed a'r hyna yn bymtheg. Maen nhw'n gadel eu gwersi yn un ar bymtheg, dyna'r drefen. Pob un yn iach, yn fendith i'w rieni. Pedwar ar ddeg. Hanner ohonyn nhw'n Fanselied!' Mae'r wên yn fwy llydan y tro hwn, hyd yn oed, fel pe bai'n rhannu jôc, ond cyn i Rhisiart gael cyfle i ofyn am eglurhad, mae Rhosier Wyn yn anelu'i freichiau aflonydd i gyfeiriad adeilad arall, un o'r pedwar tŷ sy'n rhannu'r cylch mewnol â'r addoldy.

'Hwn yw'r unig dŷ gwag yng Nghaersalem Newydd. Hynny yw, ar wahân i'r un sy'n gartref i ti ar hyn o bryd.' Gwên, a'i lais uchel yn codi'n wich. 'Ond 'smo hwnnw'n wag nawr chwaith, gan dy fod ti'n byw ynddo fe.'

Egyr ei geg eto, fel pe bai ar fin dweud rhagor, ond mae'n ailfeddwl a chau'i geg yn glep. Dechreua gerdded eto, ei law'n cyffwrdd yn ysgafn â phenelin Rhisiart er mwyn ei gymell i'w ddilyn.

'Tai'r gweinidogion. Dyna ddudodd rhywun wrtha i ddoe. Pedwar ohonyn nhw?'

'Ie.' Mae'r gwefusau tenau'n cau'n syth. Pletha Rhosier Wyn ei ddwylo y tu ôl i'w gefn a cherdded yn araf, yn gadael i'w fol arwain ei goesau byrion. Edrych i lawr ar y llwybr, ei lygaid yn fyfyriol.

'Pedwar?' Mae Rhisiart yn procio eto, ond mae fel pe bai'r dyn bach siaradus a siriol wedi newid i un hollol wahanol – un tawedog a difrifol ei natur.

'Ie, pedwar. Ond mae un o'r tai yn wag ar hyn o bryd.'

'Pam bod 'na bedwar? Ar gyfer cymuned mor fach?'

Saif Rhosier Wyn, yn rhoi'r gorau i gerdded er mwyn troi a syllu i fyw llygaid Rhisiart.

'Fel yna yr adeiladwyd Caersalem Newydd, t'wel.' Mae'i frawddegau yn gwta y tro hwn, a heb y gwenu parhaus. 'Yn unol â'r cynllun. Pedwar gweinidog, un ar gyfer pob un o'r pedair swyddogaeth.'

'Dwi ddim yn dallt.'

'Pa mor dda wyt ti wedi ymgydnabod â Chalfin, Rhisiart Dewi?'

'Dwn i ddim. Fe ddywedwn fy mod i'n gyfarwydd â'i brif syniada fo, 'ych chi. Hynny ydi… dw i wedi darllen tipyn ac wedi clywed mwy… mewn pregetha a thrafodaetha…'

'Ond dwyt ti ddim yn gyfarwydd â'i drefniant ar gyfer y weinidogaeth?'

Dechreua gerdded yn araf, ei ddwylo'n bywiogi eto ac yn atalnodi'i araith. 'Amlygodd Calfin y cwbwl, t'wel. Fel yr amlygodd foddion i ni ddeall y drefen uwch, felly hefyd amlygodd y drefen y dylen ni ei dilyn yma ar y ddaear. Rhoddodd y cyfan i ni, t'wel, y cyfan o sylfeini'r deyrnas, y modd i'w gosod yma ar y ddaear er mwyn adeiladu trefen a fyddai'n troi'n golygon tua'r nef. Sylfeini teyrnas nef, dyna y'n nhw, Rhisiart Dewi. Dim byd llai na sylfeini teyrnas nef.'

Sylwa Rhisiart fod y dyn bach yn gwenu eto, ond mewn modd gwahanol. Mae diffuantrwydd a chynhesrwydd ar wyneb Rhosier Wyn o fath nad yw Rhisiart wedi'i weld o'r blaen.

'Ac yn rhan o'r holl drefen odidog honno, amlygodd Calfin taw pedair swyddogaeth ysydd i'r gweinidogion.'

Maen nhw'n cerdded ochr yn ochr erbyn hyn, yn llenwi'r lôn gul. Cwyd y dyn bach ei law o flaen ei wyneb ac estyn un bys.

'Y Doethur. Hwnnw sy'n gwarchod purdeb credoau a chysondeb athrawiaeth.'

Estyn fys arall. 'Yn ail, y Gweinidog. Hynny yw, y pregethwr, yr un sy'n gyfrifol am bregethu a chynnal gwasanaethau sefydlog.

Rwyt ti wedi cwrdd ag e'n barod. Pyrs Huws. Cei ei glywed yn pregethu heno.'

Mae cysgod o wên yn diflannu'n syth ar ôl cyrraedd ei wefusau tenau. Oeda Rhosier Wyn a throi'n ôl i wynebu'r tŷ gwag y maent newydd gerdded heibio iddo. Gwna Rhisiart yr un fath.

'Y Deacon, wedyn, yn batrwm o elusengarwch Cristnogol. Dacw fe, tŷ'r Deacon, ond mae'n wag ers i'r hen Edward Jones farw.'

Erys y ddau ddyn yno am ychydig, yn astudio'r adeilad mewn tawelwch. Mae cloriau pren o'r math sydd i'w gweld ar bob un o dai'r pentref wedi cau'n dynn dros y ffenestri ac mae'r simdde'n ddi-fwg. Daw ton arall o leisiau'r plant o gyfeiriad yr addoldy, y plant yn adrodd yn unsain, ac mae Rhosier Wyn yn gwenu'n llydan eto.

'Dere.' Dechreua'r ddau gerdded eto.

'Pyrs Huws yw'r pregethwr?'

'Ie. Y Gweinidog. Er bod y pedwar yn weinidogion, yr un sy'n llenwi swyddogaeth y pregethwr yw'r un sy'n cael ei alw'n weinidog, t'wel.'

'Beth am Richard Morgan Jones? 'Swn i 'di meddwl mai fo fyddai'r gweinidog.'

Mae'n cymryd ychydig o amser cyn ateb, a phan agora ei geg siarada'n dawel ac yn araf.

'Fe yw'r Doethur, t'wel. Mae'n wir taw fe oedd yn llenwi'r holl swyddogaethe ar y dechre, cyn i ni gael cyfle i adeiladu a threfnu pethe'n iawn. Ond ers i ni gael trefen y flwyddyn gynta honno, mae wedi bod yn gwasanaethu fel Doethur yn unig. Ond fe yw'r un a ddangosodd ein bod ni wedi ffurfio Gwir Eglwys.' Teifl ei law i gyfeiriad yr addoldy er mwyn cyfeirio at dŷ nad ydynt yn gallu'i weld ar yr ochr arall i'r adeilad mawr.

'Gwela i. Ro'n i'n rhyw ddisgwyl ei gyfarfod o. Ar ôl i

mi gyrraedd. Ar ôl imi ddeud fy mod i wedi dŵad i chwilio amdanoch, yr holl ffordd o Gymru.'

'A… wel… Tydi'r Doethur Jones ddim yn dda iawn y dyddie hyn. Mae rhyw dwymyn wedi cydio yn ei gnawd ers rhai misoedd, a dyw e ddim yn ddyn ifanc.'

'Ga i ei weld o rywbryd?'

'Dyw e ddim yn gadael ei dŷ ar hyn o bryd, t'wel.'

'Alla i fynd yno i'w weld o?'

'Dyw e ddim yn ddigon da. Mae'n well i ni ei adael i'w weddi ei hun. Does dim digon o nerth 'da fe ar gyfer dim byd arall y dyddie hyn, gwaetha'r modd.'

Cerdda'r ddau ymlaen, yn troedio'r lôn gylch yn dawel.

'Tri gweinidog.'

'Hm?'

'Dach chi wedi enwi tri gweinidog. Tair swyddogaeth.'

'Do, do.'

'Beth yw'r bedwaredd un?'

'Wel, yr Henadur, wrth gwrs.'

'Wrth gwrs… y chi…'

'Ie, dyna ti.'

'A beth yw swyddogaeth yr Henadur?'

'Disgyblu, Rhisiart Dewi. Dyna yw swyddogaeth yr Henadur… Disgyblu.'

Mae trefn i bopeth, ac mae rheswm y tu ôl i'r drefn honno.

* * *

Mae yn agos at drigain ohonyn nhw yn eistedd ar feinciau syml mewn wyth o resi twt. Roedd hi wedi bod yn oeri'n gyson yn ystod y dydd, ac erbyn iddynt gyrraedd drws yr addoldy ar gyfer y gwasanaeth nos roedd y gwynt yn addo rhagor o eira. Mae'r oerfel yn gafael erbyn hyn, yn dod â chryndod i ddannedd ac ysgwyd i esgyrn, ond mae'r gwres sy'n codi o'r cyrff yn dechrau cynhesu'r ystafell fawr. Yn yr un modd, mae llais Pyrs Huws yn gynnes ac yn tynnu sylw'r gwrandawyr o afael yr oerni.

'Penderfynodd Duw trwy'i sanctaidd ragordinhad Ef pa dynged bynnag y dymunai yn achos pob dyn.'

Mae'n ddyn tal, yn ysgerbydllyd o denau, ei locsyn a'i wallt cochlyd hefyd yn denau ac yn glytiog, fel pe na bai digon o gnawd i'r blew gydio ynddo. Mae rhyw bum mlynedd yn hŷn na Rhisiart; dyn ifanc iawn oedd o pan ddaethant draw i'r Amerig, dyn sydd wedi aeddfedu yma, fel y pwysleisiodd Rhosier Wyn. Fe aeth â Rhisiart i gyfarfod ag o, ar ôl iddo ofyn am yr eildro a gâi weld Richard Morgan Jones a chael yr un ateb eto: mae'r Doethur Jones yn wael iawn ei iechyd a does neb yn cael aflonyddu arno. Felly aeth Rhosier Wyn ag o i weld Pyrs Huws a'i deulu, fel rhyw fath o wobr gysur.

Eisteddent o gwmpas y bwrdd yn nhŷ'r gweinidog, coed yn llosgi'n braf yn y lle tân. Catherin Huws a wnâi'r rhan fwyaf o'r siarad, yn wrthbwynt i dawelwch ei gŵr, yn holi Rhisiart am newyddion Lloegr a Chymru, am hynt a helynt y Seintiau yn yr Hen Wlad, am sefyllfa'r Ffydd ar y cyfandir. Ymunai'r meibion ifainc, Isaac a Joseph, bob hyn a hyn, yn gofyn y cwestiynau personol yr oedd eu mam yn eu hosgoi. Tua tair ar ddeg a deg oed oeddynt, yn siarad yn gwrtais fel eu mam ond yn methu â ffrwyno'u brwdfrydedd. A oedd Rhisiart wedi bod yn filwr? Do wir?! A beth yw gwaith Byddin y Seintiau nawr, gan fod y rhyfeloedd ar ben? Pa fath o long oedd wedi'i gludo dros y môr? Llongddrylliad! Am ba hyd yr oedd wedi nofio? Dyma'r unig adeg yr ymunodd eu tad yn y sgwrs, gan gynnig gweddi fyrfyfyr a dweud bod Rhagluniaeth wedi tywys Rhisiart i'r lan am reswm. Fel arall, edrychai'n fyfyrgar ar Rhisiart, yn astudio'i wyneb, yn gwrando'n astud ar ei atebion, ond yn gadael i'w wraig a'i blant gynnal y sgwrs. Roedd Rhosier

Wyn yn eistedd yno'n dawel hefyd, yn fodlon i eraill siarad am unwaith.

Ac wedyn gofynnodd Isaac, y mab hynaf, y cwestiwn nad oedd Rhosier Wyn na neb arall wedi'i ofyn i Rhisiart ers iddo gyrraedd. Pam roedd o wedi teithio mor bell er mwyn ymweld â Chaersalem Newydd? Buasai Rhisiart yn ystyried y modd y byddai'n ateb y cwestiwn, yn chwilio am ffordd o'i gyflwyno'i hun a fyddai'n onest ac yn eu bodloni heb ddatgelu gormod. Dywedasai wrth Gwilym Rowlant, Cymro Portsmouth, fod ganddo deulu yng Nghaersalem Newydd, ond ni fyddai'r celwydd hwnnw yn tycio yma. Ac felly nid oedd ganddo ateb i gwestiwn yr hogyn ar wahân i'r gwir.

'Dw i wedi dŵad ar gais cydnabod, y Cyrnol John Powel.' Mae'n siarad yn uniongyrchol â'r plant, yn osgoi llygaid yr oedolion. 'Mi fuo'r Cyrnol Powel yn helpu Richard Morgan Jones yn y dyddia cyn i'ch rhieni a'u cyfeillion adael Cymru.'

'Dyma'r tro cynta i mi glywed.' Siaradodd Catherin Huws yn ddiniwed o agored, ac wedyn troes at ei gŵr, ei llygaid yn ei holi. Cododd Pyrs Huws ei aeliau ychydig a gwgu, fel pe bai'r stori yn newyddion iddo yntau hefyd. Cododd ei ysgwyddau, yn ategu'i syndod, ei ddillad yn hongian yn llac ar ei gorff esgyrnog.

Ac yna edrychodd Rhisiart ar wyneb Rhosier Wyn a chanfod rhyw olwg yn ei lygaid a awgrymai nad oedd hyn oll yn syndod iddo. Sylwodd ef fod Rhisiart yn syllu arno.

''Na ni, fel y mae. Mae rhai ohonon ni'n hŷn nag eraill, yn cofio'n well nag eraill. Fel yna y mae henaint yn dysgu ieuenctid, ch'wel.'

'Ac mae'r Henadur yn hŷn na'r rhan fwya.' Joseph, y mab iau, a siaradodd y tro hwn. Er i'w fam estyn llaw ar draws y bwrdd i'w gyfeiriad a gwneud cylch o'i gwefusau fel pe bai ar fin dweud 'ust' er mwyn ei dawelu, aeth y bachgen ymlaen, yn parablu'n gyflym. 'Ond dyw e ddim mor hen â'r Doethur Jones. A Rhys a Gwen Edwart. A Rachel Morgan. A Sarah Williams. A ddim hanner mor hen â Hannah Siôn. Dyna chwech sy'n hŷn na'r Henadur.'

Roedd ei fam yn gwenu erbyn hyn, a hithau wedi tynnu'i llaw yn ôl i'w phlethu â'r llall ar ben y bwrdd. Syllodd i lawr ychydig, yn ceisio cuddio'i gwên, yn mwynhau clyfrwch ei phlentyn er gwaethaf y ffaith ei fod yn siarad pan na ddylai wneud.

Rhestru, meddyliodd Rhisiart. Yn debyg i Rhosier Wyn. Mae'r bobl yma yn hoffi rhestru. Enwi. Cyfrif, a chanfod ystyr mewn rhifau. Rhestru, a gweld arwyddocâd yn y drefn.

'Dyna ti, 'machgen i, dyna ti.' Roedd Rhosier Wyn yntau fel pe bai'n mwynhau'r tro chwareus hwn yn y sgwrs.

Ond nid oedd Pyrs Huws yn gwenu. Parhâi i astudio wyneb Rhisiart, yn disgwyl i eraill siarad.

'Mae'n ddyn myfyrgar, t'wel,' oedd eglurhad Rhosier Wyn wedyn, ar ôl iddynt ymadael â'r teulu. 'Fe ddaeth Pyrs Huws yma yn ddyn ifanc, ac mae wedi aeddfedu yn ei ffydd yma ar dir yr Amerig. Yma, yn ystod y blynydde yn adeiladu Caersalem Newydd, mae wedi'i droi'n oleuni i oleuo'r tywyllwch.'

Bu'n rhaid i Rhisiart ddisgwyl tan heno i ddeall ergyd geiriau'r Henadur. Mae'r dyn sy'n sefyll o flaen y dyrfa yn y pulpud yn hollol wahanol i'r Pyrs Huws tawedog yr oedd Rhisiart wedi ymweld ag o yn ei gartref.

'Do!'

Mae'n ailadrodd y gair unsill, yn creu ergydion ohono, a'r ergydion hynny'n saethu ar draws yr ystafell ac yn ei llenwi â'i atsain.

'Do. Do. Do.'

Ac wedyn mae'n gostwng ei lais ychydig, er ei fod yn siarad yn ddigon uchel o hyd i'r meinciau cefn ei glywed yn ddidrafferth. Yma, yng nghefn yr addoldy, y mae Rhisiart yn eistedd, ac mae pob sill o bob gair y mae'r pregethwr yn ei lefaru yn cyrraedd ei glustiau'n glir, er bod y llais fel pe bai'n sibrwd cyfrinachau'r galon i gyfaill mynwesol erbyn hyn.

'Penderfynodd Duw pa dynged fydd achos pob un dyn. Gwyddom hyn oll. Gwyddom nad yw pawb wedi cael eu creu yn gydradd. Mae rhai wedi'u rhagordeinio i fywyd tragwyddol ac eraill i ddamnedigaeth dragwyddol. Hyn oll a wyddom, gyfeillion annwyl.'

Mae Rhisiart wedi clywed rhai o'r pethau hyn o'r blaen. Gan bregethwyr teithiol a borthai drobwll syniadaethol Byddin y Seintiau. Gan y milwyr brwdfrydig a drôi wersyllfa yn athrofa ddiwinyddol ac yn dalwrn ymladd athronyddol.

'Ac felly, gan fod pob un wedi'i greu i un o'r ddau ddiben yma, nid yw'n briodol i ni geisio taflu llwch i'n llygaid ni ein hunain. Nac ydyw, frodyr a chwiorydd. Syllwn i fyw llygad y ffaith hon bob dydd o'n bywydau a rhodiwn yn y gwybod hwnnw, y gwybod bod pawb wedi'i eni i un o'r ddwy dynged yma. Mae rhai wedi'u rhagordeinio i fywyd tragwyddol ac mae eraill wedi'u rhagordeinio i ddamnedigaeth fythol.'

Oeda Pyrs Huws, a chodi un llaw i sychu'r chwys oddi ar ei dalcen. Mae anadlu y dyrfa'n codi'n darth uwch eu pennau yn yr oerfel, ond mae'r pregethwr yn chwythu dan faich ei angerdd a'i ymdrech. Siarada eto, ychydig yn uwch y tro hwn.

Mae'i lais yn crynu erbyn hyn, yn debyg i'r llaw sy'n sychu'i dalcen ac yn gwthio cudynnau o wallt tenau, cochlyd, o'i lygaid.

'Gwyddom hyn oll, frodyr a chwiorydd. Mae rhai wedi'u geni i fywyd. Ac mae eraill wedi'u geni i farwolaeth.'

Tawelwch. Saif y pregethwr yno'n hir, yn gadael i adlais ei lais farw rhwng y waliau pren. Yr unig sŵn yw anadlu a phesychu'r rhai sydd yng ngafael annwyd. Nid yw hyd yn oed y plant lleiaf yn symud modfedd ar y meinciau. Mae'n noson glir, ac mae cloriau'r ffenestri culion wedi'u hagor i adael i lewyrch y lleuad lifo i mewn i'r ystafell hirsgwar fawr. Mae pedair ffenestr ym mhob un o'r ddwy wal hir, pob un yn uchel, ac yn rhy gul i neb ddringo drwyddynt ond yn ddigon llydan i ddyn saethu allan ohonynt. Mae cist fawr o dan bob un o'r ffenestri hyn, dodrefnyn sy'n cyflawni dwy swyddogaeth. Yn y cistiau hyn y mae storfeydd o fwsgedau, bwledi, a phowdr – arfau er mwyn amddiffyn y gaerfa hon. Ac mae'r cistiau'n ddigon uchel i ddynion sefyll arnynt yn gyfforddus ac anelu allan o'r ffenestri.

Mae trefn i bopeth, a rheswm y tu ôl i'r drefn honno.

Eglurodd Evan Evans, arweinydd milisia Caersalem Newydd. Roedd pob dyn wedi'i hyfforddi yn rhawd yr arfau, ond roedd chwech o ddynion yn cludo arfau'n barhaol. Pob un yn ddibriod ac yn byw yn y barics bach yng ngwaelod tŵr y gogledd, lle'r oedd yr unig storfa arall o arfau ar wahân i gynnwys cistiau'r addoldy. Er bod Rhisiart wedi gadael ei gleddyf a'i fwsged yn ei lety ers iddo gyrraedd, roedd pawb yn gwybod ei fod wedi cyrraedd Caersalem yn ddyn arfog, ac roedd y si wedi mynd ar led ei fod wedi gwasanaethu ym Myddin y Seintiau. Felly y cyfarchodd Evan Evans o y tro cyntaf hwnnw, fel milwr yn cyfarch milwr arall. Roedd yn ddeg ar hugain oed, ychydig yn iau na Rhisiart, ac yntau wedi croesi'r môr gyda'r fintai wreiddiol pan oedd yn bymtheg oed. Yn debyg i'r pregethwr Pyrs Huws, mae'n ddyn a ddaeth i oed yma ar dir yr Amerig. Un o'r ychydig na phriododd erioed. Dyn cydnerth, ei wyneb sgwâr yn lân a'i wallt wedi'i dorri'n fyr at ei glustiau, a siarada mewn brawddegau cwta, yn egluro hyd a lled ei luoedd, fel swyddog balch yn parêdio'i filwyr ar y maes, er mai dim ond pump a oedd ganddo i ateb i'w alwad.

'Ma whech ohonon ni. Y milisia sefydlog. Whech.'

Cafodd Rhisiart gyfarfod â phob un yn ystod y dyddiau diwethaf.

Owen Williams, a oedd tua'r un oed ag Evan Evans. Ychen o ddyn, yn fwy na'i arweinydd. Un a allai hawlio tipyn o awdurdod iddo'i hun, ond mae'n dawel, bron fel un wedi'i dorri yn ei ysbryd.

Huw Jones, ŵyr yr hen Edward Jones, y Deacon a fu farw'n ddiweddar. Daeth drosodd yn blentyn gyda'i rieni a'i dad-cu, ond y fo yw'r unig aelod o'r teulu sy'n dal ar dir y byw. Mae'n ddyn ifanc dibriod, rhyw ugain oed.

Tomos Bach, y bu farw ei rieni yntau'n fuan ar ôl iddynt gyrraedd bymtheng mlynedd yn ôl, ac yntau'n rhy ifanc i'w cofio. Wedi'i fagu gan Gwen a Rhys Edwart. Rhyw ddwy ar bymtheg oed ydyw, yr ieuengaf o'r milisia.

Ac wedyn y ddau Sais, Ben Cotton a David Newton, ill dau yng nghanol eu hugeiniau. Daeth y ddau dair blynedd yn ôl, yn alltudion o Boston. Roedd tri dyn duwiol ifanc arall wedi dod gyda nhw, ond bu farw'r lleill yn ystod y daith hir i Gaersalem Newydd. Cafodd y ddau loches yma gyda'r Seintiau Cymreig; maen nhw'n cyd-weld ym mhob agwedd o'r Ffydd, ac mae'r ddau'n deall Cymraeg yn bur dda erbyn hyn, er eu bod nhw'n siarad Saesneg ymysg ei gilydd.

'Whech, ti'n gweld. Dau ohonon ni'n cerdded y walie'n wastadol, ddydd a nos.'

Dysgodd Rhisiart fod angen gwirfoddoliaid arnynt hefyd, dau ddyn arall i helpu gyda'r gwaith pwysfawr hwn, yn cerdded y waliau ac yn sefyll ar ben y ddau ddŵr. Y mae rhestr o'r dynion ifainc sy'n gwirfoddoli, dau'n gwasanaethu bob wats, bob wyth awr, er mwyn sicrhau bod gwŷr y milisia yn cael cyfle i gyflawni'u gwasanaethau eraill ac er mwyn iddynt gael cyfle i gysgu. Mae Edward Williams, mab hynaf y saer, yn gwneud mwy na'i siâr.

'Mae wrth ei fodd 'da gwaith y milisia, ti'n gweld, wrth ei fodd. Mae'n well 'da fe gludo mwsged a cherdded y walie na ffarmo.'
Dyma'r agosaf y daw Evan Evans at hiwmor. Mae'n ddyn sy'n cymryd ei waith a'i statws o ddifrif, ac mae'r cwestiynau y mae'n eu gofyn i Rhisiart yn rhai difrifol. Fe'i hola am hyfforddiant, fe'i hola am drefn marts, fe'i hola am osodiad y llinell ar faes y

frwydr. Nid oes gan Rhisiart awydd trafod y cyfryw bethau, ac felly ceisia'i orau i osgoi arweinydd y milisia heb ymddangos yn anghwrtais.

Eistedd Evan Evans ar yr un fainc ag o rŵan, ei ben yn codi'n dalog uwchben yr hen wreigan a hawliasai'r lle rhwng y ddau ddyn. Pa ddau a oedd ar ddyletswydd heno? Gwelodd Owen Williams ar y ffordd i mewn, ei ysgwyddau llydan yn llenwi'r drws, a Tomos Bach gydag o. Roedd yn meddwl ei fod yn adnabod David y Sais o gefn ei ben, ond nid oedd yn siŵr. Ben Cotton a Huw Jones, efallai? Un yn cerdded bob un o'r ddau hanner cylch, yn ôl ac ymlaen o dŵr y de i dŵr y gogledd, eu traed yn curo'n rheolaidd ar y llwybr pren y tu ôl i'r parapet o goed pinwydd. Trefniadau milwrol, rheolaidd, y cyfan yn gyfarwydd iddo. Swyddog yn dewis ei warchodwyr, pawb a'i oriau penodedig i wylio. Fel cynllun yr amddiffynfeydd; prin y bu'n rhaid i Evan Evans egluro. Y waliau allanol a'u tyrau. A'r addoldy'n gaerfa eithaf yn y canol. Haen ar ôl haen o amddiffynfa, fel plicio nionyn, cyn cyrraedd y canol caled hwn.

Edrych Rhisiart drwy gil ei lygad i'r chwith. Hannah Siôn yw'r hen wraig sy'n eistedd rhyngddo ac Evan Evans, aelod hynaf y gymuned yn ôl Joseph Huws, ei hwyneb yn glytwaith o grychau dwfn a'r ychydig wallt a ddangosai o dan ei chap yn berlaidd o wyn. Roedd wedi cau'i llygaid yn fyfyrgar, ei phen wedi'i blygu ychydig mewn ystum o weddi. Yr hen weddw, yr hynaf, yn byw mewn tŷ ar ei phen ei hun, un o'r rhai ar y cyrion, y tu allan i brif gylch y pentref, yn agos at y stordy sy'n gartref dros dro i Rhisiart. Ar yr ochr arall iddi mae Evan Evans yn eistedd yn gefnsyth, ei lygaid wedi'u hoelio ar y pregethwr.

Yn ogystal ag ychydig o lewyrch y lleuad sy'n llifo i mewn trwy'r ffenestri culion, daw golau o'r canhwyllau − rhai mewn dalfeydd haearn syml ar y waliau rhwng y ffenestri, a rhes arall ohonynt ar fainc isel o flaen y pulpud. Er eu bod nhw'n taflu golau go lew, mae'r canhwyllau hyn yn mygu hefyd, a phob hyn a hyn mae'r gwynt sy'n taro trwy'r ffenestri yn chwipio cymylau bychain o'r mwg du, trwchus, ar draws yr ystafell. Daw arogl cryf, chwerw, i ffroenau Rhisiart, arogl sy'n dweud bod y canhwyllau wedi'u gwneud o fraster rhyw fath o anifail.

'Penderfynodd Duw trwy'i sanctaidd ragordinhad Ef pa dynged bynnag y dymunai yn achos pob un dyn.' Mae Pyrs Huws yn pregethu'n uchel rŵan, ei lais yn atseinio o'r waliau pren, golau'r canhwyllau'n dawnsio yn ei lygaid, y tameidiau o locsyn coch ar ei ên a'i fochau yn ymddangos fel fflamau bychain wedi'u cynnau yma ac acw ar draws cynfas gwelw ei wyneb.

'Dywedaf eto!' Mae'n taro'r pulpud â'i ddwrn, ei lais yn ymbilgar o daer.

'Nid yw pawb wedi'i greu yn gydradd, eithr y mae rhai wedi'u rhagordeinio i fywyd tragwyddol ac eraill i ddamnedigaeth dragwyddol. Ac felly, gan fod pob un wedi'i greu i un o'r ddau ddiben yma, nid yw'n briodol i ni geisio taflu llwch i'n llygaid ni ein hunain. Nac ydyw, frodyr a chwiorydd.

'Ie, gwrandewch! Mi a ddywedaf eto!' Dau ergyd arall, ei ddwrn yn curo pren y pulpud. 'Syllwn yn wyneb y ffaith hon bob dydd o'n bywydau a rhodiwn yn y gwybod hwn, y gwybod bod pawb wedi'i eni i un o'r ddwy dynged yma. Mae rhai wedi'u rhagordeinio i fywyd tragwyddol ac mae eraill wedi'u rhagordeinio i ddamnedigaeth fythol. Mae rhai wedi'u geni i fywyd, ac mae eraill wedi'u geni i farwolaeth.'

Mae Rhisiart yn edmygu dawn y dyn. Bu trin geiriau'n bwysig iddo unwaith, do, ac mae'n gallu cydnabod y gallu a gwerthfawrogi'r ymdrech. Bu'n gwneud yr un peth yn ei ieuenctid, er na chawsai dyrfa o'r fath i wrando arno. Bu'n gweithio geiriau yng ngefail ei feistr, ei ddarpar dad-yng-nghyfraith. Bu'n llunio pregethau a'u plygu yn yr haearn poeth. Ni chlywodd yr un dyrfa erioed y geiriau a luniodd, ond pan agorwyd giât newydd yr eglwys am y tro cyntaf roedd tameidiau ohonynt yn gwichian ar y bachau. *Yn enw Iesu Grist, yr hwn a gollodd waed ei galon drosom ni, blant gwael Adda.* Pan dywysid ceffyl o'r efail ar hyd strydoedd Wrecsam byddai geiriau ceinion ei ganeuon o yn aros yn olion ei garnau. *Y feillionen fwynaf a fu erioed, tyred ataf i gadw oed.* A phan ddefnyddiwyd haearn tân newydd tafarn yr Alarch am y tro cyntaf, cododd darnau o'i areithiau gyda'r fflamau. *A ninnau, weddillion hil yr Hen Frytaniaid, yn cofio.* A'r cleddyf prawf a wnaethai, yn taro ac yn torri'r awyr am y tro cyntaf, geiriau Rhisiart yn diferu o'r llafn sgleiniog. *Pwy all holi'r haearn am ei hynt a'i hoedl, pwy ond y gof a'i gwnaeth?*

I ble'r aethant? Y cleddyf wedi'i dorri ar faes rhyw frwydr yn ystod y rhyfeloedd. Llawer o'r darnau ceinion a ffurfiasai ar einion ei feistr wedi'u difetha pan losgwyd llawer o'r dref yn 1643. Un tŷ o bob pedwar yn ulw, a giatiau, colynnau, a bachau yr oedd Rhisiart wedi'u creu yn farw ac yn fud, wedi'u cludo gyda'r rwbel i'r tomenni sbwriel. A oedd giât yr eglwys yno o hyd, yn rhydu ar ei bachau? Ac i ble'r aeth y geiriau? Gyda'r gwynt. Gyda'r mwg a gludid ar y gwynt.

Bu'n trin geiriau yn ystod y rhyfel cyntaf hefyd. Do. Yn addysgu'r milwyr ifainc, yn mewnoli *The Souldier's Catechism* a'i wneud yn gymaint rhan ohonyn nhw â *Carwr y Cymry*, yn meddiannu'r geiriau a'u mowldio i'w lais ei hun. Yn llefaru'r geiriau'n hyderus, yn arwain holwyddoreg y wersyllfa. *What Profession are you of?*

I am a Christian and a Soldier. Rwyf yn cyfaddef mai yfelly y mae, ond mae'n amhosibl osgoi'r rhaid sydd wedi'i roi gerbron pobl dduwiol y wlad. *We are not to look at our enemies as country-men or kinsmen or fellow-Protestants, but as the enemies of God and our Religion, and siders with Antichrist.* Ni ddylai'n llygaid dosturio wrthynt. Ni ddylai'n cleddyf oedi rhag eu taro. Gelynion Duw a Chrefydd ydynt, nid cyd-wladwyr a charwyr. Y rhai sy'n cynnal plaid yr Anghrist, gelynion cyneddfol milwyr yr Arglwydd. Fo a fu'n egluro popeth i Owen, ei gyfaill agosaf yn ystod y blynyddoedd tymhestlog hynny, yn cyfieithu ac yn egluro. Mae yna air Cymraeg ar gyfer popeth ar y ddaear hon. Ond collodd ei afael ar eiriau o dipyn i beth. Roedd bywyd wedi eu curo allan ohono. Yr holl ryfela. Wexford a Drogheda. Y Pla Bach yn Llundain. Roedd y Cymro ifanc taer yn yr achos a llafar ei farn wedi marw a gadael dyn hŷn a gwahanol yn ei le. Y Cymro Gwyllt, ei wallt hir a'i locsyn yn flêr, yn gwneud synau gyddfol blin i ateb ei gyd-filwyr, yn gwrthod cael ei dynnu i mewn i sgwrs. Yr holl eiriau a fuasai'n gymaint rhan ohono wedi'u cludo â rwbel ei flynyddoedd i domen sbwriel ei fod.

Ond mae Rhisiart yn gallu cydnabod dawn y pregethwr hwn.

'Er ein bod ni wedi canfod hyn, ni allem fyth ganfod y rheswm na'r achos. Y sbardun a'r rheswm a'r achos yw cyfrin gyngor Duw, ac mae hwnnw y tu hwnt i'n meddwl a'n deall ni. Dyna sy'n cyfrif am etholedigaeth a gwrthodedigaeth fel ei gilydd – cyfrin gyngor Duw. Gwyddom hyn oll, er na allwn wybod y cyfrin gyngor hwnnw ei hun. Gwyddom mai dyna sy'n penderfynu genedigaeth dyn i etholedigaeth, ie, a gwyddom mai dyna sy'n penderfynu pa rai a enir i ddamnedigaeth. Nid unrhyw anian sydd y tu mewn i'r dyn ei hun, boed yn dda, boed yn ddrwg. Na, nid oes dim byd ond cyfrin gyngor Duw sydd wedi penderfynu hyn oll.'

Cwyd Pyrs Huws ei ddwylo ac ymestyn ei freichiau'n llydan, fel pe bai am gofleidio pawb sy'n eistedd o'i flaen yn yr addoldy.

'Rydym ni'n gallu cydnabod y cyfrin gyngor hwnnw weithiau fel trugaredd Duw, ond gwyddom nad oes modd i ni ddeall nac amgyffred gwir natur ei darddle, y cyfrin gyngor hwnnw sy'n sicrhau bod rhai wedi'u geni i etholedigaeth. Gwyddom nad yw'r etholedigaeth honno yn wobr am unrhyw werthoedd dynol, gwyddom nad yw'n dâl am pa ddaioni bynnag y mae dyn yn ceisio'i amlygu yn ystod ei oes. Ni all fod, gan ei bod yn dynged sydd wedi'i phenderfynu cyn bod genedigaeth dyn, yn dynged wedi'i phenderfynu ymlaen llaw drwy gyfrin gyngor Duw. Yn yr un modd, mae'r rhai a enir i ddamnedigaeth wedi'u collfarnu i farnedigaeth sydd yn gyfiawn ac yn ddifai er ei bod hi hefyd yn farnedigaeth sy'n annealladwy i feidrolion na all ddeall Ei feddwl a'i fwriad a'i gyfrin gyngor Ef.'

Mae'r dwylo'n disgyn eto i orwedd ar y pulpud ac mae'r pregethwr yn pwyso ymlaen, y canhwyllau ar y fainc o dano'n taflu cysgodion symudol ar ei ên a'i fochau.

'Ond… ond… rydym ni'n ystyried galwad Duw yn arwydd o etholedigaeth, fel yr ydym ni'n ystyried cyfiawnhad yn arwydd arall. Mae'n wir na ellir profi'r naill arwydd na'r llall hyd nes y deuir i Ogoniant, ond gwyddom fod Duw yn gadael i'r arwyddion hyn amlygu eu hunain i ni. Gwyddom fod Duw yn selio'r etholedig trwy'i alwad a'i gyfiawnhad Ef. Gwyddom yn yr un modd mai trwy amddifadu'r gwrthodedig o wybodaeth o'i enw Ef a sancteiddhad ei ysbryd Ef y mae Duw yn arddangos nodau'r farnedigaeth sy'n disgwyl y gwrthodedig rai.'

Mae'n cydnabod yr angerdd hefyd. Taerineb yr un sy'n gwybod. Fel y pregethwyr teithiol a'r milwyr oedd wedi ymddyrchafu'n weinidogion dros dro mewn gwersyllfa, barics, a maes. Y cynllunio ar gyfer dyfodiad Teyrnas Nef. Proffwydi'n darllen arwyddion yr amseroedd. Diwinyddion hunanbenodedig byddin a oedd yn eglwys ac yn athrofa ac yn areithfa ac yn bulpud. Ond mae diwinyddiaeth Caersalem Newydd yn wahanol. Ers iddo brofi'i ddeffroad ysbrydol yn Wrecsam, bu Rhisiart yn dyst i wrthbwyntiau a dadleuon. Roedd Byddin y Seintiau yn enwedig yn gymysgfa o gredoau, gyda chredinwyr yn cytuno ar un pwynt ac yn anghytuno ar bwynt arall, llu o bwyntiau a gwrthbwyntiau yn byrlymu'n barhaus yng nghrochan eu trafod, milwyr a oedd wedi'u hyfforddi i symud yn ufudd ac yn unffurf mewn brwydr yn tynnu'n groes yn eu trafodaethau. Ymrannent yn garfanau lu, yn llesmeiriol o anuniongred eu credoau. Roedd nifer fechan o linynnau arian yn eu tynnu un ac oll ynghyd – eu cred bod y fyddin yn fodd i greu teyrnas well a'u sicrwydd mai nhw oedd y gwir Brotestaniaid yn ymladd i warchod purdeb eu crefydd – ond roedd y gwahanol linynnau amryliw o gred a ffydd a blethid ynghyd yn y gwead yn ddi-ben-draw o niferus. Roedd llawer o linynnau amryliw eu credoau cymysg wedi'u creu o ddaliadau John Calvin, ond nid oedd unrhyw fath o gysondeb yn eu gwead. Ond yma yng Nghaersalem Newydd y mae Calfiniaeth uniongred o fath nad yw wedi tystio iddo erioed o'r blaen.

Cofia lais arall, llais Owen Lewys, yn cyrraedd ei glustiau uwchben twrw'r storm, ystlysau'r *Primrose* yn gwichian wrth i'r llong rochian a rholio yng ngafael y gwynt a'r tonnau. Pa hawl sydd gyda nhw, Rhisiart Dafydd? Pa hawl sydd gyda nhw i ddweud bod y goleuni'n disgleirio oddi mewn i'r etholedig yn unig? Pa awdurdod sy'n gadael i ddyn gredu'i fod e'n gallu sathru ar y rhodd honno a dwyn y sicrwydd hwnnw oddi ar enaid arall? A'i gasgliad yntau: pedwarawd y mae Calfiniaid o'r fath yn ei addoli, Owen, nid trindod, a phwy na ddywedai mai cabledd yw hwnnw hefyd?

Sifflad a symud, pawb yn sefyll, y cyfarfod pregethu ar ben. Ni chanwyd emyn ac ni sylwodd Rhisiart ar eiriau clo'r gwasanaeth. Try a chynnig cymorth i Hannah Siôn. Cydia'r hen wreigan a'i dwylo yn ei fraich a mwmian ei diolch iddo. Symuda'r ddau i'r drws, gweddill y dyrfa yn disgwyl i'r rhai a fu'n eistedd ar y meinciau cefn ymadael gyntaf. Sylwa Rhisiart am y tro cyntaf ar rywun a fuasai'n eistedd ar y fainc gefn arall. Gwraig. Merch. Ar ei phen ei hun. Mae hi'n troi ac edrych arnynt am eiliad cyn camu drwy'r drws i'r nos. Wyneb ifanc, agored.

Ac wedyn mae Evan Evans yn cerdded yn araf o'u blaenau,

Owen Williams yn ei ddilyn, ei gorff mawr yn llenwi'r drws am eiliad. Tro Rhisiart ydyw wedyn, ac yntau'n tywys Hannah Siôn yn ofalus, yn camu wysg ei ochr i lawr y grisiau er mwyn iddi gael pwyso ar ei fraich gydol yr amser. Ar gyrraedd y ddaear galed y tu allan, gwêl Rhisiart fod haen arall o eira newydd yn cuddio'r llwybr.

'Diolch, Rhisiart Dewi.' Mae'r hen wreigan yn gwybod ei enw, fel pawb arall.

Cyn iddo gael cyfle i ateb, mae'r wraig ifanc honno yn eu hymyl, yn gwenu arno'n swil, ac wedyn yn tynnu'i llygaid oddi arno'n gyflym.

'Dewch, Hannah Siôn, mi a' i â chi i'r tŷ.'

'Diolch, Rebecca, mi fydde'n braf ca'l dy gwmni di.'

Saif Rhisiart yno am ennyd, yn ansicr pa beth y dylai ei wneud, ond cyn iddo gael cyfle i benderfynu mae Rhosier Wyn yno, yn rhofio'i freichiau hir afrosgo o flaen ei fol mawr, ei gorff bach yn siglo o ochr i ochr.

'Dyna ti, dyna ti.' Gwêl fod Rhisiart yn gwylio'r ddwy'n cerdded i ffwrdd, yr hen wraig yn pwyso ar fraich ei chymdoges ifanc. 'Mae'r gweddwon yn helpu'i gilydd. Fel'na mae'i fod.' Ac wedyn mae'n cydio ym mhenelin Rhisiart, yn ei arwain oddi wrth ddrws yr addoldy wrth iddo droi'r sgwrs yn ôl at ei ddewis bwnc.

'Wedes i fod goleuni'n disgleirio trwy Pyrs Huws, yndo?' Mae digon o olau lleuad i weld bod y dyn yn gwenu, ei wefusau main yn dangos y dannedd cam, bylchog yna. 'Mae'n oleuni i oleuo'r tywyllwch.'

'Mae ganddo fo ddawn, yn sicr.'

'Mwy na dawn, Rhisiart Dewi, mwy na dawn. Dere nawr, wi'n siŵr yr hoffet ti ymestyn dy goese cyn cysgu, yr un fath â finne.'

Mae'n tywys Rhisiart ar hyd y lôn gylch, er bod llen o wyn yn cuddio llwydni'r llwybr ei hun. Mae'r eira'n crensian o dan eu traed, a'u hanadl yn codi'n darth wrth iddyn nhw ymlwybro'n araf o flaen y tai sy'n amgylchynu'r addoldy a thai'r gweinidogion. Cerdda'r ddau heibio i dŷ Pyrs a Catherin Huws, ac ymlaen heibio i dŷ Rhosier Wyn ei hun. Ac wedyn ymlaen, heibio i dŷ gwag y Diacon ac yna i gartref Richard Morgan Jones. Noda Rhisiart fod ychydig o fwg yn codi o'r simdde, er na all weld golau y tu ôl i gloriau caeëdig y ffenestri. Er bod ganddo'r awydd i ofyn eto a gâi gwrdd â'r Doethur Jones, nid oes ganddo'r egni ar hyn o bryd i fentro i'r tir anodd hwnnw. Crwydra'i feddwl yn bell o eiriau ailadroddus Rhosier Wyn. Pan geisia ganolbwyntio ar ei druth eto, sylwa Rhisiart fod y dyn bach yn parhau i drafod yr un pwnc.

'Dyna ydyw, t'wel, yn sicr i ti. Goleuni a drefnwyd gan Ragluniaeth i oleuo'r tywyllwch hwn. Rwyt ti newydd dystio iddo fe, Rhisiart Dewi. Fedri di ddim gwrthod cydnabod 'ny. Fe fyddwn i'n fodlon taeru dy fod newydd dystio i rym Caersalem Newydd hefyd. Ie, grym a rhin. Mae 'na gymaint o arwyddion, yn do's? Fedri di ddim eu gwadu. Ry'n ni wedi'n gosod yma yn ddinas ar y bryn, yn oleuni i oleuo'r tywyllwch.'

Mae'n dechrau rhestru ac enwi a rhifo eto. Mae dau a thrigain ohonynt, dwywaith yn union y nifer a hwyliodd dros y môr bymtheng mlynedd yn ôl. Er bod nifer wedi marw, mae eraill wedi dyfod i lenwi'r tai a chwyddo rhengoedd Duw. Dau a thrigain. Dwywaith yn union. Prawf sicr. Â rhagddo, yn camu o flaen Rhisiart bob hyn a hyn, ei fol mawr yn ysgwyd uwchben ei goesau byrion, yn taflu'i freichiau yma ac acw, yn annog Rhisiart i ystyried y ffaith honno a'r arwydd hwnnw. Ond mae Rhisiart wedi ymgolli yn ei feddyliau'i hun: rwyf wedi credu, wedi byw, wedi gwneud.

'Dyna ddigwyddodd, t'wel, y pla.' Daw'r geiriau â Rhisiart yn ôl i'r presennol hwn. Gwrendy yn astud ar y dyn bach boliog sy'n parablu'n egnïol yn ei ymyl.

'Y pla?'

'Ie, y pla. Roedd llawer o'r Indiaid yn byw yma, t'wel. Miloedd ohonyn nhw. Roedd y fro hon yn berwi 'da nhw. Ond da'th y pla a'u difetha. Eu difa i gyd. Da'th gyda'r Ffrancwyr a dda'th yma gynta, t'wel, i lawr o'r gogledd-ddwyrain. Y Ffrancwyr cynta, yn masnachu â'r anwaried. Wedi dod â'r pla 'da nhw. Doedd yr Indiaid erioed wedi wynebu'r fath haint o'r bla'n, t'wel, felly mi a'th trwyddyn nhw fel pladur trwy wenith. Wedi'u difa i gyd, a hynny'n weddol fuan cyn i ni gyrra'dd. Wedi glanhau'r holl diroedd 'ma o'r anwaried. Wedi clirio'r anialwch ohonyn nhw, yn barod amdanon ni. A Rhaglunieth wedi clirio'r holl Indiaid fel'na, y cwbwl y bu'n rhaid i ninne ei wneud ar y dechre o'dd clirio'r coed. Rhaglunieth, t'wel. Rhaglunieth ar waith, yn clirio ac yn paratoi'r ffordd ar ein cyfer ni. Roedd y cwbwl yn rhan o'i gynllun Ef, t'wel. Mae e i gyd mor eglur, Rhisiart Dewi. Roedd yn rhan o'r drefen, t'wel.'

Mae trefn i bopeth, ac mae rheswm y tu ôl i'r drefn honno.

2

Diwedd Tachwedd 1656

Pffsss. Pffssss.

Yr hisian cyfarwydd. Arogl nad oes ei debyg yn unman arall, un sy'n dweud bod haearn chwilboeth glân newydd fynd i ddŵr. Arogl na chlywir ond mewn gefail.

Ac yntau heb waith penodol i'w wneud – y fo, yr ymwelydd, yr unig ddyn segur yn y pentref – mae Rhisiart yn rhydd i grwydro yn ystod y dydd. Ac yn ddiarwybod iddo'i hun, heb benderfynu mai dyna fydd ei lwybr, mae'n dod yn ôl i'r lle hwn bob tro. Yr efail, yr adeilad unig sy'n sefyll yn ymyl y ffynnon, hanner ffordd rhwng y pyrth a chanol y pentref. Ar ei ymweliad cyntaf cawsai groeso twymgalon gan y gof, Griffith John Griffith. Dyn a aned i'w waith; Owen Williams y milisia oedd yr unig un yn y pentref a oedd yn fwy nag o. Ei wyneb yn dangos ei flynyddoedd ac yntau rhywle rhwng canol oed a henaint, a'i ben yn gwbl foel.

'Llosgwyd 'y ngwallt, ti'n gweld, pan o'n i'n brentis ifanc, a dyw e byth 'di tyfu'n ôl.' Llais dwfn, soniarus, yn gwbl ddifrifol, ond llygad yn chwincio'n gellweirus.

'Fe sy'n ei eillio bob dydd.' Ei fab Ifan oedd ei brentis, llanc yn ei arddegau hwyr, ei wallt tywyll yntau wedi'i dorri'n fyr at ei glustiau. 'Mae'n ddefod 'da fe.'

'Ie, eitha gwir. Dw i'n ei wneud bob dydd. Ers i mi'i losgi pan o'n i'n brentis.' A'r llygad yn chwincio'n chwareus ar Rhisiart eto.

Bu farw gwraig Griffith John Griffith yn fuan ar ôl iddyn

nhw gyrraedd bymtheng mlynedd yn ôl, a'i fab Ifan yn blentyn bach ar y pryd. Er na allai ddweud ei fod yn cofio Cymru, roedd ganddo frith gof am y fordaith. Brith gof oedd ganddo am ei fam hefyd. Y cyfrif, y cofnodi, a'r rhestru. Roedd pawb yn y pentref a ddewisodd rannu ychydig o'u hanes personol â Rhisiart wedi'i adrodd yn nhermau'r fordaith. Dyn ifanc ydoedd yr adeg yna, ac mae wedi aeddfedu yma ar dir yr Amerig. Plentyn bach iawn ydoedd ac nid yw'n cofio na Chymru na'r fordaith.

Plentyn a aned yma yng Nghaersalem Newydd.

Mae'r daith honno bymtheng mlynedd yn ôl yn gyfeirbwynt sy'n diffinio'r ddwy oes – yr hen oes yn yr hen wlad a phopeth sydd wedi digwydd yma, popeth sydd wedi arwain at y presennol mawr hwn.

Yn hynny o beth roedd y gof a'i fab yn debyg i'r holl bentrefwyr, ond fel arall teimla Rhisiart fod y sgwrs a'r gwmnïaeth a gaiff yn yr efail yn wahanol i'r hyn y mae'n ei gael yng nghwmni trigolion eraill Caersalem Newydd. Mae mwy o gellwair yma. Mae'n teimlo, rywsut, nad yw'r drefn mor gaeth yn yr efail. Er bod Griffith John Griffith a'i fab yn bobl dduwiol fel pawb arall, nid ydynt yn gwarchod eu geiriau yn yr un modd. Mae'r gof hyd yn oed yn rhegi ar adegau.

'Uffarn dân, Ifan, mae hwn am dorri cyn y plygith e fwy.' Curiad arall â'r morthwyl, ac yna – tshinc! – mae'r stribed o haearn yn torri ar yr einion.

'Uffarn dân! Wedes i y bydda fe'n torri!'

Er bod ei wyneb yn goch gan wres yr efail, mae Ifan yn cochi'n fwy pan fydd ei dad yn siarad fel yna, ond nid yw'n dweud dim byd yn ei gylch.

'Y llygaid 'ma yw'r trafferth, Rhisiart Dewi, ti'n gweld.' Mae'n codi un o'i ddwylo – pawen fawr gnotiog o law – a'i hysgwyd yn gyhuddgar o flaen ei lygaid. 'Dw i'n mynd yn ddall, ti'n gweld. O dipyn i beth. Dw i ddim yn gallu gweld graen yr haearn mor glir y dyddie hyn.'

Mae'n rhedeg y llaw yn ôl ac ymlaen dros ei ben moel. 'O'r gorau 'te, Ifan bach. Wnaiff hwnnw ddim llafn pladur. Mae'n well i ni ddechre 'to.' Ac wedyn mae'n rhegi eto, o dan ei anadl, wrth iddo sychu'r chwys oddi ar ei ddwylo ar ei ffedog. 'Uffarn dân!'

Grym iaith, pwysigrwydd geiriau. Byddai siarad o'r fath wedi bod yn faen tramgwydd gan Rhisiart ei hun flynyddoedd yn ôl, pan oedd cywair a chynnwys popeth a ddywedwyd yn bwysig iddo. Gwelsai gyd-filwyr yn cael eu cosbi am regi yn ystod y rhyfel cyntaf a chredai yn ei galon fod y gosb yn deg. Colli peth o'u cyflog y tro cyntaf, eu carcharu'r ail dro. Y cwbl yn gyfiawn, yn fodd o lanhau Byddin y Seintiau o iaith aflan. Yn sicrhau bod y lluoedd yn plygu i ddisgyblaeth eglwysig, canys dyna ydoedd y fyddin – eglwys wedi'i chynnull yn y Ffydd. Ceryddodd Elisabeth am siarad yn ddiofal. Rwyt ti'n rowndyn twt eto, Rhisiart. Ust! Mae'n drosedd i un o filwyr y Senedd alw un arall yn rowndyn. O'r gorau, Rhisiart, ond nid milwr ydw i.

Nid oedd yn gallu cymeradwyo'r disgyblu hwnnw erbyn yr ail ryfel. Nid oedd y Cymro Gwyllt tawedog yn poeni am bwysau geiriau yn yr un modd â'r piwritan ifanc, taer. Bu'n rhegi droeon wedyn, dan ei wynt neu yn ei galon. Pan feddyliodd am y Cymro hwnnw yn siarad ag o drwy dwll yn wal y carchardy. Wi'n falch ca'l gweud 'mod i wedi dyfod allan o blaid y brenin unweth yn rhagor. Ma'n flin 'da fi weud, ond dyw e ddim yn llawer o fywyd, nagyw? Nac'di. Dydi o ddim yn fywyd o fath yn y byd. Pan losgodd ei fochau wrth feddwl am ei ffolineb ei hun, ac yntau wedi gofyn i'r Cyrnol Powel a gâi fynd gyda Cromwell i Iwerddon. Byddai'n rhegi ei galedi hunanol ei hun, ac yntau wedi dewis mynd er mwyn cael gwneud rhywbeth yn hytrach na gorfod meddwl. Y fo, yn fodlon maeddu'r ardd, wedi dewis y llwybr a aeth ag o i waliau Drogheda a glannau Wexford. Yn rhan o'r llinell a wadodd obaith i'r dref. Y tonnau'n dod â'r cyrff i'r traeth: gwragedd, plant, a dynion o bob oed. Broc môr dynol, gweddillion y gwarchae. Pan oedd y Saeson yn dadlau ynghylch dyletswyddau'r Senedd tuag at y gweinidogion, y rhai yr oedd hi wedi'u gosod wrth eu gwaith ac wedyn wedi penderfynu eu diswyddo, a Rhisiart yn syrffedu ar y cyfan, yn cerdded ei ffordd, yn rhegi dan ei wynt. Adeg gwrthryfel Penruddock, a'r milwyr ifainc yn siarad amdano. Dacw'r Cymro Gwyllt, yn barod i fynd. Daw'n ôl â phen y bradwr ar bawl. Ac yntau'n byw fel dyn mud, bron, yn osgoi siarad ar wahân i rochian ambell *Ie* a thuchan ambell *Na*, ond rhegodd yn ei galon, do. Myn uffar i, mi wna i, y diawliaid bach. Mi a' i'r holl ffordd a lladd y cwbl lot ar 'y mhen fy hun, myn uffar i, ond nid i'ch plesio chi, y diawliaid bach. Mi ladda i'r cwbl lot ohonyn nhw achos dw i'n gallu, a dyna i be dw i'n dda, yn wahanol i chi, llydnod piblyd di-ddim bob un, i'r diafol â chi.

Roedd yr hyn a ddywedai wrtho fo'i hun yn ei osod ar wahân i'w gyd-filwyr, er na chlywsai neb y rhegfeydd mynych a gymerai le'r weddi yn ei galon. Nid felly iaith Griffith John Griffith. Roedd ebychiadau'r gof fel pe baent yn gyfyngedig i'r efail, a byddai'n eistedd yn ymyl ei fab yn yr addoldy ym mhob gwasanaeth ac yn gweddïo mor daer â phawb arall yn y dyrfa. Ond roedd rhegi'r gof yn gwneud i Rhisiart deimlo'n gyfforddus, yn rhan annatod o groeso a chynhesrwydd yr efail.

Yn ystod ei ail ymweliad dywedodd Rhisiart ei fod yntau wedi bod yn brentis i of.

'Uffarn dân! Glywest ti hynna, Ifan bach?! Mae Rhisiart Dewi 'ma yn of hefyd! Uffarn dân, mi wyddwn fod yna rywbeth neilltuol o hoffus amdano fe!'

Roedd y gof a'i fab yn gweithio bob dydd, hyd yn oed pan nad oedd galw am eu gwaith. Yn creu llafn pladur newydd neu'n trwsio swch aradr, er na fyddai neb yn gofyn am y cyfryw bethau tan y gwanwyn.

'Ti'n deall, Rhisiart Dewi. Rhaid cadw'r tân yn boeth a'r einion yn canu. Fydda fe ddim yn bentre heb sŵn morthwyl ar einion, ondife?' Yn gweithio ac yn ailweithio'r ychydig haearn a oedd ganddynt, yn toddi darnau'r offer a oedd wedi'u malu ac yn eu hailffurfio'n bethau newydd. Yn cadw'r einion yn canu, yn gymaint rhan o rythm y gymuned â churiad traed y gwylwyr ar y waliau.

Rhythm bywyd bob dydd. Er nad oedd wedi byw mewn cymuned ar wahân i rengoedd y fyddin am flynyddoedd lawer, roedd y rhythm yn gyfarwydd. Y synau, y mynd-a-dod, yr arogleuon. Patrymau bywyd – gwaith, addoliad, a gwaith. Pobl yn mwynhau sgwrs â chymydog, plant yn rhedeg o gwmpas, yn chwerthin yn afreolus, yn ystod eu hamser hamdden prin, a hynny er gwaethaf gwg ambell oedolyn. A'r cwbl yn Gymraeg. Ie, y cwbl, ar wahân i David Newton a Ben Cotton, a siaradai Saesneg ymysg ei gilydd. Y sgwrs rhwng cymdogion, gwersi ysgol y plant, y gweddïo a'r pregethu, y drafodaeth am storfa'r gaeaf a chnydau'r flwyddyn nesaf. Y cwbl yn Gymraeg. Mae Rhisiart yn ei gael ei hun yn pendilio rhwng dau gyflwr. Mae'n ymollwng mewn mwynhad, yn derbyn yn ddigwestiwn ac yn mwynhau rhythmau Cymreig a Chymraeg bob dydd y pentref, ond wedyn, ar adegau eraill, mae'n rhyfeddu at y cyfan a'r rhyfeddod yn ei daro'n syfrdan. Mae'n llesmeiriol o annhebygol, ac eto mae'n real. A pham lai? Beth am gymunedau eraill Lloegr Newydd? Beth am Salem, Plymouth, a Boston? Onid oedd y Seintiau Seisnig wedi'u sefydlu er mwyn sicrhau'r hawl i fyw'n dduwiol yn unol â'u hewyllys nhw eu hunain, yn bell o bechodau'r hen wlad? Paham na ddylai'r Calfiniaid Cymreig hyn hawlio'r un cyfle? Pwy a all ddweud nad oes ganddynt gystal hawl i fywyd newydd, a hwythau wedi mentro'r moroedd i greu teyrnas dduwiol ar gyfer credinwyr Cymreig yma ar dir yr Amerig? Roedd yn haws ymollwng a derbyn y cyfan, ymdrybaeddu yn y cyfarwydd a chefnu ar amheuon. Derbyn, ie, a mwynhau. Byw yn y presennol mawr hwn.

Dyna sydd yn chwarae ar ei feddwl pan geisia gysgu, ac yntau'n gorwedd ar ei blanced ar lawr pren y stordy, casgenni a chistiau'n gwmni iddo. Dyna fydd yn ei gadw'n effro am oriau. Cysur y cyfarwydd. Ie, hynny a llwyddiant y lle. Pa beth a ddywedai wrth John Powel? Ydyn, mae trigolion Caersalem Newydd yn fyw ac yn iach. Mae'r gymuned yn ffynnu. Mae dau a thrigain o eneidiau byw yno, ddwywaith yr un ar ddeg ar hugain a hwyliodd dros y môr. Ac mae ystyr, arwyddocâd, a phrawf yn y nifer yna. Dau a thrigain, arwydd sicr o lwyddiant. Ydi, mae'n wir eu bod yn gaeth yn eu hathrawiaethau, ond maen nhw'n gyson. Ac maen nhw'n ddedwydd. Efallai mai dyna'r hyn y dylai ei ddweud wrth y Cyrnol. Dweud y dylai roi'i obeithion yn nyfodol y gymuned hon. Rhoi hwb bach pan ddeuai'r cyfle, er mwyn helpu i greu troedle sicr ar y cyfandir hwn ar gyfer gweddillion hil yr Hen Frytaniaid. Chwalwyd breuddwyd y Crynwyr ar y creigiau gyda'r *Primrose*. Fe'u boddwyd gydag Owen Lewys, druan. Yma, yng nghanol y coedwigoedd, yma, oddi mewn i waliau diogel Caersalem Newydd, roedd y gwaith pwysfawr hwnnw wedi'i gychwyn. Ie, yma y mae'r gwaith hwnnw ar gerdded. Ac mae'n llwyddo. Ond ni all anghofio'r llythyr hwnnw yr oedd y Cyrnol wedi'i dderbyn. *That which I have heard suggests that they know not what they do.* Pa sïon a oedd y tu ôl i'r rhybudd hwnnw? A pha sylfaen? Ai malais ydoedd? Sais yn edliw'r cyfle hwn i ddyrnaid o Gymry? Drwgdybio crefyddol, ac awdur y llythyr yn anghytuno â diwinyddiaeth arweinwyr Caersalem Newydd? Iawn, o'r gorau, ni all Rhisiart yntau gyd-weld, ond eto mae'n teimlo nad oes ganddo'r hawl i warafun y bywyd hwn iddynt. Pa hawl sydd ganddo? Pa sylfaen?

Roedd hi wedi cynhesu yn ystod y dyddiau diwethaf, a'r eira wedi ildio i ddaear wleb. Atgof o anadl yr haf, er eu bod yn sefyll ar drothwy'r gaeaf. A ddylai fentro a gadael rŵan? Teithio'n ôl i Portsmouth neu fynd yr holl ffordd i Boston, a disgwyl am long a allai ei gludo'n ôl at y Cyrnol Powel. Ond nid yw wedi gweld Richard Morgan Jones eto. Y Doethur Jones, y Moses a arweiniodd y fintai dros y môr, ar ôl iddo gael eglwys Llanfaches yn ddiffygiol yn ei hathrawiaethau. Ar ôl penderfynu na ellid cynnal cymundeb perffaith rhwng cymuned a Gwir Eglwys ond yng nghanol yr anialwch hwn, yn bell o bechodau'r hen wlad.

Yn y diwedd, penderfynodd Rhisiart fynd â'i rwystredigaeth at yr unig rai y teimlai y gallai rannu cyfrinachau â nhw.

Pffsss. Haearn chwilboeth glân yn hisian yn y dŵr, Ifan yn ei ddal yn yr efel a'i dad yn sefyll yn ymyl yr einion, yn sychu'r chwys oddi ar ei wyneb a'i ben moel.

'Ydach chi'n gwybod pam dw i wedi dod yma?'

'Gwn, Rhisiart Dewi.' Y llais dwfn yn bwmio, fel tonnau'n taro ystlysau llong. 'Ti 'di dod yma i sgwrsio. Ac i fwynhau cysur y cyfarwydd. Gan mai gof wyt ti yn dy waed, ondife.' Chwincia arno, a throi i daflu rhagor o goed ar y tân a phrocio'r fflamau. Try at ei fab wedyn er mwyn cymryd yr efel ganddo a gosod y stribed o haearn yn y tân.

'Naci, nid dyna dw i'n ceisio'i ofyn.'

Ar ôl troi'r haearn drosodd a rhoi proc arall i'r tân, mae Griffith John Griffith yn troi ato, ei ben moel yn sgleiniog gan chwys, ei aeliau wedi'u codi'n gwestiwn.

'Gofyn dwi a ydach chi'n gwybod pam dw i wedi dod yma i Gaersalem Newydd?'

'Odw. Mae pawb yn gwybod. Mae'n anodd cadw cyfrinache rhwng murie Caersalem Newydd.' Chwincia arno, a throi'n ôl at y tân.

'Mi ddes i yma, dach chi'n gweld, yr holl ffordd o Lundain.' Mae'n siarad â chefn ac ysgwyddau llydan y gof, a hwnnw'n plygu dros y tân o hyd. 'Ar gais y Cyrnol Powel. Mae'n ddyn dw i'n ymddiried ynddo fo, 'wch chi. Fedrwn i ddim gwrthod ei gais.'

Erys yn dawel am ychydig, yn disgwyl i Griffith ateb neu droi'n ôl i'w wynebu. Saif Ifan yn ymyl y cafn dŵr o hyd, ei freichiau wedi'u plethu a'i wyneb yn goch, yn amlwg yn gwrando ond eto'n teimlo'n anghyfforddus. 'Roedd y Cyrnol yn nabod Richard Morgan Jones, dach chi'n gweld. Yng Nghymru. Cyn y rhyfela. Yn yr hen ddyddia. Ac mae'n ddyn sy'n… *gwneud*, Cyrnol Powel, dach chi'n gweld. Mae'r clustia pwysig yn gwrando arno. Ac mae o isio sicrhau eich bod chi'n iawn. Mae o isio'ch helpu, os oes rhaid.'

Try'r gof mawr ato o'r diwedd, yr efel yn ei law chwith, a honno'n dal y stribed o haearn sy'n disgleirio'n goch erbyn hyn. Cwyd y morthwyl â'i law dde a chamu at yr einion. Symuda Rhisiart o'i ffordd, a dechreua guro'r haearn eto. T-tsing, t-tsing, t-tsing. Oeda, yn astudio'i waith, cyn taro'r haearn ag un ergyd arall. Try wedyn a rhoi'r efel i'w fab. Pffsss.

Cama draw at Rhisiart wedyn, yn ysgubo chwys o'i wyneb a'i ben â'i bawen o law. Saif o'i flaen, yn sychu'i law ar ei ffedog. 'Ac wyt ti'n meddwl bod angen help arnon ni?' Mae ei lais dwfn yn gwbl ddifrifol am unwaith, a'i wyneb yn ddifynegiant.

'Nac'dw. Dw i ddim yn credu bod angen dim byd arnoch chi, hyd y galla i weld.'

'O'r gore, 'te. Rwyt ti wedi gorffen dy waith. Be wnei di nesa? Aros gyda ni? Mae Caersalem Newydd yn tyfu, ti'n gwybod. Mae yna lawer o blant yma. Mae gan Tomos ac Esther Mansel saith ohonyn nhw. Saith! Joshua, Ruth, Dafydd, Sarah, Rachel, Tabitha, a Dorcas. Saith, ti'n gweld!' Rhestru, enwi, a chyfrif. Arwyddion sicr. Arwyddocâd. Saith. 'Bydd rhagor o blant yma cyn bo hir hefyd. Cred di fi, 'machgen i. Bydd angen codi tai eraill. Gweithio. Mae'n bosib y bydd angen gof arall yma cyn bo hir hefyd. Dw i'n mynd yn ddall o dipyn i beth, a bydd yna ormod o waith i Ifan yn ystod y gwanwyn a'r haf. Adeg y cynhaea hefyd. Mi 'nelet ti of ardderchog, Rhisiart Dewi.' Y chwinc chwareus eto.

'Dwn i ddim. Ond rhaid i mi gadw 'ngair i'r Cyrnol Powel gynta. Gorffen y gwaith.'

'Ond ti 'di neud 'ny. Wedest ti. Ti 'di dod yma a gweld Caersalem Newydd drostot ti dy hun, a gweld bod popeth yn iawn yma. Mae dy waith ar ben felly. Cer 'nôl i Strawberry Bank ac ysgrifenna lythyr i fynd yn ôl i Lundain gyda'r llonge. Gwêd wrth dy Gyrnol Powel fod popeth yn iawn yma. Ac wedyn dere'n ôl aton ni i aros. Oni bai bod rhywun 'da ti, yn disgwyl amdanat ti yn Llundain neu yng Nghymru?' Gwên fach, a'r llygad yn chwincio arno.

'Nac oes. Does gen i neb. Ond dydi 'ngwaith ddim wedi'i orffen eto.'

'Nagyw?'

'Nac'di. Mae'n rhaid i mi weld Richard Morgan Jones gynta. Fo yw'r un y mae'r Cyrnol yn ei nabod. Bydd am glywad beth y mae o yn ei ddeud am eich hanes.'

Pwysa Griffith John Griffith dros ei einion, fel pe bai'n plygu dros fwrdd isel, ei freichiau wedi'u plethu ac yn gorffwys ar dop y dodrefnyn. 'Does neb wedi gweld y Doethur Jones ers tipyn o amser. Mae'n wael iawn, ti'n gweld. Dyw e ddim wedi gadael y tŷ ers wythnose. Mae Catherin Huws yn tendio arno fe fel arfer. Fel arall, dim ond Rhosier Wyn sy'n mynd ato fe. Weithie mae Evan Evans yn mynd gydag e hefyd, ond gan amla mae'r Henadur yn mynd i'w weld ar ei ben ei hun.'

Saif wedyn, yn sythu'i gefn, yn rhowlio'i ben mawr moel yn araf o'r naill ochr i'r llall. 'Ow! Bydd yr hen gorff 'ma yn mynd cyn 'yn llygaid i os nad wi'n ofalus!' Gwena ar Rhisiart cyn troi at ei fab.

'Ifan.'

'Ie, 'nhad?'

'Sut olwg sy ar hwnna nawr?'

'Mae'n disgwyl yn iawn, 'nhad. Debygol o ddal, wedwn i.'

'O'r gore. Gad e yma 'da fi. Cer di ag ychydig o'r coed tân 'ma at y gweddwon. Mae gormod ohono fe. Rhisiart Dewi?'

'Ie?'

'Cer di 'da fe. Mae gormod ohono fe i Ifan ei gario ar ei ben ei hun. Ewch â 'chydig i Rhys a Gwen Edwart hefyd.'

Â Ifan a Rhisiart yn ôl ac ymlaen drwy gydol gweddill y prynhawn, yn cludo coflaid ar ôl coflaid o goed tân. Gwaith syml, pleserus, a Rhisiart yn mwynhau'r math o flinder a ddaw gydag o. Gwasanaethu eraill mewn modd syml. Blino'n foddhaol.

I'r hen gwpl di-blant, Rhys a Gwen Edwart, sy'n byw yn un o'r tai ar y lôn gylch yng nghanol y pentref. Ac wedyn i'r gweddwon, pob un ohonynt yn byw yn y tai a oedd ar wasgar yma ac acw rhwng y cylch mewnol a'r waliau. Rachel Morgan a Sarah Williams, y ddwy hen wraig yn byw gyda'i gilydd, y naill yn helpu'r llall. Ac wedyn Hannah Siôn, a oedd yn byw ar ei phen ei hun er gwaethaf y ffaith mai hi oedd yr hynaf yn y pentref.

Ac yn olaf, pan oedd yr haul wedi diflannu dros y gorwel coediog a'r wal fawr yn taflu cysgod dros ei thŷ bychan, Rebecca Roberts.

'Â' i adra rŵan, Ifan. Cofia fi at dy dad, a diolch iddo am y sgwrs.'

'O'r gore, Rhisiart Dewi. Nos da.'

'Nos da.'

Dylai Rhisiart droi a cherdded yng nghysgod y wal, yn plethu'i ffordd heibio i'r tŷ y mae Rachel Morgan a Sarah Williams yn ei rannu, ac ymlaen heibio i dŷ Hannah Siôn. Ymlaen wedyn, heibio i dŵr y gogledd, yr adeilad praff sy'n arfdy ac yn gartref i'r chwe gwarchodwr, ac ymlaen felly i'r stordy sy'n gartref iddo yntau. Ond nid yw'n troi a cherdded i ffwrdd. Mae Rebecca'n dal i sefyll yn nrws ei thŷ, er gwaethaf yr oerfel sy'n dechrau cydio wrth i'r heulwen gilio'n gyflym. Mae wedi diolch i'r ddau, ond mae'n diolch i Rhisiart eto.

'Dere mewn, Rhisiart Dewi, i ga'l ychydig o fwyd. Mae gormod i mi, ac mae yna dorth newydd, diolch i Hannah Siôn.'

Mae'r ddau wedi bwyta ac maen nhw'n eistedd o flaen y tân. Nid oes golau arall yn y tŷ. Mae'r sgwrs wedi marw ar ôl i'r naill ddiolch i'r llall ormod o weithiau, hithau am y coed tân ac yntau am y bwyd. Chwithdod, swildod, ac wedyn tawelwch. Ceisia Rhisiart edrych ar y fflamau, ond mae'i lygaid yn cael eu tynnu'n ôl ati hi. Ar ôl ennyd arall, mae hi'n anadlu'n ddwfn, fel pe bai ar fin plymio i ddŵr oer, ac wedyn mae'n dechrau siarad. Llif o eiriau, yn baglu dros ei gilydd, yn ceisio cael y cyfan allan cyn i'w hymwelydd godi a dweud nos dawch.

Mae'n sôn am ei gŵr, Robert, a fu farw o salwch ryw ddau fis cyn i Rhisiart gyrraedd. Amaethwr oedd o, wrth ei fodd yn y caeau y tu hwnt i'r waliau. Pob cnwd yn fuddugoliaeth iddo, pob cynhaeaf yn ei wneud yn frenin ar ei fyd ei hun.

Mae'n sôn am y llynnoedd bychain. Dywed y gall fynd â Rhisiart i'w gweld yn y gwanwyn, os yw'n aros. Pob un yn wahanol, pob un yn fyd bach ynddo'i hun. Rhai wedi'u llenwi â dail lili, y blodau'n anghredadwy o hardd, yn edrych fel rhan ddyfrllyd o ardd Eden. Rhai â physgod mawr tywyll yn nofio'n araf trwy ddŵr crisialog, eraill yn fwdlyd-frown, eu dyfroedd yn cuddio cyfrinachau lu. Mae ambell un ag argae afanc, y brigau coed yn ffurfio glannau annaturiol, yn rhedeg ar ogwydd o'r tir ac yn diflannu o dan y dŵr. Y crwbanod i'w gweld ym mhob man, rhai'n nofio'n araf, eraill yn torheulo ar y coed meirw sy'n rhedeg fel pontydd i nunlle, o'r lan i ganol y llyn. Rhai'n siriol gyda'u stribedau coch a melyn, ac eraill yn bigog ac yn beryglus eu golwg, fel anghenfilod bychain wedi nofio i fyny o byllau tanddaearol Annwn.

Ac, wrth gwrs, mae'n cyfeirio at y fordaith, y bennod fawr honno yng nghronicl y gymuned. Roedd hi'n wyth oed ar y pryd. Ydi, mae hi'n ei chofio'n dda. Ydi, mae'n cofio ychydig am Gaerffili, ac mae'n cofio'r ddwy flynedd yna yng Nghaerdydd. Ac, ydi, wrth, gwrs, mae'n cofio'r amser yn Llanfaches hefyd. Mae'n sôn am ei mam, ei thad, a'i brawd, pob un yn huno yn y fynwent rhwng y waliau a'r caeau gogleddol, y tri wedi'u claddu yn y ddaear dda hon.

Daw chwa arall o chwithdod drosti hi. Mae'n ymddiheuro am siarad gormod, mae'n sicr ei bod hi'n fwrn, ac yntau wedi blino ac yn barod i'w throi hi am ei lety.

Na, dywed ei fod yn mwynhau cynhesrwydd y tŷ. Dywed ei fod yn mwynhau gwrando arni. Mae hi'n gwrido ac yna mae'n tawelu eto.

Ac yna mae Rhisiart yn siarad. Mae'n penderfynu gofyn y cwestiwn mawr hwnnw, yn gwybod na all rannu cyfeillgarwch os nad yw'n onest ac yn agored.

'Wyddost ti pam dwi wedi dod yma i Gaersalem Newydd?'

'Gwn, Rhisiart Dewi. Mae pawb yn gwybod.' Wrth gwrs: mae pawb yn gwybod. Ond mae arno eisiau'i chlywed yn ei ddweud. Ac felly mae'n gofyn eto, a theimlo'r un pryd ei fod yn angharedig yn procio yn y modd hwn.

'Pa beth yn union y mae pawb yn ei wybod?'

Mae hi'n gwrido eto. Roedd wedi bod yn astudio'i wyneb, ond mae'n troi a siarad â'r tân er mwyn osgoi'i lygaid. 'Mae pawb wedi clywed am dy hynt a dy helynt. Mae un o gydnabod y Doethur Jones wedi d'anfon draw o Gymru i weld sut mae hi arnon ni yma.' Edrych arno o gil ei llygad, a rhywbeth yn debyg i bryder ar ei hwyneb.

'Ie, er mai o Lundain y des i.'

''Na fe. O Lunden. Un o'r hen Seintiau Cymreig, a oedd yn adnabod y Doethur Jones yn yr hen wlad yn yr hen ddyddie. Dyn dylanwadol.'

Gwêl Rhisiart rywbeth yn ei hwyneb hi, ac mae'n clywed rhywbeth yn ei llais. Gall ei deimlo, yno, yn hofran yn yr awyr rhyngddynt. Er nad oes ganddo enw i'w roi arno, mae'n adlais o deimlad sydd wedi bod yn ffrwtian yn dawel y tu mewn iddo ers dyddiau, rhyw hanner gwybod yn aflonyddu arno. Cwestiwn anffurfiedig yn chwarae ar ei feddwl. Ond mae'n synhwyro bod yr un peth yn gyfrifol am ei hymddygiad hi.

Ac wedyn mae'n deall. Gŵyr yn union beth ydyw; gall ffurfio'r cwestiwn hwnnw a'i ofyn. Ac mae'n penderfynu ei ofyn iddi hi.

'Rebecca?'

'Ie?'

'Mae un peth yn rhyfedd.'

Mae'n syllu ar y tân eto, ond mae'n amlwg ei bod hi'n gwrando'n astud, er nad yw am edrych arno fo.

'Dydi'r hanes yna ddim yn wir syndod i neb yma, nac'di? Mi o'n i'n rhyw feddwl y bydda'n destun rhyfeddod i bobl, wst ti, a finna'n dweud fy mod i wedi cael fy anfon yr holl ffordd dros y môr i chwilio amdanoch chi. Ond tydi o ddim.'

Mae hi'n troi ato'n araf, ei llygaid hi'n cwrdd â'i lygaid yntau.

'Dydi o ddim yn syndod, nac'di?'

'Nagyw, Rhisiart Dewi, ddim mewn gwirionedd. Mae rhai wedi bod yn gweud y deuai un arall i chwilio amdanon ni. Dyw e ddim y math o beth ma pobol yn ei drafod yn agored, ond mae rhai wedi bod yn gweud taw felly y bydde hi. Yn sibrwd dan eu gwynt, pan maen nhw ymysg ffrindie. Mae Hannah Siôn, er enghraifft, wedi bod yn gweud 'tho i ers sbelan nawr. Mae hi wedi bod yn gweud y bydde un arall yn dod.'

'Un *arall*?'

'Ie, Rhisiart Dewi, un arall. Fe ddo'th dyn ar neges debyg

dro'n ôl. Miles Egerton. Mae wedi'i gladdu yma, ym mynwent Caersalem Newydd.'

Y ddaear dda hon.

Sylwa Rhisiart fod dagrau'n cronni yn ei llygaid hi. Mae hi'n troi'i chadair fymryn er mwyn pwyso'n nes ato ac mae'n sibrwd yn daer dan ei gwynt. 'Ond do's neb i fod i sôn amdano fe. Paid â gweud 'mod i wedi sôn.'

'Wna i ddim, wna i ddim.' Mae o'n sibrwd hefyd, er nad yw'n deall yn llawn pam. Mae'r noson yn dawel ac yn dywyll. 'Ond gallwn ofyn i Rhosier Wyn. Mae o wedi ateb 'y nghwestiynau i i gyd hyd yn hyn.'

'Na, paid di â gofyn iddo fe. Paid!' Mae'r gair olaf yn hisian rhwng ei dannedd, fel mam yn dweud 'ust' wrth blentyn.

'A' i i weld Richard Morgan Jones felly. Bydd yn rhaid i mi.'

'Na, Rhisiart Dewi, do's neb yn ca'l gweld y Doethur Jones nawr. Do's neb wedi'i weld e ers wythnose lawer.'

'Ond mae'n ddyletswydd arna i, Rebecca. Mae'n rhaid i mi.' Mae'n gwthio'i gadair yn ôl a chodi i'w draed. 'A diolch eto am y bwyd a'r croeso.'

Cyn iddo gymryd cam i gyfeiriad y drws mae hi ar ei thraed hefyd, yn ei ymyl, ac mae'n estyn un llaw i gydio yn ei fraich.

'Na, paid!'

Mae o'n cydio'n ysgafn yn ei llaw â'i law arall o a'i chodi o'i fraich. Saif yno am ennyd, yn gwasgu'i llaw yn ysgafn ac yn syllu i'w llygaid, fel tad yn ceisio tawelu plentyn a ddeffrowyd gan hunllef. Ond er ei bod hi'n ceisio sibrwd, mae'n siarad fel un yng ngafael ofn, braw yn cronni yn ei llygaid.

'Dyw e ddim yn ddiogel, Rhisiart Dewi. Cer nawr. Yfory. Wi ddim eisiau i'r un peth ddigwydd i ti.'

'Yr un peth?'

'Ie... yr un peth â... ddigwyddodd iddo fe, Miles Egerton.'

Ceisia Rhisiart ei chael i egluro, ond nid yw'n ateb ei gwestiynau bellach.

Symuda ei phwysau o'r naill droed i'r llall, fel plentyn sy'n hanner disgwyl cael ei geryddu gan oedolyn, yn ansicr pa beth y dylai ei wneud, ai troi a ffoi ynteu aros a derbyn y cerydd. Mae Rhisiart yn aros am ychydig, yn sefyll yno yng nghanol unig ystafell ei thŷ bychan, yn gofyn iddi am ragor o wybodaeth, yn ymbil arni. Ond mae hi'n gwrthod. Dywed ei bod hi wedi dweud gormod yn barod. Ac felly mae o'n rhoi'r gorau i ofyn. Mae'n diolch iddi hi unwaith eto cyn dweud nos dawch a gadael.

Mae'r noson yn dywyll ac yn dawel. Yr unig sŵn yw traed y gwylwyr yn curo'r llwybr pren yn araf, yn cerdded yn ôl ac ymlaen ar y parapet y tu ôl i'r wal fawr.

Cerdda Rhisiart mor gyflym â phosibl, ond ceisia droedio'n ysgafn-dawel hefyd. I'r dde y mae'r tai sy'n wynebu'r lôn gylch, yn agosach at ei gilydd na'r dyrnaid o dai gwasgaredig sy'n britho'r gofod gwag rhwng y cylch mewnol a'r wal fawr. Ac i'r chwith y mae'r wal ei hun, yn codi'n fur o ddüwch sy'n dywyllach na'r nos. Mae'r lleuad wedi mynd y tu ôl i gwmwl ac nid oes yr un golau i'w weld yn y pentref. Â heibio i dŷ Hannah Siôn. Ni wêl neb, ond mae'n synhwyro rhywbeth – sŵn wedi'i hanner clywed yn y cysgodion. Oeda, yn craffu. Dim byd, mae'n rhaid mai ei ddychymyg ei hun ydoedd. Â ymlaen, yn cerdded yn ddistaw, heibio i dŷ'r ddwy weddw, Rachel Morgan a Sarah Williams. Neb i'w weld, ac atsain pell y traed ar hyd y waliau yr unig sŵn. Ymlaen ag o, yn llithro'n dawel heibio i dŵr y gogledd ar ei chwith, y stordy sy'n lety iddo yn codi'n silwét tywyll rhyw hanner canllath o'i flaen. Mae ar fin cyrraedd adref, ond clyw sŵn arall, traed eraill. Nid y rhai sy'n curo'r pren ar y waliau ond rhai'n troedio gro'r llwybr. A yw'r sŵn wedi bod yno ers talm, yn dilyn siffrwd ysgafn ei draed ei hun? Efallai. Cerdda ymlaen, yn cyflymu'i gamre ychydig, ond cyn cyrraedd drws y stordy mae'n clywed y sŵn eto. Ac mae teimlad annaearol sy'n gyrru iasau i lawr ei gefn: teimlad fod llygaid rhywun arno.

3

Nadolig 1656

Cerdda Rhisiart ar draws y pentref, yn mwynhau clywed crensian yr eira o dan ei draed. Er bod y lôn gylch a'r llwybrau eraill wedi'u clirio, mae'n osgoi'r ffyrdd hyn, yn dewis cerdded trwy'r eira trwchus. Daw at ei ben-gliniau, yn gwlychu'i esgidiau a'i sanau a gwaelod ei drowsus, ond mae'n croesawu'r oerfel gwlyb fel y mae'n mwynhau'r crensian o dan ei draed. Bydd yn cynhesu eto o flaen tân cyn hir – yn tynnu'i esgidiau a'i sanau ac yn estyn ei draed oer i odre'r fflamau, yn ymffrostio'n braf – ond mae am deimlo'r gaeaf rŵan, ei deimlo hyd at ei esgyrn.

Mzantanos, dyna oedd y gair. Dywedodd Pene Wonse y byddai Penibagos, tymor cwymp y dail, yn ildio i ddyddiau hir a thywyll Mzantanos, tymor y rhew a'r eira.

Mae ei synhwyrau'n ymgolli yn y cyfarwydd: sŵn yr eira o dan draed, y teimlad pan sudda troed trwy'r trwch, yn torri cragen rewllyd yr haen wen gyda chrensh ac yna'n suddo'n araf i ganol yr oerni gwlyb. Oes yn ôl, ac yntau'n blentyn bach yn Sir Gaernarfon, yn rhedeg o flaen ei dad drwy'r eira i weld y nant yng ngafael y rhew. Ddeng mlynedd yn ôl, a rhew'n hongian yn drwm ym mwng ei geffyl, ac yntau'n dilyn smotyn bach o olau drwy'r eira ar gyrion Exeter. O 'ŵan, o bach, cerddwn ni'n dau. Mae'r cyfan mor gyfarwydd ac eto'n wahanol. Mae anadl y gaeaf sy'n dod ar y gwynt yn oerach, ac mae'r distawrwydd yn ddwysach, rhwng trwch yr eira a'r coed pinwydd tal y tu hwnt i'r waliau a'r caeau sy'n mygu sŵn. Mae Rhisiart am deimlo'r cyfan. Mae am ildio iddo; mae am fyw'r gaeaf hwn. Ac felly mae'n osgoi'r llwybrau, yn gwlychu ac yn oeri, ac mae'n mwynhau'r teimlad.

Bydd yn rhannu pryd o fwyd yn nes ymlaen. Nid oes neb yma yn dathlu'r Nadolig fel y cyfryw, ond bydd gwasanaeth gweddi ac wedyn bydd pawb yn troi am eu tai i fwyta. Ni fydd yn ddathliad, na, ond bydd teuluoedd a chyfeillion yn ymgasglu i fwynhau'r pryd syml hwn gyda'i gilydd. Cofiwn heddiw, Arglwydd, y diwrnod y daeth dy fab i'r byd. Gadewch i ni ei gofio mewn modd sy'n weddus yn dy olwg, a rhoi o'n cyrff a'n hysbryd y dydd hwn, fel pob dydd arall, i'th wasanaethu di. Amen. Trefnwyd i Rhisiart fwyta yn nhŷ Hannah Siôn. Bydd Griffith John Griffith y gof a'i fab Ifan yno. Bydd Rebecca yno hefyd. Nid y bwyd a wnâi'r pryd yn arbennig, ond y cwmni, y ffaith y bydd cyfeillion yn ymgasglu i rannu.

* * *

Mae Rhisiart wedi bod yn rhannu'i amser rhwng yr efail a chartrefi'r gweddwon. Mae'n helpu Griffith, er nad oes rhaid iddo; prin bod digon o waith yn ystod y gaeaf i'r gof a'i fab o brentis, ond maen nhw'n cadw'n brysur, yn perffeithio darnau ac yn arbrofi â ffyrdd newydd o weithio offer. Yn toddi'r darnau briwedig, yn gweithio ac yn ailweithio'u storfa brin o haearn. Yn ffurfio hoelion, ugeiniau ohonyn nhw. Ac felly mae Rhisiart yn ymuno â nhw, yn gwneud y ddeuawd yn driawd. Maen nhw'n cystadlu weithiau, y tri, i weld pwy sy'n gallu gwneud yr hoelen deneuaf, a Griffith yn ebychu'n fodlon:

''Drychwch ar hon, 'te, fechgyn!'

Ymfalchïa yn ei orchest, yn dweud ei fod yn gallu teimlo'r haearn o dan y morthwyl er bod ei olwg yn mynd.

'Gwneud hoelion gyda haearn bwrw bydde dyn fel arfer.

Defnyddio mowld. Ond mae digon o amser ar 'n dwylo ni, ac wi wastad wedi meddwl bod hoelen yn ddarn prawf da i brentis.'

Cytuna Rhisiart, a dweud bod ei feistr yntau wedi'i orfodi i wneud hoelion.

'Uffarn dân, Ifan, be wedes i? Mae'r dyn 'ma wedi'i fagu'n of o'r iawn ryw! Ti'n gweld, Ifan? Mae'n ddigon hawdd taro ergyd â morthwyl. Atal y morthwyl sy'n anodd.'

Cytuna Rhisiart eto, yn amenio'r geiriau; daw cryfder gyda'r gwaith, ond mae'r gallu i atal a phylu ergyd yn grefft na ellir ei dysgu'n hawdd.

'Ond hoffen i ddysgu Ifan i bedoli ceffyl. Dyna un peth hoffen i ei ddysgu iddo fe.' Â rhagddo, yn cwyno'n groch am nad oes ceffylau yng Nghaersalem Newydd. Mae'n destun poendod iddo, meddai. Mae'n destun galar, hyd yn oed.

'Ond oes rhywbeth am bedoli, Rhisiart Dewi?'

Oes, Griffith. Cytuna'n rhwydd. Mae pedoli'n grefft bur wahanol, yn waith sy'n wahanol i bopeth arall a wneir mewn gefail. Yr haearn yn cydio yng ngharn y ceffyl, yr offer a wnaethpwyd gan of yn asio â'r anifail byw. Yn debyg i greu darn prawf bach: gofal yw'r gamp, nid nerth.

Â'r tri i'r coed weithiau. Clyma'r gof damaid o frethyn o gwmpas ei ben moel cyn gwisgo'i het, ac mae'r tri yn ei mentro hi i'r byd mawr y tu allan. Cerddant drwy'r pyrth ac o amgylch y wal i'r gogledd, heibio'r fynwent. Maen nhw'n oedi bob tro yn ymyl bedd gwraig Griffith. Mae cofebau pren yn britho'r eira, yn fynegbyst i'r beddau na ellir eu gweld o dan y gorchudd gwyn. Amrywia'r lliwiau o felyn i frown i lwyd, yn dibynnu ar oed y garreg fedd – carreg fedd nad yw'n garreg, ond yn bren, fel bron popeth yn y gymuned hon. Mae'r gofeb uwchben bedd mam Ifan yn hen: mae'r llwyd yn dangos stribedi o wyrdd, ac mae'r llythrennau yn anodd i'w darllen. Dywed Griffith yr un peth bob tro: dywed y byddan nhw'n gwneud carreg bren newydd yn y gwanwyn. Dywed weithiau ei bod hi'n hen bryd cael cofeb garreg. Ymlaen â nhw wedyn, heibio gofod gwag gwyn y caeau i'r coed, bwyell ar ysgwydd pob un.

Ar ôl cael hyd i goeden addas, un sydd wedi syrthio a'i phren heb ddechrau pydru, maen nhw'n ymosod arni â'u bwyeill. Cyn codi hynny o goflaid o goed tân y gall ei chario ynghyd â'i fwyell, mae'r gof yn tynnu'i het, yn ebychu wrth ailglymu'i gadach yn dynn o gwmpas ei ben.

'Uffarn dân, dyw e ddim yn iawn, nag yw, fechgyn! Ddyle fod ceffyl 'da ni i gludo'r holl goed 'ma!'

Ac mae Rhisiart ac Ifan yn mynd â choed tân i'r hen bobl. Rhys a Gwen Edwart. Y gweddwon, Rachel Morgan, Sarah Williams, a Hannah Siôn. Maen nhw'n mynd â choed tân i'r weddw ifanc, Rebecca Roberts, hefyd. Mae angen tipyn o gymorth arni hi erbyn hyn: mae hi'n feichiog, ac erbyn y Nadolig mae'n cael trafferth gwneud llawer o waith o gwmpas y tŷ.

Dewisodd hi ddweud wrth Rhisiart yn ystod un o'u sgyrsiau nhw, datgelu'r hyn na allai'i guddio am byth yn ystod un o'r llifogydd o eiriau a ddeuai ar ôl iddi oresgyn ei chwithdod. Roedd wedi beichiogi, do, cyn i'w gŵr Robert farw. Gofynnodd i Rhisiart beidio â dweud wrth neb y tro cyntaf y rhannodd yr wybodaeth hon ag o. Ei llais yn dawel, y sisial nerfus yn dangos ei hofn, yn erfyn arno i beidio â dweud wrth neb. Paham? Gofynnodd Rhisiart eto ac eto. Paham, does dim cywilydd yn y peth. Mae'r cyflwr yn naturiol. Mae'n rhywbeth i'w ddisgwyl, wedi'r cwbl. Trist geni babi'n weddw yn hytrach nag yn wraig a'i gŵr yn fyw, gwir, ond nid yw'n gywilydd nac yn bechod. Paham y cyfrinachedd? Na, eglurodd, ei hanadlu'n tagu yn ei gwddf. Nid dyna ydyw. Nid dyna oedd ei rheswm dros geisio cuddio'r ffaith rhag ei chymdogion. Nid cywilydd oedd yn pwyso arni hi, ond ofn.

'Ofn beth? Daw peryglon adeg genedigaeth, mae'n wir, ond

mi wyt ti'n ifanc ac yn iach. Toes yna ddim arwyddion salwch, dim arwydd bod rhywbeth o'i le?'

'Nagoes, Rhisiart Dewi. Nagoes wir, nid dyna yw e. Nid ofn yr enedigaeth, ond ofn yr hyn sy'n dod wedyn.'

Dywed nad yw'n deall, ond er iddo erfyn arni, er iddo bwyso a phwyso am eglurhad, nid yw'n esbonio.

Mae'n rhyw bum mis erbyn hyn, ac mae'n dangos yn drwm. Gŵyr pawb yng Nghaersalem Newydd fod babi arall ar y ffordd, ac mae'n destun llawenydd. Plentyn arall! Arwydd sicr o gynnydd! Ond nid yw'n destun llawenydd i Rebecca. Bob tro y mae Rhisiart ar ei ben ei hun gyda hi mae'n codi'r pwnc, a'r un yw ymateb y weddw ifanc bob tro. Ofn. Mae llawenydd y gymuned yn destun ofn iddi hi.

Treulia Rhisiart lawer o'i amser yn helpu'r gweddwon. Yn torri coed tân, yn symud eira er mwyn creu llwybr o flaen y drws, yn cludo dŵr o'r ffynnon. Ac mae wastad yn achub ar y cyfle i oedi yn nhŷ Rebecca a siarad. Mae'r sgwrs yn gartrefol ac yn fwyn yn aml. Maen nhw'n trafod y tywydd. Mae hi'n disgrifio rhyfeddodau'r fro yn y gwanwyn – y coed yn eu blagur, blodau'r maes, y llynnoedd bychain. Maen nhw'n rhannu atgofion. Sonia hi am ei gŵr, Robert. Amaethwr wrth reddf. Brenin y cynhaeaf.

O dipyn i beth daw Rhisiart yntau i sôn am Elisabeth. Oriau ieuenctid, y ddau'n cyfarfod gyda'r nos yn yr haf ar y buarth rhwng yr efail a thŷ ei thad, ei feistr ef. Yr oriau dedwydd yn Llundain. Sut beth oedd dyfod adref ati hi, carnau'r ceffyl yn clecian ar y cerrig. Gweld y ffenestri bychain cyfarwydd, yn gweld yr adwy. Y drws y buasai'n dychmygu'i gyrraedd, yn freuddwydiol o wahanol, yn disgleirio'n arallfydol ym mhelydrau'r haul. Oedd, mi oedd. Roedd wedi'i baentio'n felyngoch golau, gyda myrdd o flodau gwynion yn gwau mewn patrwm cain o gwmpas yr ymylon. Disgleiriai'n hudolus yn heulwen mis Ebrill. Porth Llys Arthur. Giatiau'r Nef.

Mae hi'n sôn am ei thad a'i mam a'i brawd. Trafoda'r hyn a

gofia am Gymru a'r fordaith fawr. Mae Rhisiart yntau'n gwneud chwedlau o'i blentyndod. Mae pob atgof yn stori ryfeddol. Yn mynd gyda'i dad i lannau'r nant i chwilio am y dyfrgi. Yn troi a throsi yn ei wely ganol nos, yn breuddwydio am ellyllon Annwn a oedd yn sicr o ddod i fyny trwy dwneli'r tyrchod a'i larpio yn ei gwsg. Ei dad yn sefyll o'i flaen, y Llyfr yn ei law a chryndod yn ei lais. 'Wel di yma, fy machgen, mae wedi dyfod i'n meddiant. Bydd yn trigo yma yn ein cartre ac yn ein calonna ni o'r dydd hwn hyd ddiwedd ein hamser ni ar y ddaear.' Ei arth o ewythr, anghenfil mawr hoffus, yn dod i'w hebrwng i Ddinbych. Alys, ei chwaer, yn ddrych i'w mam, yn drydydd rhiant iddo fo.

Roedd hi'n effro i'r cysgodion o deimlad ar ei wyneb, ac ni holodd am yr hyn nad oedd am ei drafod. Felly ni soniodd am y Pla Bach a hyllni'r groes goch ar y drws. Ond roedd yn fodlon rhannu peth o hanes y rhyfeloedd. Ceisio egluro gwefr yr wythnos freuddwydiol honno ar y lôn, yn cerdded yr holl ffordd o Wrecsam i Lundain. Dyrnaid o ffyddloniaid wedi ffoi o afael lluoedd y brenin, yn cydgerdded ar y lôn i Lundain, yn siarad yn fyrlymus am y dyddiau da a ddeuai. Derbyn hyfforddiant gyda'r *London trained bands*, ac yntau'n dysgu byw geiriau Vavasor Powell, yn dysgu gweddïo ym mhob man, boed yn sefyll neu'n cerdded neu ynteu'n martsio'n drwm o dan ei arfau. Ceisia ddisgrifio gwasgfa'r picellau ym mrwydr Edgehill ac adladd cynhaeaf rhyfel ar faes Newbury ar ôl deuddeg awr o ymladd, brain a chigfrain yn neidio o gorff i gorff ac yn hopian-hedfan i ben y tomenni o gnawd i bigo, rhwygo, a bwyta. Ond nid yw'n sôn am Iwerddon ac nid yw'n sôn am wragedd Naseby. Mae hi'n effro i'r teimladau sy'n chwarae dros ei wyneb, ac nid yw'n gwasgu a holi ymhellach pan grwydra'r sgwrs i gyrion y pethau hyn.

Ond mae'r sgwrs yn troi'n annifyr weithiau. Ar adegau mae Rhisiart yn ei holi hithau, yn troi'n ôl at y pynciau nad yw hi am eu trafod. Y rhesymau dros ei hofnau hi, yr hyn a ddigwyddodd i

Miles Egerton, y Sais a ddaethai ar gais y Cyrnol Powel. Mae hi'n mwmian ei hymddiheuriad, yn dweud bod rhai pethau na all eu trafod, ac wedyn mae'r sgwrs yn marw mewn cors o chwithdod tawel. Weithiau mae hi'n lled-awgrymu y dylai o fynd unwaith mae'r gaeaf yn llacio'i afael. Weithiau mae'n erfyn arno, a dweud ei bod hi am ddod gydag o, ymadael â'r lle, dianc, a hynny cyn i'w babi ddyfod i'r byd. Ac weithiau mae hi'n dweud na all adael ei chartref, fyth, ac mae'n gofyn iddo addo y bydd yn aros. Dywed ei bod am iddo aros, yn parhau i alw bob dydd, yn sgwrsio o flaen y tân fel hyn bob nos. Yn mynd â hi i weld y llynnoedd bychain yn y gwanwyn.

Ac mae yntau'n gofyn paham. Paham y dylwn fynd? Mae'n dweud, wrth gwrs, mi gei di a'r babi ddod efo fi os dw i'n mynd, ond paham? Pa ofn sydd arnat?

Ac mae'n gwrthod ateb bob tro.

Ond er gwaethaf rhwystredigaeth y cwestiynau na chaiff atebion iddynt, mae Rhisiart yn gadael ei thŷ bob nos yn teimlo'n fodlon. Mae wedi cael hyd i'w dafod, ac mae'n mwynhau siarad â hi.

Yn yr un modd, mae'n mwynhau'i gyfeillgarwch â Griffith John Griffith ac Ifan. Y cystadlu yn yr efail, y tynnu coes. Y cydgerdded trwy'r eira i dorri coed, a Griffith yn hiraethu am geffylau, yn gresynu nad yw Ifan wedi dysgu crefft pedoli.

Mae Rhisiart yn ei gael ei hun ar fin gofyn yr un cwestiynau iddynt hwythau weithiau. Mae'n synhwyro bod y geiriau'n cronni ar ei dafod, yn teimlo'i fod ar fin gofyn. A wyddoch chi am Miles Egerton? Beth ddigwyddodd iddo yma? Paham y mae ar Rebecca Roberts ofn? Ond mae'n llwyddo i'w ffrwyno'i hun bob tro. Mae'n mwynhau'r cyfeillgarwch hwn, y lloches hylaw a gaiff yng nghwmni'r tad a'r mab rhag y meddyliau sy'n ei gadw'n effro yn y nos, ac felly mae'n dewis peidio â gofyn y cwestiynau anodd hyn iddyn nhw.

Nid yw'n treulio odid ddim amser yng nghwmni Rhosier

Wyn y dyddiau hyn. Mae'r Henadur fel pe bai'n ei adael i ddewis ei lwybrau ei hun bob dydd, er bod Rhisiart yn rhyw synhwyro weithiau fod y dyn bach boliog yn ei wylio o bell. Mae Evan Evans yn tynnu sgwrs ag o weithiau, ac felly bydd Rhisiart yn cydsynio i ymweld â chartref y milisia yn nhŵr y gogledd pan fydd eu harweinydd yn estyn gwahoddiad iddo. Nid yw'n hoffi'r dyn; mae'n un sy'n mwynhau ei awdurdod ei hun, ac er nad oes ganddo ond pump o filwyr o dano, mae fel pe bai'n chwilio am orchmynion er mwyn dangos ei fod yn gallu cael dynion eraill i symud ar ei eiriau. Y ddau Gymro ifanc, Huw Jones a Tomos Bach, yn wasaidd o ufudd i'w bwli o gapten. Y ddau Sais, Ben Cotton a David Newton, yn crechwenu weithiau, ac yn sisial ymysg ei gilydd, ond yn neidio i ufuddhau'r un fath. A'r cawr Owen Williams, ei ben wedi'i blygu rhag taro distiau'r to a'i ysgwyddau'n llenwi adwy'r drws. Yn symud yn araf ac yn dawel. Dywedasai Griffith John Griffith fod Owen yn ŵr gweddw hefyd, a bod ei fab bach, ei unig blentyn, wedi marw o'r dwymyn ryw bum mlynedd yn ôl, yr un pryd â'i wraig. Penderfynodd gefnu ar ffermio ac ymuno â'r milisia, ac felly ildiodd ei dŷ i gwpl priod ifanc a symud i'r tŵr. Bywyd dyn sengl, un nad yw'n cynnal teulu a chadw cartref. Âi Evan Evans â Rhisiart i fyny'r grisiau i gerdded y wal ag o weithiau.

''Ma ni. Digon o waith i'r whech ohonon ni ei wneud. Dau'n gwarchod bob awr, ddydd a nos.' Egluro'r drefn, dweud bod yn rhaid wrth ddynion eraill i wasanaethu, y gwirfoddoliaid, er mwyn i ddynion Evan Evans gael ychydig o gwsg.

'Mae whech yn ddigon fel arall, t'wel.' Yn gwylio, yn cerdded y waliau, eu traed yn curo rhythm oriau'r dydd a'r nos yng Nghaersalem Newydd.

Nid yw Rhisiart yn hoffi arweinydd y milisia, ond byddai gwrthod y gwahoddiadau hyn yn anghwrtais. Gŵyr na fyddai troi'r dyn yn elyn yn beth doeth. Ac mae Evan Evans yn ei barchu, gan ei fod yn filwr. Mae'n ei holi am y rhyfeloedd, ac mae Rhisiart yn ei ateb mor gryno â phosibl. Dyletswydd ateb, nid mwynhad y datgelu sy'n dod pan fydd yn rhannu'r un hanes â Rebecca o flaen y tân.

'Sut beth oedd e, Rhisiart Dewi? Cludo arfe ym Myddin y Seintie, taro'n erbyn gelynion y Ffydd?'

Ni ddylai'n llygaid dosturio wrthynt. Ni ddylai'n cleddyf oedi rhag eu taro. Gelynion Duw a Chrefydd ydynt, nid cyd-wladwyr a charwyr. Y rhai sy'n cynnal plaid yr Anghrist, gelynion cyneddfol milwyr yr Arglwydd.

Ond mae'n osgoi Evan Evans pan fo'n bosibl, yn dewis treulio'r diwrnod yn yr efail neu'n helpu'r gweddwon. Yn mwynhau siarad â Rebecca o flaen y tân, yn rhannu atgofion ac yn trafod y tywydd.

* * *

Cerdda Rhisiart ymlaen, yn ymgolli yng nghrensian ei draed yn yr eira, yn croesawu'r oerni sy'n gafael yn ei goesau. Mae'n dal yn weddol gynnar yn y bore; bydd ganddo gyfle i gynhesu a sychu'i esgidiau cyn y gwasanaeth a'r pryd bwyd. Mae newydd fynd â bwcediad o ddŵr i Hannah Siôn, ac ar ôl sgwrs fer â hi am y pryd o fwyd y byddan nhw'n ei fwynhau gyda'i gilydd yn ei thŷ ar ôl y cyfarfod gweddi, troes Rhisiart i gerdded yn araf yn ôl i'w dŷ ei hun, yn plygu i osgoi'r llwybr, yn mwynhau ymdrechu drwy'r eira uchel.

'Dyna ti, Rhisiart Dewi!'

Llais cyfarwydd, yn galw arno o bell. Try a gweld Rhosier Wyn, yn chwifio'i freichiau'n egnïol arno. Mae'r dyn byr yn sefyll ar y lôn gylch, rhwng dau o'r tai.

'Dere 'ma, Rhisiart Dewi, mae 'da fi rywbeth i'w weud 'tho ti.'

Pan gyrhaedda Rhisiart, mae Rhosier Wyn yn sefyll yno, ei freichiau wedi'u plethu ac yn pwyso ar ei fol.

'Dere, glou.' Edrych yn frysiog ar esgidiau gwlyb Rhisiart, cyn troi a dechrau cerdded yn gyflym. 'Dere. Mae'r Doethur Jones am dy weld di.'

* * *

'Dydd Nadolig da i ti, Rhisiart Dewi.'

Mae llais Richard Morgan Jones yn gryf, yn wahanol i'r hen ddyn eiddil ei olwg sy'n gorwedd yn y gwely.

'Mae'n dda cael dy gyfarch o'r diwedd, er ei bod hi'n ddrwg 'da fi orfod ei wneud fel hyn.'

Cwyd un llaw grynedig a'i hysgwyd, gan gyfeirio at y gwely y mae'n gaeth iddo. Gall Rhisiart ei weld yn glir. Er bod cloriau pren y ffenestr fach wedi'u cau'n dynn, mae lle tân yn yr ystafell wely, nodwedd sy'n unigryw i dai'r gweinidogion, ac mae canhwyllbren chwe phig ar y bwrdd. Er bod cysgodion yn llechu yng nghorneli eraill yr ystafell, mae fflamau'r tân a'r canhwyllau yn taflu digon o olau ar y dyn yn y gwely. Mae ei groen yn grisial o welw. Gall weld ffurfiau'r esgyrn a lliw'r gwythiennau'n gwthio o dan groen tenau'i law pan mae'n ei chodi. Mae'r wyneb yn atgoffa Rhisiart o ddelw a welsai ar feddrod mewn eglwys yn Lloegr, cyn i'w gyd-filwyr fynd ati i forthwylio'r marmor gwyn a'i anffurfio, wyneb yr hen farchog marw yn diflannu fesul tamaid, ei drwyn yn gyntaf, ac wedyn ei aeliau a'i glustiau, ei ên yn cymryd sawl ergyd cyn cracio a disgyn yn ddarnau. Mae esgyrn bochau Richard Morgan Jones yn uchel ac yn gryf, ond mae'r pantiau dwfn o danyn nhw'n awgrymu bod yma ddyn nad yw wedi bwyta'n iawn ers talm. Mae ei wallt yr un mor wyn â'i groen, ac felly hefyd ei locsyn. Ni all Rhisiart weld a yw'r llygaid yn las ynteu'n llwyd, cymaint y cochni ynddynt rŵan. Ac maen nhw'n sgleinio'n afiach, fel pe bai gormod o ddŵr yn cronni ynddynt o hyd. Mae'n amlwg bod codi a throi'i ben yn ymdrech sylweddol i'r hen ddyn, fel y mae codi ei law, yn gryndod i gyd.

'Felly y mae hi arna i, Rhisiart Dewi, ac felly mae'n rhaid i ni siarad yma fel hyn. Rwy wedi clywed amdanat ti, ac rwy wedi bod yn disgwyl dy weld. Mae'n amlwg i mi erbyn hyn na fydda i'n gwella ac felly thâl hi ddim i mi ddisgwyl mwy. Diolch am ddyfod i 'ngweld fel hyn.' Mae'r llais yn gryf, er ei fod yn rhasglu ychydig yn ei wddf, yn awgrymu nerth y dyn a fu, yn wrthbwynt i'r corff eiddil, disymud.

Ac wedyn mae'n codi'i ben ychydig oddi ar y gobennydd, yr ymdrech yn chwarae'n boen ar ei wyneb, ac mae'n codi'i lais i alw.

'Dos di, Rhosier Wyn.'

Roedd Rhisiart wedi anghofio bod y dyn bach yno, y tu ôl iddo, yn sefyll yn nrws yr ystafell wely.

'Dos i'r gwasanaeth. Bydd Rhisiart Dewi yn aros gyda fi am sbel eto.'

Nid yw Rhisiart yn troi i wylio'r dyn yn ymadael, ond mae'n clywed drws yr ystafell yn cau y tu ôl iddo. Ni all gymryd ei lygaid oddi ar y ddelw wen o ddyn sy'n gorwedd yno o'i flaen. Mae'n codi llaw grynedig eto a'i hysgwyd ychydig i gyfeiriad y gornel yn ymyl y lle tân.

'Tyred â chadair yma i ochr 'ngwely, i ni gael siarad wrth ein pwysau.'

Try Rhisiart ar ei sawdl a chyrchu'r gadair o'r gornel. Mae'n ei gosod yn ymyl pen y gwely ac wedyn mae'n eistedd arni, yn tynnu'i het wrth wneud. Eistedd yno, ei gefn yn syth, yn dal ei het ar ei lin ag un llaw.

'Mae'n flin 'da fi am d'orfodi i golli'r gwasanaeth gweddi. Mae pregethau Pyrs Huws yn foddion gwerth eu cael.'

Mae Rhisiart yn ceisio'i ateb, ond mae'n ansicr pa beth y dylai ei ddweud. Ond nid yw Richard Morgan Jones yn disgwyl am ateb.

'Fodd bynnag, mae'n amlwg mai felly y mae i fod.' Mae'r llais yn un y mae'n hawdd gwrando arno, yn gyfoethog ac yn glir er gwaethaf y rhasglu sy'n dod bob hyn a hyn. Llais pregethwr profiadol. 'Yma, a minnau ar fy ngwely angau, ar ddydd y Nadolig. Nid oes dathlu ofer yma yng Nghaersalem Newydd, fel y gwyddost, mae'n siŵr. Ond mae'n weddus i ni gofio genedigaeth yr Arglwydd Iesu yr un fath.'

'Felly'r oedd hi yn 'y nghartre i. Hynny ydi, pan nad oeddwn i gyda'r fyddin.'

'Roeddwn i'n *mwynhau*'r Gwylie pan oeddwn i'n ifanc, wyddost ti. Cyn i'm calon gael ei deffro'n llawn.' Mae cysgod o wên yn chwarae ar y gwefusau ac mae'r llygaid dyfrllyd yn pefrio. 'Y wasael… y calennig… y canu. Rwy'n cofio'r canu, wyddost ti, adeg y Gwylie yn yr hen amseroedd a fu.' Mae golwg un sy'n blasu bwyd amheuthun ar wyneb yr hen ddyn, ac yntau'n sawru ei atgofion.

Siarada Rhisiart heb feddwl; mae wedi bod yn ceisio gwarchod ei eiriau, yn meddwl am bopeth cyn ei ddweud, ond mae'r dyn wedi'i ddiarfogi ac felly mae'n dweud mewn syndod, 'Dwi'n synnu'ch clywed yn cyffesu hynny rŵan, a chitha wedi dŵad yr holl ffordd dros y môr i ymadael â'r hen bechoda.'

Gwena'r dyn yn dirion arno, ac mae'n codi'i law fymryn eto ac estyn un bys, fel rhiant yn ceryddu plentyn.

'Dyna i ti fagl sy'n dal aml i ddyn duwiol.' Mae'r llais yn siriol a'r llygaid yn gwenu, fel pe bai'n rhannu doethineb sy'n llonni ei galon. 'Ni ellir gwadu'r dyn a fu. Mae'r cyfan yn rhan o drefn Rhagluniaeth, wyddost ti, yr hyn a fu a'r hyn ysydd yn awr. Os yw wedi'i drefnu i ti fod yr hyn yr wyt heddiw, y dydd hwn, yna mae'n dal fod yr hyn a fuost hefyd yn rhan o drefn fawr Rhagluniaeth.' Oeda, y llaw grynedig yn disgyn ar y gwely eto. Try'i ben fymryn er mwyn dal llygaid Rhisiart yn well. 'Ni thâl hi ddim i ni wadu hynny, Rhisiart Dewi. Ac felly i ba beth y bydde dyn yn ceisio gwadu'r hyn a fu? Rwy'n *mwynhau* cofio'r pethe yr oeddwn i'n eu mwynhau yn yr hen ddyddie, er y byddwn i'n eu hystyried yn bethe anweddus heddiw. Mae'n bosibl y bydde dyn arall yn dweud ei bod hi'r un mor anweddus i mi feddwl amdanyn nhw a'u mwynhau yfelly heddiw, ond dw i ddim yn cyd-weld. Thâl hi ddim i ni wadu'r hyn a fu. Bydde'r un mor ynfyd â gwadu gwirionedd yr hyn ysydd yn awr.'

Mae wedi bod yn astudio wyneb Rhisiart gydol yr amser, ond nid yw'n ei gymell i siarad.

'Mi wyddwn dy fod yn ddyn duwiol, Rhisiart Dewi.'

Nid yw Rhisiart yn ateb, ond mae'n symud ychydig yn ei gadair, ei lygaid yn ceisio osgoi'r llygaid coch dyfrllyd sy'n archwilio'i wyneb. Pa beth a ddywedaf yn ateb? A ddylwn ateb gyda llafargan John Powel? Rwyf *wedi* credu, rwyf *wedi* byw, rwyf *wedi* gwneud. A ddylwn ateb yn onest a dweud na wn bellach pa beth yw gwir dduwioldeb, cyffesu nad wyf yn gwybod ym mha le y gallwn i ganfod gwir sylfeini gras?

'Mae wedi'i amlygu i fi, wyddost ti. Gwn dy fod yn ddyn duwiol, er dy fod yn ceisio cuddio oddi wrth dy dduwioldeb dy hun.'

A ddylai ddweud mai'r tro diwethaf i'w enaid deimlo gwir gyffro oedd pan fu'n siarad ag Owen Lewys ar y llong, dweud y tro nesaf y câi gyfle i agor cloriau'r Beibl y byddai'n troi'n syth at y geiriau hynny yn Efengyl Ioan? Hwn ydoedd y gwir Oleuni, yr hwn sydd yn goleuo pob dyn a'r ysydd yn dyfod i'r byd. A ddylai ddweud mai tystiolaethu am y goleuni hwnnw yw'r unig ddull o addoli sy'n gwneud synnwyr iddo fo bellach, er nad yw'n gallu cael hyd i'r moddion a fyddai'n ei alluogi i fyw felly? Gallai gyffesu ei fod yn teimlo rheidrwydd i chwilio am y goleuni hwnnw yn ei galon ei hun, ond ei fod yn methu â phlymio'n ddigon dwfn, a bod ei styfnigrwydd ei hun yn ei rwystro rhag ymollwng i'r moddion grasol hwnnw.

Sylwa Rhisiart fod dagrau'n cronni yn ei lygaid. Teimla'n boeth, fel pe bai gwres ei gorff yn ymateb i'r ymchwydd y tu mewn i'w galon, y gwaed yn rhuthro i'w fochau a chwys yn ymddangos ar ei dalcen. Ni ellir gwadu'r llais sy'n ei annerch, y llais sy'n ymdreiddio i'w fod, yn ei orfodi i ystyried yr hyn y mae wedi'i alltudio o'i feddyliau ers blynyddoedd.

'Gwn yn fy nghalon taw yfelly y mae, Rhisiart Dewi. Roedd y cwbl wedi'i amlygu i mi. Ond roedd yn rhaid i mi dy weld di cyn ymglywed â'r ffordd ymlaen. Ac yma yr wyt, yn unol â threfn Rhagluniaeth.'

Cwyd Rhisiart law er mwyn sychu'r chwys o'i dalcen a gwasgu'r dagrau o gorneli ei lygaid. Mae'n ysgwyd ei ben ychydig, fel dyn yn ceisio deffro o drwmgwsg, yn ymdrechu i ysgwyd ei embaras oddi arno'i hun ac ymsythu. Embaras, a'r dyn dieithr hwn yn ei weld yn ei wendid.

'Hyn oll a wn, ac nid oes rhaid i ti boeni mwy yn ei gylch.'

Mae dieithrwch y sefyllfa yn ei daflu, yn ei wneud yn chwil. Y dyn hwn yn dweud y pethau hyn wrtho, fel delw wen hynafol ar feddrod mewn eglwys yn troi ato a'i gyfarch, a'r llais yn ymdreiddio i'w galon o bellafion yr oesau a fu.

Ond nid yw'r llais yn ddieithr. Mae clytwaith o atgofion yn dod ynghyd â phob gair y mae'n ei lefaru. Hynny o frith gof sydd ganddo am lais ei dad. Dyna chdi, Rhisiart. Ty'd rŵan. Paid â boddi yn ymyl y lan. Dysg di ei ddarllen bob dydd, a thydi a'i câr weddill dy oes. Llais John Powel. Wi'n dy nabod di, Rhisiart. Y tameidiau o bregethau Vavasor Powell, Walter Cradoc, a Morgan Llwyd. Yr holl leisiau a lwyddodd i gyffwrdd â gwaelod ei galon. Plant y dydd a garant y Goleuni. Mae rhywbeth yn llais Richard Morgan Jones sy'n galw arno, rhywbeth sy'n dweud, Eistedda di yma gyda mi a gwrando. Anghofia am dy ystyfnigrwydd dy hun a phopeth yr wyt yn edliw i'r bywyd hwn. Eistedda di, gwrando, ac agor dy galon. Ildia, ildia di i'r presennol mawr hwn.

Ac felly yno y maent am oriau, Richard Morgan Jones yn adrodd hanes Caersalem Newydd a Rhisiart yn datgelu peth o'i hanes yntau. Tynasai Rhisiart ei esgidiau a'u rhoi i sychu o flaen y tân, a hynny ar gais yr hen ddyn.

'Gwna dy hun yn gyfforddus. Mae'n haws troi'r meddwl i

bethau uwch os yw'r corff yn esmwyth. Creaduriaid o gnawd ydym un ac oll, a rhaid i ni fyw felly ar y ddaear hon.'

Ac felly tynnodd Rhisiart ei esgidiau a'i sanau gwlybion a'u gosod ar garreg yr aelwyd o flaen y tân cyn eistedd yn y gadair ac ymdaflu eto i'r sgwrs. Roedd yn syndod ganddo ddysgu bod trigolion Caersalem Newydd yn gwybod cymaint am hanes diweddar Cymru a Lloegr, a hwythau'n byw mor bell o'r drefedigaeth Brydeinig agosaf.

'Maen nhw'n dod yma ddwywaith y flwyddyn, y Wampanoag. Y rhai a elwir yn Praying Indians gan y Saeson. Mae yna gymuned ohonyn nhw ryw wythnos o gerdded i'r de, mae'n debyg. Ac mae mintai ohonyn nhw'n dod yma ddwywaith y flwyddyn. Yn y gwanwyn ac ar ddiwedd yr haf. Weithiau daw'r gweinidog Samuel Appleton gyda nhw. Wyt ti'n gwybod amdano fe? Dywedir bod parch mawr iddo yn Boston a Plymouth.'

'Ac maen nhw'n dod â newyddion i chi?'

'Ydyn. Hynny yw, maen nhw'n dod yma i ffeirio â ni. Maen nhw'n dod â phethau nad ydym yn gallu eu gwneud droston ni'n hunain. Powdr gwn, rhagor o haearn, ac yn y blaen. Ac rydyn ni'n rhoi cig a chroen yr anifeiliaid gwyllt yn gyfnewid iddyn nhw. Gallen nhw gael yr un pethe'n haws, mae'n siŵr, gan Indiaid y goedwig, ond maen nhw'n dod yr holl ffordd yma i ffeirio â ni yn unswydd. Maen nhw'n ei gweld hi fel cenhadaeth Gristnogol. Er mwyn helpu'n cynnal, wyddost ti. Ac felly daw ychydig o newyddion i ni bob hyn a hyn.'

Gwibia meddwl Rhisiart, yn dychmygu sut beth oedd clywed holl hanes diweddar Cymru a Lloegr – y rhyfeloedd, dienyddiad y brenin, ymdrechion y llywodraeth newydd – o bell yn y modd hwnnw. Newyddion yn cyrraedd porthladd Boston gyda'r llongau. Y sïon yn teithio o geg i geg ac o gymuned i gymuned, a rhai o'r Wampanoag Cristnogol yn eu clywed yn y pen draw, ac yn dod â'r hanesion ar eu tafodau hwythau i

Gaersalem Newydd. Y gweinidog o Sais, Samuel Appleton, o bosibl yn derbyn ambell lythyr o Loegr ac yn gallu rhannu'r newyddion mewn modd mwy uniongyrchol. Ond pa werth mewn gwirionedd ydoedd hanes rhywbeth a ddigwyddasai fisoedd neu hyd yn oed flynyddoedd yn ôl mewn gwlad arall yn bell dros y môr? Sut roedd plant y gymuned yn ymateb, yn clywed straeon rhyfedd am wlad na welsai'r un ohonynt mohoni erioed, a'r straeon hynny yr un mor bell o'u byd a'u bywydau nhw â chwedlau hud a lledrith neu gampau arwyr yr Hen Destament? Yr Aifft a Chanaan, Cymru a Lloegr.

'Ond mae'n brodyr Seisnig yn camsynied am y Praying Indians. Ac mae rhai o'n brodyr a'n chwiorydd ni yma yng Nghaersalem Newydd yn gwneud yr un camgymeriad, er fy mod i wedi ceisio'u goleuo fwy nag unwaith.'

'Ydan nhw? Sut felly?'

'Fel hyn mae hi, Rhisiart Dewi. Cred y rhan fwyaf o'r rhai a ystyria'u hunain yn seintiau fod Satan yn llechu yn yr anialwch hwn.' Mae'n codi'i ddwylo am ennyd, gydag ymdrech, a'u chwifio, fel pe bai'n ceisio cyfeirio at y byd y tu allan i'r ystafell glyd hon. 'Maen nhw'n dweud bod Satan yn rhodio'n dalog yng nghoedwigoedd tywyll yr Amerig, a bod yr Indiaid yn blant iddo fe. Maen nhw'n credu mai cipio'r tiroedd hyn yn enw Duw yw'n cenhadaeth ni. Troi darn o deyrnas Satan yn dalp o deyrnas Duw.'

Mae Rhisiart yn clywed geiriau Rhosier Wyn eto. 'Wedi'u difa i gyd, a hynny'n weddol fuan cyn i ni gyrra'dd. Wedi glanhau'r holl diroedd 'ma o'r anwaried. Wedi clirio'r anialwch ohonyn nhw, yn barod amdanon ni.'

Sylwa gydag ysgytwad fod Richard Morgan Jones yn disgwyl yn dawel, yn gadael iddo ddod i delerau â'i feddyliau ei hun. Mae'r llygaid coch dyfrllyd wedi'u hoelio ar ei wyneb, yn ymdreiddio ac yn astudio.

'Ie. Dwi'n credu 'mod i wedi clywed y math yna o ddadl yn

barod. Maen nhw'n gweld olion gwaith Rhagluniaeth yma ar dir yr Amerig.'

'Purion.' Mae'r llygaid yn gwenu arno rŵan, a'r llais yn codi ychydig, fel athro sy'n mwynhau gweld bod disgybl yn deall ei wers. 'Ac felly maen nhw'n ymfalchïo yn y ffaith bod y Praying Indians wedi troi at Dduw. Maen nhw'n eu croesawu fel brodyr a chwiorydd Cristnogol.'

'Ond 'dan nhw ddim yn Gristnogion?' Mae llais y disgybl yn ansicr rŵan, a'r wers wedi llithro trwy ei fysedd ar yr union adeg pan oedd yn meddwl ei fod yn deall y cwbl.

'Dyna ti, Rhisiart Dewi, wedi syrthio i'r hen fagl sy'n maglu cymaint y dyddiau hyn.'

'Do?'

'Do, do. Nid dyna'r cwestiwn priodol i'w ofyn – a yw dyn yn Gristion neu beidio.'

'Naci?'

'Nage, nage. Y cwestiwn yw hwn: a yw dyn ymysg yr etholedig neu beidio. Os ydym ni'n dilyn yr athrawiaeth i'r pen, wedyn mae'n dal nad oes gan yr Indiaid sy'n gweddïo ar Dduw ac yn eu galw'u hunain yn Gristnogion fwy o debygrwydd o fod ymysg yr etholedig na'r paganiaid mwyaf anwaraidd sy'n llechu yng nghysgodion y coedwigoedd hyn.'

Sylla Rhisiart ar y ddelw o ddyn. Mae'n symud ei ben ychydig ar ogwydd, yn gwneud ystum un sy'n gwrando'n ofalus ac yn ystyried yr hyn y mae'n ei glywed, ond nid yw'n siarad. Er ei fod yn teimlo'n gartrefol gyda'r dyn, nid yw am dynnu'n groes a dadlau'n agored ag o. Mae yma am reswm, ac mae arno eisiau clywed rhagor. A yw Richard Morgan Jones yn camddeall y tawelwch, gan feddwl ei fod yn cydsynio? Mae'n symud ei ben ychydig eto, a syllu ar ddwylo'r dyn, yn osgoi ei lygaid.

'Mae rhai wedi'u rhagordeinio i fywyd tragwyddol ac mae eraill wedi'u rhagordeinio i ddamnedigaeth fythol. Hyn oll a wyddom. Mae rhai'n chwilio am arwyddion, wyddost ti. Maen nhw'n gobeithio bod galwad Duw yn arwydd o etholedigaeth, a bod y bywydau dwyfol y maen nhw'n eu byw yn profi eu bod yn ateb ei alwad Ef ac felly'n tystio i'w hetholedigaeth. Ond does dim sicrwydd, Rhisiart Dewi. Dyna ddangosodd Calfin i ni. Mae rhai wedi'u geni i fywyd felly, ac mae eraill wedi'u geni i farwolaeth. Gwir nod Rhagluniaeth felly yw ymgasglu'r etholedig ynghyd, ym mha ffordd bynnag y mae'n ei gweld yn dda i amlygu'r etholedigaeth honno. Ond ni all dynion ganfod y symudiad hwnnw, dim ond ei gydnabod pan fo'n hysbys iddyn nhw.'

* * *

Mae'n hwyr ac mae wedi dechrau bwrw eira eto. Cerddodd yn araf gyda Rebecca o dŷ Hannah Siôn. Yno, yn ei thŷ un ystafell, wedi'u gwasgu o gwmpas bwrdd yr hen weddw, bu pump ohonynt yn mwynhau pryd o fwyd syml. Griffith John Griffith y gof a'i fab Ifan, Rhisiart, y weddw ifanc Rebecca Roberts, a'r hen weddw Hannah Siôn. Ni chanwyd carolau Nadolig ac nid oedd sôn am na gwasael na phlygain, ond bu'n gyfle i gydweddïo ac wedyn i gydfwyta a siarad. Noson Nadolig yng Nghaersalem Newydd. Ac wedyn hebryngodd Rebecca i'w thŷ.

Arhosodd Rhisiart ychydig er mwyn dod â rhagor o goed i mewn o'r domen yn ymyl y drws.

'Mi wna i'r tân. Rhag i ti orfod plygu.' Deuai bob dydd, y peth cyntaf yn y bore, ac eto yn y nos, er mwyn cario dŵr a choed tân, yn arbed y ddynes ifanc feichiog rhag gwneud unrhyw waith a allai fod yn straen. Eistedd hi yn ei chadair arferol, yn diolch iddo.

Ychydig yn ddiweddarach, a noson y Nadolig yn tynnu am hanner nos, mae'r ddau'n eistedd yn gyfforddus, yn ymrostio'n braf o flaen y tân. Maen nhw wedi bod yn cynnal rhyw fân siarad.

Yn cyfeirio at yr hyn a drafodwyd yn nhŷ Hannah Siôn yn ystod eu pryd bwyd. Yn cyfnewid atgofion plentyndod. Yn trafod yr eira, a Rebecca'n disgrifio sut beth oedd byw drwy aeafau hirion y wlad hon. Ac wedyn, ar ôl eistedd mewn tawelwch am ychydig, mae Rhisiart yn ymsythu a siarad.

'Mi ges i weld Richard Morgan Jones heddiw.'

'Y Doethur Jones?'

'Do. O'r diwedd. Mi wyddost ti fy mod i wedi bod yn ceisio'i weld ers i mi gyrraedd.'

'Sut hwyl oedd arno fe? Wi ddim wedi'i weld e ers tro byd.'

'Fedra i'm deud. Hynny ydi, doeddwn i ddim yn ei nabod... pan oedd yn iau... pan oedd yn iach. Felly does gen i ddim byd i'w gymharu ag o. Mae'n gaeth i'w wely. Yn gwaelu, yn amlwg. Ond mae'n ddigon da i siarad. Mi fues i efo fo am hydoedd heddiw. Trwy'r bore.'

'A dyna pam na ddest ti i'r cyfarfod gweddi.'

Nid yw Rhisiart yn ei hateb yn syth. Mae'n gweithio'i feddyliau, yn ceisio rhoi trefn ar ei syniadau a ffurfio'i gwestiynau.

'Rebecca?'

'Ie?

'Mae'n rhaid i mi ddeud...' Mae'n syllu i'r tân, fel pe bai'r geiriau y mae'n chwilio amdanynt yno yn y fflamau, ac mae hi'n disgwyl yn amyneddgar iddo orffen. O'r diwedd mae'n ymsythu eto a throi'i lygaid arni hi. 'Rhaid i mi gyfadde nad oeddwn i wedi disgwyl iddo fod fel'na.'

'Fel beth, Rhisiart Dewi?'

'Dwn 'im... Doeddwn i ddim yn disgwyl iddo fo fod fel'na. Mor hoffus.'

'Gweud wyt ti dy fod yn ei hoffi e?'

'Ie, am wn i.'

'Yn groes i'r disgwyl?'

'Efallai.... . Ie, am wn i.'

'Ac felly rwyt ti wedi dy siomi ar yr ochr ore, fel mae rhai'n ei weud.'

Mae Rhisiart yn chwerthin yn dawel, yn cydsynio yn y modd dieiriau hwnnw, cyn difrifoli eto.

'Dwi ddim yn deud fy mod i'n cytuno ag o. Dw i ddim yn credu llawer o'r hyn y mae o'n credu ynddo fo. Ond dyna ni. Does dim gwahaniaeth. Dw i wedi anghydweld â llawer o ddynion dwi'n eu hoffi.' Athrofa ddiwinyddol Byddin y Seintiau, dynion yn cytuno ar un pwynt ac yn anghytuno ar bwynt arall. 'Ond mae yna lawer amdano fo dwi'n ei barchu. Er nad wyf yn gallu cyd-weld â'i Galfiniaeth o.'

'Mae'n flin 'da fi, Rhisiart Dewi, ond wi ddim mo'yn trafod diwinyddieth ac athrawieth.' Mae hi'n ochneidio. 'Ddim nawr, ddim heno.'

Mae ar Rhisiart eisiau gofyn iddi hi'r cwestiynau nad oedd wedi'u gofyn i'r Doethur Jones yn gynharach, y cwestiynau sydd wedi bod yn mudlosgi y tu mewn iddo ers wythnosau. Beth fu tynged Miles Egerton, y dyn hwnnw a ddaethai yma ar gais y Cyrnol Powel? Pam roedd athrawiaeth gweinidogion Caersalem Newydd wedi bod yn destun braw i eraill? Beth oedd sylfaen y sïon hynny? Achos pryder: *They know not what they do.* Ac mae arno eisiau gofyn iddi hi pam mae hi'n poeni am eni ei phlentyn, pam mae hi'n dweud weithiau yr hoffai hi adael, ffoi gyda Rhisiart y cyfle cyntaf a ddaw.

Mae hi wedi dechrau dod i adnabod Rhisiart yn lled dda erbyn hyn. Maen nhw wedi treulio oriau hirion yn siarad yma o flaen y tân, yn trafod hyn a llall, yn ymgyfarwyddo â thalpiau o hanes ei gilydd. Mae hi wedi dysgu bod pethau am ei orffennol nad oes ganddo awydd eu trafod, ac mae hi'n gwybod sut i dywys y drafodaeth yn gelfydd o gwmpas y corsydd personol hynny. Yn yr un modd, mae cyfeillgarwch y ddau wedi goroesi'r eiliadau poenus o anghyfforddus hynny pan fydd Rhisiart yn gofyn cwestiynau y mae hi'n gwrthod eu hateb.

Ac felly mae hi'n synhwyro'i fod yn paratoi i ofyn cwestiynau o'r fath, ac mae'n penderfynu rhoi taw arno cyn iddo agor ei geg.

'Wi mor flinedig, Rhisiart Dewi. Paid â gofyn heno, os gweli di'n dda. Paid â gofyn. Weda i un peth wrthot ti: mae gwragedd a mamau Caersalem Newydd yn gorfod ysgwyddo baich neilltuol o anodd. 'Na'r cwbwl weda i wrthot ti heno.'

Ychydig yn ddiweddarach, ac yntau'n cerdded trwy'r eira, mae Rhisiart yn ceisio cofio tamaid o gerdd. *Mawr yw baich pob mam yn wir, ond mae Mair yn ei gario drosom ni.* Gŵyr ei fod wedi curo'r geiriau i'r haearn poeth un prynhawn pan oedd ychydig o eira Rhagfyr yn chwyrlïo yn yr awyr y tu allan i ddrws yr hen efail, ond ni all gofio'r union eiriau, na'r odl na'r mesur. Roedd alaw ar ei dafod hefyd, mae'n siŵr, er na all gael hyd i'r trawiad. *Mawr fu baich y Forwyn Fair, a hithau'n ei gludo drosom ni.* Erbyn iddo agor drws ei lety a thynnu ei esgidiau, mae'n sicr na fydd fyth yn cofio'r gân.

4

Diwedd Ionawr 1657

Nid oes ond un fflam fach ar ôl, a honno'n beth bach eiddil, yn cwffio am hynny o fwyd sydd ar ôl, yn cydio'n fregus yn yr ychydig farwydos sy'n dal i losgi.

Mae Rhisiart yn codi ac estyn cwpl o sglodion pren a'u gosod yn y marwydos. Try wedyn a chydio mewn darn mwy o goed a gosod hwnnw yn y lle tân. Oeda am ychydig, yn sicrhau bod y fflamau'n dechrau dringo a chofleidio'r offrwm hwn, ac wedyn mae'n troi a gosod rhagor o goed tân ar ben y cwbl, yn gwneud pentwr o danwydd a fydd yn parhau i losgi am sbel go lew. Mae'n eistedd wedyn, Rebecca'n mwmian ei diolch iddo.

Cyd-eistedd y ddau mewn tawelwch. Mae Rhisiart wedi egluro peth o hanes ei ddiwrnod iddi, ond nid yw hi'n siarad llawer heno. Ond er ei bod hi'n dawedog, bob tro y mae o'n cynnig codi, dweud nos dawch, a mynd, mae hi'n gofyn iddo aros. Ac felly mae'r ddau wedi bod yn eistedd am yn hir o flaen y tân, yn rhannu'r tawelwch hwn.

* * *

Mae patrwm dyddiau Rhisiart wedi newid ers i Richard Morgan Jones ddechrau gofyn amdano fo. Mae'n parhau i dreulio llawer o'i amser yn yr efail, yn mwynhau'r gystadleuaeth gyfeillgar â'r gof a'i fab, pob un yn ei dro'n ceisio creu'r hoelen deneuaf neu'r bachyn mwyaf cain. Â bob hyn a hyn gyda'r ddau i dorri

coed hefyd, heibio i'r fynwent ac anialwch gwyn y caeau, yn
ymlwybro drwy'r lluwchfeydd i'r goedwig, bwyell ar ysgwydd
pob un o'r tri.

Un tro, galwodd Ifan arno i droi o'r goeden.

'Ust, dere a gweld!'

Roedd Rhisiart wedi dweud wrth y gof a'i fab orffwys am
ychydig, yn dweud y byddai'n gorffen y goeden hon ei hun.
Roedd ei fwyell yn codi ac yn disgyn, yn taro'n bŵl ar y pren
marw, y chwys yn codi ar ei dalcen er gwaethaf yr oerfel.

'Ust, Rhisiart Dewi, dere glou!'

Cyffro yn llais y llanc, ac yntau'n ceisio bod yn dawel ond
eto'n galw yn ddigon uchel ar Rhisiart er mwyn cael ei sylw. Yno,
ryw ugain llath i ffwrdd, yn sefyll rhwng dwy fedwen fechan:
dyn. Nid un o drigolion Caersalem Newydd, ond dyn. Roedd
yn gwisgo clogyn o ledr gyda rhyw fath o blanced ar ei ben
a dros ei ysgwyddau. Tu blaen ei ben wedi'i eillio i wneud ei
dalcen yn hir, a hwnnw wedi'i baentio'n goch. Roedd mwsged
yn ei ddwylo, ond nid oedd yn bwriadu ei saethu. Safai yno, yn
dawel, yn syllu ar y tri. Ac yna, ennyd yn ddiweddarach, troes a
cherdded i ffwrdd, yn diflannu rhwng y coed pinwydd, y bedw,
a'r lluwchfeydd.

Doedd Griffith John Griffith ddim wedi'i weld yn glir, ac
felly disgrifiodd ei fab y cwbl iddo ar ôl i'r dyn fynd.

'Un ohonyn nhw, 'nhad, a blaen ei ben mor foel â'th ben di.
Ddylet ti fod wedi dod â'th fwsged, Rhisiart Dewi. Dyw hi ddim
yn ddiogel yma bob tro.'

Buasai Rhisiart yn ceisio cofio'r geiriau, yn dymuno cyfarch
y dyn yn ei iaith ei hun, ond nid oedd yn sicr a oedd yn cofio'n
iawn, ac ni ddaeth o hyd i'w dafod tan ar ôl i'r dyn ddiflannu
o'u golwg. *Acwi sageso. Cwai, nijia, cwai. Wligo, wlioni. Wlioni,
nidoba, wlioni.* Nid yw'n ateb Ifan. Mae'n gadael i'r llanc rannu
ei gyffro a'i bryder â'i dad; try'n ôl at y goeden farw, yn codi'i
fwyell eto a tharo. Yn cofio. Cofiai'r enwau, os nad y geiriau i

gyd. Malian. Asômi. Msadokwes. Pene Wonse. Simôn. Ie, ac efe, Isiad Dawi.

Mae'n parhau i gynorthwyo gweddwon y pentref bob dydd hefyd, yn cludo coed tân ac yn cario dŵr o'r ffynnon. Dangosodd Ifan y modd y cyrchir dŵr ganol gaeaf. Rhaid cael hyd i garreg neu ddwy a'u gollwng yn y ffynnon yn gyntaf, er mwyn malu'r rhew. Yna gellir gollwng y bwced ar raff a chyrchu'r dŵr oer o'r gwaelodion tywyll. Gofynnodd Rhisiart a yw'n ddoeth, oni fyddai'r cerrig yn cau'r ffynnon ryw ddydd? Atebodd Ifan drwy sôn am yr ysgol hir sy'n hongian ar begiau pren ar wal yr efail. Mae'n ddigon hir i gyrraedd gwaelod y ffynnon; ar ddiwrnod poeth o haf bydd Ifan neu un arall o lanciau'r pentref yn mynd i lawr i'r tywyllwch a diflannu yn y dŵr du, fel dyn na ŵyr pa beth yw ofn yn dringo i lawr corn gwddf gwlyb Annwn. Fe â i lawr a dod â'r cerrig i fyny o'r gwaelod, eu gosod yn y bwced i eraill eu tynnu i fyny. Ar ôl iddo ddechrau oeri, daw'r llanc i fyny o'r twll du a gadael i un arall gymryd ei le. Mae'n cymryd tri neu bedwar i glirio gwaelod y ffynnon, ond mae'n dipyn o hwyl, rhwng y tynnu coes a'r herio, pob un yn gweld pwy all gyrchu'r nifer fwyaf o gerrig o'r dyfroedd deillion duon cyn oeri gormod i barhau â'r gwaith. 'Diwrnod clirio'r ffynnon' maen nhw'n ei alw, rhyw ddiwrnod braf tua chanol mis Gorffennaf fel arfer. Mae'r bechgyn ifainc yn edrych ymlaen ato, pob un yn disgwyl am y diwrnod pan fydd yn ddigon o lanc i wirfoddoli a mynd i lawr yr ysgol i'r gwaelodion tywyll, oer.

Mae'n oedi pan gaiff gyfle i siarad â Rebecca, y ddau'n mwynhau rhannu atgofion a thrafod manylion bach syml eu bywyd beunyddiol, ond y sgwrs yn cloffi bob tro y mae Rhisiart yn ceisio cael atebion i'r cwestiynau anodd. Ac mae Rhisiart, yn ei dro, yn osgoi datgelu rhai darnau o'i hanes ei hun iddi hi. Felly maen nhw'n treulio amser gyda'i gilydd, yn pendilio rhwng y cyfarwydd cysurlon a rhwystredigaeth yr hyn y mae'r naill yn ei guddio rhag y llall.

Ond mae patrwm ei ddyddiau wedi newid erbyn hyn; treulia Rhisiart bron cymaint o amser gyda Richard Morgan Jones ag y mae'n ei dreulio yng nghartref Rebecca. Daw negesydd i chwilio amdano – Rhosier Wyn, Evan Evans, Pyrs Huws, neu Catherin Huws – a dweud bod y Doethur Jones yn gofyn amdano. Mae wedi dod i ddisgwyl y cais hwn bob dydd, ac mae'n aflonyddu arno os yw'r haul yn machlud ar ddiwrnod ac yntau heb dderbyn galwad i gadw cwmni i'r hen ŵr, tamaid o drafodaeth heb ei chwblhau, a chwestiynau heb eu hateb yn chwarae ar ei feddwl ac yn ei rwystro rhag mwynhau cwmni Rebecca neu Griffith John Griffith a'i fab. Ond daw'r cais y rhan fwyaf o'r dyddiau, ac mae Rhisiart wastad yn ufuddhau, gan ruthro i eistedd yn ymyl gwely'r Doethur Jones. Weithiau mae Catherin Huws yn y tŷ hefyd, er ei bod hi'n cau drws yr ystafell wely y tu ôl i Rhisiart bob tro er mwyn gadael i'r ddau siarad yn gyfrinachol. Ond gall Rhisiart ei chlywed yn yr ystafell fawr y drws nesaf, yn glanhau neu'n coginio. Daw hi weithiau â bwyd i'r hen ddyn – cawl neu botes o ryw fath fel arfer – ac os nad yw Rhisiart wedi bwyta eto, mae'n derbyn y gwahoddiad i fwyta gyda'r Doethur. Mae'n helpu Catherin i symud y ddelw wen o ddyn a'i osod yn ei eistedd yn ei wely, y gobennydd wedi'i osod yn sownd y tu ôl i'w gefn. Ac wedyn mae Catherin yn dod â chadair arall er mwyn eistedd yn ymyl y gwely a bwydo'r hen ddyn, fesul llwyaid. Eistedd Rhisiart yn ei gadair yntau wrth ymyl troed y gwely ar yr achlysuron hyn, yn dal ei bowlen gydag un llaw a'i lwy gyda'r llaw arall. Ac wedyn, ar ôl i Catherin fynd â'r powlenni gwag ac ar ôl iddynt osod y Doethur eto yn gorwedd yn gyfforddus yn ei wely, mae hi'n ymadael â nhw, yn cau'r drws yn dawel y tu ôl iddi, ac mae'r ddau'n ailafael yn eu trafodaethau.

Nid oes siarad mân rhyngddynt: mae'r ddau yn deall ei gilydd ac maen nhw'n deall bod amser yn brin. Gŵyr y ddau fod sawl agendor i'w bontio yn ystod yr amser prin hwnnw, ac felly maen nhw'n siarad yn agored; gonestrwydd yw cywair llywodraethol eu trafodaethau. Nid yw'n gyfrinach bod Rhisiart wedi dod i Gaersalem Newydd ar gais John Powel, ac mae'n egluro natur ei wasanaeth gyda'r Cyrnol yn ystod y rhyfeloedd ac ar ôl hynny. Mae Richard Morgan Jones yn sôn yn annwyl amdano, fel un yn cofio cyfaill coll, ond dywed ar nifer o achlysuron fod y Cyrnol 'wedi cyfeiliorni'. Gofynnodd Rhisiart am eglurhad y tro cyntaf y dywedodd yr hen ŵr hyn, a'i ateb oedd bod John Powel yn poeni gormod am bethau'r byd hwn.

Yn ystod ei ail ymweliad â chartref Richard Morgan Jones, gofynnodd Rhisiart iddo yn blwmp ac yn blaen beth ddigwyddodd i'r Sais Miles Egerton a ddaethai yma dro'n ôl ar gais y Cyrnol Powel.

'Rwy'n synnu nad oes neb wedi egluro wrthot ti, Rhisiart Dewi.'

'Nac oes. Neb. Mae pawb fel 'sa arnon nhw ofn sôn amdano fo.'

'Wel, mae'n stori drist, mae hynny'n wir, a'r dyn wedi teithio mor bell dim ond i farw yn y goedwig yn y parthau hyn.'

Datgelodd yr hanes yn ei grynswth, yn dechrau gyda'r hyn a ddysgodd gan Miles Egerton ei hun. Oedd, roedd y dyn yn gwasanaethu'r Senedd ac yn cydweithio â John Powel. Daethai draw i Loegr Newydd ar ryw berwyl arall, rhywbeth yn ymwneud â masnach, ond roedd y Cyrnol Powel wedi gofyn iddo wneud rhywbeth arall yn ystod ei ymdaith yn America. Cydsyniodd: nid oes yr un dyn sy'n nabod John Powel a all wrthod dim iddo. Ac felly ar ôl iddo gwblhau'i waith yn Boston teithiodd Miles Egerton i'r gorllewin ac i'r gogledd, a holi'r Wampanoag am New Jerusalem. Aeth o bentref i bentref, ac yn y diwedd cafodd hyd i'r rhai oedd yn ymweld â Chaersalem Newydd ddwywaith y flwyddyn. Daeth un haf, gyda llythyr gan y Brawd Appleton yn ei gyflwyno *to my most esteemed bretheren, the Ministers of New Jerusalem*. Ond buan y canfuwyd mai yn Llundain ac nid Boston yr oedd wedi dechrau ei siwrnai ac mai'r Cyrnol Powel ac nid

Mr Appleton oedd wedi'i yrru. Dim ond gwneud cymwynas â Sais duwiol arall yr oedd gweinidog y Praying Indians.

Roedd Miles Egerton yn ddyn a siaradai'n blaen, a daeth yn amlwg nad oedd yn cytuno â llawer o athrawiaethau gweinidogion Caersalem Newydd. Ond, dyna ni, penderfynodd aros drwy'r gaeaf cyn teithio'n ôl i Boston a chwilio am long a allai'i gludo'n ôl dros y môr i Loegr ac at y Cyrnol Powel. Rhoddwyd llety iddo a chroeso iddo aros yn eu plith. Er ei fod yn tynnu aml i ddadl yn ei ben, roedd hefyd fel pe bai'n mwynhau bywyd bob dydd yn y pentref. Ond un diwrnod aeth i hela yn y goedwig gydag Evan Evans ac Owen Williams, a daeth trychineb ar eu gwarthaf: nifer o'r Indiaid, nid y Wampanoag ond y rhai nad oeddynt wedi mabwysiadu dulliau'r dynion gwynion, er bod ganddynt fwsgedau. Wedi'u harfogi gan y Ffrancwyr, mae'n siŵr, neu gan ryw Sais difeddwl a oedd yn rhoi gwerth ar ei fasnach ar draul ei gydwybod. Aeth yn ysgarmes, a saethwyd Miles Egerton yn farw. Trawiad tra anffodus. Stori drist. A dyna ni.

Mae'r ddau'n trafod diwinyddiaeth weithiau, y dadlau a'r gwrthddadlau'n dod yn rhwydd i Rhisiart, yn atgof o drobwll athronyddol Byddin y Seintiau. Mae'n pwyso ymlaen yn ei gadair, yn siarad yn frwd â'r hen ddyn, ac yntau'n codi'i law weithiau gyda chryn drafferth er mwyn pwysleisio pwynt. Weithiau mae'n ysgwyd ei ben fymryn ar ei obennydd, ei wefusau'n gwgu mewn anghytundeb. Ac weithiau mae'n ysgwyd ei ben mewn modd arall, yn gwenu ei gydsyniad.

'Ie, Rhisiart Dewi, rydyn ni'n gwbl gytûn yn hynny o beth. Rwyf wedi dweud wrth y brodyr a'r chwiorydd nad yfelly y mae, ond mae'n anodd i'r wers honno suddo'n ddwfn i'w calonnau nhw. Fel cynifer o'r rhai sy'n coleddu athrawiaethau Calfin draw yn yr hen wledydd, maen nhw'n chwilio am arwyddion o hyd. Chwilio'n daer, chwilio'n ddyfal, er mwyn canfod arwyddion sy'n dangos eu bod wedi ffurfio Gwir Eglwys. Arwyddion a fyddai'n profi mai'r un yw'r eglwys fydol y maen nhw'n ei chynnal ag eglwys anweladwy yr etholedig rai.'

Er bod ei lais yn rhasglu ychydig yn ei wddf, mae Richard Morgan Jones wedi bywiogi drwyddo, y traethu'n dod â mwynhad amlwg iddo, ei lygaid yn sgleinio a gwên felys-chwerw yn chwarae ar ei wefusau.

'Bûm innau'n chwilio am arwyddion, Rhisiart Dewi. Do, do. Bûm yn chwilio am arwyddion yn Llanfaches, a gallaf ddweud fy mod i'n daer yn f'awydd, yn chwilio'n angerddol am arwyddion a fyddai'n dangos imi fod honno'n Wir Eglwys. Do, do, ac nid oes arna i ofn cyffesu rhywbeth i ti yn awr: cymaint oedd f'awydd, ie, cymaint oedd *angen* fy nghalon aflonydd… bu bron iawn i mi lwyddo i gyflawni'r hunan-dwyll yna. Do, bu bron iawn imi dwyllo fy hun a chasglu bod y Wir Eglwys Anweladwy i'w chanfod yno yn yr eglwys fydol honno. Cred di hyn, Rhisiart Dewi: nid chwilio am feiau oeddwn i, ond chwilio am arwyddion bod gwir ddaioni yma i'w gael yn y byd hwn. Chwiliais. Ceisiais. Do, do, chwiliais ym mhob man a cheisiais yn galed, mor daer oedd f'awydd.'

Mae'n troi'i ben fymryn i gyfeiriad y wal, dagrau'n rhedeg i lawr ei fochau i'w locsyn gwyn.

'Mor daer… mor daer… mor barod i gredu. Ond roedd rhywbeth yno nad oedd yn caniatáu imi gau llygaid fy nghalon i'r gwirionedd. Rhywbeth a elwir yn Rhagluniaeth gan rai. Nid oeddwn i'n gallu cau fy llygaid a'm clustiau a'm calon i'w ewyllys Ef. Ac felly nid oeddwn i'n gallu ymfodloni yno yn Llanfaches. Nac oeddwn. Chwiliais yno yn yr eglwys honno, do, a chefais yr eglwys honno'n ddiffygiol. Mae'n debyg iawn fod Seintiau i'w cael yn y gynulleidfa honno. Mae'n bosibl bod rhai ohonyn nhw ymhlith yr etholedig. Ond eglwys weladwy ydoedd, eglwys fydol, fel cynifer o eglwysi eraill, nid eglwys anweladwy Ei etholedigion Ef. Ac ar ôl chwilio a chwilio, ceisio a cheisio, ac ar ôl methu'n lân â chanfod uniad yn unman rhwng eglwys weladwy yma ar y ddaear a'r eglwys anweladwy, penderfynais mai creu'r Eglwys honno oedd yr unig ddewis. Ac roedd yn rhaid mynd yn bell er mwyn gwneud hynny.'

Ac felly ymlaen, Rhisiart yn gwrando'n dawel weithiau, yn mwynhau huodledd y dyn er nad yw'n cytuno â llawer o'r hyn y mae'n ei ddweud, ac weithiau mae'n dadlau ag o, yn cyflwyno rhesymau da dros amau'r cerrig Calfinaidd caled y mae Richard Morgan Jones wedi'u gosod yn sylfeini i eglwys Caersalem Newydd. Mae'r hen ddyn yn ysgwyd ei ben, yn gwgu'n dosturiol pan fydd Rhisiart yn lleisio barn wrthwynebus, ond nid yw'n ceisio'i dawelu. Mae'n croesawu'r drafodaeth, hyd yn oed pan fydd yn ddadl boeth.

Ond nid yw wedi gofyn iddo egluro paham mae ofn ar Rebecca. Mae'r cwestiwn yn llosgi yn ei fol ac mae'n ei deimlo yno weithiau, fel darn o fwyd sych yn sownd yn ei wddf, ac yntau'n ansicr pa beth y dylai ei wneud, ai ceisio'i olchi i lawr ynteu geisio'i daflu i fyny. Ond mae'n cadw'i addewid; nid yw'n torri ei air i Rebecca ac felly nid yw'n gofyn y cwestiwn hwnnw. Teimla'n rhydd i holi'r Doethur am ei athrawiaethau fel arall, ac mae'n lleisio aml i gŵyn a beirniadaeth, ond ni waeth faint y mae'n anghydweld, ni waeth faint y dadlau a'r gwrthddadlau, mae'r cais yn dod eto ac eto.

Ac felly daeth cais arall heddiw, yn unol â'r disgwyl. Pan oedd yn cario bwcedaid o ddŵr o'r ffynnon i dŷ Hannah Siôn, yn cerdded ar hyd y lôn gylch heibio i'r adeilad mawr a oedd yn gartref i Richard Morgan Jones, agorodd y drws. Roedd Catherin Huws yn sefyll yno, fel pe bai wedi bod yn ei ddisgwyl. Taerineb yn ei llais, yn wahanol i'r adegau eraill. 'Dyna ti, Rhisiart Dewi, dere mor gyflym â phosibl. Mae'r Doethur Jones yn gwaelu eto heddiw ond mae e eisiau dy weld di. Dere, glou, mor gyflym â phosibl.'

Brasgamodd Rhisiart o'r lôn a thrwy'r eira i dŷ'r hen weddw a chnocio ar ei drws hi. Ymesgusododd wedyn, yn ymddiheuro

am beidio ag aros a siarad, a throi a rhuthro i ymyl gwely'r
Doethur. Ni allai'r hen ddyn ond siarad yn isel, ei lais fel pe bai'n
ymladd â'r rhasglu yn ei wddf, a'r geiriau'n ei chael hi'n anodd i
gyrraedd ei wefusau. Ond gwenodd ar ôl i Catherin Huws gau'r
drws a'u gadael i siarad.

'Diolch am ddyfod, Rhisiart Dewi. Mae'n dda 'da fi dy weld
di heddiw.' Roedd ei ddwylo wedi'u plethu ac yn gorwedd ar ei
fynwes, yn gwbl ddisymud, fel pe bai'i fywyd wedi ymadael â'i
gorff yn barod a'r corff hwnnw'n barod i'w gau mewn amdo, ei
osod mewn arch, a'i gladdu.

'Ni fyddaf i'n hir yn eich plith ar y ddaear hon, ac rwyf eisiau
gorffen dweud yr hyn sydd gennyf i'w ddweud wrthyt ti cyn
ymadael â'r fuchedd hon.'

Plygodd Rhisiart dros y gwely, ei ddwylo'n pwyso ar ei liniau,
ei lygaid yn ceisio canfod ystyr ym mhyllau dyfrllyd llygaid yr
hen ddyn.

'Pa beth sydd gennych i'w ddweud wrtha i?'

'Rwyf i am ddweud fy ma—' Bu farw'r geiriau ar ei wefusau,
fel pe na bai ganddo ddigon o anadl i'w gwthio allan dros ei
dafod. Caeodd ei lygaid, y dagrau'n gwasgaru ar ei fochau, a
phesychodd ychydig.

Yna, heb agor ei lygaid, dechreuodd siarad eto, ei lais yn sisial,
fel gwynt ysgafn yn ysgwyd y brwyn.

'Rwy i... am... ofyn... rhywbeth... i ti.' Oedodd ac agor ei
lygaid eto, er nad oedd Rhisiart yn credu'i fod yn gallu'i weld o.
Crwydrodd y llygaid di-weld hynny i fyny i'r nenfwd wrth iddo
ddechrau sisial eto. 'Rwy i am ofyn... i ti... fod yn ddicon.'

'Digon?' Plygodd Rhisiart yn nes eto, yn barod i gipio unrhyw
damaid o air a ddeuai o wefusau'r hen ddyn.

'Nage. Deacon. De-a-con.'

'Dwi ddim yn dallt?'

Ond cysgodd Richard Morgan Jones wedyn, a phan aeth
Rhisiart trwy'r drws i brif ystafell y tŷ, gwelodd fod Rhosier Wyn

a Pyrs Huws wedi dod i aros gyda Catherin Huws. Aeth gwraig y pregethwr i edrych ar y claf, ac wedyn daeth yn ôl, yn cau drws yr ystafell wely yn dawel y tu ôl iddi hi.

'Cysgu mae e nawr. Ond mae'n wan.' Edrychodd ar ei gŵr, dagrau'n sgleinio ar ei bochau a'i llais yn crynu. 'Mae'n wan, Pyrs Huws, mae mor wan.'

Camodd y gweinidog yn nes at ei wraig cyn gofyn yn ddistaw, 'Ond cafodd wneud yr hyn yr oedd am ei wneud?'

Unig ateb ei wraig oedd troi at Rhisiart.

'Wel 'te?' Roedd llais Rhosier Wyn yn uwch, ei freichiau hirion afrosgo'n symud yn aflonydd. 'Gwêd! Beth ddigwyddodd? Gafodd e gyfle i ofyn i ti?'

'Do, dwi'n credu.' Siaradai Rhisiart yn freuddwydiol. 'Dw i'n credu'i fod o am i mi fod yn Ddeacon.'

Gwenodd Pyrs Huws a chydio yn llaw ei wraig.

'Diolch am hynny. Mae'n dda'i fod wedi cael gwneud ei gennad heddiw, rhag ofn y bydd yn ymadael â ni.' Siaradai'n ddistaw ond yn gyflym; nid oedd Rhisiart wedi'i weld mor egnïol y tu hwnt i'r pulpud o'r blaen. 'Da hynny, da hynny. Dywedodd e wrtha i echdoe. Fe ddywedodd ei fod wedi penderfynu y dylen ni ofyn i ti aros yn ein plith, Rhisiart Dewi, a chyflawni swyddogaeth y pedwerydd gweinidog. Dywedodd ei fod am ofyn i ti fod yn Ddeacon.'

'Ond dwi ddim yn dallt. Tydw i ddim wedi dŵad yma i aros. 'Mond i ymweld â chi. Mi fydda i'n ymadael pan ddaw'r gwanwyn. Tydw i ddim wedi dŵad i ymuno â chi.'

'Dyna ti, Pyrs Huws, dyna ni.' Roedd Rhosier Wyn yn ei ymyl, yn cydio yn ei fraich ac yn ei dywys i'r drws, yn siarad dros ei ysgwydd â'r llall. 'Dyna wedes i, ynde? Wedes i fod y Doethur Jones wedi camgymryd pethe. Wedes i nad oedd yn gwneud synnwyr.'

Camodd y gweinidog tal o'u blaenau, yn sefyll rhyngddynt a'r drws.

'Nage, Rhosier Wyn, nage, mae'n rhaid taw ti sy'n camgymryd. Mae'n rhaid bod y Doethur Jones yn iawn, unwaith mae'n gweld ei ffordd yn glir a phenderfynu ym mha fodd y mae pethe i fod. Pa hawl sy 'da ti na neb i anghytuno ag e? Mm?'

'Hawl dyn sy'n gwybod pan fydd dyn arall yn wael, Pyrs Huws. Hawl dyn sy'n ceisio arbed ei gyfeillion a'i eglwys rhag gwneud camgymeriad. Dyw'r Doethur Jones ddim yn ei iawn bwyll. Mae'n wael. Mae ei feddwl yn crwydro. Weden i taw camgymeriad o'dd gadael i'r dyn ddod yma heddiw o gwbwl. I ba beth o'ddech chi'ch dou am aflonyddu ar y Doethur, ac ynte mor wael? Dyw e ddim yn iach a dyw e ddim yn ei iawn bwyll.'

Ac wedyn roedd y dyn byr boliog yn gwthio'i ffordd heibio'r gweinidog ac yn tywys Rhisiart allan o'r tŷ i oerfel prynhawn di-wres.

Mae Rhisiart yn oedi ar garreg y drws ac mae'n tynnu'i fraich yn rhydd o afael yr Henadur.

'O'r gora, Rhosier Wyn. Mi a' i adra ar 'y mhen fy hun.'

* * *

Mae'r tân yn dal i losgi'n braf, y fflamau'n neidio'n llon, y cysgodion yn chwarae dros eu hwynebau. Mae Rhisiart wedi bod yn syllu'n hir ar y fflamau, yn tystio i fuddugoliaeth raddol y tân dros y coed, y cofleidio poeth, y craclo, a'r ildio i'r mwg a'r lludw. Er nad oes rhaid iddo wneud felly eto, mae'n codi ac estyn rhagor o goed a gosod y darnau'n ofalus yng nghoflaid y fflamau, eu tafodau'n dod yn beryglus o agos at ei fysedd. Mae'n eistedd eto, yn ysgwyd ei ddwylo'n gyflym i'w hoeri, ac wedyn mae'n troi at Rebecca.

''Dan ni wedi cael pob math o drafodaetha yn ystod y dyddia dwetha 'ma, wst ti. Fi a fo. Pob math o betha. Mae o wedi deud holl hanes Merrymount wrtha i hyd yn oed.'

Stori Merrymount, hanes Thomas Morton: y gymuned afradlon, a Morton ei hun yn brolio'i hedonistiaeth yn ei waith *New England Canaan*, yn temtio ffawd ac yn herio dyn a Duw fel ei gilydd. Roedd y stori'n gyffredin yn y trefedigaethau Seisnig pan gyrhaeddodd Richard Morgan Jones a gweddill y fintai gyntaf honno a oedd ar ei ffordd i sefydlu Caersalem Newydd, a miri a rhialtwch diystyriol Merrymount fel pe bai'n wrthbwynt i dduwioldeb y gymuned yr oeddynt ar fin ei chreu yng nghoedwigoedd anghysbell yr Amerig.

'Ac mae'n ddigon hapus i mi ddadla ag o. Hynny ydi, mae wedi bod yn gadael i mi ddeud fy neud ac amlygu fy marn. 'Dan ni wedi dadla'n boeth, wst ti. Do. 'Dan ni wedi anghytuno'n groch yn ystod y dyddia dwetha. Ond mae wastad yn gofyn i mi ddod yn ôl. I siarad efo fo. Eto ac eto.'

'Ac felly heddiw…'

'Ie, heddiw. Yn gofyn i mi aros yma am byth, ac yn fwy na hynny, yn gofyn i mi fynd yn Ddeacon, sy'n golygu mynd yn weinidog o fath, yntydi.'

'Odi, Rhisiart Dewi, mae e. Mae'n golygu mynd yn un o'r gweinidogion. Ond rwyt ti'n anghywir yn un peth. Does dim byd yn para hyd fyth.'

Mae hi'n syllu i fyw ei lygaid. Ni all Rhisiart wrthsefyll ei golwg heriol, ac mae'n troi'i lygaid yntau i gyfeiriad y tân.

'Tydw i ddim yn dallt pam.'

'Mae'r Doethur Jones yn gweld pethe'n wahanol i bobol eraill. Ac mae pawb wastad yn gwrando arno fe.'

'Doedd Rhosier Wyn ddim fel 'sa fo'n fodlon gwrando arno. Nid y tro 'ma. Nid yn hyn o beth.'

'Efallai wir. Ond bydd eraill yn gwrando arno fe.'

'Ond pam? Pam y fi?'

'I gymryd lle yr hen Edward Jones, y Deacon diwetha?'

'Ie? Pam y fi, yn hytrach nag un ohonoch chi?'

'Alla i ddim gweud, Rhisiart Dewi. Dim ond y Doethur

Jones all ateb y cwestiwn yna. Ond mae'n bosibl taw ti yw'r unig un sydd wedi amlygu'r rhinwedde mae e'n chwilio amdanon nhw.'

'Sut felly, a minna'n anghytuno gymaint ag o?'

'Wel, Rhisiart, mae'n bosibl taw dyna'r union reswm. Ti yw'r unig un sy'n anghytuno ag e. Ac eto mae'n gweld daioni ynot ti er gwaetha hynny. Mae angen rhinwedd o'r fath mewn Deacon. Trugaredd. Y gallu i weld yr ochr arall, hyd yn oed os yw'n beth anodd i'w wneud.'

'Dydi o ddim o bwys be bynnag. Dwi ddim am aros yma a dwi ddim am ymuno â'ch eglwys chi.'

'Odi e mor wrthun o beth i ti?'

Edrych yn hir ar y fflamau cyn ei hateb.

'Ydi.' Mae'n edrych i fyw ei llygaid hi, yn chwilio am olion effaith ei ateb, yn poeni ei fod wedi'i brifo trwy gydnabod mai yfelly y mae'n gweld pethau.

'O'r gore, Rhisiart. Eglura di, 'te.' Mae ei llais hi'n dawel a'i hwyneb yn agored, ei llygaid yn cymell gonestrwydd, yn dweud nad oes cyfrinachau rhyngddynt.

'O'r gora 'ta. Fel hyn dwi'n gweld petha... mae fel... mae...' Mae'n oedi, yn llyncu'i boer, yn ceisio gosod trefn ar ei eiriau. Yna, mae'n cofio llyfr. Mae'n cofio llais a siaradai ag o o'r inc a'r papur.

'Dwyt ti ddim yn gyfarwydd â llyfra Morgan Llwyd, nac wyt, Rebecca?'

'Nagw.'

'Dwi wedi sôn amdano fo o'r blaen, dwi'n credu. Roedd yn un o'r pregethwyr a glywis i'n Wrecsam yn ystod y blynyddoedd cyn i'r rhyfel cynta ddechra.'

'Ac fe ysgrifennodd lyfre hefyd?'

'Do. Mae'n ysgrifennu llyfra hefyd. Llawer ohonyn nhw. Dwi wedi darllen pob un dwi'n gallu cael gafael arno fo. Hyd yn oed pan o'n i i lawr yng nghyffinia Southampton bydda'r Cyrnol

Powel yn anfon ambell un i fi. Yn gwybod ein bod ni'n rhannu'r un hoffter… yr un mwynhad.'

'Do?'

'Do, ac mae yna rywbeth y mae'n ei ddeud yn un o'i lyfra.' Mae'n oedi eto, yn sicrhau ei fod yn cofio'r geiriau, ac wedyn mae'n cau'i lygaid ac adrodd.

'Fe a'th anwyd yn uffern, ac yno y mynni drigo. Ond ni fynnit mo'th alw wrth enw dy wlad, na'th farnu yn ôl dy waith.'

'Maen nhw'n eirie llym, Rhisiart Dewi! Maen nhw'n eirie hallt.'

'Ydan. Deud mae o y gall gweithredoedd dyn darddu o uffern er nad yw'n cydnabod hynny. Deud mae o fod yna ddynion sy'n credu eu bod yn dduwiol, er eu bod yn ddieflig mewn gwirionedd.'

'Odi fe? A dyna wyt ti'n ei feddwl amdanon ni? Am ein heglwys ni yma, yng Nghaersalem Newydd?'

'Nid yn union, Rebecca. Nid yn hollol. Hynny ydi, dach chi a'ch eglwys ddim yn wahanol i'r holl seintia dw i wedi bod yn cydymdrechu â nhw gydol y blynyddoedd. Dach chi ddim yn wahanol i'r hyn yr oeddwn i'n ei wneud… yr hyn yr oeddwn i'n ei fyw ers talm. Mae athrawiaetha'ch eglwys yn fwy cyson, o bosib, ac yn fwy… llym, a defnyddio dy air di… ond dach chi ddim yn sylfaenol wahanol fel cymuned.'

Mae'i llygaid hi'n ymbilgar ac mae'n amneidio arno â'i phen, fel pe bai'n dweud: dos, dos rhagot a gorffen yr hyn yr wyt wedi'i ddechrau. Dos.

'Dwi wedi credu, Rebecca. Dwi wedi byw. Dwi wedi *gwneud*. Dwi wedi bod yn filwr yn taro'n hy ym mhlaid fy nghapteiniaid, a 'ngweinidogion i oedd y capteiniaid hynny. Dwi wedi ymdaflu i holl waith Byddin y Seintiau. A dwi wedi credu'r cwbl. Ond roedd y gwaith a wneid gennyf i yn waith a anwyd yn uffern, ac yno yn uffern yr oeddwn i'n mynnu trigo gydol yr amser yr oeddwn i'n ymdrechu i wneud y gwaith hwnnw. Byddin uffern oedd hi, wel di, a minna'n ymdaflu'n awchus i waith y fyddin honno. Mi gymerodd flynyddoedd i mi alw'r enw priodol ar y wlad honno a barnu fy ngwaith fy hun yn gyfiawn. Ac wedi gweld felly, fedra i byth ystyried ymuno â'r un eglwys sy'n credu'i bod hi'n wir eglwys ar y ddaear.'

Mae'n seibio ac edrych arni, cyn dechrau siarad eto, ei eiriau'n disgyn o'i dafod yn araf ac yn drwm.

'Roedd milwyr fatha fi yn credu mai eglwys wedi'i chynnull yng ngwaith yr Arglwydd oedd Byddin y Seintiau, ti'n gweld. Gwir eglwys... wedi'i chynnull... yn gwneud gwaith yr Arglwydd... yng Nghymru... ac yn Lloegr... ac yn Iwerddon.'

Ac wedyn mae'n dweud wrthi.

Mae'n siarad yn araf, yn adrodd yr holl hanes, yn dweud pethau nad yw wedi'u dweud wrth neb. Mae'n sôn am yr ymgyrch yn Iwerddon, yn disgrifio strydoedd Drogheda a glannau Wexford. Mae'n adrodd pob un manylyn y mae'n gallu'i gofio.

Ac wedyn mae'n adrodd stori arall. Mae'n edrych i fyw ei llygaid hi ac mae'n adrodd hanes gwragedd Naseby.

Gwragedd Naseby

Dywed yn gyntaf fod llawer am ryfel sy'n rhyfedd. Un o'r pethau hynny yw'r modd y mae'r hanes yn ymffurfio. Nid yw fel ysgrifennu hanes, fel darllen am Frenhinoedd yr Hen Destament fesul pennod. Mae byw trwyddo mor wahanol. Mae'n gymysgedd, mae'n flêr. Mae'r milwr cyffredin yn tystio i rai pethau, rhai penodau, y rhai y mae'n byw trwyddynt, y rhai y mae'n chwarae rhan fach ynddynt, ond nid yw'n gwybod am rai digwyddiadau tan yn ddiweddarach, ac wedyn mae'n dibynnu ar straeon a sïon. Weithiau câi ddarllen talpiau o'r hanes diweddar yn y llyfrynnau a ddeuai o'r gweisg Saesneg, ond ni ellid dibynnu ar bethau felly gan nad oeddynt hwythau'n ddim amgen na ffrwyth straeon a sïon. Felly gwelodd lawer, tystiodd i lawer, cymerodd ran mewn symudiad neu frwydr neu warchae. Ond clywodd am lawer iawn mwy, a'r hyn a glywsai'n aml yn gowdal o straeon a sïon a moeswersi gor-dwt y pregethwyr teithiol.

Clywsai am rawd y rhyfela yn ei hen wlad, er nad oedd wedi ymweld â Chymru ers peth amser. Clywsai am y tân yn Wrecsam yn 1643, un tŷ o bob pedwar yn ulw. Clywsai am farwolaeth perthnasau pobl yr oedd wedi'u hadnabod yn ei ieuenctid. Enwau cyfarwydd, enwau Cymraeg. Ei gydgenedl, y naill ar ôl y llall wedi'u medi gan y rhyfeloedd, y rhan fwyaf yn frenhinwyr, gelynion y wir ffydd. Ei gydgenedl. Clywsai am y pethau hyn.

Clywsai hefyd am wragedd Naseby.

Sibrydion tawel. Straeon arswydus. Chwedlau a adroddid gan y naill filwr wrth y llall mewn gwersyllfa gyda'r nos. Si yn unig ydoedd ar y dechrau. Cyd-filwyr yn sibrwd yn dawel ar ôl y frwydr. Ni ddeallai'r stori, nid oedd yn gwneud synnwyr. Roedd yn sicr nad oedd wedi clywed y stori'n iawn. Ac roedd yn llwfr, yn rhy lwfr i ymholi, i chwilio am y rhai a honnai eu bod yn gwybod rhywbeth amdano a gofyn am ragor o fanylion. Roedd yn well peidio. Gwell peidio â dysgu ffeithiau a fyddai'n rhoi sylwedd i'r sïon brawychus.

Ac wedyn deuai si arall i'w glustiau.

Ac yna si arall.

Ac yna'r newyddion a gludid gan deithwyr, y rhai a fuasai'n ymweld â Chymru, yn cludo'r hanes fel pecyn, yn dadlapio'r sypyn yn ofalus ac yn arddangos ei gynnwys ofnadwy. Cymry eraill, a fuasai'n ymweld â'r hen wlad, yn clywed yr hanes yn uniongyrchol gan rai o'r teuluoedd, rhai a gefnogai'r brenin. Y straeon yn cyd-fynd, y sïon yn troi'n ffeithiau.

Bu Rhisiart yntau ar faes Naseby, do, ond ni welodd y rhan honno o'r frwydr.

Bu yng nghanol y rhuthr, eu ceffylau'n taro cyrff byw. Roedd Eglwys Dduw yn galw arnynt i warchod a chynnal y rhyddid hwnnw a'r Efengyl honno a roddasai Rhagluniaeth iddynt, ac nid oedd eu dwylo'n oedi rhag taro gelynion Duw a Chrefydd, y rhai a oedd yn cynnal plaid yr Anghrist. Rhuthr y march coch. Buont yn cuddio y tu ôl i'r llwyni, yn saethu'n bwyllog, cyn cyrchu eu ceffylau a charlamu o'r guddfan honno. Cannoedd ar gannoedd ohonynt ar gefn eu ceffylau, dragŵns y Cyrnol Okey a'r Cyrnol Powel, yn rhuthro ar rengoedd traedfilwyr y gelyn. Gwyddai fod Cymry yno rywle, wedi dyfod i faes Naseby ym myddin y brenin. Traedfilwyr Rhys Thomas. Catrawd Syr John Owen. Ei gydgenedl. Carwyr. Cyfeillion bore oes. Oedd, roedd digon o Gymry yn ymladd ar ochr y gelyn yn Naseby, ond trwy drugaredd nid oeddynt yn troedio'r rhan honno o'r maes pan ruthrodd dragŵns y Senedd o'u cuddfan y tu ôl i'r llwyni. Y rhuthr gwyllt, ceffylau'n carlamu'n afreolus dros y tir anwastad, ac wedyn y taro, tonnau o gnawd a metel yn ymdaro, ergydion a gweryru a sgrechian dieflig yn cymysgu'n fabel y frwydr, yn ei fyddaru. A Rhisiart yn eu mysg, yng nghanol traedfilwyr y gelyn, ei geffyl yn troi ac yn troi, y brenhinwyr yn ceisio ffoi'n anobeithiol o ddigyfeiriad, fel ieir â llwynog yn eu mysg. Ei fraich yn gweithio'n galed, yn disgyn ac yn codi, disgyn a chodi, ei gleddyf yn clecian, y llafn yn canfod breichiau, yn canfod gyddfau, yn canfod pen ar ôl pen ar ôl pen. Ac yna roedd ei geffyl yn baglu, yn hercian i'r ochr, yn disgyn, a Rhisiart yntau'n syrthio i'r ddaear. Dyna'r cyfan a welodd o frwydr Naseby.

Ni welodd symudiadau terfynol y frwydr. Ni thystiodd i'r diweddglo blêr hwnnw.

Roedd rhengoedd y brenhinwyr wedi'u torri, a'u milwyr yn ffoi. Carlamai blaenfyddin y Senedd ar eu holau nhw, meirchfilwyr Cromwell ei hun yn awyddus i wasgu'r gelyn hyd yr eithaf. Ymlaen â nhw, ac ymlaen, yn carlamu o'r maes ac yn cyrraedd gwersyllfa'r brenhinwyr, yn rhuthro am yr ysbail, y wagenni, y pebyll a'r paciau, y storfeydd symudol. Ac yno, yng nghanol y wersyllfa, yn golchi dillad ac yn coginio bwyd, y benywod. *Camp followers*, y merched amheus eu moesau a deithiai yn sgil byddin y brenin, llawforynion y milwyr a oedd yn cynnal plaid yr Anghrist. *Camp followers*. Puteiniaid a wasanaethai'r gelyn.

Gwyddelesau oeddynt, dyna glywsai Rhisiart ar y dechrau. Wrth gwrs. Gwyddelesau. Onid oedd y Gwyddelod pabaidd yn cynnal breichiau'r brenin? Onid oedd grymoedd aflan y Pab yn ymfyddino yn eu herbyn, yno ar dir a daear Lloegr?

Merched gwyllt oeddynt, yn codi cyllyll, yn bygwth eu

sbaddu, yn ceisio'u lladd. Ac yn gweiddi ar filwyr y Senedd mewn iaith estron, iaith aflan. Gwyddeleg. Iaith cenedl anwaraidd.

Ac roedd milwyr Cromwell, blaenfyddin y Seintiau, yng ngwres y frwydr ac yng ngafael eu buddugoliaeth nhw eu hunain. Pabyddion oeddynt, beth bynnag, y rhai a oedd yn cynnal plaid yr Anghrist. Gwyddelod. A pha beth bynnag, puteiniaid oeddynt. *Camp followers.* Pechaduriaid aflan. A dyna oeddynt, creaduriaid annynol, yn gweiddi ar filwyr y Seintiau mewn iaith anwaraidd. Ac roeddynt yn arfog, yn gwrthod ildio, yn codi cyllyll i'w bygwth.

Rhyw gant ohonynt.

Nid oeddynt yn wahanol i filwyr y gelyn, lluoedd Anghrist.

Ac felly fe'u lladdwyd. Do. Rhuthrodd milwyr Cromwell arnynt, Byddin y Seintiau yn gwneud y gwaith yr oedd wedi cyrchu'r maes i'w wneud. Cleddyfau'n disgyn, yn creu celanedd, yn lladd rhyw gant o'r merched yna, y *camp followers.* Dangoswyd trugaredd hefyd, do. Daliwyd rhai a geisiodd ffoi, rhai nad oedd wedi ceisio'u gwrthsefyll, cyllyll yn eu dwylo. Dangoswyd trugaredd: torri'u bochau, yn gadael creithiau i ddangos mai pechaduriaid oeddynt, puteiniaid aflan, ond yn gadael iddynt fyw, rhai ohonynt.

Ond nid puteiniaid oeddynt. Nid yw'n credu bod ots, bod gwahaniaeth bellach, ond dyna'r gwir amdani. Nid oeddynt yn buteiniaid.

Gwragedd oeddynt, gwragedd priod wedi dilyn eu gwŷr i'r rhyfel, er mwyn coginio a golchi iddynt. Er mwyn ceisio cynnal rhywfaint o fywyd teuluol, yn bell oddi cartref ac yn amser rhyfel. Ambell gariad o bosibl, ambell ddyweddi, yn gorfod dilyn ei darpar briodfab i'r rhyfel cyn cael cyfle i gyrchu'r eglwys. Ac ambell ferch wedi dilyn ei thad, ei mam wedi aros gartref i dendio brodyr a chwiorydd iau, a'r ferch hynaf yn mynd gyda wagenni'r fyddin, yn byw yn y wersyllfa gyda'r merched a'r gwragedd eraill.

Yn cynnal rhith bywyd teulu, yn coginio ac yn golchi, yn ymuno mewn gwasanaeth ar y Sul ac yn canu gyda'r nos.

Nid Gwyddelod oeddynt chwaith. Nid yw'n credu bod ots bellach – ni wêl wahaniaeth rhwng bywyd a bywyd. Ond nid Gwyddelod oeddynt, eithr Cymry.

Merched a gwragedd Cymreig, wedi dilyn eu gwŷr a'u cariadon a'u tadau. Wedi dilyn traedfilwyr Rhys Thomas a chatrawd Syr John Owen. Benywod gwersyll lluoedd Cymreig y brenin, wedi teithio'n bell o Gymru, wedi dilyn eu gwŷr yr holl ffordd i faes Naseby. A dyna ble roeddynt, y gwragedd Cymreig, ar ganol coginio ar gyfer eu gwŷr, cyllyll yn eu dwylo, yn torri cig neu'n torri nionod, yn codi'u pennau bob hyn a hyn i glustfeinio ar dwrw'r frwydr yn y pellter, yn siarad ymysg ei gilydd, yn ceisio dyfalu pa beth a oedd yn digwydd. A'r twrw'n dod yn nes ac yn nes, a chyn iddynt sylwi pa beth a oedd yn digwydd, dyna feirchfilwyr y Senedd ar eu gwarthaf, yn rhuthro am y wersyllfa. Safai ambell un, yn gweiddi, cyllell yn ei llaw. Mae'n bosibl bod ambell un wedi rhegi, wedi bygwth dialedd Duw ar y diawliaid a ruthrai i'w cyfeiriad. Ond roedd y rhan fwyaf yn gweddïo, ac yn galw ar yr estroniaid i drugarhau, yn gofyn i'r milwyr ddangos trugaredd iddynt. Trugaredd. Yn gweiddi ac yn gweddïo ac yn gofyn yn Gymraeg.

Dywed Rhisiart ei fod wedi treulio aml i awr dywyll yn ymholi, yn chwilio gwaelod ei galon ei hun, yn gofyn pa beth y byddai wedi'i wneud, ac yntau'n Sais ac yn credu mai Gwyddelesau oeddynt. A fyddai wedi ymatal a gweinio'i gleddyf pe bai'n meddwl mai Pabyddion oeddynt, pechaduriaid, estroniaid aflan wedi dyfod i Loegr i gynnal plaid yr Anghrist? Wedi'r cwbl, bu yn Iwerddon. Bu ar strydoedd Drogheda a gwelodd froc môr rhyfel ar y glannau yn ymyl Wexford. Ni laddodd yr un wraig na'r un plentyn, ni chrogodd yr un offeiriad na'r un lleian. Ond gwyddai'n iawn fod llawer o'i gyd-filwyr wedi gwneud felly. Y rhai a oedd yn siarad gydag o fin nos, yn cydfwyta ag o, yn cydweddïo ag o. Yn frodyr, yn filwyr yn yr un fyddin, a honno'n Wir Eglwys wedi'i Chynnull i wneud gwaith da Duw ar y ddaear hon. Pa beth a fyddai wedi ei wneud, yn ei ieuenctid, yng ngwres tanbaid ei ffydd, yng ngafael gwylltineb brwydr? Pa beth?

Dywed ei fod wedi treulio oriau meithion yn dychmygu bywydau'r gwragedd hynny. Pob un wedi gwneud y penderfyniad anodd, yn gadael cartref, gan nad oedd hi'n gallu wynebu gadael i'w gŵr fynd i ganlyn rhyfel heb beth o gysur ei deulu. Cariad na allai oddef i'w dyweddi fynd, yn poeni y byddai'n cael ei ladd ar faes y gad cyn diwrnod eu priodas, a hithau'n colli'r cyfle hwn i dreulio rhagor o amser gydag o. Y ferch hynaf, un neu ddwy ar bymtheg oed, yn dweud wrth ei mam, na, arhoswch gartref gyda'r plant eraill. Yn dweud, Ie, rwyf yn gwybod fy meddwl fy hun: af i, af i gyda 'nhad i ganlyn rhyfel. Merched a gwragedd gydag enwau fel Lowri, Sioned, a Gwen. Enwau fel Elisabeth ac Alys. Yn cerdded milltiroedd lawer ond yn cael modd i fwynhau bywyd y wersyllfa, yn ffurfio cymuned newydd, cymdeithas Gymreig a Chymraeg a deithiai o le i le, yn canlyn y fyddin. Yn ymfalchïo yn eu cryfder eu hunain, yn ymfalchïo yn y gwaith a wneid er mwyn cynnal eu gwŷr. Yn chwarae eu rhan yn y rhyfel i ddarostwng y gwrthryfelwyr aflan, y rhai a godasai yn erbyn y brenin a'r Eglwys, yr unig wir Eglwys. Yn cydweddïo yn Gymraeg yn y bore ac yn cydganu yn Gymraeg gyda'r nos. Yn mwynhau hynny o amser a geid yng nghwmni gŵr neu gariad neu dad. Yn mwynhau cyfeillgarwch a chymwynasgarwch y gymuned Gymraeg deithiol yr oeddynt wedi'i chreu. Yn teithio o le i le, yn canlyn byddin y brenin. A'r lôn yn mynd â nhw yn y diwedd i gyrion maes Naseby.

5

Diwedd Chwefror 1657

Gwres y tân a chanu'r morthwyl ar einion: gall ymgolli yn y presennol hwn.

Mae'n mwynhau teimlo'r chwys ar ei gorff a'r mymryn o boen yn ei gyhyrau: ffrwyth ei waith, cymaint â'r offer y mae wedi'u ffurfio, canlyniadau oriau caled o waith da. Crëwr ydyw, un sy'n dod â phethau newydd i'r byd. Llais yw hisian yr haearn poeth yn y dŵr, un sy'n datgan y dyfodiad, gwaedd rhwng pleser a phoen a dystia i'r enedigaeth. Yma y mae creu.

Mae'n mwynhau'r gwmnïaeth hefyd, y cydweithio, y cydymfalchïo, a'r cystadlu cyfeillgar, fflamau'r tân yn adlewyrchu ar ben moel Griffith John Griffith, ac Ifan yn barod iawn ei ganmoliaeth a'i edmygedd. Mae'r ddau ddyn yn trafod pedoli, yn disgrifio'r grefft i Ifan, y modd y mae'r haearn yn cydio yng ngharn y ceffyl byw.

Ni all yr un ohonynt segura; mae hen ddigon o waith ar gyfer tri gof. Llawer o offer wedi pylu'n ddrwg ac angen eu trin cyn derbyn min newydd. Dwy raw a thair bwyell wedi torri'n gyfan gwbl; nid oedd dewis ond toddi'r tameidiau o haearn a chreu offer newydd. Ffurfio, curo, a chreu.

Pan deimla Rhisiart rwystredigaeth yn cronni ynddo, pan sylweddola fod ei feddwl yn crwydro i gors ei benbleth, mae'n ailafael yn ei forthwyl a churo'r cyfan allan ohono, yn plygu'r cwestiynau sy'n hel yn dawel ar ei dafod yn yr haearn poeth. Mae'n ffurfio, mae'n creu, mae'n ymgolli yng ngwres yr efail a'r presennol hwn.

* * *

Mae teimlad gwahanol y tu mewn iddo. Mae wedi bod yn deffro iddo bob bore ac yn mynd i gysgu yng ngafael y teimlad hwnnw bob nos. Llwyddodd i groesi pont a chau bwlch, do, ac mae natur ei fywyd yma wedi bod yn wahanol ers hynny. Mae'n disgwyl o hyd, yn disgwyl cael atebion ac eglurhad, ond mae natur y disgwyl yn wahanol.

Mae wedi dangos y cwbl o'i hanes i Rebecca, unig ystafell ei thŷ bychan yn fan cyfarfod nad oes neb ond nhw ill dau'n ei rannu. Pan fydd y ddau'n eistedd o flaen y tân, a'r drws wedi'i gau i hirnos gaeaf, mae'n dweud y cyfan wrthi. Pob darn o'i hanes. Credoau'r gorffennol. Breuddwydion a chwalwyd. Anafiadau sy'n anffurfio'r enaid. Euogrwydd. Mae'n disgrifio llwybrau un a ddewisodd ymgolli yn ei waith a sathru'r ardd yn hytrach nag agor ei lygaid a rhodio yng ngolau'r dydd.

Caiff hunanholi, plethu'i eglurhad a'i gyffes â chwestiynau sy'n ffurfio wrth iddo eu lleisio.

Pa bryd y dechreuodd fy siwrnai?

Ai'r adeg y suddodd y llong mewn tymestl, yn llusgo'i choflaid o eneidiau byw i'r dyfnderoedd, a minnau'n unig yn dianc, yn cyrraedd y glannau anial hynny ag anadl einioes ynof?

Ai'r adeg y cytunais i fynd ar y fordaith honno, derbyn comisiwn er y gwyddwn mai ffolineb oedd hynny? Ffolineb na ddeuwn ohono'n holliach ond ar hap, fel y gwyfyn hwnnw sy'n dyfod yn un o gant drwy fflamau'r gannwyll. Un o gant, a'r gweddill yn llosgi'n ulw, yn aberth i'r ynfydrwydd a'u gyrrodd i ganol y tân.

Ynteu a ddechreuodd y cwbl o'm helyntion yr ennyd y deuthum i'r byd trallodus hwn?

Dywed Rebecca hithau ei bod hi am ddatgelu popeth iddo. Maen nhw wedi croesi pont a chau bwlch, ac nid oes dim ond ymddiriedaeth rhyngddynt. Mae hi'n addo y bydd yn dweud y cyfan, yn dangos gwaelod ei phryder a sylfaen ei hofnau. Ond rhaid iddo ddisgwyl; mae hi'n gweddïo am nerth ac yn aros am yr adeg a ddaw. Gŵyr y daw. Addawa. Bydd yn dweud wrtho, bydd yn dweud cyn i'w babi ddyfod i'r byd. Ond ddim eto. Ddim eto.

Bu Richard Morgan Jones yn wael iawn am ddyddiau lawer. Cysgai'r rhan fwyaf o'r amser, yn ôl yr hyn a glywai gan Catherin Huws. Yn sicr, nid oedd ganddo ddigon o nerth i siarad. Clywsai Joshua, yr hynaf o blant y Manseliaid, yn holi Isaac Huws. Ydi, mae'n wir, atebodd mab y Gweinidog. Dywed fy mam mai felly y mae. Mae'r Doethur yn marw.

Âi Rhisiart i wrando ar Pyrs Huws yn yr addoldy yn rheolaidd. Eisteddai ar un o'r meinciau cefn, cyrff yn agos at drigain o bobl yn cynhesu'r ystafell fawr. Er bod y bregeth yn wahanol bob tro, roedd y geiriau cyfarwydd yn atalnodi pob un.

Rhagordinhad.

Etholedigaeth.

Gwrthodedigaeth.

Barnedigaeth gyfiawn, barnedigaeth ddi-fai.

Yr Etholedig a'r Gwrthodedig, rhai wedi'u geni i fywyd ac eraill i farwolaeth.

Atseiniai llais Pyrs Huws, ei fwgan brain o gorff yn symud yn y pulpud o flaen y canhwyllau, yn taflu gwe o gysgodion a ddawnsiai ar y wal y tu ôl iddo.

A'r un patrwm ar ôl i'r cyfarfod ddirwyn i ben: mae'n troi a helpu Rebecca i godi, a hithau'n feichiog-drwm. Cerdda â hi adref, yn ei thywys yn ofalus ar hyd llwybrau rhewllyd, heibio i'r lluwchfeydd o eira a lechai ym mhob man fel anifeiliaid mawr yn cysgu o dan blancedi gwynion. Câi'r ddau gydeistedd o flaen y tân, Rhisiart yn gofyn yr un cwestiwn a hithau'n rhoi'r un ateb. Byddaf, rwy'n addo, ond ddim eto.

Dim ond unwaith y codwyd pwnc swyddogaeth y Deacon. Daeth Rhosier Wyn ato a'i gyrchu o'r efail, yn gofyn iddo ddod draw i'w dŷ. Er bod Rhisiart wedi ymweld â chartref Pyrs a Catherin Huws ac er ei fod wedi treulio oriau lawer yng nghartref Richard Morgan Jones, dyma'r tro cyntaf iddo fentro dros drothwy tŷ'r Henadur. Roedd yn union debyg i dai'r gweinidogion eraill, ond bod llai o ddodrefn yn y brif ystafell. Yno'r oedd Pyrs Huws yn barod, yn disgwyl amdanynt. Nid oedd ond dwy gadair yn ymyl y bwrdd bach, ac felly eisteddodd Rhosier Wyn ar gist fechan.

'Diolch am ddod aton ni, Rhisiart Dewi.' Siaradai Pyrs Huws yn dawel ac yn araf, yn pwyso pob sill ar ei dafod, bysedd un llaw yn archwilio'r tameidiau anwastad o flew coch ar ei ên a'i fochau. 'Mae'r Henadur Rhosier Wyn a minne wedi bod yn trafod cais y Doethur, ac rwy'n ei barnu'n deg dy hysbysu am yr hyn sydd yn ein meddylie.'

'Dyna ni, dyna ni, ac wi'n ei gyfadde'n rhwydd.' A gwefusau tenau Rhosier Wyn yn ffurfio mymryn o wg, ei ddwylo'n symud yn aflonydd ar y bwrdd, fel pe bai'n chwilio am fotwm neu geiniog a gollodd yn y cysgodion. 'Mae'n rhaid i mi gyfadde, ti'n gweld, Rhisiart Dewi, nad wi o'r un farn â Pyrs Huws yn hyn o beth. Wi ddim yn gweld budd o fath yn y byd o'th dynnu di i mewn i hyn oll heddi. Disgwyl. Dyna wi am ei wneud. Disgwyl a gweld.'

'Ond mae'r Henadur wedi cydsynio i 'nghais.' Edrych Pyrs Huws o gil ei lygad ar Rhisiart fel pe bai'n ceisio mesur hyd ei ymateb i'r sefyllfa bwysfawr hon. 'Mae'r Henadur yn gyfrifol am ddisgyblaeth eglwysig, fel y gwyddost ti, ac rwy'n parchu ei farn yn fawr. Ond rwyf innau'n weinidog hefyd, ac mae fy nghydwybod yn fy nghymell i siarad, yn enwedig felly yn wyneb gwaeledd y Doethur Jones.'

Yn y modd hwnnw y tystiodd Rhisiart i'r anghydweld rhwng y ddau weinidog, y Pregethwr a'r Henadur, y naill yn dweud y dylid parchu awydd y Doethur i wneud Rhisiart Dewi yn Ddeacon a'r llall yn dweud y dylid ymbwyllo ac aros. Siaradai Pyrs Huws yn ofalus, yn pwyso ac yn mesur pob gair. Ond deuai'r geiriau'n gyflym o dafod Rhosier Wyn, y gosodiadau a'r atebion fel pe baent wedi'u ffurfio'n barod ganddo, ei lais yn codi'n wich wrth iddo eu hailadrodd yn angerddol.

'Ond dyw e ddim yn ei iawn bwyll, nag yw? Mae'n flin 'da fi orfod gweud 'ny, ond mae'n wir. Thâl hi ddim i ni anwybyddu'r gwir plaen: dyw'r Doethur Jones ddim yn ei iawn bwyll.' Ei wefusau main yn plygu mewn gwg neu'n agor mewn gwên ffuantus, yn dangos ei ddannedd bach bylchog. 'Dyn yng ngafael salwch yw e, dyn yn ei wendid. Dyw e ddim yn ei iawn bwyll. Rhaid i ni ddisgwyl iddo wella. Arhoswn ni, dyna'r un ateb i'n cyfyng-gyngor. Aros nes ei fod e wedi gwella. Aros iddo fod yn holliach eto. A gofyn iddo fe wedyn pa beth sydd yn ei feddwl.'

'Ond gwyddost yn iawn, Rhosier Wyn, nad yw'n debygol o wella.' Roedd llais Pyrs Huws yn anarferol o finiog, ei lygaid wedi'u hoelio ar ei gyd-weinidog. 'Mae ar ei wely angau. Dyna a ddywed Catherin. Dywed ei fod yng ngafael y math o afiechyd sy'n mynd â'r hen o'r byd hwn. Ni allwn ddisgwyl, Rhosier Wyn. Rhaid i ni benderfynu nawr. Rhaid i ni weithredu ar ddymuniad y Doethur cyn iddo ymadael â'r fuchedd hon er mwyn i bawb yng Nghaersalem Newydd wybod mai dymuniad y Doethur ydyw. Er mwyn i bawb weld ein bod ni, y tri gweinidog sydd ar ôl, yn gytûn yn hyn o beth.'

'Ond dy'n ni *ddim* yn gytûn, Pyrs Huws,' gwichiodd Rhosier

Wyn, yn taflu'i ddwylo yn yr awyr. 'Ac wi ddim yn credu'i bod hi'n weddus ein bod ni'n dau yn rhannu hyn oll gyda dyn nad yw am aros yma yng Nghaersalem Newydd. Dyw e ddim yn iawn.' Rhoddodd ei ddwylo ar y bwrdd eto, a'u plethu'n ystum un sydd ar fin dweud gweddi. Gwenodd ar Rhisiart a siarad yn dawelach. 'Maddau i mi, Rhisiart Dewi. Mae'n rhaid i mi siarad yn blaen. Dyna a roed i mi, ti'n gweld. Dyw e ddim yn hawdd ysgwyddo baich cyfrifoldeb, ond dyna a roed i mi. Ac wi'n meddwl amdanat ti hefyd. Fe wedest ti nad wyt ti am aros. Mae'n gystal â chydnabod nad wyt tithe'n gweld synnwyr yng nghais y Doethur Jones, on'd yw e? Wedest ti, do, nag wyt ti'n deall paham y mae wedi gofyn y fath beth iti? Fydde hi ddim yn iawn gadael i ti gael gweud, cael dylanwadu ar y penderfyniad, na fydde?'

'Ond rhaid i ni ofyn iddo yr un fath, Rhosier Wyn. Er parch i'r Doethur Jones. Ac er parch iddo yntau, a ninnau wedi'i dynnu i ganol ein penbleth fel hyn.' Edrychodd y Pregethwr ar Rhisiart, ei lygaid yn ei holi'n daer. 'Pa beth a ddywedi i hyn oll? A wyt ti'n credu bod Rhagluniaeth wedi dy dywys i'r groesffordd hon yn ein mysg?'

Ni roddodd Rhisiart ateb iddo, dim ond mwmian geiriau digyswllt, yn ymddiheuro ac yn ceisio cuddio'i embaras. Roedd y cais mor annisgwyl a'r cyfan mor annhebygol. Hwyrach ei fod yn cytuno â Rhosier Wyn. Pam y byddai pennaf arweinydd eu cymuned yn gofyn iddo ymuno, ac yntau'n anghydweld mewn modd mor agored ag o ar gynifer o bwyntiau diwinyddol? Pam gofyn i ddyn nad oedd am ymuno'n llawn â'u heglwys ymgymryd â swyddogaeth y Deacon, un o'r pedwar gweinidog? Beth bynnag, roedd arno rwymau addewid. Daethai yma yr holl ffordd o Lundain i Gaersalem Newydd ar gais dyn arall, ac roedd am gadw'i addewid ag o. Byddai'n rhaid iddo ymadael pan ddeuai dadmer y gwanwyn. Byddai'n rhaid iddo ddychwelyd.

Ymddiheurodd i'r Pregethwr, a theimlo brath y tu mewn iddo wrth sylwi bod ei wrthodiad yn golygu ei fod yn torri'r ddadl o blaid yr Henadur Rhosier Wyn.

'O'r gorau, Rhisiart Dewi,' meddai Pyrs Huws cyn iddo ymadael. 'Ond rwyf yn rhyw feddwl nad yw dy feddwl a'th galon wedi'u troi'n gyfan gwbl i'r cyfeiriad hwnnw eto. Bydd yn rhaid disgwyl, felly, ond nid wyf yn credu ein bod ni wedi trafod hyn am y tro olaf.'

Ond ni chodwyd y pwnc eto, ac nid oedd Rhisiart wedi siarad yn uniongyrchol â Pyrs Huws yn y cyfamser, dim ond gwrando arno'n pregethu.

Cafodd sgwrs arall â Rhosier Wyn. Pan oedd hanner ffordd rhwng yr efail a'r pyrth, bwyell dros ei ysgwydd, yn mynd i dorri coed tân gydag Ifan, daeth yr Henadur yn rhofio ar ei ôl, yn galw am ei sylw.

'Dere, Rhisiart Dewi, dere. Mae'r Doethur yn gofyn amdanat ti.'

Roedd tyrfa fechan wedi ymgasglu ym mhrif ystafell y tŷ – Catherin Huws, ei gŵr Pyrs Huws, ac Evan Evans, arweinydd y milisia. Y tri'n disgwyl Rhisiart a Rhosier Wyn.

'O'r gorau, Evan Evans, mi gei di fynd nawr,' meddai Pyrs Huws yn dawel. 'Nid oes angen dy gymorth ar hyn o bryd.'

Syllodd Rhisiart, yn gwylio'r dyn yn ymadael, yn hanner bwriadu gofyn pa beth yn union a oedd wedi dod â phawb ynghyd yn y modd hwnnw, ond roedd Catherin Huws yno wrth ei ochr, yn dweud, 'Dere, dere ato fe'n syth,' ac yn ei dywys trwy'r drws i'r ystafell wely.

Arhosodd hi yn yr ystafell wely gyda'r ddau ddyn, ar ôl cau y drws y tu ôl iddynt. Amneidiodd at y gadair wag yn ymyl y gwely, yn gadael i Rhisiart eistedd, ac wedyn symud i sefyll yn ymyl y lle tân bach.

'Dydd da i ti, Rhisiart Dewi.' Roedd ei lais yn rhasglu'n isel yn ei wddf, a phob anadl fel pe bai'n dod gydag ymdrech. 'Mae'n dda gyda fi dy weld eto.'

Roedd ei ddwylo'n llonydd, wedi'u plethu ar ei fynwes ar dop y blanced, a'i lygaid coch dyfrllyd wedi'u hanner cau.

'Dwi yma.' Ni fynnai Rhisiart siarad lawer; roedd yno i wrando. 'Dwi yma.'

'Rwy'n gobeithio nad wyt wedi anghofio 'nghais, Rhisiart. Ac mae arna i eisiau dweud rhywbeth arall wrthyt ti.'

Ymdawelodd, yr ymdrech yn ormod iddo. Ni ddywedodd Rhisiart air. Ni cheisiodd ei annog i siarad, dim ond eistedd yno'n dawel. Roedd yr hen ŵr wedi cau ei lygaid, a Rhisiart yn amau ei fod yn cysgu, symudiad ysgafn ei fynwes o dan ei ddwylo yr unig arwydd ei fod yn fyw. Ac wedyn agorodd ei lygaid eto, a syllu'n ddi-weld ar y nenfwd.

'Nid wyf wedi gorffen egluro.' Oedi eto, yn ymladd am ei anadl. 'Buom yn sôn am arwyddion. Wyt ti'n cofio?'

'Yndw. Dwi'n cofio.'

'Mae cymaint o'r lleill yn chwilio am arwyddion.' Caeodd ei lygaid eto, ond daeth ei lais ychydig yn gryfach, fel pe bai'r egni yr oedd yn ei ddefnyddio i geisio gweld yn ei helpu i gael hyd i'w anadl a'i eiriau. 'Chwilio am arwyddion maen nhw, arwyddion a fyddai'n profi bod eu heglwys yn wir eglwys, bod yr eglwys anweladwy wedi'i chynnull yma yn ein plith.'

'Cofia i.'

'Bûm innau'n chwilio am arwyddion, Rhisiart. Do. Yng Nghaerdydd. Yn Llanfaches. Mewn mannau yn Lloegr. Chwilio. A chwilio.'

'Mi wn i. Dach chi wedi deud wrtha i. Dwi'n cofio.'

'Ac wedi methu. Ac ar ôl imi chwilio… a cheisio… a methu… daeth y… gwybod… imi. Bod yn rhaid creu'r Eglwys honno fy hun. Daeth y gwybod na ddylwn chwilio am arwyddion, ond gwybod.'

'Gwybod?'

'Gwybod, Rhisiart Dewi.' Llyncodd ei boer ac agor ei lygaid eto, eu troi i gyfeiriad Rhisiart, er nad oedd yntau'n sicr ei fod yn gallu ei weld.

'Gwybod... fy mod i'n gwybod... bod y gwirionedd yn fy nghalon yn barod... dim ond... i mi wrando arno. Gwybod. A gweithredu arno.'

Daeth y newyddion ddau ddiwrnod yn ddiweddarach. Roedd Rhisiart yn yr efail, yn cystadlu â Griffith John Griffith a'i fab, yn gweld pwy allai greu'r hoelen â'r pig mwyaf main heb dorri'r stribed denau o haearn. Daeth Isaac Huws a Joshua Mansel, a rhai o blant iau'r pentref yn gorymdeithio'n ddefodol bellter parchus y tu ôl i'r llanciau mawr, yn cerdded o ddrws i ddrws, yn rhannu'r newyddion.

'Mae'r Doethur Jones wedi marw.'

Bu'n gorwedd am ddau ddiwrnod yn ei dŷ, mewn arch a wnaethpwyd gan y saer Rowland Williams. Bu nifer o'r dynion a'r plant hŷn wrthi gydol yr amser, yn rhofio eira, yn clirio, yn paratoi'r llwybr yr holl ffordd o'r pyrth i'r fynwent. Bu Owen Mawr, cawr y milisia, yn torri'r bedd, yn defnyddio bwyell i dorri'r ddaear rewllyd, galed, a dynion eraill yn ei gynorthwyo pan fyddai'n blino. Roedd yn debycach i naddu'r graig na thyllu'r ddaear, meddai un ohonynt. Gwaith caled, didostur. Torrwyd dwy raw a thair bwyell, a phylwyd nifer o rofiau a bwyeill eraill.

Bu tair pregeth ddiwrnod yr angladd. Yn gyntaf, pregeth hir yn yr addoldy, yr arch yn gorwedd ar fainc o flaen y pulpud, llais Pyrs Huws yn crynu dan deimlad, dagrau'n rhedeg i lawr ei fochau i'w locsyn coch blêr. Yn talu teyrnged iddo ef, y Moses a oedd wedi'u harwain i wlad bell, yr un a ddangosodd y ffordd iddynt, fel tad yn tywys plentyn, yn eu haddysgu'n garedig ac yn fwyn.

Ac wedyn, pan oedd pawb yn ymffurfio i orymdeithio, safai Rhosier Wyn a Pyrs Huws ar y llwyfan pren isel oedd yn wynebu'r ffynnon ar draws y llwybr. Y ddau weinidog, yr Henadur a'r Pregethwr, a'r trydydd, y Doethur, yn anweladwy yn ei arch, yn gorwedd ar y llwyfan rhyngddynt. Traddododd Pyrs Huws bregeth fer, yn eu hatgoffa nad oedd y daith olaf hon o bwys, fod y cyfan wedi'i setlo'n barod, fod Duw trwy ei sanctaidd ragordinhad Ef wedi penderfynu ymlaen llaw pa dynged bynnag a ddymunai yn achos pob un dyn. A siaradodd Rhosier Wyn yntau, yn atgoffa'r dyrfa o'r ffydd a oedd wedi arwain pob un at y man hwn yng nghanol tywyllwch anialwch yr Amerig. Yn eu hatgoffa bod un ar ddeg ar hugain wedi dyfod drosodd, bod rhai wedi marw ac eraill wedi cael eu geni. Bod rhai wedi teithio o'r trefedigaethau eraill i ymuno â nhw, yn chwyddo'r Eglwys, a bod y cyfan wedi cychwyn flynyddoedd lawer yn ôl pan benderfynodd Richard Morgan Jones nad oedd gobaith cynnull gwir eglwys yn yr hen wledydd.

Ymffurfiodd y dyrfa yn orymdaith wedyn, pedwar o ddynion y milisia'n cario'r arch ynghyd â'r ddau weinidog. Bu'n rhaid i Owen Williams blygu ychydig gan ei fod mor dal – yn dalach hyd yn oed na Pyrs Huws – er mwyn cadw'r arch yn wastad gydol yr amser. Ac ymlaen â nhw, trwy'r pyrth agored, o dan y tŵr deheuol, a phawb yn eu dilyn, pawb ond y ddau Sais, Benjamin Cotton a David Newton, y rhai oedd yn gwasanaethu ar y pryd, yn cerdded y waliau ac yn gwylio. Ymlaen â'r orymdaith ar hyd y llwybr a gliriwyd drwy'r eira, o gwmpas y wal mewn hanner cylch, ac i'r fynwent. Roedd y tir wedi'i glirio o gwmpas y bedd hefyd, er mwyn i'r hen bobl a'r rhai bregus gael sefyll heb wlychu eu traed. Ac yno ar lan y bedd y traddododd Pyrs Huws ei drydedd bregeth y diwrnod hwnnw, un seml, nad oedd yn llawer mwy na gweddi o ddiolch. Camodd Owen Williams ac Evan Evans ymlaen, rhaw yn nwylo pob un, i symud y domen o bridd i'r twll a chau'r bedd am byth.

Oedodd Rhisiart yn y fynwent, yn astudio'r cofebau pren a

godai'n felyn ac yn frown yn yr eira gwyn, y rhai llai eu maint wedi'u cuddio'n gyfan gwbl ar wahân i stribed denau, fel sglodyn o bren yn gorwedd ar yr eira, ac eraill, y rhai mwyaf, yn sefyll yn uwch, haen o eira'n eu harddu fel het wen. Cerddai Rhisiart yn araf, yn ymlafnio trwy'r lluwchfeydd, yn darllen yr enwau. Williams. Huws. Edwards. Owen. Ac wedyn daeth o hyd i'r bedd y buasai'n chwilio amdano. Miles Egerton. Roedd cynffon yr orymdaith wedi diflannu erbyn hyn, y dyrfa'n gweithio'i ffordd yn ôl i'r pyrth i chwilio am gynhesrwydd eu cartrefi. Ond roedd un arall wedi aros. Dyn mawr a oedd wedi dilyn Rhisiart yn dawel. Owen Williams, yn sefyll fel arth yn ei ymyl yn yr eira, yn astudio'r tamaid hwn o bren.

'Dyw e ddim yn ddiwrnod i guddio dim, Rhisiart Dewi. Dyw e ddim yn ddiwrnod i weud celwydde.' Codai anadl y dyn yn darth yn yr oerfel. Roedd yn dal y rhaw yn un o'i ddwylo. 'Wi'n gwpod, ti'n gweld. Wi'n gwpod bo ti'n holi. Mo'yn gwpod.'

Troes Rhisiart yn araf, yn disgwyl iddo orffen. Roedd llygaid y dyn mawr yn syllu ar y gofeb bren, a'i lais yn swnio'n flinedig, fel un oedd am wneud un orchwyl fach arall cyn chwilio am ei wely a chael y cwsg yr oedd yn ei lwyr haeddu ar ôl diwrnod caled a hir o waith.

'Mae Rhaglunieth wedi dod â ni at lan ei fedd heddi, ac wi'n gwpod beth sy'n iawn. Odw. Dyw e ddim yn ddiwrnod i weud celwydde. Evan Evans saethodd e. Ystryw oedd y cyfan, ti'n gweld. Gweud ein bod ni'n mynd i hela, chwilio am olion ceirw. Hawdd ei gredu, ti'n gwpod? Mor hawdd. Fe alwodd Evan arno fe. Gofyn iddo fe droi. Wynebu'i dynged. Yr olwg ar wyneb Miles Egerton… yn ddiddeall. Yn syn. A saethodd Evan e yn y fan a'r lle. Fe gymerodd sbel iddo fe farw. Yn gorwedd yno yn yr eira. Ganol gaea. Diwrnod fel heddi. Dim cymaint o eira, falle, ond digon. Yn gorwedd yno, yr eira yn cochi gyda'i waed. Golwg syn ar ei wyneb, ei lygaid yn holi.'

Tagodd Owen wedyn, a chodi llaw i'w geg. Pesychodd, yna ysgwyd ei ben ychydig a dechrau siarad eto.

'Ro'dd Evan am i mi 'i ladd e. Ei dagu neu droi'i wddwf. Ei orffen. Ond allen i ddim. Dim ond sefyll yno, yn edrych ar ei waed yn rhedeg i'r eira, ei lygaid yn holi, ei geg yn symud, ond dim byd yn dod mas. Dim byd. Bu farw yn y diwedd. Yno, yn gorwedd yn yr eira yn y goedwig.' Trodd ac edrych i fyw llygaid Rhisiart. 'Ma rhai pobol yn gwpod. Debyg bod llawer yn gwpod. Wi wedi'i weld e yn eu llygaid. Y gwirionedd. Ma'n nhw'n gwpod. Ro'dd y Sais wedi bod yn drafferthus, ti'n gweld. Do'dd hi ddim yn gyfrinach. Fe fu'n destun siarad. Pawb yn gofyn, beth a wnewn ni gydag e? Pawb yn holi, beth ddigwyddith? Oes dylanwad 'da fe draw ar yr arfordir? Yn Strawberry Bank? Yn Salem? Yn Boston? A fydden nhw'n gwrando arno fe pan ma'n mynd a gweud bod pall ar bobol Caersalem Newydd? A fydd e'n bwrw sen arnon ni? Dwyn drygair yn ein herbyn ni? Ro'dd y cwestiyne ar wefuse pawb, Rhisiart Dewi. Rhaid i ti gredu 'ny. Ro'dd pawb yn poeni, er nad o'dd neb yn ei drafod yn agored.'

'Diolch, Owen. Diolch am d'onestrwydd. Ga i ofyn un cwestiwn arall i ti?'

'Cei. Does dim byd i'w guddio 'da fi heddi. Dyw e ddim yn ddiwrnod i weud celwydde.'

'O'r gora. Ga i ofyn felly… syniad pwy oedd lladd Miles Egerton? Evan Evans?'

'Nage. Syniad yr Henadur o'dd e. Fe sy'n gyfrifol am ddisgybleth eglwysig, ti'n gweld. Mae Evan Evans yn gwrando arno fe.'

'Ac mi wyt ti'n gwrando ar Evan Evans.'

'Dyna fel ma hi.'

Mae Rhisiart yn deall: milwr yn gwneud ei waith, un sy'n gwasanaethu ei Eglwys Ef.

Llechai cwestiwn arall yng nghefn ei geg: Owen Williams, ydan nhw wedi gofyn i ti fy lladd innau? Ai dyna pam rwyt ti yma rŵan? Ond craffodd yn ofalus ar wyneb y dyn mawr ac nid oedd arwydd o berygl yna. Ddim heddiw, meddyliodd.

Cerddodd y ddau yn ôl ar hyd y llwybr, o gwmpas y wal i'r pyrth, Rhisiart yn sicrhau bod y dyn mawr wastad ryw gam neu ddau o'i flaen, rhag ofn.

* * *

Mae'n mwynhau gwres y tân a phwysau'r morthwyl yn ei law, y curo a'r canu ar yr einion yn gerddoriaeth bersain i'w glustiau. Ni all gerdded ar bigau'r drain pob munud o bob dydd, ni all fyw mewn ofn. Rhaid atgyfnerthu ac anghofio am ennyd, rhaid clirio'i feddwl, ac felly mae'n ymgolli yn y gwaith cysurlon hwn. Gweithia mewn modd cyfarwydd, yn symud fel y prentis ifanc hwnnw yng ngefail Edward Wiliam yn Wrecsam. Crëwr yw, un sy'n ffurfio'r byd.

A phan ddaw chwa o rwystredigaeth y tu mewn iddo, fel pwysau'n codi o'i fol i'w geg, mae'n canolbwyntio'n galetach ar y gwaith. Cura'i gwestiynau a'i rwystredigaeth a'i ofnau i'r haearn poeth. Gŵyr na fydd yn parhau felly am yn hir, ond mae'n ymgolli yng ngwres yr efail a'r gwaith sydd o'i flaen.

6

Canol Mawrth 1657

Daeth y dadmer mawr. Bu'r rhew a oedd wedi tyfu'n ddagrau crisial ar fargodion y tai yn disgyn fesul tipyn wrth iddi gynhesu, pob tamaid yn disgyn gyda chrac a chratsh, a'r eira a fuasai'n hel yn blancedi trwchus ar y toeau yn llithro i dranc gwlyb yn y slwtsh ar y ddaear. Roedd mwd o dan draed ym mhob man oddi mewn i'r muriau, ar wahân i ambell gilhaul yn ymyl y waliau lle y llechai hynny o luwchfeydd a oedd ar ôl, yr eira gwyn yn dangos budreddi misoedd hirion y gaeaf. Tymor y dadmer – tymor budr, tymor blêr.

Bu llawer o'r dynion a'r llanciau wrthi'n barod yn troi'r tir, yn paratoi ar gyfer y plannu a ddeuai maes o law. Gall rewi eto, meddai pawb, gallai'r eira ddod mor ddiweddar â chanol Ebrill, ond rhaid gwneud y gwaith caled hwn yn awr. Daw diwrnod plannu cyn hir, ac mae'n rhaid troi'r pridd a churo'r cwsg o'r tir.

Un diwrnod rhedodd Joshua Mansel yn ôl drwy'r pyrth, ei wynt yn ei ddwrn. Oedd, roedd Indiaid yn y goedwig. Roedd Huw Jones wedi gadael y caeau a chrwydro i gysgodion y coed er mwyn pasio dŵr. Ac yno y gwelodd yr Indiaid. Na, nid y Wampanoag. Rhai gwyllt, wynebau wedi'u paentio'n goch. Tri neu bedwar. Ie, yno ar gyrion y caeau. Pam nad oedd y gwylwyr ar y waliau wedi'u gweld? Dwn i ddim; yno y maen nhw, yn llechu yng nghysgodion y coed. Bu cyffro, bu chwilio, do, a bu trafod wedyn, ond roedd y brodorion wedi diflannu erbyn i fintai o ddynion arfog gyrraedd y man hwnnw.

Yr unig gyffro, yr unig ddigwyddiad a dorrodd ar ddyddiau unffurf wrth i'r gaeaf araf ildio ei diriogaeth olaf i'r gwanwyn, a'r ddaear yn cael ei pharatoi i dderbyn had tymor yr hau.

* * *

Diolcha hi iddo am ddod. Mae'n diolch am y dŵr glân a'r coed tân. Mae'r diwrnodau yn ymestyn, ac felly nid yw'n dywyll pan mae'n cyrraedd stepen ei drws hi bellach. Mae'n noson hyfryd, arogleuon melys yn yr awyr, yr awel yn rhagflas o fis Mai. Hoffai fynd am dro i'r caeau a cherdded yng nghysgodion y coed, yn mwynhau pob tamaid o'r diwrnod hyfryd hwn. Gall oeri eto yfory; mae'n bosibl na ddaw diwrnod tebyg am fis neu ddau. Ond mae Rebecca'n drwm dan ei baich, ac felly nid yw'n gwestiwn.

Ac felly yma y maen nhw eto, yn eistedd gyda'i gilydd o flaen y tân, yn unol â'u harfer.

'Mae'r amser wedi dyfod, Rhisiart.'

Mae'n edrych yn syn arni hi, yn ceisio canfod ystyr ei geiriau. A yw hi'n dweud bod y babi ar ei ffordd heno? A ddylai fynd a gofyn am gymorth Catherin Huws a rhai o'r gwragedd eraill?

'Mae'n bryd i mi weud… cadw f'addewid i ti.'

Mae hi'n anadlu'n ddwfn a phwyso'n ôl ychydig yn ei chadair, yn ymestyn ei thraed yn nes at y tân. Mae'n gosod ei dwylo ar ei bol mawr, ei bysedd wedi ymestyn yn we.

'Fe wedes i y bydden i'n gweud wrthot ti cyn i'r babi ddyfod i'r byd. A deffrois i'r bore 'ma yn gwybod bod yn rhaid i mi gadw'r addewid yna. Fe ddeffrois heddi yn gwybod mai heddi fydde'r diwrnod.'

Adeg y dadmer a'r datguddio.

Ac mae hi'n egluro'r cyfan, yn esbonio'n fanwl iawn yr hyn sy'n digwydd pan fydd un o famau Caersalem Newydd yn geni babi.

Pan fydd y newydd-ddyfodiad yn rhyw fis oed, maen nhw'n cynnal gwasanaeth gweddi arbennig. Nid yn yr addoldy, ond ar y llwyfan pren, yn yr awyr agored. Mae pregeth ar yr un testun bob tro, yn crynhoi'r credoau na ellir eu gwadu, ac mae'r gweinidogion eraill yn dweud gair, yn egluro'r ddefod y maen nhw wedi ymgynnull i'w chynnal y diwrnod hwnnw. Mae'r cyfan wedi'i wreiddio'n ddwfn yn yr athrawiaethau sylfaenol.

Genir rhai i fywyd tragwyddol ac eraill i farwolaeth a damnedigaeth.

Penderfynodd Duw ymlaen llaw pa dynged fydd achos pob un dyn.

Nid yw pawb wedi'i greu yn gydradd; mae rhai wedi'u rhagordeinio i fywyd tragwyddol ac eraill i ddamnedigaeth dragwyddol. Mae rhai yn etholedig ac mae eraill yn wrthodedig, a'r cwbl wedi'i benderfynu cyn y geni. Genir rhai i fywyd ac eraill i farwolaeth. Hyn oll a wyddom, hyn oll a ŵyr aelodau Gwir Eglwys Caersalem Newydd.

Bydd Rowland Williams y saer yn paratoi'r addoldy ddiwrnod ymlaen llaw. Mae'n dod â thair ysgol hir y mae'n eu cadw yn ei dŷ ac mae'n cyrchu'r ysgol hir o'r efail. Daw â'r tameidiau pren eraill, y rhai a gedwir yn ddiogel o flwyddyn i flwyddyn, a'u gosod yn y man priodol ar big y to. A dyna hi, i'w gweld o bell, fel corn simdde pren ar do'r addoldy: y fantol.

Ac wedyn mae pawb yn cerdded yn araf o'r llwyfan i waelod yr ysgolion, y fam yn dal ei babi, y gweinidogion yn arwain yr orymdaith. Dringa'r pedwar gweinidog y pedair ysgol, y babi wedi'i lapio mewn planced a'i glymu'n saff wrth fynwes un ohonynt. Ar gyrraedd pig y to, maen nhw'n datglymu'r babi a'i osod ar y fantol.

Ac maen nhw'n gweddïo, y gweinidogion ar frigau'r ysgolion a'r dyrfa i lawr ar y ddaear. Maen nhw'n gofyn i

Dduw amlygu'i farn, yr hyn y mae wedi'i benderfynu ymlaen llaw, yr hyn a benderfynodd yn ei amser tragwyddol maith ei hun, cyn genedigaeth y plentyn hwn.

Ac yna bydd y fantol yn troi. Yn syth, weithiau, ar ôl i'r gweinidogion gymryd eu dwylo oddi wrth y babi a'r fantol. Ac ar adegau eraill mae'n cymryd yn hir, a phawb yn gweddïo'n daer, eu dagrau'n tagu eu geiriau. Ond mae'n troi'n hwyr neu'n hwyrach. Mae'r fantol yn troi ac mae'r babi'n disgyn, y naill ffordd neu'r llall.

Mae'n disgyn yn ôl i freichiau'r gweinidogion, yn fabi a aned i fywyd, a Duw wedi dangos bod y plentyn hwn ymysg yr Etholedig.

Neu mae'n disgyn y ffordd arall, i lawr ochr arall y to, yn wrthodedig, yn un a aned i farwolaeth.

Gwir Eglwys, yr Eglwys Anweladwy wedi'i huno'n berffaith â'r eglwys fydol hon. Ni raid chwilio am arwyddion a cheisio canfod pwy sydd ymhlith yr etholedig rai. Maen nhw'n cymryd cysur yn y gwybod hwnnw, y gwybod bod Duw wedi dewis ac felly am amlygu ei farn i'w etholedig Ef, dim ond iddynt ofyn mewn gweddi. Dim ond iddynt wybod y gwirionedd hwn, ei dderbyn a gweithredu arno. Mae'n eglwys berffaith, bur, pob enaid wedi'i ddewis ymlaen llaw gan Dduw, pob un wedi'i eni i fywyd tragwyddol. Mae eglwys o'r fath yn gwbl gyfiawn, yn gwybod ei bod yma i wneud gwaith da Duw ar y ddaear.

Mae'r ystafell yn oeri ac mae tywyllwch canol nos yn llen dros eu llygaid. Nid yw wedi codi i roi coed ar y tân, nid yw wedi symud. Yma y mae wedi eistedd, yn gwbl ddisymud, yn ei chael hi'n anodd ymladd am ei anadl gan bwysau'r hyn y mae'n ei glywed, a llais Rebecca'n siarad yn dawel ond yn eglur yn ei ymyl, yn esbonio'r cyfan. Ac felly mae'r tân yn marw, y fflamau bychain olaf yn ildio i'r lludw.

Ni all Rhisiart weld ond cysgod yn y gadair yn ei ymyl. Mae hi'n ymdawelu, wedi gorffen yr adrodd a'r dweud, ac mae'n cymryd ychydig cyn iddo gael hyd i'w dafod. Mae ei geg yn sych ac mae'n teimlo fel gormod o ymdrech i siarad.

'Faint... faint... ohonyn nhw...?' Mae'r tamaid bach olaf o bren yn disgyn yn farwydos i'r lludw, yn gwneud sŵn fel anadl yn gadael ysgyfaint hen ddyn, sŵn anadl olaf. 'Faint... o blant sydd wedi marw fel'na? Ar y to?'

'Dim un eto. Mae pob un wedi syrthio'n ôl o'r fantol i freichiau'r gweinidog. Pob un ers y cychwyn.'

'Pryd oedd hynny? Y cychwyn? Yr adeg y daethoch chi yma gynta?'

'Flwyddyn ar ôl gosod y sylfeini. Flwyddyn ar ôl adeiladu waliau Caersalem Newydd. Roedd y gwirionedd wedi'i amlygu i'r Doethur Jones, dyna wedodd e. Roedd wedi canfod bod pob un ohonon ni wedi'n geni i fod yn aelodau yng ngwir eglwys yr etholedigion. Ond gwyddai ar yr un pryd y byddai'n rhaid archwilio newydd-ddyfodiaid er mwyn canfod a oedden nhw hefyd ymhlith yr etholedig. Fe ddaeth rhai, fel y gwyddost ti. Cymry eraill, y rhai a ddaeth ar yr ail long. Ambell un a ddaeth i fyny o Salem neu Plymouth neu Boston. Ac ambell Sais. Ben Cotton a David Newton oedd y diwetha i ddyfod yma a chael eu derbyn. Mae'r gweinidogion yn gweddïo, maen nhw'n ymholi, ac mae'r gwir yn cael ei amlygu iddyn nhw. Dyna maen nhw'n ei weud.'

'Pwy oedd yr ola i gael ei wrthod yn y modd hwnnw?'

'Nag wyt ti wedi deall hynny?'

'Miles Egerton.'

'Ie. Fe oedd y diwetha. Dim ond y rhai sy'n aros sy'n cael eu harchwilio. Dyw e ddim yr un fath gyda'r rhai sy'n dod i ymweld dros dro, y Praying Indians sy'n dod yma ddwywaith y flwyddyn.'

Nid oes neb y tu allan i furiau Caersalem Newydd yn

gwybod hyd eithaf eu ffydd a chadernid eu hymroddiad i'r athrawiaethau.

'Ac mae plant a enir yma yn cael eu… eu… harchwilio mewn modd gwahanol.'

'Ar y fantol.'

'Y fantol…'

'Ie.'

'A does yr un wedi disgyn eto? Wedi'i ladd felly?'

'Nac oes. Does yr un wedi marw erioed. Richard Bach, mab Edward Williams, ŵyr Rowland Williams y saer. Fe oedd y diwetha, ac mae'n dair oed. Roedd yr hen Edward Jones yn rhy wan i ddringo'r ysgol. Bu'n rhaid i Evan Evans fynd i fyny yn ei le.'

'Edward Jones y Deacon?'

'Dyna fe. Fe fu farw ychydig ar ôl hynny.'

Saif Rhisiart o'r diwedd, yn cyrchu ychydig o sglodion pren bychain a choed er mwyn atgyfodi'r tân o'r marwydos. Disgwylia Rebecca iddo orffen a chymryd ei le yn ei gadair cyn siarad eto. 'Richard Bach oedd y diwetha. Dair blynedd yn ôl. Dorcas Mansel cyn hynny. Mae hi'n bedair oed. A chyn Dorcas, ei chwaer hi, Tabitha. Ryw bum mlynedd yn ôl.'

'Ac mae pob un babi wedi disgyn y ffordd iawn?'

'Odi. Pob un. Wedi disgyn yn ôl i'w breichiau nhw. Wedi disgyn i fywyd.'

Mae hi'n dechrau sefyll gydag ymdrech ac mae Rhisiart yn codi i'w helpu. Gafaela hi yn ei ddwylo â'i dwylo hithau, ei chroen yn boeth ac yn wlyb gan chwys.

'Mae'n rhaid i ni fynd, Rhisiart. Cyn y diwrnod yna. Rhaid i ti fynd â ni, y fi a'r babi. Wi ddim am… ei wynebu… Yn enwedig nawr. Heb y Doethur Jones. Heb y Deacon Edward Jones. Pwy fydd yn ei wneud e? Allen i ddim rhoi fy mabi yn nwylo Rhosier Wyn. Allen i ddim. Wi wedi colli ffydd yn y cwbl.'

Saif yno am yn hir, yn ceisio'i chael i eistedd eto, ond mae hi'n rhy aflonydd erbyn hyn. Saif hithau yno, yn gwasgu ei ddwylo, yn erfyn arno. Dywed Rhisiart na all weld ffordd ymlaen yn hawdd. Mae'r daith yn anodd, hyd yn oed i ddyn; ni allai ddychmygu mynd â hi a babi bach newydd-anedig. Byddai'r afonydd wedi'u chwyddo gan ddŵr y dadmer, a gallai'r eira ddod yn ôl, medden nhw, mor ddiweddar â chanol Ebrill. A fyddai'r Wampanoag yn dod, yr Indiaid Cristnogol a ddeuai bob gwanwyn? A fydden nhw'n dod cyn iddi eni'r babi, cyn y diwrnod? Gallen nhw fynd gyda nhw. Byddai'n saffach, byddai cymorth ar y daith.

Ond ni all neb ddweud. Mae'n dibynnu ar y tywydd, ar yr afonydd, ar rew ac eira'r mynyddoedd. Mae'n dibynnu ar hynt y dadmer. Ni ellir dweud pryd y bydd ymweliad cyntaf y Wampanoag.

'Pa beth a wnewn ni, Rhisiart? Pa beth a wna i?'

'Disgwyl am ychydig, Rebecca. Does dim dewis heno ond disgwyl. Mi fydd yn rhaid i mi feddwl am rywbeth. Ac mi fydda i'n meddwl am rywbeth. Cymer di gysur yn hynny.'

* * *

Ceisia gerdded yn ôl yn dawel, ond mae'r ddaear yn wlyb a'r mwd yn slochian o dan ei draed. Mae'n noson dywyll, ddileuad, ac mae'r cysgodion a deflir gan y wal yn hir ac yn dduach na'r nos ei hun. Cerdda'n gyflym heibio i dŷ Hannah Siôn, yn gweithio'i ffordd drwy'r ardal honno sy'n sefyll rhwng y tai o gwmpas y lôn gylch a'r wal, y gofod lle nad oes ond ambell dŷ wedi'i osod yma ac acw, y tu allan i drefn arferol y cynllun.

Mae wedi oeri ond mae arogleuon gwanwyn ar yr awel. Arogl pridd sydd newydd ei droi. Arogl blagur a blodau. Arogl bywyd.

Clyw sŵn o ryw fath, yn weddol dawel neu'n weddol bell i ffwrdd.

Yno, rhwng y tai: rhywun yn cerdded ar y lôn gylch. Ie, dyna ydyw: sŵn traed. Mae'n sefyll yn llonydd er mwyn craffu ar y cysgodion: oes, mae ffurf dyn yno, yn cerdded. Dim ond am ennyd, ac wedyn mae'n symud o'r golwg y tu ôl i un o'r tai.

Ennyd arall, ac wedyn un arall, ac mae Rhisiart yn y stordy, yn paratoi i daenu'i blanced ar y llawr pren caled ac yn ymbaratoi am yr ymdrech a ddaw, yn gwybod na fydd yn hawdd iddo gipio ychydig o gwsg cyn y wawr. Ond eiliad ar ôl gorwedd i lawr, mae'n eistedd yn syth i fyny eto. Edrych o gwmpas yr ystafell. Craffa ar yr ychydig bethau sydd ganddo.

Maen nhw wedi mynd. Pryd? A yw'n cofio'u gweld heddiw, y bore yma? A yw'n cofio'u gweld ddoe? Pryd oedd y tro diwethaf iddo sylwi? Pryd? Ond maen nhw wedi mynd, ei arfau. Ei fwsged a'i gleddyf. Mae rhywun wedi mynd â nhw.

7

Diwedd Ebrill 1657

Deffry i ganu'r adar: côr o ffliwtiau yn fflitian ac yn trydar, offerynnau cerdd y goedwig yn datgan bod bore arall o wanwyn wedi dod.

Mae'n sefyll yn araf, yn ymestyn, yn ysgwyd clymau cwsg o'i gyhyrau ac yn mwytho'i ysgwydd dde â'i law chwith, lle bu'n gorwedd yn rhy hir ar y llawr caled. Mae'n pasio dŵr yn y potyn yng nghornel yr ystafell. Mae'n bwyta'r bara sych a adawyd iddo neithiwr ac mae'n yfed dŵr glân o'r bwced. Gwisga ei drowsus, ei sanau, a'i esgidiau.

Ac wedyn mae'n dechrau cerdded. Hon yw ei ddefod foreuol, yn camu'n ôl ac ymlaen ar draws yr ystafell fach, yn cerdded o wal i wal mewn wyth cam ac wedyn yn troi a cherdded yn ôl. Wyth cam ac mae'n wynebu'r wal, wyth cam arall ac mae'n wynebu'r wal arall, yn ymyl y lle tân bach. Yn ôl ac ymlaen, yn ôl ac ymlaen. Un o ddirgelion y synhwyrau: mae'r ystafell hon yn edrych yn llai rŵan, a hithau'n wag. Er bod y nwyddau a fuasai'n llenwi'r rhan fwyaf o'r stordy bach yn gadael llai o le iddo symud rhwng y cistiau a'r casgenni, roedd yr holl gynnwys hwnnw yn rhoi sylwedd i'r ystafell. Roedd yn llawn ac roedd y ffaith honno'n gwneud i'r adeilad deimlo'n fwy. Gall gynnwys cymaint â hynny o bethau. Ond mae'r ystafell wag hon, unig ystafell yr adeilad bychan hwn, yn fach. Ac mae'n camu'n ôl ac ymlaen, yn mesur ac yn ailfesur y bychander hwn.

* * *

Bu'n ystyried ffoi. Mynd. Pa ddewis arall a oedd ganddo? Mynd â Rebecca, gadael yn syth. Ond ni allai hi deithio. Roedd yn anodd iddi gerdded o'i thŷ i'r addoldy; ni fyddai'n gallu mynd yn bell trwy'r pyrth. Aros oedd yr unig ddewis, aros a disgwyl i gynllun ymffurfio yn ei feddwl. Ni fyddai'n hawdd teithio wedyn, hyd yn oed, ar ôl i'r babi ddyfod. Byddai'r afonydd yn gorlifo, a'r llwybrau'n llithrig, a'r tywydd anwadal yn gallu troi ar amrantiad. Ond roedd llaw galed ofn wedi cau o gwmpas ei galon, yn ei rwystro rhag ymdawelu a meddwl yn iawn. Ac felly bu'n ystyried ffoi, er mor amhosibl o anobeithiol ydoedd.

Cerddai yn y cysgodion yn ystod y dyddiau hynny; gwyddai fod llygaid yn ei wylio'n barhaol. Rhosier Wyn. Llygaid Evan Evans hefyd, pan nad oedd yn cerdded y waliau. Credai ei fod yn gweld golwg o fath arall yn llygaid Pyrs Huws weithiau. Golwg ymholgar. Cwestiwn. Ni allai ganolbwyntio ar ei waith. Ni allai guro'i ofnau i'r haearn poeth, a sylwodd Griffith John Griffith a'i fab Ifan nad oedd calon Rhisiart yn yr efail. Bu i'r fwyell droi yn ei ddwylo unwaith pan oedd yn torri coed; neidiodd o'r goeden ar ongl a methu ei goes ei hun o drwch blewyn. Roedd yn teimlo'n wan, fel pe bai holl egni ei gorff yn porthi ei feddwl, a'r meddwl hwnnw'n troi mewn cylchoedd diddiwedd, yn methu'n lân â chanfod atebion.

Ceisiodd siarad â Griffith ac Ifan. Ceisiodd egluro'i fod yn gwybod pob cyfrinach heb eu dychryn, heb eu gosod yn ei erbyn. Tynnodd y gof yr haearn o'r tân a'i roi i'w fab.

'Ifan, cer am dro ar ôl iti drochi hwnna. Cer am dro i'r fynwent a phenderfynu os yw'n bryd i ni wneud cofeb newydd ar gyfer bedd dy fam.'

Ar ôl i'r llanc ymadael â'r efail, safai Griffith John Griffith yno, yn sychu'i ben moel â chadach.

'Dyna ni, Rhisiart Dewi. Mae'n anodd cadw cyfrinache rhwng murie Caersalem Newydd. O'r gore, 'te. Be wnei di nesa? Aros gyda ni? Ymuno yn yr eglwys? Neu fynd yn ôl dros y môr, yn ôl at dy Gyrnol Powel? Bydd yna ddigon o waith yma i of arall. Mae angen dwylo cryfion arnon ni, cofia. Rwyt ti wedi ymgartrefu yma. Mae cyfeillion 'da ti yma.'

'Ond sut fedra i aros yma yn gwybod be dwi'n ei wybod?'

'Rwyt ti'n meddwl fy mod i'n ddyn hanner call, dwyt ti, Rhisiart Dewi? Yn sefyll fan hyn, yn siarad fel wi wedi bod yn siarad ers iti ddod i'r efail 'ma am y tro cynta. Yn gofyn i ti ystyried aros, yn gweud y dylet ti fynd yn aelod yn yr eglwys a gwneud Caersalem Newydd yn gartre i ti. Rwyt ti'n sefyll yno yn edrych arna i, yn meddwl fy mod i'n hanner call, yn parablu ymlaen fel'na, a thithe'n gwypod be rwyt ti'n ei wypod. Holl gyfrinache Caersalem Newydd.'

'Nac'dw, Griffith... dwi ddim yn meddwl dy fod di'n—'

'Wyt. Ond wi ddim yn credu dy fod di'n deall yn iawn. Dy'n nhw ddim yn gyfrinache, ti'n gweld. Dyna'r peth. Dy'n nhw ddim. Dim ond ein bod ni'n gorfod bod yn garcus, eu cuddio rhag pobol o'r tu allan. Cyn deall eu natur... cyn deall eu calonne. Ond dy'n nhw ddim yn gyfrinache. Mae'r cwbwl wedi'i seilio'n gadarn ar yr athrawiaethe. Mae'n mynd yn ôl i athrawiaethe Calfin, dyna wedodd y Doethur, ac mae athrawiaethe Calfin wedi'u seilio'n gadarn ar Air Duw.'

''Dan nhw ddim, Griffith. 'Dan nhw ddim. Creadigaetha ydan nhw... syniada wedi'u ffurfio a'u creu gan ddynion. Petha wedi'u creu gan ddynion. Fel yr haearn 'dan ni'n ei drin yma yn dy efail. Petha wedi'u creu gan ddynion at ddibenion dynion. Dyna ydan nhw. Dim byd mwy. Dyn oedd Calfin. Creadigaetha dyn yw ei athrawiaetha. A dyn oedd Richard Morgan Jones.'

'Ond wi'n aelod yn yr eglwys hon, Rhisiart Dewi. S'mo ti'n deall. Wi wedi byw 'mywyd yn ôl yr athrawiaethe ers cyn i mi ddod yma. Ers i mi glywed y Doethur Jones yn pregethu gynta yng Nghymru.'

'Richard Morgan Jones oedd o yr adag yna. Cyn iddo ymddyrchafu'n Ddoethur.'

'Paid di â gweud drygair amdano fe. Does 'da ti ddim hawl i gwestiynu pethe s'mo ti'n eu deall yn iawn. Dwyt ti ddim yn aelod o'n heglwys ni. S'mo ti'n deall.'

'Ond mi ydw i'n deall, Griffith. Dwi'n gwybod sut beth yw bod yn rhan o eglwys a chredu bod yr eglwys honno'n un gyfiawn, un wedi'i chynnull i wneud gwaith yr Arglwydd ar y ddaear. Dwi'n deall hynny.'

Safai'r gof yno o'i flaen, yn dal y cadach gwlyb yn ei ddwylo mawr, yn ei droi a'i wasgu, ei lygaid yn syllu arno, yn ei astudio, fel pe bai'n ceisio gwasgu ystyr ohono.

'Yli... Griffith... Dwi'n deall... dwi wedi'i fyw... wedi'i gredu. Mi fues i'n byw ac yn gweithio mewn gefail fel hon. Blynyddoedd dedwydd, a minna'n dysgu gwneud gwaith gonest, da efo 'nwylo i. Yn ystod y blynyddoedd hynny yr agorwyd fy nghalon. Dychmyga'r peth, Griffith, a minna'n brentis i of, ac yn clywed Walter Cradoc yn pregethu am y tro cynta. Yn teimlo bod 'y nghalon yn agor, yn teimlo fy mod i'n deall gwirionedd y Gair yn gyflawn am y tro cynta yn fy mywyd, er fy mod i wedi fy magu mewn teulu duwiol.'

'Fe weles i Walter Cradoc yn Llanfaches.' Roedd llygaid bach y gof arno eto, a'i lais yn fyfyrgar. 'Ro'dd nifer ohonon ni wedi mynd yno, ti'n gweld.'

'Mi wn i, Griffith. Ddudodd Richard Morgan Jones y cyfan wrtha i.'

'Ond do'dd y Doethur Jones ddim wedi cael yr eglwys honno'n addas. Fe welodd fod yn rhaid i ni fynd a chreu'n heglwys ni'n hunen.'

'Ond mi glywest ti Walter Cradoc yn pregethu. Rhaid nad oedd mor wahanol i'r Doethur Jones yr adeg honno. Rhaid dy fod di wedi clywed y llais a glywis i. 'Dan ni wedi byw bywyda tebyg iawn ar un olwg, Griffith. Dwi'n deall yr hyn sy yn dy galon di. Cred di fi.'

'Sut allet ti ddeall, Rhisiart Dewi? Fe fues i yma, gyda'r fintai gynta. Fe fues i'n helpu i osod sylfeini Caersalem Newydd... yn adeiladu'r waliau hyn gyda nerth fy mreichie. Fe dda'th y tri ohonon ni yma. Plentyn bach oedd Ifan bryd 'ny. Fe fu farw Sarah, 'ngwraig i, yma. Mam Ifan. Yma mae hi wedi'i chladdu, yma ym mynwent Caersalem Newydd. S'mo ti'n perthyn i'r lle 'ma, Rhisiart Dewi. Dyw e ddim yn hawdd i ti ddeall.'

'Ond mi ydw i'n deall, Griffith, mi ydw i.' Camodd Rhisiart yn nes at y gof, yn syllu i fyw ei lygaid. Llyncodd ei boer cyn siarad eto. 'Dw inna'n ŵr gweddw. Mae 'ngwraig i wedi'i chladdu mewn bedd ar gyrion Llundain. A'n plentyn efo hi. Mewn bedd na wn i ble mae o. Fues i ffwrdd. Doeddwn i ddim efo hi... ar y pryd. Roeddwn i ffwrdd... yn y fyddin... yn gwasanaethu.'

'Mae'n flin 'da fi glywed 'ny, Rhisiart Dewi, ond... dyw e ddim yn newid dim byd. S'mo ti'n perthyn i'r lle 'ma. S'mo ti'n deall.'

Bu'n rhaid i Rhisiart droi oddi wrtho. Bu'n rhaid iddo symud. Troi, a cherdded o gwmpas yr efail, fel cath mewn cawell. Camai o gwmpas yr ystafell, fel pe bai'n chwilio am atebion. Codai'r morthwyl o'r einion a'i bwyso yn ei ddwylo aflonydd. Ac wedyn safodd a throi'n ôl i wynebu'r gof, yn dal y morthwyl yn dynn i'w frest fel rhiant yn cofleidio babi.

'O'r gora, Griffith John Griffith. Ond rhaid i ti ddeall un peth: roedd y Doethur Jones ei hun yn credu fy mod i'n perthyn i'r lle hwn. Mi ofynnodd o imi aros ac ymuno â'ch eglwys. Ac yn fwy na hynny, mi ofynnodd i mi fynd yn Ddeacon.'

'Yn weinidog?' Camodd yn nes at Rhisiart ac estyn un llaw, yr un a oedd yn dal y cadach gwlyb, a'i bwyso ar yr einion.

'Ie, yn un o'r gweinidogion. Un o'r pedwar gweinidog... y Deacon.'

Safodd y ddau ddyn yno am yn hir, llygaid y naill yn plymio i lygaid y llall, a Rhisiart yn meddwl. Dywed o hyd fod ei olwg yn mynd; pa beth y mae o'n ei weld yn fy llygaid i rŵan? A yw'n gweld f'enaid yma? Ac wedyn siaradodd eto.

'Mi wyddost ti, Griffith, yn well na minna, beth yw swyddogaeth y Deacon.'

'Odw. Wi'n gwpod.'

'Deud di wrtha i 'ta.'

'Mae'r Deacon yn batrwm o elusengarwch Cristnogol.'

'Ie, dyna ddysgais i pan ddes i yma gynta. Dyna ddudodd yr Henadur Rhosier Wyn wrtha i yn ystod fy nyddia cynta yma. Mae'r Doethur yn gwarchod purdeb credoau a chysondeb athrawiaeth. Pyrs Huws, wedyn, yw'r Pregethwr, y Gweinidog sy'n gyfrifol am gynnal gwasanaethau sefydlog. Mae'r Henadur yn gyfrifol am ddisgyblaeth eglwysig. Ac mae'r Deacon yn batrwm o elusengarwch Cristnogol.'

''Na fe. Ond does dim Deacon wedi bod 'da ni ers i'r hen Edward Jones farw.'

'Ond mi ofynnodd y Doethur Jones i mi fynd yn Ddeacon. Do'dd o ddim yn gwneud synnwyr i mi ar y pryd. Mi fydda i'n onest efo chdi, Griffith. Mi fues i'n dadlau ag o. Richard Morgan Jones. Yr holl oria y treulis i yn ei gwmni o. Yn gwrando arno, yn trafod, ond yn dadla. Ond fo o'dd yn gofyn i mi ddod yn ôl. Eto ac eto, yn gofyn i mi ddod yn ôl, ac yn gwrando ar fy nadleuon... fy amheuon. Fedrwn i ddim ei ddeall, yn gofyn i mi... nid yn unig i ymuno â'ch eglwys, ond ei helpu i'w harwain. Ac ar ben hynny, ro'dd yn gwybod tipyn o'm hanes i erbyn hynny. Yn gwybod fy mod i wedi bod yn filwr. Yn gwybod fy mod i'n un a anwybyddodd y gorchymyn "Na ladd".'

'Fel rhan o dy waith di. Yn gwasanaethu. Ym Myddin y Seintie.'

'Dyna o'n i'n ei gredu. Ond mae'r gorchymyn yno yr un fath, yntydi? Na ladd? Doeddwn i ddim yn ddyn a oedd... wedi arfer... dangos... trugaredd. Doeddwn i ddim, o bawb, yn... batrwm o elusengarwch Cristnogol. Felly paham fy newis i? Paham gofyn i fi o bawb fynd yn Ddeacon? Fedrwn i ddim deall ei gais... fedrwn i ddim gweld synnwyr a rheswm yn ei gynnig, am sawl rheswm. Ond dwi'n credu fy mod i'n deall ei fwriad rŵan.'

'Wyt ti?'

'Yndw. Roedd o'n gwybod fy mod i... wedi byw'r bywyd... wedi *credu*... ac wedi *gwneud*. Ac roedd o'n gwybod fy mod i'n amau llawer o'r petha yr oeddwn i wedi'u credu bellach. Ac roedd o'n gweld gwerth yn hynny.' Estynnodd Rhisiart ei law a gosod y morthwyl yn ofalus ar yr einion, yn ymyl llaw Griffith John Griffith. 'A dwi'n credu erbyn hyn ei fod eisiau rhywun yma a fyddai'n gallu newid petha. Rhywun fatha fi.'

Syllodd y gof yn hir arno cyn troi a dechrau tacluso'r tân. Siaradodd Rhisiart â'i gefn.

'Dw i ddim yn dweud celwydd, Griffith. Mi wyddost ti hynny. Rwyt ti'n fy nabod i. Dw i ddim yn ddyn sy'n deud celwyddau.' Dechreuodd droi i ymadael, ond oedodd am ennyd. 'Gofyn di i'r Gweinidog Pyrs Huws. Gofyn di i'r Pregethwr. Mae o'n gwybod. Gofyn di iddo fo.'

Ond ni throes y gof i'w wynebu, ac ni allai ddweud a oedd ei eiriau wedi ei gyrraedd.

Ildiodd dydd i nos, a nos i'r bore, y naill ar ôl y llall. Bu Rhisiart yn ceisio cysuro Rebecca, yn addo y byddai'n dyfeisio cynllun, yn dweud y byddai'r atebion ganddo pan ddeuai'r amser. Gwyddai fod rhai'n cysgodi'i gamre yn y nos, pan gerddai'n ôl i'r stordy o dŷ Rebecca, fel y gwyddai fod llygaid arno bob munud o'r dydd.

Ac wedyn, un diwrnod, daeth Rhosier Wyn a rhai o ddynion y pentref, a dweud eu bod am symud y nwyddau o'r stordy. Roedd dau o dai mawr y gweinidogion yn wag bellach; penderfynwyd gwagio'r stordy a'i adael yn wag i Rhisiart. Daeth Griffith John Griffith ac Ifan i helpu, a bu Rhisiart wrthi hefyd, yn symud yr holl nwyddau fesul cist, fesul casgen, fesul basged.

''Na un peth sy isie arnon ni yma,' ebychodd y gof mawr ar ôl gollwng un gasgen drom ar lawr tŷ'r Deacon. 'Ceffyle. Dyna sy isie. Y'n ni'n gorfod braenaru tir heb geffyle, gorfod aredig heb geffyle, ac y'n ni'n gorfod symud ein beichie trwm heb geffyle.'

Curodd Rhisiart yn gyfeillgar ar ei gefn ag un o'i ddwylo cryf. 'Ac wi'n hiraethu weithie ar ôl y pedole, Rhisiart Dewi. Odw, wi'n hiraethu. Yr unig beth nad wi wedi'i wneud yn yr efail ers dod yma. Pedol ceffyl.'

Parhâi i sôn am bedoli ceffylau yr holl ffordd yn ôl i'r stordy, yn chwerthin yn ddistaw dan ei wynt, ac yn tynnu coes Rhisiart. 'Gallen i blygu pedol yn well na ti o hyd, wi'n siŵr, er nad wi wedi gwneud y gwaith ers blynydde lawer.'

Peidiodd chwerthin y gof pan gyraeddasant y stordy. Yno roedd Rhosier Wyn yn eu disgwyl, yn sefyll o flaen rhes o ddynion arfog. Pedwar o wŷr y milisia – y cawr Owen Williams, Huw Jones, David Newton, ac Evan Evans yn eu harwain. Cleddyf yn hongian o wregys pob un a mwsged yn ei ddwylo. Ac yno yn eu hymyl, rhai o ddynion eraill y pentref. Roedd Rhisiart yn gwybod enw pob un ohonynt. Rowland Williams y saer, ei fab Edward, dyn na chollodd gyfle i wirfoddoli, a mab-yng-nghyfraith y saer, David. Roedd Tomos Mansel yno hefyd. Er bod Edward Williams wedi'i arfogi fel gwŷr y milisia, roedd y lleill yn dal offer gwaith bob dydd – picwarch, bwyell, a morthwyl.

Cymerodd Rhisiart gam yn ôl, ei lygaid yn gwibio dros yr holl wynebau, yn gwibio dros yr arfau.

'Mae wedi'i benderfynu, Rhisiart Dewi.' Rhosier Wyn, ei lais yn gwichian yn uchel, ei freichiau'n chwifio yn yr awyr, yr unig un o'r dyrfa nad oedd yn dal arf o ryw fath. 'Rwyt ti wedi dy ddedfrydu i garchar, hyd nes y gallwn ymholi â gwirionedd yr achosion sydd gerbron.'

Cofiodd Rhisiart nad oedd ar ei ben ei hun, cofiodd fod ganddo gyfeillion, a throdd ar ei sawdl i geisio cymorth ganddynt. Ac yno'r oeddynt yn sefyll, Griffith John Griffith a'i fab, Ifan.

'Mae'n flin 'da fi, Rhisiart Dewi.' Symudai'r gof mawr ei bwysau o'r naill goes i'r llall, ei ddwylo'n hongian wrth ei ochr, ei fysedd yn agor ac yn cau. 'Mae'n wir flin 'da fi, ond mae wedi'i benderfynu. Does dim byd amdani ond disgwyl a gweld. Rhaid plygu a derbyn y drefen.' Cododd ei ddwylo ychydig a'u hysgwyd, fel pe bai'n ceisio mesur rhywbeth anweladwy yn yr awyr o'i flaen. 'Ond mae ffydd 'da fi ynot ti. Fe ddoi di allan ohoni'n iawn, wi'n siŵr. Ond rhaid derbyn y drefen nawr.'

Gallai glywed y gwaith o'r tu mewn i'r stordy gwag, ergydion y morthwyl yn atseinio'n uchel, fel pe bai'n bryf bach y tu mewn i ddrwm a hwnnw'n cael ei guro'n galed. Bwm, bwm, bwm.

Rhaid mai Rowland Williams y saer oedd wrthi yn hoelio cloriau'r ffenestr ynghau. Bwm, bwm, bwm. Yn defnyddio hoelion a wnaethpwyd gan Rhisiart ei hun, mae'n siŵr. Bwm, bwm, bwm. Rhagor o forthwylio, wrth i bren o fath arall gael ei hoelio ar draws y cloriau, rhag ofn. Ac wedyn sŵn o fath arall, rhyw waith yn cael ei wneud i glicied y drws, yn ei droi'n ddrws cell carchar.

Agorir y drws unwaith y dydd, y golau'n llifo'n don lachar i mewn i dywyllwch ei gell. Evan Evans yw'r un sy'n ei gyfarch bob tro, yn estyn bwyd a diod iddo am y diwrnod hwnnw ac yn cymryd y potyn i'w wagio. Mae o leiaf ddau ddyn arfog yno yn ei ymyl, mwsged pob un wedi'i anelu at ei frest.

Ac mae curiad traed yno, yn barhaol, yn gyson, ddydd a nos. Mae Rhisiart yn adnabod y rhythm – camre gwarchodwr, yn cerdded ei lain o dir. Gwarchodwr yn gwylio'r carchar. Rownd a rownd, o gwmpas yr adeilad, yn cerdded mewn cylch drwy'r dydd a thrwy'r nos, curiadau'i gamre yn wrthbwyntiau i guriadau traed y gwylwyr ar y waliau. Mae'r rhythmau'n ystyrlon, ergydion y traed yn diffinio'r cynllun ac yn mesur y drefn.

* * *

Ac mae Rhisiart yn mesur ei gell bren. Wyth cam i'r wal. Troi. Wyth cam yn ôl i'r lle tân. Mae'n cerdded yn araf, yn bwyllog, yn gobeithio y daw goleuni, yn chwilio am atebion ym mhob cam.

Mae'r ystafell yn hollol wag ar wahân i'w blanced a'i sypyn. Nid oes dim byd yn hwnnw ond yr ychydig bethau sydd ganddo ar ôl ei daith. Ei hen ddillad, y gweddillion carpiog yr oedd yn eu gwisgo pan ddaethai i'r lan, y dillad yr oedd Malian ac Asômi wedi'u troi'n wisg newydd drwy wnïo tameidiau o groen meddal ac addurno'r clytiau â harddwch eu pwythau.

Gwilym Rowlant, y masnachwr tew yn Portsmouth, Cymro Strawberry Bank, yn ei orfodi i newid ei ddillad. Ôl llaw Indian sydd ar y gwaith clwt yna. Paid di â cheisio gweud fel arall. Bydd pobl yn siarad, Rhisiart. Ddylet ti ddim tynnu sylw atat ti dy hun fel'na. Thâl hi ddim, fy machgen i.

A'r llyfryn tenau wedi'i lapio mewn defnydd meddal. Ei *awighigan*, ei fap. Llinellau ceinion yn ymdroelli, yn dylunio mynyddoedd a llynnoedd. Enwau ac arwyddion. Tywysydd.

A'r ychydig bethau eraill yr oeddynt yn eu caniatáu iddo. Bwced wedi'i saernio o ystlysau pren i ddal dŵr glân. Potyn i'w lenwi yn y nos − crochenwaith amrwd, gwaith un o wragedd y pentref. A phowlen bren frown yn dal y bwyd a roddid iddo bob dydd.

Nid oedd yr un darn o haearn yn yr ystafell. Dim byd y gellid ei ddefnyddio i dorri'r pren ac agor cloriau caeëdig y ffenestri. Dim byd ond bwced a phowlen y gellid eu dal yn

arfau pan agorid y drws, a dau ddyn yn anelu mwsgedau at
ei frest.

Cerdda'n ôl ac ymlaen, ei draed yn mesur ac yn ailfesur. Wyth
cam i'r wal ac wyth cam yn ôl.

8

Canol Mai 1657

Cerdda'n araf. Er gwaethaf yr amgylchiadau, mae'n mwynhau gosod ei draed ar rywbeth ar wahân i lawr pren ei garchar a theimlo'r haul ar ei wyneb eto. Cam wrth gam, yn gyntaf yn troedio'r pridd ac yna'n clywed crensian gro'r lôn gylch o dan ei draed.

Mae wedi gweld gorymdaith o'r fath lawer gwaith. Y cerdded pwyllog, dynion arfog yn gwarchod ac yn gwneud sioe o'r peth. Taith a oedd yn arwain at farnedigaeth a chosb, a'r daith ei hun yn ddefod, yr orymdaith bwrpasol, yn sioe ac yn wers i'r gwylwyr. Milwr cableddus yn cael ei gosbi am dorri rheolau Byddin y Seintiau, yn cael ei fartsio'n araf i ganol y wersyllfa lle y byddai'n destun moeswers i'r gweddill. Do, roedd wedi bod yn dyst i'r fath orymdaith o'r blaen.

Ond nid yw'n gwisgo hualau: dyna un peth nad oedd Griffith John Griffith a'i fab wedi'i wneud yn eu gefail. Nid ydynt wedi clymu'i ddwylo â rhaff chwaith: beth allai ei wneud, ac yntau'n un dyn yn erbyn cymuned gyfan?

Cerdda pob un o wŷr y milisia gydag o: rhaid bod dynion eraill wrthi'n cerdded y waliau ar hyn o bryd, cwpl o'r ffermwyr ifainc wedi gwirfoddoli i wasanaethu. Mae Evan Evans yn eu harwain, ei gleddyf yn hongian ar ei wregys. Cerdda dau ohonynt gyda'u cleddyfau wedi eu dadweinio, yn pwyso'n ddefodol ar eu hysgwyddau, un bob ochr i Rhisiart. Y cawr Owen Williams a'r Sais David Newton. Y tu ôl iddynt y mae'r tri arall: Huw Jones, Benjamin Cotton, a Tomos Bach, y llanc nad oedd eto'n ddyn, a mwsged ar ysgwydd pob un o'r tri hyn. Maen nhw'n ceisio martsio fel milwyr, ond sylwa Rhisiart fod eu cerddediad yn anghyson. Dynion ydynt na chawsant ddysgu troedio i gyfeiliant drwm, rhai na ddysgasant o dan law rhingyll o filwr proffesiynol. Ond maen nhw'n ceisio'u gorau i wneud sioe o'r orymdaith, yn brolio hynny o rym bydol sydd gan Gaersalem Newydd i'w arddangos.

Ymlaen â nhw, yn troedio o gwmpas y cylch, y tai cyffredin ar eu chwith a'r addoldy a thai'r gweinidogion ar eu hochr dde. Mae rhywbeth yn dal llygad Rhisiart, rhyw newid. Try ei ben wrth iddo gerdded er mwyn astudio'r olygfa'n well. Mae pedair ysgol yn pwyso'n erbyn ochr yr addoldy ac mae rhywbeth yn eistedd ar big y to, rhywbeth yn debyg i gorn simdde pren isel.

Cerddant yn araf ac yn bwyllog, yn camu i'r groesffordd honno lle mae'r lôn gylch yn cwrdd â'r llwybr sy'n arwain i'r pyrth. Maen nhw'n troi, Owen Williams yn ceisio atal ei gamre er mwyn sicrhau nad yw'n camu o flaen y lleill, ond mae'n anodd i'r dyn mawr, ac mae'n rhaid iddo gerdded yn herciog, yn hanner oedi a llusgo un droed bob hyn a hyn er mwyn cadw'r llinell yn weddol syth. Ymlaen â nhw ar y llwybr, twr y de yn codi o'u blaenau. Coda Rhisiart ei lygaid am ennyd, yn nodi siâp dyn yn sefyll ar ben y twr, mwsged yn ei law. Pwy? Un o'r gwirfoddolion. Edward Williams, efallai, y dyn ifanc hwnnw oedd yn awyddus i wneud gwaith y milisia bob cyfle a gâi.

Ond bu'n rhaid i Rhisiart ollwng ei lygaid o uchder y twr a syllu ar y dyrfa o'i flaen. Yno, yn sefyll ar draws y llwybr, yn llenwi'r gofod rhwng y ffynnon a'r llwyfan pren, mae yn agos at drigain o bobl. Holl drigolion Caersalem Newydd ar wahân i'r gwirfoddolion a oedd yn gwarchod y waliau, pawb ar wahân i'r tri a saif ar y llwyfan ei hun. Y ddau weinidog, Pyrs Huws a Rhosier Wyn. Ac yn y canol, rhwng y ddau ddyn,

Rebecca Roberts. Ond er mai tri sy'n sefyll yno uwchben y dorf, mae pedwar enaid byw ar y llwyfan: mae Rebecca'n dal ei babi yn ei breichiau.

* * *

Traed a fu'n mesur amser iddo, curiadau ei draed ei hun ar lawr pren ei garchar a sŵn traed y gwarchodwr yn amgylchynu'r stordy ar y tu allan. Galwai drwy'r cloriau a hoeliwyd yn dynn dros y ffenestri, ergydiai'r drws â'i ddwrn, yn gweiddi. Ust! Halo! Pwy sy 'na? Evan Evans? Tomos? Huw Jones? Owen Williams? Ateb fi! Pwy sy 'na? Ceisiai'n ddiflino gael sylw, gorfodi'r gwarchodwr i'w ateb. Halo? Pwy sy 'na? Dywed i mi, beth yw'r achosion a ddygwyd yn f'erbyn? Mae gen i hawl i wybod. Dywed? Ateb fi!

Ac unwaith, un noson, rhyw wythnos ar ôl iddo gael ei garcharu gyntaf, daeth ateb. Llais ansicr, llais un nad oedd yn arfer dweud rhyw lawer. Gallai Rhisiart ei ddychmygu'n sefyll yno, ei arf yn ei law, yn debyg i'r modd yr oedd wedi sefyll yno yn y fynwent yng nghanol yr eira, y rhaw yn ei ddwylo. Hwnnw oedd yr unig dro y clywodd Owen Williams yn dweud mwy nag ambell air digyswllt. Hwnnw oedd yr unig amser y cafodd sgwrs â'r dyn mawr tawel.

'Bydd ddistaw, Rhisiart Dewi.' Er ei fod yn rhoi gorchymyn iddo, nid oedd y llais yn angharedig. 'I ba beth rwyt ti'n gweiddi fel'na? Ddaw neb i siarad 'da ti.'

'Ond mi wyt ti'n siarad efo fi, Owen. Mi wyt ti yma.'

Tawelwch eto. Nid sŵn, ond curiad y traed ar y ddaear ar yr ochr arall i'r wal, a'r gwarchodwr yn cerdded ei gylch o gwmpas y carchardy bach.

Arhosodd Rhisiart yn ymyl y ffenestr, yn disgwyl i guriad araf y traed ddod yn nes, ac yna galwodd eto, yn gwasgu'i geg yn agos at bren y cloriau.

'Owen? Owen! Mae hawl gen i wybod. Tydi o ddim yn deg cuddio dim wrtha i rŵan. Tydi o ddim yn ddiwrnod i ddeud celwydda, nac'di? A ninna wedi dod i'r groesffordd yma?'

Roedd Rhisiart yn rhyw feddwl bod Owen wedi oedi am ennyd, wedi aros yno ar yr ochr arall i'r cloriau caeëdig, yn gwrando. Ond yna clywodd sŵn ei draed mawr eto, yn cerdded yn araf i ffwrdd o'r ffenestr, yn parhau â'i gerddediad pwyllog, yn amgylchynu'r adeilad bach gam wrth gam.

Curodd Rhisiart y cloriau unwaith â'i ddwrn, yn galed, yr ergyd yn atseinio yn yr ystafell wag. Ac eto, yn galed, yn ergydio. Ymledodd ei ddwylo a'u pwyso'n erbyn y cloriau, yn gwasgu ei dalcen yn erbyn y pren caled, oer. Yn meddwl, yn ystyried pa beth y gallai ei ddweud i ennyn tosturi a chael ymateb. A dyna'r traed yn dod yn nes eto, y cylch wedi'i gyfannu a'r gwarchodwr yn cerdded yn ôl i'r un man y tu allan i'r ffenestr gaeëdig. A'r llais yn siarad, mor dawel â phosibl ond yn ddigon uchel i Rhisiart ei glywed.

'Sa i'n mo'yn d'anwybyddu di, Rhisiart Dewi. S'mo fe'n iawn. Mae hawl 'da ti i wpod.'

Ac yna dywedodd, yn gryno, beth oedd crynswth yr achosion a ddygwyd yn ei erbyn. Dwyn drygair yn erbyn yr eglwys. Gwir, nid oedd yn drosedd y gellid cosbi un o'i herwydd, os nad oedd yn aelod o'r eglwys. Gellid ei alltudio o'r gymuned, ei orfodi i adael. Ond roedd wedi'i gyhuddo o drosedd arall, un ddifrifol y byddai'n rhaid iddo'i hateb.

'Beth, Owen? Dywed i mi!'

'Anlladrwydd, Rhisiart Dewi. Gyda'r weddw Rebecca Roberts. Mae'r Henadur Rhosier Wyn wedi'ch cyhuddo o gynnal perthynas anweddus y tu allan i briodas. Ac mae wedi dwyn Evan Evans yn dyst i gefnogi ei gyhuddiad.'

'Sut?'

'Mae'r ddau wedi'ch gweld. Yn treulio'r nos yn ei thŷ. Yn aml, medden nhw. Mae'r gair wedi mynd ar led, ac mae rhai eraill yn gweud eu bod nhw wedi sylwi ar eich perthynas 'efyd. Mae rhai yn gweud mai ti yw tad ei babi hi.'

'Maen nhw'n gelwydda, Owen!' Curodd y pren eto'n galed, yn cleisio'i ddwylo'i hun. 'Celwydda, Owen! Mi wyddost ti hynny! Sbia yn dy galon! Owen?'

Ond roedd y traed wedi symud ymlaen, ac nid atebodd Owen mohono eto'r noson honno.

Doedd dim llawer i dorri ar y dyddiau, dim ond y deffro, bwyta ychydig o fwyd di-flas, yfed dŵr, a cherdded yn ôl ac ymlaen yn ei gell. Weithiau byddai'n agor ei sypyn, yn astudio'r llinellau ceinion a'r geiriau ar ei *awighigan*, y map a wnaethai ei gyfeillion iddo. Ac weithiau byddai'n byseddu ei hen ddillad, yn edmygu'r pwythau a ddefnyddiwyd i greu gwisg newydd o'i hen garpiau, gwaith llaw hardd ei gyfeillion.

Fel arall, yr unig beth a dorrai ar rythmau unffurf ei ddyddiau oedd pan agorid y drws, unwaith y dydd, a'r golau a lifai i mewn yn ei ddallu. Evan Evans yn cymryd ei bowlen wag a'i fwced ac yn estyn powlen arall, yn llwythog â bwyd, a bwced, dŵr glân yn slochian dros ei ochrau. A Rhisiart yntau'n estyn ei botyn nos iddo ac yn derbyn un newydd, un gwag, ar gyfer y diwrnod hwnnw a'r noson honno. Roedd dynion eraill yno bob tro, dau ohonynt, pob un yn dal ei fwsged yn barod. Weithiau roedd Owen Williams yn un ohonynt. Unwaith, cyn i arweinydd y milisia gau'r drws yn ei wyneb a'i gloi, safodd Rhisiart yno, yn codi ei law i gysgodi ei lygaid rhag yr haul, a chraffu ar wyneb y dyn mawr, ond gostyngodd Owen ei lygaid, yn osgoi ei lygaid yntau, a syllu'n hytrach ar fynwes Rhisiart, y man yr oedd yn anelu ei fwsged ato. Ac wedyn y diwrnod unffurf eto. Traed gwarchodwr yn mesur cylch o gwmpas yr adeilad, a thraed Rhisiart yntau'n curo'r llawr pren y tu mewn, yn ôl ac ymlaen, yn ôl ac ymlaen.

'Pffist!'

Un noson, a sŵn glaw mân ar y to, llais yn galw wrth gloriau'r ffenestr. 'Pffist! Rhisiart Dewi? Wyt ti ar ddihun?'

'Yndw, Owen. Dwi yma.'

'Mae rhywbeth 'da fi i'w weud 'tho ti. Rhyw newydd. Mae hawl 'da ti... hawl i wpod.'

Arhosodd yn dawel am ychydig, siffrwd ysgafn y glaw ar y to yr unig sŵn, a Rhisiart yn poeni bod y dyn mawr wedi newid ei feddwl, wedi penderfynu peidio â rhannu'r newyddion hyn. Ond siaradodd eto, ei lais yn sibrwd, fymryn yn unig yn uwch na siffrwd y glaw.

'Maen nhw'n ystyried dwyn cyhuddiad arall yn d'erbyn.'

'Beth, Owen?'

'Maen nhw wedi bod yma, ti'n gweld. Ddoe. Wedi aros y nos. Fe wnaethon nhw adael y bore 'ma. Y Praying Indians. Ac roedd Samuel Appleton gyda nhw. Y gweinidog.'

'Ie? Sut mae—?'

'Usst! Gwranda, Rhisiart Dewi. Ro'dd newyddion 'da nhw. Si, a gweud y gwir. Stori wedi trafaelu o Strawberry Bank i Salem ac ymlaen i bentrefi'r Wampanoag. O bentre i bentre. Yn teithio, fel mae straeon.'

'Ie?'

'Stori ryfedd, ti'n gweld. Am ddyn. Dyn wedi dyfod allan o'r goedwig, dyn gwyn yn gwisgo fel Indiad gwyllt. A chath ddu gydag e. Arhosodd yno am ychydig, ond nid oedd neb yn deall ei gennad yn iawn. Ac wedyn mi a'th yn ôl i'r goedwig. Fe ddiflannodd.'

Tawelwch wedyn, y glaw'n siffrwd ar y to, fel bysedd yn cosi'r pren yn ysgafn.

'Mae Rhosier Wyn yn gweud taw ti o'dd y dyn hwnnw. Ac mae'n gweud ei bod hi'n bosib mai wits wyt ti.' Gwrach, wedi dyfod o gysgodion y goedwig, rhodfa plant tywyll Satan. 'Mae'n gweud ei fod yn meddwl dy fod wedi d'anfon yma i'n hudo ni.

I'n ca'l ni i droi oddi ar y ffordd y'n ni wedi bod yn ei throedio ers dyfod yma.'

'Mae hwnnw'n gelwydd hefyd, Owen.' Siaradai'n ddistaw, ei lais yn ateb cywair tawel y dyn arall. 'Mi wyddost ti hynny, Owen. Celwydd. Fel y cyhuddiada eraill.'

'Dyw e ddim i fi i weud, Rhisiart Dewi. Ond mae hawl 'da ti i wpod. Gweddïa di. Edrycha i'th enaid. Do's dim byd 'da ti i'w ofni os wyt ti'n gweud y gwir. Felly gweddïa. A chysga am nawr.'

Dim ond unwaith ar ôl hynny y daeth Owen Williams i'w annerch drwy waliau ei garchar. Unwaith, ddau ddiwrnod ar ôl hynny. Yn siarad yn dawel yr ochr arall i'r cloriau caeëdig, yn dweud, Gwranda di, Rhisiart Dewi. Gwranda, mae newydd arall gyda fi. Mae Rebecca Roberts wedi geni'i babi. Dywed Catherin Huws ei bod hi'n ferch fach holliach.

Ac wedyn, heddiw, yn gynnar yn y bore, yn fuan ar ôl iddo ddeffro o gwsg aflonydd i ganu'r adar: y drws yn agor ychydig, stribed o olau'n llifo ar draws y llawr pren, a llais Evan Evans yn galw.

'Heddiw yw'r diwrnod. Byddi'n sefyll dy brawf cyn hanner dydd.'

A'r drws yn cau'n drwm eto.

Dim rhagor o fwyd na bwced arall, ond roedd gan Rhisiart ychydig o fara a chig carw sych ar ôl yn ei bowlen ac roedd y bwced dŵr yn hanner llawn o hyd. Ac felly ar ôl bwyta tynnodd ei grys a'i daflu ar y llawr yn ymyl ei drowsus a'i sanau, gwnaeth gwpan o'i ddwylo a chodi'r dŵr i'w wyneb, ac ymolchi. Yfodd ac wedyn codi'r bwced a thywallt gweddill y dŵr dros ei ben. Nid oedd cyllell wedi bod ar ei gyfyl ers talm iawn, ac roedd ei wallt a'i locsyn wedi tyfu'n hir. Ysgydwodd ei ben, a chodi'i fysedd a'u rhedeg drwy'i wallt gwlyb, hir. Ac yna edrychodd ar y dillad budr a orweddai'n domen fach flêr yn ymyl ei blanced o wely. Roedd wedi dechrau drewi ers talm, a'r deunydd yn gorwedd yn

afiach ar ei groen. Ciciodd y domen â'i droed, a cherdded draw
i'w sypyn bach, ei agor, ac estyn ei hen ddillad.

* * *

Mae'r dorf yn ymagor, pobl yn symud i'r naill ochr ac i'r llall, yn
gadael i'r orymdaith symud i lawr y llwybr ac yna o'r llwybr i'r
llwyfan. Maen nhw'n cerdded yn araf, yn ceisio martsio, a'r cawr
Owen Williams yn rhyw faglu bob hyn a hyn, yn gorfod oedi a
llusgo'i draed ychydig er mwyn peidio â thorri gormod ar rythm
cerddediad y lleill.

Mae Rhisiart yn gyfarwydd â phob un wyneb yn y dorf hon,
er bod ofn neu gasineb yn peri i lawer ohonyn nhw ymddangos
yn bobl wahanol heddiw. Gall gofio enw bron pob un ohonynt.
Huw Jones y ffermwr – nid Huw Jones y milisia sy'n cerdded y
tu ôl iddo â mwsged yn ei ddwylo, ond yr amaethwr. Ei wraig
Abigail, eu mab Moses, a'u merch Sabatha. Y saer Rowland
Williams a'i wraig Margaret. Margaret eu merch hynaf a'i
gŵr, John Jones. Eu mab, eu hunig blentyn, Samuel. Jane, ail
ferch Rowland a Margaret Williams, ei gŵr David, a'u merch
hwythau, Marged. Anna, gwraig Edward Williams, mab y saer,
a'u mab bach Richard, ac Edward ei hun wedi gwirfoddoli i
warchod y waliau, mae'n rhaid. Doedd o byth yn colli cyfle
i wneud gwaith y milisia. Anna John, gweddw ddi-blant, tua
trigain oed. Robert ac Anna Miles, cwpl priod ifanc. Yr hen
weddw Hannah Siôn, yn pwyso ar fraich Ruth, yr hynaf o
ferched Tomos ac Esther Mansel. A gweddill y Manseliaid
– Joshua, Dafydd, Sarah, Rachel, Tabitha, a Dorcas, yn sefyll
mewn rhes ar ochr y llwybr yn ymyl eu rhieni. Pob un yn
dawel, llygaid pawb yn dilyn yr orymdaith araf. Wynebau
y buasai'n eu gweld bob dydd. Rhai pobl yr oedd wedi dod
i'w nabod yn weddol dda. Ambell un y credai ei fod yn ei
nabod yn dda iawn. Ac yna, ar y cyrion, yn bell o'r llwybr ac

yn bell o'r llwyfan, y gof, Griffith John Griffith, a'i brentis o fab, Ifan.

Y mae'r holl lygaid arno. Mae pawb yn syllu ar y dyn rhyfedd hwn sy'n cerdded o dan ofal y milisia. Creadur chwedlonol ydyw, drychiolaeth eu dychymyg. Ei wyneb yn welw, wyneb un na welsai'r haul am yn hir. Mwng o wallt brown brith yn flêr a'i wyneb wedi'i hanner cuddio gan locsyn anystywallt, ei ddillad yn gyfuniad o'r byd y maen nhw'n byw ynddo a'r byd gwyllt y daethai ohono, yn atgof o wisg gwareiddiad ond yn dangos ôl llaw trigolion anwaraidd y goedwig. Mae'n greadur dieithr, peryglus, ond eto maen nhw'n ei nabod. Mae'n siarad yr un iaith â nhw, mae wedi dysgu eu henwau a'u cyfrinachau. Bu'n byw yma yn eu mysg, bron fel un ohonyn nhw. Ond eto dyma fe, wedi ymrithio yn ei iawn ffurf. Dyn gwyllt y goedwig, un a fu'n cyd-deithio yn y cysgodion gyda phlant tywyll y Gŵr Drwg. Dyma fe, wedi llygru un ohonyn nhw, benyw a fuasai'n byw yn dduwiol. Dyma fe, wedi dyfod i dderbyn barnedigaeth a chosb.

Mae Evan Evans yn eu harwain i'r grisiau ar ochr y llwyfan ac mae'n eu hesgyn yn araf, yn ddefodol, ei gleddyf yn hongian ar ei wregys a'i ben yn uchel. Mae Owen Williams, ei gleddyf ar ei ysgwydd o hyd, yn camu i fyny, gan na allai gerdded ochr yn ochr â Rhisiart a David Newton, ond maen nhw'n ailffurfio eu rhes fach wrth gyrraedd y llwyfan. Ac wedyn daw'r tri arall, Huw Jones, Benjamin Cotton, a Tomos Bach, pob un â'i fwsged. Mae Rhosier Wyn yn edrych arno o gil ei lygad ac wedyn mae'n symud i ymuno â Pyrs Huws ar yr ochr arall i Rebecca, ac mae Evan Evans yn trefnu'i wŷr, yn tywys Rhisiart a'i warchodlu i du blaen y llwyfan. Saif yno, gydag Owen yn hawlio'r lle rhyngddo â Rebecca ar un ochr, a David Newton, ar yr ochr arall. Y tu ôl iddynt y mae'r tri mwsgedwr a'u capten, Evan Evans.

'Gweddïwn am arweiniad.'

Pyrs Huws, yn taflu'i lais o'r llwyfan, yn cyfarch y dyrfa sy'n ymestyn o'i flaen. Mae'r dynion yn tynnu eu hetiau ac mae pob un yn y dyrfa, hyd yn oed y plentyn lleiaf, yn cau'i lygaid a phlygu'i ben. Mae Rhisiart, ei lygaid yn llydan agored, yn astudio'r dorf o'i flaen. O bennau'r Manseliaid, y tad a'r fam a'r saith o blant, i ben Hannah Siôn, pob un wedi'i blygu mewn gweddi. O ben i ben, rhyw drigain ohonyn nhw i gyd, ac yno, ar y cyrion, pen moel Griffith John Griffith yn dal yr heulwen, yn sgleinio. Mae'n troi ei ben fymryn i'r dde ac yna i'r chwith, yn nodi union bellter Owen Williams a David Newton oddi wrtho. Mae am droi mwy er mwyn edrych ar Evan Evans a'r lleill, ond daw'r weddi i ben. Ymsytha, yn dal ei ben yn uchel. Mae awel gynnes mis Mai yn chwarae â'i wallt hir ychydig, yn codi ambell gudyn oddi ar ei ysgwyddau a'i ollwng eto. Mae 'Amen' yn ymrolio fel ton trwy'r dyrfa, ac mae pawb yn codi'u pennau, y dynion yn gwisgo'u hetiau unwaith eto.

'Frodyr a chwiorydd, rydym ni wedi dyfod yma i…'

Llais Rhosier Wyn, yn wichlyd o uchel, yn marw ar yr awel. Mae rhai sy'n sefyll yn bellach i ffwrdd yn cymryd cam neu ddau'n nes at y llwyfan, yn ymwasgu er mwyn clywed yr Henadur yn well. Â rhagddo, yn disgrifio'n fanwl y cyhuddiadau yn erbyn y ddau ac yn egluro'r drefn. Dywed fod y dyn hwn a'r wraig weddw hon wedi'u cyhuddo o anlladrwydd, o gynnal perthynas anweddus nad yw'n dderbyniol y tu allan i sêl bendith priodas. Fflangellu'n gyhoeddus yw'r gosb. Yn ogystal, ac yn fwy difrifol o lawer, mae'r gŵr hwn wedi'i gyhuddo o gyfathrach â'r Diafol a'i weision; fe'i cyhuddir o weithredu ar gynllun Satan, wedi'i anfon yma i'w hudo a'u harwain ar gyfeiliorn. Cosb y sawl sy'n euog o'r cyfryw beth yw marwolaeth, yn ddi-oed. Mae'r rheithgor wedi cyfarfod i brofi'r ddeuddyn hyn ac yn awr caiff ddatgan pa beth yw'r ddedfryd.

'Fe awn ymlaen i brofi'r plentyn a aned yn ddiweddar i Rebecca Roberts. Profwn yn unol â'n harfer, a gwelwn a yw'n blentyn a aned i fywyd tragwyddol ynteu'n un a aned i farwolaeth.' Mae'n traethu'n faith ac yn fanwl, yn mwynhau troi pob gair ar ei dafod. Mae'n tynnu sylw'r dyrfa at natur bwysfawr y diwrnod, y ffaith bod tri achos i'w profi: un yn erbyn y ddau oedolyn, un arall yn erbyn y dyn, ac achos etholedigaeth y baban.

Mae'r gwynt yn codi, yn dechrau chwibanu dros waliau Caersalem Newydd, yn codi llwch o'r ddaear ac yn chwyrlïo rhwng yr adeiladau. Mae'n anodd clywed llais main yr Henadur bach, ac mae'r dorf yn ymwasgu'n dynnach, yn symud yn nes eto at y llwyfan. Â ymlaen ac ymlaen, yn manylu ar natur y tri achos hyn, yn awgrymu bod cysylltiad o bosibl rhwng y tri, y berthynas anweddus honedig rhwng y dyn a'r fenyw yma, y babi a aned iddi hi yn ddiweddar, a gwaith Satan, yr hwn sy'n cynllunio cwymp Caersalem Newydd, yn bwriadu hawlio'r ynys fechan hon o oleuni ar gyfer tywyllwch yr anialwch eto. Mae'n crynhoi hanfod eu cyfreithiau a natur eu llys. Dywed fod y rheithgor wedi cyfarfod a bod eu barn wedi'i chofnodi. Pwysleisia nad llys bydol ydyw, ond llys eglwysig. Daw anerchiad Rhosier Wyn i ben â 'Boed felly' ac 'Amen', llais uchel y dyn bach yn marw yn y gwynt sy'n prysur godi.

Geilw Pyrs Huws ar Rebecca wedyn, yn dweud bod ganddi hawl i siarad, a hithau'n aelod llawn yn yr eglwys. Siarad gerbron Duw a'i Eglwys, nid ceisio llunio amddiffyniad. Mae'r farn wedi'i phenderfynu gan reithgor eglwysig yn barod, yn unol â'u harfer; cyfle yw hwn i ddinoethi'i henaid iddynt gerbron yr Arglwydd cyn clywed y farn honno.

Gall Rhisiart ei chlywed hi'n clirio'i llwnc, yn paratoi i siarad. Try ei ben, yn craffu, yn ceisio gweld heibio i gorff mawr Owen Williams, ac o blygu ymlaen ychydig mae'n bosibl ei gweld hi. Ni all weld ond sypyn bychan, y blanced wedi'i lapio o gwmpas y babi, ond gŵyr mai merch fach ydyw. Mae Rebecca'n ei dal hi'n dynn at ei mynwes. Siarada'n uchel, ei llais yn swnio'n fwy fel un sydd wedi blino nag un sydd yng ngafael ofn.

'Nid oes ond cwplach o eirie gyda fi i'w gweud. Ry'ch chi'n

'y nabod i, pob un ohonoch chi. Ry'ch chi'n 'y nabod i'n dda. Ac ry'ch chi'n gwypod fy mod i'n gweud y gwir pan ddyweda i nad oes y tamed lleia un o wirionedd yn y cyhuddiade hyn. Wna i ddim sefyll yma, fy mhlentyn diniwed yn fy mreichie, a dadle, achos wi ddim eisie rhoi cymaint o ystyrieth i'r celwydde 'ma. Dyw hi ddim yn weddus i mi geisio dadle'n erbyn y ffasiwn gelwydde. Dim ond i weud eu bod nhw'n gelwydde ofnadwy, a gofyn i chi 'nghredu i.'

Mae'r gwynt yn codi'n gryfach fyth, yn chwipio drwy'r dorf. Mae ambell ddyn yn codi llaw i ddal ei het yn sownd ar ei ben ac arall yn tynnu'i het er mwyn ei rhwystro rhag hedfan i ffwrdd. Mae ambell wraig neu ferch yn codi llaw neu ddwy i ddal ei chap gwyn ar ei phen hithau, yn poeni bod y gwynt yn gryfach na'r llinynnau sydd wedi'u clymu o dan ei gên. Mae Rhisiart yn codi ei ben ychydig, yn sefyll yn syth, yn disgwyl i'r gweinidog alw arno yntau i ddweud gair. Ond mae Rebecca wedi penderfynu siarad eto. Gwaedda, yn codi'i llais uwchben chwiban y gwynt.

'Ond mae arna i isie gweud un peth arall. Cyn i chi geisio mynd â 'mhlentyn i i'r fantol ar ben y to. Wi'n gofyn i chi, fame, ac i chithe, dade, sydd wedi gadael i'r pedwar gweinidog fynd â'ch plant bach newydd-anedig i fyny i'r prawf ofnadwy yna. Ac wi'n erfyn arnoch chi i chwilio'ch calonne a gofyn i chi'ch hunen: a o'ddech o ddifri yn berffeth fodlon ildio'ch babi, eich plentyn, i'r ffawd ofnadwy 'na? Wi'n gofyn i chi, a fyddech chi wedi derbyn y drefen hon pe na bai pawb arall yng Nghaersalem Newydd yn disgwyl i chi ei derbyn? Ac fe weda i un peth arall wrthoch chi: mae Rhisiart Dewi yn iawn yn un peth. Mae e'n gweud taw creadigaethe dynion yw'r athrawiaethe hyn. Creadigeth dyn yw'r syniad bod un babi wedi'i eni i fywyd ac un arall i farwoleth, bod Duw wedi penderfynu'r cwbwl cyn y geni. Creadigeth dynion yw'r athrawieth yna, nid creadigeth Duw. A chreadigeth dynion yw'r ddefod ofnadwy... y prawf ofnadwy ry'n ni wedi bod yn ei gynnal yma yng Nghaersalem Newydd ers blynydde.'

'Dyna ddigon, Rebecca Roberts.'

Ni all weld Rhosier Wyn, ac nid yw'n ceisio symud er mwyn gweld y dyn bach sy'n sefyll rywle ar ben pellaf y llwyfan.

'Glywest ti'r Gweinidog Pyrs Huws? Nid cyfle i lunio esgusodion mo hwn, ond cyfle i siarad yn onest ac yn agored gerbron Duw a'i Eglwys. Cyfle i ddinoethi enaid a chyffesu. Nid ydym wedi dyfod yma i farnu a mesur hanfod ein heglwys ni. Rydym ni wedi dyfod yma i—'

'Ond dyna wi am ei wneud, Rhosier Wyn. Dyna wi am ei wneud. Achos mae'n hen bryd i ni wneud 'ny. Chi fame a thade, wi'n gofyn i chi eto. Mae nifer ohonoch wedi rhoi'ch plant yn nwylo'r gweinidogion, y pedwar. Ond mae'r Deacon Edward Jones wedi'i gladdu ers blynydde. A nawr mae'r Doethur yntau wedi'i gladdu. Faint ohonoch chi fydd yn fodlon rhoi'ch babi yn nwylo'r ddau ddyn yma? Faint ohonoch chi fydd yn fodlon rhoi bywyd eich plentyn yn nwylo Rhosier Wyn? Faint o—?'

'Dyna ddigon!' Mae llais yr Henadur yn sgrech, yn torri trwy'r gwynt ac yn boddi llais Rebecca. 'Bydd ddistaw, fenyw, neu mi fydd yn rhaid i mi ofyn i Evan Evans gau dy geg.'

'Wi am siarad. Wi am weud rhywbeth nawr.' Llais arall, yn dod o gyfeiriad arall. Try pennau yn y dorf i'w chyfeiriad, a dyna hi, Hannah Siôn, yr hen weddw, yn pwyso ar fraich un o'r Manseliaid. Mae'i llais yn torri bob hyn a hyn, ond mae hi'n gweiddi'n ddigon uchel i bawb ei chlywed. Dywed ei bod hi'n gwybod nad oes sail i'r cyhuddiadau a ddygwyd yn erbyn Rebecca a Rhisiart. Dywed fod y weddw ifanc wedi bod yn rhannu'i chyfrinachau â hi ers blynyddoedd, a'i bod hi'n gwybod cyn i'r dyn dieithr hwn gyrraedd Caersalem Newydd ei bod hi'n feichiog â babi ei diweddar ŵr, Robert Roberts. Dywed hefyd ei bod hi'n nabod pawb yn y pentref, pawb, ac mae'n taeru nad oes neb yma sy'n fwy gonest a chyfiawn na Rebecca Roberts.

'Ac wi am weud un peth arall cyn tewi, Rhosier Wyn. Mae yna wirionedd yn yr hyn y mae Rebecca Roberts yn ei weud. Mae mame Caersalem Newydd yn gorfod ysgwyddo baich neilltuol o anodd. Ie, a'r tade hefyd. Ac mae'n hen bryd 'yn bod ni'n archwilio athrawiaethe'n heglwys o'r newydd. Pwy all weud nad oes gwirionedd yn yr hyn y mae Rebecca Roberts yn ei weud? Pwy all weud nad yw Rhisiart Dewi yn iawn?'

'A dyna un peth arall!' Llais dwfn, yn gweiddi o gyrion y dorf. Griffith John Griffith, ei het yn ei law, ei ben mawr moel i'w weld yn glir o'r llwyfan. 'Ro'dd y Doethur Jones yn gwrando ar Rhisiart Dewi. Fe ofynnodd iddo fynd yn Ddeacon.'

Mae chwa o sibrydion yn mynd drwy'r dorf.

'Mae'n wir. Gofynnwch i'r Gweinidog Pyrs Huws. Ma fe'n gwpod.'

'Byddwch ddistaw, da chi, frodyr a chwiorydd!' Mae Rhosier Wyn yn pwyso'i fol mawr yn erbyn canllaw'r llwyfan, yn codi mor uchel â phosibl ar flaenau bysedd ei draed, ac yn chwifio'i freichiau'n wyllt. 'Byddwch ddistaw, da chi! Nid ydym wedi dyfod yma i drafod, ond i glywed barnedigeth! Rydym ni wedi cyfarfod, y fi a'r Gweinidog Pyrs Huws, a saith o ddynion eraill Caersalem Newydd, i ffurfio llys yn unol â'n rheolau eglwysig. Ac—'

'A beth amdana i? Mae gen i'r hawl i siarad hefyd!' Mae Rhisiart yn gweiddi, ei eiriau wedi'u hanelu at y dyn bach boliog, er bod ei lygaid yn syllu ar y dorf o'i flaen. 'Rhaid i mi gael cyfle i siarad mewn hunanamddiffyniad hefyd, a dwi—'

'Nac oes, Rhisiart Dewi! Nac oes! Dwyt ti ddim yn aelod o'r eglwys hon, ac rwyt ti yma ar ein trugaredd ni'n unig, ac o ystyried natur y cyhuddiade sydd wedi'u dwyn ger dy fron, wi ddim am adel i ti hudo'r bobol dda sy yma gyda'th eirie di.'

'Gadewch iddo siarad!' Llais Griffith John Griffith.

'Ie, gadewch iddo siarad!' Llais arall yn ei ymyl: Ifan, yn sefyll yno yn ymyl ei dad.

'Byddwch ddistaw, da chi! Neu fe fydd yn rhaid i mi ddwyn achos yn eich erbyn chithe hefyd, am gamymddwyn mewn cyfarfod eglwysig.'

Mae sŵn traed yn curo pren, a sylwa Rhisiart fod pobl eraill yn cerdded i fyny'r grisiau i'r llwyfan. Try ei ben ac edrych. Gwêl nifer o ddynion yn cerdded ar hyd cefn y llwyfan. Try ei ben i'r ochr arall a chanfod eu bod yn ffurfio rhes o fath yno, y tu ôl i'r Henadur Rhosier Wyn a Pyrs Huws. Saith ohonynt. Mae'n gallu gweld rhai wynebau – mae'r saer coed Rowland Williams yno, ie, y fo a'i ddau fab-yng-nghyfraith hefyd. Mae'r dorf wedi ymdawelu eto yng ngŵydd awdurdod y rheithgor.

'Dyma ni, y saith a ymunodd â'r Gweinidog Pyrs Huws a minnau gyda thoriad y wawr heddiw i farnu. Ac fel hyn y mae'n barnedigaeth ni'n syrthio.'

Mae'r gwynt, fel y dorf, wedi ymdawelu, ond nid yw'r dynion hynny sydd wedi tynnu eu hetiau yn eu gwisgo eto. Yn hytrach, mae'r lleill yn dinoethi eu pennau.

'Nid oedd y rheithgor yn unfryd. Nid oedd yn unfryd yn yr un o'r achosion a glywid gan y llys. Ac mae'n rhaid i mi nodi yma ar goedd, yn unol â'n harfer, fod un o'r gweinidogion, sef Pyrs Huws, yn mynnu eu cael yn ddieuog o'r ddau gyhuddiad. Ond er nad oeddem yn gytûn, ac er bod llais un gweinidog yn tynnu'n groes i'r mwyafrif, cafwyd mwyafrif, sef saith yn achos y cynta a chwech yn achos yr ail...'

Ac felly mae'r ddau wedi'u dyfarnu'n euog.

Roedd Rhisiart wedi bod yn paratoi ei eiriau, yn eu saernïo mor ofalus â phosibl yn ei feddwl, yn barod i'w saethu o'i dafod ac ennill calonnau'r dorf. Ond ni chaiff siarad, dim ond mynd gyda Rebecca i gael eu fflangellu'n gyhoeddus am eu pechod honedig. Ac wedyn mynd, yn ôl y ddedfryd, i gael ei ddienyddio. Nid ei lofruddio'n llechwraidd yn y goedwig fel Miles Egerton, ond ei ladd gan lys barn y rheithgor eglwysig hwn. Ei ladd yma, yng ngolau dydd, yng nghanol Caersalem Newydd. Ac wedyn bydd y gweinidogion yn mynd ymlaen â'u defod, yn mynd â merch fach Rebecca i ben yr ysgol a'i gosod yn y fantol, a neb yn codi llaw i'w hatal. Bydd Rhisiart, yntau, yn farw, wedi methu â chadw'i addewid iddi hi. Roedd wedi paratoi ei eiriau y bore hwnnw, wedi eu dewis yn ofalus a'u hymarfer, ond ni chaiff eu defnyddio. Mae'n ystyried camu ymlaen a gweiddi rhywbeth cyn iddynt gau ei geg, erfyn ar y rheithgor a'r dorf, nid traddodi'r araith hir, gain, yr oedd wedi ei pharatoi, ond gweiddi ebychiad pigog, byr. Geiriau'r hen Grynwr hwnnw, efallai – pa awdurdod sy'n rhoi'r grym i chi fy erlid yn y modd hwn?

Ond gŵyr nad oes ganddo eiriau a all ei achub. Gŵyr yn ei galon nad oes ganddo'r un gair a all eu hachub *nhw*.

'Gweddïwn.' Mae Pyrs Huws yn eu harwain, yn cloi'r datganiad o'r llwyfan. Mae pawb yn y dyrfa'n cau eu llygaid ac yn gostwng eu pennau, pawb ond y gof a'i fab, Ifan, ac ambell blentyn na all dynnu ei lygaid o'r ddrama ddirfawr hon. Gŵyr y bydd pawb ar y llwyfan yn gwneud yr un peth, pob un yn gostwng ei ben ac yn cau ei lygaid. Rhaid iddyn nhw; maen nhw yna, o flaen gweddill yr eglwys, yn batrwm o dduwioldeb, yn dilyn gweddi eu Gweinidog. Bydd pob un ohonyn nhw wedi plygu ei ben a chau ei lygaid, yn chwilio am nodau gras yn ei galon ei hun.

Try Rhisiart yn gyflym ar ei sawdl, yn camu'n ôl ar yr un pryd. Coda Evan Evans ei ben, yn neidio ychydig gyda braw, fel un wedi'i ddeffro o'i gwsg gan sŵn, ond mae'n rhy hwyr. Mae Rhisiart wedi tynnu ei gleddyf o'i wain ar ei wregys gyda'i law dde ac mae'n ei fwrw'n galed o dan ei ên gyda'i ddwrn arall. Ni all oedi i weld a yw'r dyn yn syrthio neu beidio; nid oes ganddo ond eiliadau i weithredu. Nid oes arno ofn y dynion â chleddyfau, hyd yn oed Owen Williams, ond ni fydd ganddo ond ennyd gwerth anadl i daro'r mwsgedwyr i lawr cyn iddynt gael cyfle i'w saethu.

Un cam bach cyflym ac mae blaen ei gleddyf yn suddo yn Ben Cotton, yn y darn meddal hwnnw yn union o dan asgwrn ei frest. Mae'r fwsged yn syrthio o'i ddwylo a tharo'r llawr â chlec ac mae'n agor ei lygaid, yn syllu'n syn am ennyd cyn syrthio.

Symuda Rhisiart cyn i'r corff marw daro llawr y llwyfan. Mae yn ymyl Huw Jones, ei law chwith yn gafael yn ei fwsged a'i law dde'n codi'r cleddyf at wddf y dyn, ac yna mae hwnnw'n disgyn, gwaed yn pistyllu o'r hollt hyll yn ei wddf a'i anadl yn rhasglu, yn methu â chyrraedd ei ysgyfaint.

A dyna Tomos Bach, y llanc nad yw'n ddeunaw oed eto. Mae Rhisiart yn ei daro yn galed yn ei wyneb â charn y cleddyf, nid o drugaredd ond oherwydd hwylustod, gan ei fod yn sefyll yn rhy agos ato iddo dynnu ei fraich dde ddigon pell yn ôl i'w gyrraedd â'r llafn. Mae'n ddigon o ergyd i lorio'r llanc, ei fwsged yntau'n syrthio o'i freichiau wrth iddo faglu i'w ben-gliniau, ei ddwylo'n ceisio dal y gwaed sy'n llifo o'i drwyn.

Twrf a therfysg, y dorf yn symud ac yn ymwasgu, lleisiau'n gweiddi ac yn galw, ond nid yw Rhisiart yn llawn ymwybodol o'r hyn sy'n digwydd oddi ar y llwyfan. Mae Owen Williams a David Newton yn ei wynebu, yn dal eu cleddyfau'n drwsgl yn eu dwylo, ac mae Evan Evans yntau wrthi'n codi arf un o'r dynion meirw.

Mae'r gwaith yn hawdd. Mae'n neidio i'r ochr, mae'n taro, ac mae ei lafn yn suddo ym mol Evan Evans. Camu i'r ochr, a throi ar David Newton, taro unwaith, ddwywaith, ac mae ei lafn yn cyrraedd gwddf y dyn, yn union o dan ei ên. Mae Owen yn taro'n bwyllog â'i gleddyf, fel pe bai'n anelu at ddarn o bren disymud â bwyell. Ac mae'r dyn mawr yn symud yn araf. Dylai ei ddiarfogi; nid yw'r cawr tawel yn haeddu'r diwedd hwn. Ond mae cyhyrau Rhisiart yn symud yn gyflymach na'i feddwl. Cama i'r ochr a thrywanu, ac mae ei lafn yn rhasglu rhwng asennau Owen. Mae'n syrthio'n araf, yn disgyn i un pen-glin ac wedyn i'r llall. Nid yw heddiw'n ddiwrnod i guddio dim, Owen, nid yw'n ddiwrnod i ddweud celwyddau: mae'r cyfan yn eglur yma.

Try Rhisiart i wynebu'r gelynion agosaf, y dynion eraill sy'n sefyll yno ar y llwyfan – y ddau weinidog, y saer Rowland Williams, a gweddill y rheithgor. Ond nid yw'r un o'r naw wedi symud i godi arf a'i herio. Mae rhai wedi cilio o'r llwyfan, wedi neidio dros y ganllaw ac ymdoddi yn y dorf dymhestlog. Mae'r lleill, a Rhosier Wyn yn eu plith, yn gwasgu'n erbyn y ganllaw, eu llygaid llydan yn edrych arno, y dyn gwyllt hwn, ei wallt hir, blêr, yn disgyn i'w ysgwyddau a gwaed yn diferu o lafn y cleddyf yn ei law. Mae Pyrs Huws wedi symud i'r ochr, ond nid oes arlliw o ofn yn ei lygaid. Saif yno, yn gefnsyth ac yn llonydd, yn gwylio barnedigaeth Duw yma o'i flaen ar lwyfan cosb Caersalem Newydd. Ac yno yn ei ymyl mae Rebecca, yn dal ei babi'n dynn at ei mynwes, ei llygaid yn herio'r dorf. Cofia fod un arall, a thry i edrych arno'n gyflym, ond nid yw Tomos Bach am ymladd. Saif yno, ei drwyn wedi ei falu, gwaed yn cochi hanner isaf ei wyneb, ei lygaid yn wyllt, yn chwilio am ddihangfa ond yn methu â symud.

Clep.

Ergyd.

Mae'r gwarchodwr ar ben y tŵr deheuol wedi saethu. Edward Williams, mae'n rhaid, mab hynaf y saer. Y cyntaf i wirfoddoli, wrth ei fodd yn gwneud gwaith y milisia.

Mae Rhisiart yn wynebu Tomos, ei gefn at y pyrth a'r tŵr, ond mae'n gwybod yn syth bod gwn wedi'i danio.

Brath, pwniad, poen yn ei gefn.

Mae'n ei ddisgwyl, y canfyddiad yn gwibio'n gyflym drwy ei feddwl. Ie, felly y mae. Felly y mae, a minnau'n marw yma, yng ngwres haul mis Mai.

Ond brath ei ddychymyg ydyw, ymateb greddfol ei gnawd i'r farwolaeth bosibl honno, yr un sydd wedi methu â mynd ag ef o'r bywyd hwn heddiw.

Mae Tomos Bach yn baglu'n ôl, ac yna mae'n cymryd un cam ymlaen eto, yn ceisio adennill ei goesau, ei ddwylo'n mynd i'r smotyn o waed sy'n ymledu ar draws ei grys, yn methu deall pam mae'r gwaed sy'n llifo o'i drwyn yn ymddangos yma, yn methu deall beth sydd wedi'i daro mor galed yn ei fynwes. Am ryw reswm, mae Rhisiart am neidio i'w ochr; mae arno eisiau gollwng ei gleddyf a dal y llanc yn ei freichiau. Ond mae Tomos yn syrthio cyn iddo weithredu, ac mae Rhisiart yn troi i wynebu'r dorf. Nid yw'r addoldy'n bell ac mae arfau yno, yn y cistiau o dan y ffenestri; ni all adael i'r un dyn gyrraedd y gaerfa olaf honno.

Ond gwêl na raid iddo weithredu mwy. Mae'r cyfan drosodd.

Saif Griffith John Griffith ac Ifan yno yn ymyl ochr y llwyfan, yn dal bwyeill yr oeddynt wedi'u cyrchu o'r efail, yn syllu o gwmpas yn fygythiol, yn barod i symud. Mae golwg heriol yn llygaid ambell ddyn, ond mae'r rhai hyn wedi'u hamgylchynu gan eraill – eu gwragedd, eu mamau, eu plant – sy'n eu rhwystro a'u cadw rhag gweithredu. Mae Ruth Mansel yn gafael â'i dwylo ym mraich ei thad ac mae'r hen weddw Hannah Siôn yn hongian â'i holl nerth ar ei fraich arall, ac mae Esther Mansel, gwraig y patriarch, yn sefyll o'i flaen, yn poeri geiriau i'w wyneb. Mae'r dyn yn gostwng ei lygaid ac mae'n llacio'i gorff, yr ymladd wedi mynd ohono.

Gwêl Rhisiart ddramâu bychain eraill, rhai tebyg, yma ac acw. Mae'r eglwys wedi'i rhannu yn ei herbyn ei hun, y naill hanner yn rhwystro'r llall rhag gweithredu. Ac o dipyn i beth mae'r dorf yn ymdawelu, y dynion aflonydd yn ildio ac yn derbyn y drefn.

– ΔΩ –

Mae'r fintai'n cerdded yn araf o dan y tŵr deheuol, yn ymlwybro'n dawel trwy'r pyrth. Cerddant yn bwyllog, pob cam yn mynd â nhw i gyfeiriad dyfodol arall.

Mae saith ohonynt.

Anna a Robert Miles, y cwpl priod ifanc, yn disgwyl eu plentyn cyntaf cyn diwedd y gaeaf a ddaw.

Griffith John Griffith a'i fab. Maen nhw wedi gosod cofeb newydd ar fedd mam Ifan, un garreg, y gyntaf yn y fynwent, ac maen nhw'n mynd. Bydd y gof yn gweld ceffyl eto cyn i'w lygaid bylu ac mae am ddysgu ei fab i bedoli, ei dywys i suddo'r hoelion yn dyner yng ngharn yr anifail byw.

Mae Rebecca'n dal ei merch fach. Caiff ei bedyddio mewn eglwys ar ôl iddyn nhw gyrraedd pen eu taith, ond mae wedi'i henwi'n barod. Ffydd – dyna'i henw, ond mae ei mam yn derbyn y bydd Saeson yn ei galw hi'n Faith.

A Rhisiart Dafydd, yn mwynhau teimlo awel mis Mai yn chwarae yn ei wallt hir, yn codi'i wyneb fymryn i'r haul. Mae'n hanner meddwl am y llyfryn tenau sydd wedi'i lapio'n ofalus a'i gadw yn y sypyn ar ei gefn – yr *awighigan*, y map a fydd yn eu tywys rhwng mynyddoedd ac ar hyd afonydd i lannau'r tiroedd eang hyn.

Maen nhw'n cerdded ymlaen, yn gadael muriau Caersalem Newydd y tu ôl iddyn nhw, yn symud i gyfeiriad cysur cysgodion y coed.

Epilogau

Mae Oliver Cromwell yn marw yng ngafael twymyn. Dyrchefir ei fab Richard yn Arglwydd-Amddiffynnydd ar ei ôl, ond nid yw hoelion wyth y Senedd yn ymddiried ynddo ac mae sibrydion yn y coridorau. Mae'r fyddin yn aflonydd, dadleuon yn rhwygo'i rhengoedd, a miloedd o filwyr yn gofyn: pa ddyn sydd â'r awdurdod i'n gorchymyn ni, pa awdurdod bydol sy'n uwch na Byddin y Seintiau? Nid nepell o Cheapside y mae stryd gul yn ymyl bragdy, a chwrt a stablau y tu ôl i'r adeilad mwyaf ar y stryd honno. Yno, ar gerrig crynion y cwrt, yng nghysgodion y waliau uchel, y mae John Powel a dau o'i filwyr yn llosgi papurau. Gŵyr yr hen Gyrnol fod y llanw'n troi ac mae'n ymadael cyn iddo gael ei ddal yn y llif. Mae'n llosgi'i bapurau, ei gyfrinachau'n bwydo'r fflamau ac yn codi'n lludw ar awel Llundain. Mae'n dal un darn o bapur yn ei law, llythyr a ddaeth yn ddiweddar, yr holl ffordd o'r Amerig. Saif yno yn ymyl y goelcerth, yn darllen y geiriau unwaith eto, ac wedyn mae'n gwenu a lluchio'r llythyr i goflaid y tân.

1659

Mae Morgan Llwyd yntau yng ngafael twymyn. Bu'n byw rhwng
cwsg ac effro yn ystod y dyddiau olaf hyn, yn breuddwydio ar
ei wely angau, ei feddyliau'n ymdroelli drwy gors ei atgofion.
Mae'n meddwl am ei hen gyfaill John ap John, a ymadawodd
â'i braidd er mwyn ymuno â'r rhai y byddai'n dysgu eu galw'n
Grynwyr. Mae'n gwenu wrth gofio'i gyfaill yn ei geryddu'n dyner
cyn iddo ymadael â Wrecsam, yn ei annog i wrando ar y llais yn
ei galon ei hun. Mae ffenestr ei lofft ar agor ar ei gais ef ei hun, er
bod ei forwyn yn credu y bydd yn gwahodd awelon afiach. Daw
colomen i glwydo ar silff y ffenestr, ac mae'n credu ei fod yn
gweld y smotyn lleiaf o waed ar blu llwydwyn ei brest hi. Ceisia
graffu'n well, ond mae'r aderyn wedi mynd. Mae'n cau'i lygaid,
yn derbyn mai dychymyg ydoedd. Sudda'n dawel i gwsg ac nid
yw'n deffro eto.

Mae Gwilym Rowlant yn symud fymryn, y gadair yn gwichian o dan ei bwysau. Nid gwres y tân sy'n gwneud ei fochau mor goch, eithr gwres y cwmni. Mae'n fodlon ei fyd, ei fasnach yn ffynnu a'r dref y mae'n ymfalchïo cymaint ynddi yn tyfu, ond nid oes dim sy'n ei blesio'n fwy na'r nosweithiau syml hyn a'r cyfle i eistedd a sgwrsio'n hamddenol yn ei famiaith. Mae'n mynd trwy'i gastiau arferol, y tynnu coes a'r ceryddu cellweirus. Dywed wrth Rebecca y dylai hi briodi eto. Gwena hi'n rhadlon a dweud nad oes eisiau gŵr arni a'i bod hi'n hynod ddiolchgar am hynny o deulu sydd ganddi yn y byd hwn. Gwena Gwilym Rowlant yntau, y geiriau cyfarwydd yn cynhesu'i galon. Dywed wrthi wedyn na ddylai hi weithio gyda'r fydwraig, a'i hatgoffa bod ganddo ddigon o foddion i'w cynnal nhw. Diolcha hi iddo, a dweud yn gadarn nad yw'n chwenychu bywyd segur. Gwena'r hen fasnachwr eto, yn edmygu ei diwydrwydd a'i phenderfyniad hi. Eistedd y ferch fach ar y llawr rhwng y ddwy gadair, yn rhoi mwythau i'r hen gwrcyn du sy'n cysgu o flaen y tân. Mae hi'n dair blwydd oed a dyma'i byd hi, yr unig fywyd y mae hi'n ei gofio. Pryfocia Gwilym Rowlant hi ynghylch yr anifail, yn dweud ei fod yn greadur rhyfedd a ddaeth i'r lan o ddyfnderoedd y môr. Gwena'r ferch yn dosturiol ar yr hen ŵr a'i atgoffa nad yw cathod yn hoffi dŵr. Mae Gwilym Rowlant yn chwerthin yn ddistaw a chodi'i bib glai hir at ei geg. Sugna'n ddwfn arni, y mwg yn ymdroelli'n araf o gwmpas ei ben.

1661

Mae'r frenhiniaeth wedi'i hadfer a Siarl II ar yr orsedd. Penderfynir y dylid dial ar y meirw. Maen nhw'n datgladdu corff Oliver Cromwell a'i grogi, fel pe baent yn dienyddio dyn byw. Daw'r corff yn gyrchfan, yn rhyfeddod. Maen nhw'n ei hongian mewn cadwyni ar un o strydoedd Tyburn a gadael i'r cyhoedd ddod i wneud hwyl am ben yr esgyrn. Torrir yr hyn sy'n weddill o'i ben a'i osod ar bawl y tu allan i San Steffan. Yno y bydd yn aros am flynyddoedd. Mae rhai sydd wedi sefyll o dan y *memento mori* hwn yn taeru eu bod wedi clywed llais, yn sibrwd fel awel yn cyffro dail crin. Mae'n anodd ei glywed uwch twrw a dwndwr strydoedd Llundain, ond maen nhw wedi'i glywed. Hidia, frawd, mae angau'n agos. Dyna y mae'n ei ddweud. Anghofiwch bethau'r byd, chwiorydd, mae'r benglog yn gwasgu'n agos o dan wyneb pob un ohonoch.

Mae Lloegr Newydd yng ngafael rhyfel. Mae lluoedd o frodorion yn ymladd â'r Prydeinwyr, yn dilyn dyn y mae'r Saeson yn ei alw'n King Philip. Nid yw'n frenin, eithr arweinydd medrus, a Metacom yw ei enw go iawn, ei enw Algonquian. Ymuna nifer o genhedloedd â'r rhyfel hwn yn erbyn y Saeson – y Wampanoag hynny nad ydynt wedi troi'n Gristnogion, y Narragansett, y Nipmuck, a'r Pocumtuck. Ac yn bellach i'r gogledd y mae cenedl arall yn ymuno yn yr ymdrech, cenedl a elwir yn Abenaki gan y Saeson – y Wôbanakiak, y bobl sy'n byw yng Ngwlad y Wawr. Bydd y rhyfel yn parhau am dros flwyddyn, ac erbyn y diwedd bydd miloedd o'r Prydeinwyr wedi'u lladd a rhyw hanner eu trefi a'u pentrefi wedi diflannu.

1676

Daw'r brodorion i Gaersalem Newydd yn y gwanwyn. Nid y Wampanoag Cristnogol, y Praying Indians a oedd wedi bod yn ymweld â'r drefedigaeth yn rheolaidd ers blynyddoedd, ond brodorion nad ydynt wedi derbyn dulliau'r dyn gwyn. Llu o'r Wôbanakiak ydynt, rhyfelwyr Gwlad y Wawr, wedi dyfod i ysgubo'r tywyllwch o'u tiroedd. Ni fyddant yn gadael dim ond lludw ar eu holau, cylch mawr du'n mudlosgi mewn llannerch yn y goedwig. Anghofir enw na chaiff ei ysgrifennu ar yr un map eto.

Mae gefail mewn pentref bach ym Mhennsylvania, ar lan afon, yn nhiriogaeth y Welsh Tract. Mae'r gof wedi bod yno ers blynyddoedd, ond mae'n syfrdanol o gryf o hyd, er gwaethaf ei oedran. Mae'i wallt gwyn a'i locsyn brith yn hir ac yn flêr, ac mae plant y pentref yn sibrwd straeon amdano yng nghlustiau'i gilydd. Dyn gwyllt ydyw, un a ddaeth yma o'r goedwig flynyddoedd yn ôl, cyn i'r coed gael eu cwympo i greu caeau. Mae'n hanner Cymro, hanner arth, a hanner Indian. Hidiwch befo, mae tri hanner ynddo fo, nid dau; mae'n greadur arallfydol, mae mwy iddo na chynnwys dyn cyffredin. Heddiw mae'n gweithio darn mawr. Mae ganddo ddau brentis, ac mae angen y ddau, gefel yn nwylo pob un, i ddal y darn trwm ar yr einion – swch aradr, i'w gorffen cyn i'r amaethwyr gyrchu'r caeau'r gwanwyn hwnnw. Er ei fod yn ddigon hen i fod yn daid i'r llanciau, y fo sy'n gwneud y curo. Mae ei forthwyl yn canu ar yr einion, ac mae'r gof yn canu hefyd. Cana'n ddistaw, iddo fo'i hun, ac ni all y prentisiaid ei glywed. Ond mae'r aradr yn ei glywed; mae'n plygu'r geiriau cyfrin yn yr haearn poeth, a gŵyr y byddant yn mynd i'r ddaear gynnes pan fydd y swch yn torri'i chŵys gyntaf.

Mae'r hogyn wedi dringo i lofft y stabl. Dywedodd ei dad mai gefail oedd yr adeilad yn yr hen ddyddiau. Ydi, mae'r adeilad yn hen, un o'r rhai na losgwyd yn ystod y rhyfeloedd, un o'r rhai hynaf yn y rhan hon o Wrecsam. Mae'r hogyn wedi treulio oriau yma, yn dilyn hynt ei ddychmygion ac yn archwilio pob modfedd o'r adeilad. Er bod y cysgodion yn hir yn y llofft, mae llechi'n rhydd a thyllau yn y to, ac mae digon o olau'r prynhawn yn llifo i mewn iddo weld yn iawn. Daw o hyd i garreg fechan yn y wal sy'n rhydd, ac ar ei symud gwêl barsel y tu mewn: sawl haen o ddeunydd, yr olaf wedi'i drwytho ag olew rhag y rhwd, yn gwarchod y tameidiau bychain o haearn y tu mewn. Mae'n eu hastudio, eu harchwilio. Hoelion. Bachau. Darnau prawf a wnaethpwyd gan brentis gof yn y gorffennol pell. Mae un ar ffurf llwy – llwy haearn fach, yn rhyfeddol o gain. Dechreua ail-lapio'r trysorau, yn benderfynol o'u cadw yno yn y wal, yn gyfrinach nad oes neb ond y fo yn gwybod amdani, ond mae'r llwy fach yn llithro o'i fysedd. Mae'n glanio ar lawr pren y llofft, yn sboncio unwaith, yr haearn yn canu un nodyn uchel, clir, yn gadael geiriau yn hongian fel crisial yn yr awyr. *Pe bai hon yn ddigon cain, fe'i rhown i ti, Elisabeth.*

Diolchiadau'r Awdur

Hoffwn ddiolch i holl staff gwasg y Lolfa am eu gwaith caled, i Gyngor Llyfrau Cymru am ei gefnogaeth, i'm cyd-weithwyr yn Ysgol y Gymraeg, Prifysgol Bangor, a'r holl gyfeillion eraill sydd wedi cynnig anogaeth a chefnogaeth ar hyd y blynyddoedd, ac i Luned, Megan, a Judith.

Chwi yw goleuni y byd. Dinas a osodir ar fryn, ni ellir ei chuddio. Ac ni oleuant gannwyll, a'i dodi dan lestr, ond mewn canhwyllbren; a hi a oleua i bawb sydd yn y tŷ.

Mathew 5.14–15.

For we must consider that we shall be as a city upon a hill. The eyes of all people are upon us.

John Winthrop, 'A Model of Christian Charity'